# Vino para dummies™

## Diez muy útiles distintivos del vino

1. **Aroma o bouquet:** El olor del vino. Aroma se aplica en general a los vinos más jóvenes y bouquet a la fragancia de los más añejos.

2. **Cuerpo:** El peso aparente del vino en la boca (ligero, medio o pleno)

3. **Firme:** Un vino de acidez refrescante.

4. **Seco:** Que no es dulce.

5. **Acabado:** La impresión que deja el vino al pasar por la boca y la garganta.

6. **Intensidad del sabor:** Diferencia de fuerza o debilidad en los sabores de lós vinos.

7. **Afrutado** *(fruité):* Es un vino que tiene aroma y sabor de fruta, lo cual no implica dulzura.

8. **Roblizo:** Un vino que tiene sabores de roble*

9. **Suave:** Un vino de muy poca o ninguna acidez y que no es arisco.

10. **Tánico:** Un vino tinto que es firme y deja en la boca una sensación de sequedad.

---

* Madera de los toneles *(N. del trad.).*

## Breve guía de pronunciación figurada sobre los nombres de vinos más corrientes

| | |
|---|---|
| Auslese | *Auslese* |
| Beaujolais | *Boyolé* |
| Bourgogne | *Burgoñ* |
| Cabernet Sauvignon | *Caberné soviñon* |
| Chardonnay | *Shardoné* |
| Châteauneuf-du-Pape | *Shatonef di pap* |
| Gewürztraminer | *Guevurtztraminer* |
| Haut-Brion | *O-brion* |
| Loire | *Luar* |
| Mâcon | *Macón* |
| Merlot | *Merló* |
| Meursault | *Mersó* |
| Moët | *Moé* |
| Montepulciano d'Abruzzo | *Montepulchano d'abrutzo* |
| Mosel-Saar-Ruwer | *Mosel saar ruver* |
| Pauillac | *Poyac* |
| Perrier-Jouët | *Perrié-yué* |
| Pinot Grigio/Pinot Gris | *Pinó griyp* |
| Pinot Noir | *Pinó nuar* |
| Pouilly-Fuissé | *Puiyí fuisé* |
| Riesling | *Risling* |
| Rioja | Rioja |
| Sancerre | Sancer |
| Spätlese | Shpetlese |
| Vosne Romanée | Vosn romané |

## Guía de cosechas

Como todas las guías de cosechas de vino, ésta debe considerarse sólo como una indicación general. Muchos vinos pueden constituir excepciones a la calificación de la cosecha.

| Región del vino | 1985 | 1986 | 1987 | 1988 | 1989 | 1990 | 1991 | 1992 | 1993 |
|---|---|---|---|---|---|---|---|---|---|
| **Bordeaux:** Médoc, Graves | 90b | 90a | 75c | 85a | 90a | 95a | 75b | 75b | 80a |
| **Bordeaux:** Pomerol, St Emilion | 85b | 85a | 75c | 85a | 90a | 95a | 65c | 75b | 80a |
| **Côte de Nuits-** Borgoña tinto | 85c | 75d | 85c | 90b | 85b | 95a | 85a | 75b | 85a |
| **Côte Beaune-** Borgoña tinto | 85c | 70d | 80d | 90b | 85b | 90b | 70b | 80b | 85a |
| Borboña blanco | 85c | 90c | 80c | 80c | 90b | 85c | 70c | 90b | 70c |

*¡Llevar esta tarjeta en su billetera le ayudará a escoger el mejor vino!*

## ...para dummies™:
## La serie de libros más vendidos

# Vino para dummies™

## Tabla de identificación

| Nombre del vino | Uva o lugar | Color |
|---|---|---|
| Bardolino | Lugar/Italia | Rojo* |
| Beaujolais | Lugar/Francia | Rojo |
| Bordeaux | Lugar/Francia | Rojo o Blanco |
| Bourgogne (Borgoña) | Lugar/Francia | Rojo o Blanco |
| Cabernet Sauvignon | Uva | Rojo |
| Chablis | Lugar/Francia | Blanco |
| Champagne | Lugar/Francia | Blanco o rosado |
| Chardonnay | Uva | Blanco |
| Chianti | Lugar/Italia | Rojo |
| Côtes du Rhône | Lugar/Francia | Rojo |
| Merlot | Uva | Rojo |
| Mosel | Lugar/Alemania | Blanco |
| Pinot Gris | Uva | Blanco |
| Pinot Noir | Uva | Rojo |
| Porto (Oporto) | Lugar/Portugal | Rojo (oscuro) |
| Pouilly-Fuissé | Lugar/Francia | Blanco |
| Rhine (Rheingau, Rheinhessen) | Lugar/Alemania | Blanco |
| Riesling | Uva | Blanco |
| Rioja | Lugar/España | Rojo o Blanco |
| Sancerre | Lugar/Francia | Blanco |
| Sauternes | Lugar/Francia | Blanco (postres) |
| Sauvignon Blanc | Uva | Blanco |
| Sherry-Jerez | Lugar/España | Blanco (dorado oscuro) |
| Soave | Lugar/Italia | Blanco |
| Shiraz | Uva | Rojo |
| Valpolicella | Lugar/Italia | Rojo |
| Zinfandel | Uva | Rojo o rosado |

## Mentalidad positiva para compradores de vino

Nadie en el mundo lo sabe todo en materia de vino.

La gente inteligente no teme hacer preguntas "tontas".

La razón de ser del vino es gozar de él.

Costoso no quiere decir necesariamente mejor.

Yo soy mi mejor juez en cuanto a la calidad del vino.

La mayoría de los vinos son buenos vinos.

Experimentar es divertido.

El consejo es gratuito.

Toda botella de vino es una actuación en vivo.

¡Nunca lo sabré... si no lo pruebo!

| Región del vino | 1985 | 1986 | 1987 | 1988 | 1989 | 1990 | 1991 | 1992 | 1993 |
|---|---|---|---|---|---|---|---|---|---|
| Norte del Ródano | 90c | 80b | 75c | 90c | 90b | 90a | 90b | 75c | 65c |
| Sur del Ródano | 80c | 75c | 60d | 85c | 95a | 95b | 70c | 75c | 80b |
| Alemania | 85c | 75c | 65c | 85c | 90b | 95b | 80b | 85c | 85c |
| Rioja (España) | 80c | 80c | 80c | 85b | 90b | 85b | 75c | 85b | 85b |
| Piamonte | 95b | 85c | 80c | 90a | 95a | 95a | 75c | 70c | 85b |
| Toscana | 95c | 85c | 75c | 90a | 70c | 90b | 75c | 70c | 75c |
| Calif. Costa N. Cab. Sauvignon | 90b | 80c | 85c | 75c | 80c | 95b | 95a | 90c | 90a |
| Calif. Costa N. Chardonnay | 85c | 90c | 75d | 85c | 75d | 90c | 85c | 90c | 90b |

* Usaremos indistintamente las palabras rojo o tinto para el vino que no es blanco ni rosado *(N. del trad.)*.

Clave de las cosechas:
100 = Fuera de serie
95 = Excelente
90 = Muy bueno
85 = Bueno
80 = Bastante bueno
75 = Promedio
70 = Inferior
65 = Malo
50 - 60 = Muy malo

a = Demasiado joven para beberlo
b = Puede consumirse ya, pero mejorará con el tiempo
c = Listo para beberlo
d = Puede ser demasiado viejo

# Elogios a Vino para dummies...

"Un compendio delicioso de todo lo que usted necesita saber sobre vino... Este libro les interesará a todos los bebedores de vino, desde el bebedor ocasional hasta el conocedor maduro".
— Piero Antinori, propietario de
Marchesi Antinori Winery,
Florencia, Italia.

"Éstas son las mejores noticias sobre el vino que nos llegan después que el programa *60 minutos* nos contó la historia de la llamada Paradoja Francesa, en la que se explicaba la relación entre el consumo de vino y los beneficios cardiovasculares. El libro de McCarthy y Mulligan terminará por eliminar la intimidación que rodea el goce del vino. Enófilos... ustedes pueden llamarse amantes del vino. Dejen de disimular y ¡levanten la copa!"
— Dr. Steven Berglas,
Departamento de Psiquiatría,
Harvard Medical School

*Vino para dummies* es comprensible, no tiene pretensiones, pero es serio y enteramente apropiado para cualquier persona interesada en dar los primeros pasos en el viaje hacia el mundo maravilloso del vino... el mejor libro de su clase".
— John W. Gay, presidente de
Rosemount Estates Winery, Australia

"¡Un gran libro para los amantes del vino!"
— Bengt Marnfeld,
presidente de IDG, Suecia

"Una lectura de cuerpo denso y voluptuoso, llena de ingenio y sabiduría. Un libro escrito con finura, elegancia y excelentes modales".
— Tom Mathews,
coleccionista de vinos

"Si este libro para dummies fuera un vino, yo lo describiría como algo de cuerpo pleno, con toneladas de información, escrito con claridad, en un estilo no demasiado complejo. Aunque ya está maduro del todo y listo para gozarse, tiene la capacidad de durar muchos años. Pídalo por cajas o déselo a cualquiera que goce del vino. ¡Calificación general: 100+!"
— Allan H. Weitzman,
abogado y amante del vino

# VINO
## PARA
# DUMMIES™

# Ed McCarthy
# Mary Ewing-Mulligan

Traducción
**Gonzalo Mallarino**

GRUPO
EDITORIAL
**norma**

Barcelona, Bogotá, Buenos Aires, Caracas, Guatemala,
México, Miami, Panamá, Quito, San José, San Juan,
San Salvador, Santiago de Chile

Edición original en inglés:
*Wine For Dummies*
de Ed McCarthy y Mary Ewing-Mulligan.
Una publicación de IDG Books Worldwide, Inc.
Copyright © 1995 del texto Ed McCarthy y Mary Ewing-Mulligan.
Copyright © 1995 del material gráfico por Akira Chiwaki.

Edición en español publicada mediante acuerdo con
IDG Books Worldwide, Inc., Foster City, California, USA.
© 1996 para todo el mundo de habla hispana,
excluyendo Cuba, República Diminicana, Mexico y España
por Grupo Editorial Norma, S.A.
Apartado Aéreo 53550, Bogotá, Colombia.

Impreso por Imprelibros S.A.
Impreso en Colombia - Printed in Colombia
Septiembre de 2004

Edición, María del Mar Ravassa y Lucrecia Monárez
Armada electrónica, Samanda Sabogal Roa

ISBN 958-04-6091-4

# Acerca de los autores

Ed McCarthy y Mary Ewing-Mulligan son dos amantes del vino que se conocieron en una degustación de vino italiano, en el barrio chino de Nueva York, en 1981, y que fusionaron oficialmente sus bibliotecas sobre vinos cuando se casaron en 1983.

Por la época de este predestinado encuentro, Mary había trabajado durante diez años en el ramo del vino y había dirigido la Oficina de Información sobre el Vino, del gobierno italiano, para los Estados Unidos. Creció en Pennsylvania y estudió literatura inglesa en la Universidad de Pennsylvania.

Aunque trabajaba tiempo completo como profesor de inglés, Ed desempeñaba empleos parciales en expendios de vinos, para satisfacer su pasión por el vino y subsidiar una colección de vinos que aumentaba rápidamente. Nacido y criado en la ciudad de Nueva York, obtuvo un grado de magister en psicología de la Universidad de la Ciudad de Nueva York.

Hoy día, Mary es copropietaria y directora del Centro Internacional del Vino, que es una escuela de enseñanza sobre vino en Manhattan. Ellos dan clases — en dúo o en solo — a amantes del vino o a comerciantes. Ed, retirado ya de las clases de inglés, dedica todo su tiempo al vino: escribe artículos para *Wine Enthusiast Magazine* y *The Wine Journal,* hace consultorías y trabaja de noche en su vinatería favorita.

En 1993, Mary cumplió cinco años de estudios independientes en materia de vino y llegó a ser la única mujer americana que es maestra en vino. Se ganó el título por haber aprobado un riguroso examen ante el Instituto de Maestros del Vino de Londres. Sólo existen 195 maestros del vino en el mundo, incluyendo 13 en los Estados Unidos.

Cuando no están enseñando o escribiendo sobre vino, Mary y Ed se dan vacaciones sin salirse de su gran tema. Se van a las grandes regiones del vino en el mundo. Admiten que hacen vidas completamente desequilibradas en las cuales lo único que no está ligado a su búsqueda del vino son cosas como echar dedo en las carreteras de los Alpes, correr, relajarse con la música de Neil Young, y pasar el tiempo tranquilamente con Sherry, La Tache, Leoville, Pinot Grigio, Brunello y Dolcetto, sus gatos.

# Dedicatoria

Dedicamos este libro a los miembros presentes y pasados del Club Internacional del Vino — nuestros compañeros y socios favoritos en la degustación y el aprendizaje — y a Mouton.

# Reconocimientos

Mientras escribíamos estas páginas, nos dábamos perfecta cuenta de que hacíamos parte de un equipo de personas empeñadas en que el libro saliera. Agradecemos a todos los que hicieron parte del equipo en IDG Books Worldwide, en las distintas etapas: John Kilcullen, Milissa Koloski, Kathy Welton, Stacy Collins, Sarah Kennedy y, en especial, Colleen Rainsberger, nuestro mejor alumno.

Damos las gracias a Steve Ettlinger por su constante consejo y apoyo al final. Reconocemos y apreciamos el papel clave de Peter Leslie en la realización de este libro y el del autor David Pogue, cuyo brillante *Macs for Dummies* plantó la primera semilla de este libro en nuestras mentes.

Gracias también a Jane Barrett, Len Benjamin, Richard Carras, Akira Chiwaki, Mark Lawless, Bernie Fradin, de Quality House Liquors — nuestro primer maestro de vinos — y a Daniel Oliveros, cuya extraordinaria generosidad nos ha permitido gozar de más botellas de vino legendario que las que merecen dos personas en toda una vida. Nuestra gratitud se extiende a todos nuestros amigos que figuran sin nombre en las anécdotas a lo largo del libro, y a nuestros amigos productores, cuyos maravillosos vinos han inspirado y alimentado nuestra pasión por este tema. Gracias también a Elise, E.J., y Lucinda McCarthy por su apoyo y su entusiasmo.

El productor y agente de libros Steve Ettlinger quisiera agradecerle a David Pogue su inspiración, consejo y estímulo.

(El editor quisiera darles las gracias de modo especial a Patrick J. McGovern y a Bill Murphy, sin quienes este libro no se hubiera hecho.)

# Contenido

· · · · · · · · · · · · · · · · · · · · · · · · · · · · · · · · · · · · · · · · · · ·

## *Parte III: Cuando usted ha contraído el virus*........... *303*

### Capítulo 15: Tener y guardar — o vender ....................... 305

# Prólogo

engo el privilegio de que se me haya pedido escribir el prólogo del libro de Ed McCarthy y Mary Ewing-Mulligan. Los conozco desde hace veinte años y puedo dar fe con todo el corazón de su conocimiento, su entusiasmo por el vino y del puro placer con que lo gozan. Honradamente no puedo pensar en nadie cuyos talentos estén mejor encaminados para escribir un libro como *Vino para dummies*.

Considero particularmente apropiado que este libro sea uno de los primeros de la serie *...para dummies* escrito sobre un tema distinto del de los computadores, porque hay mucha gente que considera el lenguaje propio del vino algo tan extranjero e intimidante como la jerga de la computación. Ed y su esposa Mary comprobaron en este libro, práctico y lleno de humor, y, sin embargo, detallado y completo, que nada está más lejos de la verdad.

En un lenguaje cotidiano (algo que falta en la mayoría de la literatura sobre vino) explican todo lo que usted siempre quiso saber sobre el vino: dónde y cómo comprarlo, cómo leer las etiquetas de las botellas y hablar la lengua del vino; cómo degustar el vino, cómo reconocer uno de mala calidad, cómo descifrar las cartas de vinos de los restaurantes, y hasta cómo destapar una botella. Los autores cubren todos los temas, desde lo más elemental hasta lo más avanzado. De veras es un compendio deliciosamente logrado de todo lo que se necesita saber sobre el vino. Y su oportunidad es perfecta.

En estos tiempos, la producción de vino está en su nivel más alto, lo mismo que la calidad del vino producido. Más que nunca, llegan muchas variedades de vino de distintas regiones, lo cual crea más confusión en la mente de los consumidores (no obstante, ¡tengo la esperanza de que mis vinos, de las regiones italianas de Toscana y Umbría, no se sumen a la confusión!). De todos modos, ahora tenemos la entusiasta y personal ayuda de *Vino para dummies*.

Al fin y al cabo, el vino es para todos y no debemos tratarlo como si fuera algo reservado para una elite mística. Los productores como yo debemos apoyar los esfuerzos para ayudar a los no iniciados y a los intimidados.

Este libro atraerá a todos los bebedores de vino, ocasionales o maduros. Que usted lo lea de pasta a pasta, que busque ocasionalmente un poco de conocimiento o que lo consulte en un momento de necesidad, tendrá la recompensa del ingenio, la sabiduría de dos maestros expertos. ¡A su salud!

Piero Antinori,
propietario de Marchesi Antinori Winery,
Florencia, Italia.

*La familia de Piero Antinori ha producido vino desde 1385; sus vinos son elogiados por los conocedores de todo el mundo. También es propietario de la productora de vinos Atlas Peak en Napa, California, y tiene intereses en una productora de vinos húngara. Ha sido condecorado por muchas de las principales organizaciones de la industria del vino y con frecuencia ha actuado como vocero de la industria italiana del vino.*

# Introducción

· · · · · · · · · · · · · · · · · · · · · · · · · · · · · · · · · · · · · · · · · · · · · · · · · · · · · · ·

*E*n algunas partes del mundo, la gente asume una actitud muy interesante en relación con el vino. Simplemente lo beben.

Los camareros de los restaurantes de las vecindades no les pasan a los parroquianos una lista con nombres irreconocibles que deben saber (en el supuesto de que sepan lo mínimo de las cosas más gratas de la vida). Simplemente les preguntan: ¿Tomarán blanco o tinto? y luego les traen una botella o una jarra de vino, y todo el mundo se lo toma. A veces los parroquianos toman en unos vasitos enanos que aquí usamos para servir jugo de naranja. Si los parroquianos hacen alguna mención del vino, usan palabras raras como *bueno* para describirlo.

De algún modo, todo esto se ha perdido en la traducción.

Los sofisticados, los adictos a la información y los buscadores de status han complicado el vino de tal manera, que mucha gente se siente demasiado confundida para beberlo. El enredo de los tipos, marcas, cosechas y calificaciones del vino marea a cualquiera que trate de comprar una botella sin pedirle primero consejo a un adiestrador profesional.

Desde luego, si no hubiera algunos vinos fabulosos que son tanto obras de arte como bebidas, la intelectualización y la complicación del vino no se hubieran producido. El hecho es que algunos vinos inspiran pasión y entusiasmo; por eso alguna gente gasta su tiempo libre coleccionando vinos, comparando cosechas, visitando fabricantes de vino y leyendo las últimas revistas. Pero no todo vino tiene que tomarse tan en serio.

El vino puede complicarse, claro, pero la buena noticia es que no hay que saber mucho para poder disfrutarlo. Y si usted aprende apenas un poco y decide que el vino es fascinante, puede volvérsele una afición maravillosa.

## Cómo usar este libro

Consideramos este libro como un texto sobre vino, como un manual para el usuario y como un libro de referencia, todo en uno.

Hemos incluido información muy elemental para lectores que no saben nada (o casi nada) sobre vino, pero también incluimos datos, sugerencias e información más sofisticada destinados a los bebedores más maduros que se interesen en un nivel más avanzado. Según dónde usted esté, en la escala del conocimiento del vino, serán relevantes para usted distintos capítulos.

# Parte I: Si usted es un novato total

Los seis capítulos que comprende esta parte están diseñados para inducirlo a dar los primeros sorbos, incluso si usted no ha probado un vino en su vida.

El capítulo 1 explica qué es el vino y las principales categorías en que se dividen todos los vinos del mundo. El capítulo 2 explica cómo saborear un vino y lo que probablemente encontrará al probarlo. También se le mide al espinoso tema de la calidad del vino — ¿Cómo puede decirle alguien a usted lo que se supone que le guste? — e introduce el vocabulario básico que se usa para describir el sabor y la calidad del vino. Si usted toma vino de vez en cuando pero no está muy contento con lo que está haciendo, una rápida revisión de estos dos capítulos le servirá de ayuda. El capítulo 3 lo llevará a los entretelones de la fabricación del vino y le revelará el significado oculto de la jerga de la fabricación.

Los capítulos 4 y 5 le dicen lo que va a encontrar cuando salga a comprar vino en un almacén o en un restaurante. Le ofrecen datos para conseguir el tipo de vino que usted quiere y le dan apoyo moral para sus encuentros con dependientes o camareros pretenciosos.

El capítulo 6 habla de la cristalería que acompaña el acto de beber vino. Usted descubrirá, igualmente, cómo airear el vino, qué vinos necesitan decantarse y datos para servir y conservar el vino.

# Parte II: Si usted es un bebedor ocasional

Esta sección es el corazón del libro para los lectores que ya se sienten cómodos comprando y sirviendo vino, pero quieren saber más sobre los diferentes tipos de vino del mundo.

En el capítulo 7 usted recibe una explicación clara de cómo se les pone nombre a los vinos y de lo que se puede aprender a partir del nombre de un vino. En el caso de que usted se haya preguntado alguna vez qué quieren decir todas esas palabras y frases que vienen en las etiquetas de los vinos, encontrará las respuestas en el capítulo 8. (¿Sabía que algunas frases no quieren decir *nada,* que están diseñadas sólo para impresionarlo?) El capítulo 9 lo hace aterrizar — literalmente — en una discusión sobre la vid y su fruto, con una descripción de las uvas para vino más importantes.

Los capítulos 10, 11 y 12 hablan de las principales regiones productoras de vino del mundo y de los más importantes vinos que se producen en ellas. Los capítulos 13 y 14 hacen lo mismo sobre los vinos espumosos y los que se toman con los postres, respectivamente, con una explicación precisa sobre cómo se hacen y cuáles son las diferencias de calidad y estilo entre ellos. Estos cinco capítulos ofrecen referencias útiles mientras usted saborea su camino a lo largo del inmenso universo de los vinos.

# Parte III: Cuando usted ha contraído el virus

Los lectores intermedios y avanzados encontrarán un rico acervo de consejos prácticos y de recomendaciones en esta sección.

En el capítulo 15 lo conducimos hacia la compra de los tipos y las cantidades de vino que satisfacen sus necesidades, y le aconsejamos cómo almacenarlos para que no se envejezcan antes de tiempo. El capítulo 16 revela dónde y cuándo se puede comprar vino más allá de los establecimientos con que usted ya cuenta en sus vecindades. Continuar la educación es el tema del capítulo 17: Dónde ir y qué hacer para seguir aprendiendo sobre vino. ¿Unas vacaciones en alguna de las regiones del vino?

El vocabulario del vino siempre esquivo, lo frustrará menos después de leer el capítulo 18; de hecho, ¡se encontrará usted tomando notas sobre vino como un profesional! El capítulo 19 da consejos sobre cómo combinar platos y vinos y sobre otros puntos prácticos en materia de cómo servirse el vino o cómo servirlo a sus huéspedes.

A los lectores avanzados, que quieren experimentar seriamente el máximo goce del vino, el capítulo 20 les ofrece recomendaciones específicas sobre cómo comprar y cómo beber los vinos más añejos.

# Parte IV: La parte de los dieces

¿Qué libro *...para dummies* estaría completo sin esta sección final? Es una sinopsis de datos interesantes y de recomendaciones sobre vino que refuerza nuestras sugerencias del comienzo del libro. Estamos particularmente orgullosos de desmitificar diez versiones sobre el vino que han hecho carrera, para que usted se convierta en un consumidor más enterado y en un bebedor más satisfecho.

# Parte V: Apéndices

En esta parte, puede confrontar un cuadro de cosechas y averiguar más sobre los vinos que figuran en la clasificación de Burdeos de 1855.

# Iconos usados en este libro

Este tipito raro es un poco como el niñito de dos años que pregunta constantemente "¿Por qué, mamá, por qué?", pero sabe que usted tal vez no tiene tanta curiosidad como él. Cuando lo vea, siéntase en libertad de saltarse la información. El vino sigue sabiendo deliciosamente.

La información que hará de usted un bebedor de vino más sabio se marca con este blanco para que no se la pierda.

Poco es lo que puede hacer usted, en el curso de una sesión de consumo moderado de vino, que pueda dar con usted en la cárcel — pero sí puede echar a perder una botella costosa y deprimirse profundamente por su pérdida. Este símbolo le advertirá sobre los peligros más comunes.

Algunos asuntos sobre vino resisten la repetición porque son fundamentales. Sólo para que usted no crea que nos estamos repitiendo sin darnos cuenta, marcaremos las repeticiones con este símbolo.

Los esnob del vino practican toda clase de afectaciones para hacer que los otros bebedores de vino se sientan inferiores. Pero a usted no lo intimidarán con su esnobismo si usted lo ve como lo que es (y usted puede aprender a imitar a un esnob del vino).

Busque esta marca cuando necesite consejo sobre qué vinos específicos puede ensayar. Recomendamos varios a lo largo del libro.

# El vino es para todos

Como odiamos pensar que el vino, que ha traído tanto placer a nuestra vida, pueda ser motivo de ansiedad para cualquiera, queremos ayudarle a sentirse cómodo en sus vecindades. Algún conocimiento sobre vino extraído de estas páginas, y las experiencias que compartamos, harán mucho por elevar su nivel de comodidad. Pero, irónicamente, lo que *de verdad* lo hará sentirse cómodo es aceptar que nunca lo sabrá todo — y que está en una compañía muy numerosa.

Mire usted, una vez que se tiene un asidero en el vino, se da uno cuenta de que nadie sabe todo lo que hay que saber sobre vino. Simplemente, hay demasiada información y está cambiando siempre. Y cuando uno sabe eso, sencillamente se relaja y goza.

# Parte I
# Si usted es un novato total

## La 5ª ola
por Rich Tennant

"BUENO, ENSAYEMOS ÉSTA OTRA VEZ. NO ES TAN DIFÍCIL; SÓLO SE AFLOJA EL CORCHO CON LOS PULGARES HASTA QUE VA DESPEGÁNDOSE SUAVEMENTE DE LA BOTELLA".

## En esta parte...

Para entender el material de esta parte del libro, es bueno tener algunos conocimientos preliminares: qué es una uva, dónde están situadas la nariz y la lengua, qué es una tienda, qué es un restaurante.

Si usted tiene estas bases cubiertas, está listo para comenzar a entender el vino y a disfrutar de él, incluso si nunca ha probado vino en su vida. Empezaremos despacio para que usted pueda gozar del paisaje a lo largo del camino.

# Capítulo 1

# Vino 101

*V*isitamos productoras de vino constantemente y, cuando lo hacemos, usualmente hablamos con el productor sobre cómo hace su vino. Uno de nosotros queda fascinado con estas conversaciones, porque son oportunidades de aprender por qué los vinos saben como saben. Pero el otro se aburre pronto; ¿qué importa cómo se hace el vino, mientras sea maravilloso?

Parece que hay dos tipos de amantes del vino en el mundo: los *hedonistas,* que sólo quieren gozar del vino y encontrar más y más vinos que puedan disfrutar; y los *pensadores,* que se fascinan con la manera en que el vino se produce. (Los hedonistas llaman *nerds del vino* a los pensadores.) Nuestra familia tiene uno de cada clase.

Si usted es un pensador, va a gozar descubriendo lo que hay detrás de las diferencias entre los vinos; y si es un hedonista, un poco de conocimiento le ayudará a descubrir más vinos que llegará a gozar. Desde luego, es el pensador el que habla.

## Cómo se produce el vino

La receta para convertir la fruta en vino va más o menos así:

### 1. Recoja de las vides una gran cantidad de uvas maduras

Se puede poner frambuesas o cualquier otra fruta, pero el 99.9 por ciento de todo el vino se hace con uvas.

2. **Ponga las uvas en un recipiente limpio que no tenga fisuras**

3. **Exprima las uvas de algún modo para que suelten el jugo**

4. **Espere**

En su forma más elemental, hacer vino es así de simple. Cuando se han exprimido la uvas, la levadura (pequeños organismos unicelulares que existen naturalmente en el viñedo y por tanto, en las uvas) entra en contacto con el jugo y convierte gradualmente el azúcar en alcohol. La levadura produce también dióxido de carbono que se evapora en el aire. Cuando la levadura ha hecho su trabajo, su jugo de uvas se ha vuelto vino. El azúcar que había ya no está presente — en su lugar hay alcohol. (Cuanto más maduras y dulces estén las uvas, más alcohol habrá en el vino.) Este proceso se llama *fermentación*.

## ¿Qué podría ser más natural?

La fermentación es un proceso totalmente natural que no necesita intervención del hombre más allá de poner las uvas en el recipiente y hacer que suelten el jugo. (Y las uvas, incluso, pueden dar este paso por ellas mismas estrujándose con su propio peso.) La fermentación ocurre en la cidra fresca de manzana que se deja demasiado tiempo en la nevera, también sin que usted ayude. De hecho, leemos que la leche, que contiene una especie distinta de azúcar, desarrolla pequeñas cantidades de alcohol si se deja todo el día en la mesa de la cocina.

Hablando de leche, Louis Pasteur es el hombre a quien se le da el crédito por el descubrimiento de la fermentación en el siglo XIX. Aquello fue descubrir, no inventar. Algunas de las manzanas que había en el paraíso terrenal se fermentaban, mucho antes que Pasteur entrara en escena. (Bueno, nosotros no creemos que hubiera un edén muy dichoso sin vino.)

## Refinamientos modernos en la producción del vino

Ahora, si todos los productores de vino lo hicieran tan crudamente como lo acabamos de describir, estaríamos bebiendo una cosa basta que difícilmente nos inspiraría para escribir un libro sobre vino.

Pero los fabricantes de vino, hoy día, tienen una inmensa colección de refinamientos. Ésa es una de las razones por las cuales no hay dos vinos que sepan lo mismo. Quienes hacen vino pueden escoger el tipo de recipiente que usan en el proceso de la fermentación (acero inoxidable y roble son los tipos principales), lo mismo que el tamaño del recipiente y la temperatura del jugo durante el proceso — y cada una de estas escogencias significa una gran diferencia en el sabor o la calidad del vino. Después de la fermentación, pueden decidir durante cuánto tiempo dejarán *madurar* el vino (una etapa en la que el vino reúne sus cualidades) y en qué clase de tonel. La fermentación puede durar tres días o tres semanas y, entonces, el vino puede madurar durante un par de meses, un par de años o cualquier cosa entre lo uno y lo otro. Si le cuesta a usted trabajo tomar decisiones, no se dedique a fabricar vino.

## El ingrediente principal

Obviamente, uno de los factores más importantes que hacen de un vino algo diferente de otro es la naturaleza del jugo de uvas. Además del hecho de que las uvas más dulces y más maduras hacen vino más alcohólico, las diversas *variedades* de uva (Chardonnay, Cabernet Sauvignon o Merlot, por ejemplo) hacen vinos diferentes. Las uvas son el ingrediente principal en el vino, y todo lo que el productor hace, se lo hace al particular jugo que tiene. El capítulo 9 trata en especial de las uvas y las clases de vinos que se hacen con ellas. Este capítulo tiene un enfoque más amplio.

# ¿De qué color es su apetito?

El niño que usted lleva dentro se alegrará de saber que, tratándose de vinos, está bien preferir unos colores a otros. Uno no puede salirse con la suya si dice:

"No me gusta la comida verde" cuando ha cumplido más de seis años, pero puede expresar una preferencia general por el vino blanco, el tinto (rojo) o el rosado a lo largo de sus años de adulto.

## Qué es vino blanco

Quien quiera que fuera el que le puso el nombre al vino blanco, no distinguía los colores. Todo lo que hay que hacer es mirarlo para saber que no es blanco, es amarillo. Pero ya nos acostumbramos a la expresión, de manera que *vino blanco* es. (Esperemos que esa persona no viva en una ciudad donde caiga mucha nieve.)

El *vino blanco* es un vino en el que no hay nada de color rojo (o rosado,

**INFORMACIÓN TÉCNICA**

## Contiene sulfitos

*El dióxido de azufre,* un compuesto de azufre y oxígeno, se produce naturalmente durante la fermentación, en muy pequeñas cantidades. Los productores de vinos lo agregan, también. El dióxido de azufre es, al vino, lo que una combinación de aspirina y vitamina E es al hombre. La droga maravillosa que cura algunas enfermedades y previene otras. El dióxido de azufre es un antibacteriano que impide que el vino se vuelva vinagre. Inhibe las levaduras, y así impide que los vinos dulces se fermenten en la botella. Es un antioxidante que mantiene el vino fresco y a salvo del demonio del *oxígeno.* A pesar de estas mágicas propiedades, el productor de vino trata de usar tan poco dióxido de azufre como sea posible, porque la mayoría piensa que cuanto menos se le agregue al vino, mejor — lo mismo que mucha gente piensa que lo mejor es ingerir la menor cantidad de remedios.

Ahora aquí tiene un trocito de ironía.

Hoy — cuando la producción del vino está tan adelantada, que los productores necesitan confiar menos que nunca en el dióxido de azufre — las etiquetas de vino en los Estados Unidos dicen: "Contiene sulfitos" (es decir, dióxido de azufre). Y eso ocurre porque, en 1988, el Congreso pasó una ley en la que se exige que la frase se incluya en la etiqueta. Así, se puede pensar que ahora hay *más* dióxido de azufre en el vino que antes, cuando la verdad es que el uso de dióxido de azufre está en el punto más bajo de todas las épocas.

Cerca del cinco por ciento de los asmáticos son extremadamente sensibles a los sulfitos. Para protegerlos, el Congreso pasó la ley que exige que cualquier vino en cuyo contenido, al volumen, haya más de diez millonésimas de sulfitos, debe llevar en la etiqueta la frase "contiene sulfitos". Si se tiene en cuenta que de 10 a 20 partes por millón se producen naturalmente en el vino, la medida afecta más o menos a cualquier vino.

Los niveles reales de sulfito van de 100 a 150 millonésimas y el máximo legal (en los Estados Unidos) es 350. Los vinos blancos para postre son los que tienen más sulfitos — seguidos por los vinos blancos semisecos y los rosados — porque estos tipos son los que más los necesitan. Los vinos blancos secos contienen menos y los rojos secos son los que menos tienen.

que es de la familia del rojo). Esto quiere decir que el *Zinfandel blanco,* un conocido vino rosado, no es blanco. Pero un vino amarillo, un vino dorado y un vino pálido como el agua sí son todos vinos blancos.

El vino se vuelve blanco de una de dos maneras. La primera, el vino blanco se puede hacer de uvas blancas — las que, de paso sea dicho, no son blancas. (¿Vio venir ésa?) Las uvas *blancas* son verdosas, verdosas amarillas, amarillas doradas e incluso de un amarillo rosáceo. Básicamente, las uvas blancas incluyen todos los tipos de uvas que no son rojas oscuras o azulosas. Si usted hace vino con uvas blancas, es un vino blanco.

La segunda manera de que un vino salga blanco es un poco más complicada. Se puede usar uvas rojas — pero sólo el jugo de las uvas, no la cáscara de éstas. La razón de que así se pueda hacer un vino blanco es que el jugo no tiene pigmentación roja — sólo las cáscaras la tienen. De modo que un vino hecho con el jugo de uva roja puede ser un blanco. En la práctica, muy pocos vinos blancos se hacen con uvas rojas.

En caso de que se esté preguntando cómo se hace, se les quitan los pellejos a las uvas, o bien apretándolas de manera que salga el jugo y las cáscaras se queden — lo mismo que hace un niño cuando le saca la pulpa a una uva apretándola —, o metiéndolas en una máquina que las exprima y luego colando el jugo para dejarlo aparte de las cáscaras.

## ¿El blanco va con todo?

Puede tomar vino blanco cuando quiera — lo cual, para la mayoría de la gente, quiere decir como un trago sin comida o con comida ligera o pasabocas.

---

### Estilos de vino blanco: no hay tal cosa como sólo vino blanco común

Hay tres categorías principales de sabor del vino blanco, sin contar los espumosos o los vinos realmente dulces que se toman con los postres (vea el capítulo 14). Si las palabras que usamos para describir las categorías de sabor le parecen extrañas, no se asuste; todo se lo explicamos en el capítulo 2. Aquí están las tres categorías:

✔ Algunos vinos blancos son *secos y vivaces, sin dulzura ni carácter roblizo.* (Vea el capítulo 3 sobre la madurez en roble.) La mayoría de los vinos blancos italianos, como el Soave y el Pinot Grigio, y algunos blancos franceses, como el Sancerre y el Chablis, se incluyen en esta categoría.

✔ Y algunos vinos blancos son *secos, de* *cuerpo pleno y con carácter roblizo.* Los vinos californianos y los franceses más costosos — como el Chardonnay Californiano, que se vende desde 12 dólares la botella en los Estados Unidos, o la mayoría de los blancos franceses de Borgoña, se incluyen en esta categoría. (Esos vinos son más costosos porque el roble es muy costoso, para empezar.)

✔ Por último, algunos vinos blancos son *semisecos* (esto es, no secos hasta el hueso). Buenos ejemplos de éstos son los vinos estadounidenses menos costosos (menos de 8 dólares la botella en los Estados Unidos), lo mismo que muchos vinos alemanes, especialmente el Liebfraumilch.

Los vinos blancos con frecuencia sirven como *aperitivos,* es decir, como un vino que se toma antes de las comidas, en lugar de un coctel, o en las fiestas. Sin embargo, si se les pregunta a los funcionarios de los Estados Unidos o del Canadá que se ocupan de definir cosas como ésas, un vino aperitivo es un vino al cual se le ha agregado algún sabor, como el vermouth. Pero si usted no trabaja en la redacción de etiquetas para vino, no se preocupe por eso. En la lengua común, un vino aperitivo no es más que lo que acabamos de decirle.

Muchísima gente toma vino blanco cuando hace calor porque es más refrescante que los vinos tintos (rojos) y porque usualmente los blancos se toman fríos.

 Servimos fríos los vinos blancos, pero no helados. A veces, en los restaurantes sirven los vinos blancos demasiado helados, y entonces hay que esperar hasta que el vino se entibie un poco antes de tomárselo. Si le gusta el vino blanco frío, muy bien; pero ensaye su vino blanco favorito un poco menos frío, y le apostamos a que así tiene más sabor.

## Vino rojo (tinto)

En este caso no hay error. Los vinos tintos son rojos. Pueden ser color púrpura, o rojo pálido, o rubí, pero son rojos.

Los vinos tintos se hacen de uvas que son rojas o azulosas oscuras. De modo que adivine ¿cómo llama la gente esas uvas? ¡Uvas negras! Suponemos que la razón es que lo contrario de negro es blanco.

 El color rojo se produce cuando el jugo incoloro entra en contacto con el hollejo de la uva, durante la fermentación, y absorbe el color de éste. Con el color, los hollejos le dan *tanino* al vino. El tanino es una sustancia que tiene un papel importante en el sabor del vino. (Vea el capítulo 2 para saber más sobre el tanino.) La presencia del tanino en los vinos tintos es, de hecho, la diferencia más importante de sabor entre los blancos y los tintos.

Los vinos tintos varían en sus estilos más que los blancos. En parte, porque muchas de las uvas rojas son muy diferentes las unas de las otras. Pero, además, porque los productores tienen más capacidad para crear *estilos* distintos de vino tinto. (Esto es, más capacidad de ajustar el proceso para obtener la clase de vino que desean.) Por ejemplo, si dejan el jugo más tiempo en contacto con los hollejos, el vino saldrá más oscuro de color y más *tánico* (más firme en la boca, como el té fuerte; los vinos tánicos pueden hacerle fruncir la boca). Si los productores cuelan el jugo antes, el vino es más suave y menos tánico.

Los vinos tintos tienden a ser más complejos que los blancos (lo cual es lógico si se piensa que tienen, por lo menos, un elemento más que los blancos, el tanino).

Usted puede encontrar vinos tintos que van con prácticamente todo tipo de comida en toda ocasión en la que quiera tomar vino (excepto si quiere tomar vino con burbujas, porque la mayoría de estos vinos son blancos o rosados). Pero sería un error suponer que todos los vinos tintos son lo mismo y que cualquiera va lo mismo de bien con el pescado, la comida picante mexicana o su gran fiesta.

Le daremos algunos datos claves para casar la comida con el vino rojo en el capítulo 19. Mientras tanto, si en realidad nos obliga a ser específicos, le diríamos que el vino tinto, con frecuencia, se consume más como parte de una comida que como bebida por sí misma.

Una forma segura de echar a perder el gusto de tomar vinos tintos es tomarlos fríos (nevera). Esos taninos pueden saber bien amargos cuando el vino está helado — lo mismo que una taza de café bien fuerte helado. Por otra parte, muchos restaurantes sirven los vinos tintos demasiado tibios. (¿Dónde los guardan, cerca de la caldera?) Si la botella se siente fresca en la mano, ésa es una buena temperatura.

---

## Estilos de vino tinto: no hay tal cosa como vino tinto común

Algunos estilos corrientes de vino tinto son

✔ *Vinos ligeros de cuerpo, afrutados, sin mucho tanino* (como el Beaujolais de Francia, la mayoría de los australianos tintos de menos de 8 dólares la botella, y cualquier tinto de California de menos de 10 dólares la botella).

✔ *Vinos tintos de medio cuerpo, moderada-* mente tánicos (como los tintos menos costosos de Burdeos, Francia; como el Chianti italiano y como algunos Merlots).

✔ *Vinos tintos de cuerpo pleno, tánicos* (como los mejores burdeos; los Cabernets más caros de California; el Barolo de Italia; y muchísimos otros tintos costosos).

## Una rosa es una rosa, pero un rosado es un "blanco"

Los vinos rosé son rosados, como su nombre lo indica. Aunque los rosados se hagan de uvas rojas, no salen tintos (rojos) porque el jugo de la uva no se deja en contacto con los hollejos sino por muy poco tiempo — sólo unas pocas horas — en comparación con los días o semanas que se dejan los vinos tintos. Como este *contacto con el hollejo* (el tiempo en que el jugo y los hollejos se mezclan) es breve, los vinos rosados absorben muy poco tanino. Por esta razón, los vinos rosados y los blancos se pueden enfriar en la nevera antes de tomarlos.

En los últimos años 60 y en los primeros 70, los vinos rosé fueron muy populares. Ahora los están volviendo a tomar — sólo que ya no los llaman rosés.

Ya ve, la gente que comercia en vino en los Estados Unidos se ha figurado que los vinos llamados *rosé* no se venden, de modo que se inventó el vino *rubor*. Por el temor de que alguien se figure que *rubor* es sinónimo de *rosé*, las etiquetas dicen vino *blanco*. Pero hasta un niño ve que el Zinfandel Blanco es rosado en realidad.

Los vinos rubor *(blush)* que se autodenominan *blancos* son bastante dulces. Los vinos que llevan en la etiqueta *rosé* pueden ser más bien dulces, pero unos cuantos maravillosos rosé europeos (y unos cuantos estadounidenses también) son *secos* (no dulces).

Incluso, si un vino blanco llamado rosé es seco, la mayoría supondrá que es dulce, porque la impresión común entre los norteamericanos es que los rosés son dulces. Sin embargo, muchísimas personas que toman

## Sensibilidades al vino tinto

Muchas personas se quejan de que no pueden tomar vino rojo porque les duele la cabeza o se sienten mal. Usualmente, le echan la culpa a los sulfitos del vino. So somos doctores en medicina o científicos, pero podemos decir que los vinos rojos contienen mucho menos azufre que los blancos. Esto es así porque el tanino en los vinos rojos preserva el vino (una de las funciones que cumple el azufre en los vinos blancos). Los vinos rojos sí contienen histaminas. Pero su nivel es suficientemente bajo para que los científicos duden de que éstas puedan provocar alguna reacción alérgica. Cualquiera que sea la razón del malestar, probablemente no es el dióxido de azufre.

## Diez ocasiones para tomar rosé (y desafiar a los esnobs)

1. Cuando ella pide pescado y él carne (o viceversa)

2. Cuando un vino tinto parece demasiado pesado.

3. Con el almuerzo ligero: hamburguesa, queso caliente, emparedados y cosas así.

4. En los paseos, en días cálidos y soleados.

5. Para sacar a sus hijo/hija, compañero, amigo (¿o usted mismo?) del hábito de la cola.

6. Con el "brunch" del domingo o con platos de huevo.

7. Para celebrar la llegada de la primavera o el verano.

8. Con jamón (frío o caliente) y otros platos de cerdo.

9. Cuando a usted le dan ganas de ponerle cubos de hielo al vino.

10. Para acentuar el día de los enamorados (o cualquier otra ocasión romántica).

Zinfandel Blanco creen que están tomando un vino *seco,* porque no lo llaman rosé. ¡Háganme el favor!

Aunque los duros entre los amantes del vino casi no toman rosé, a nosotros nos encanta tomarlo (los secos) en el verano. Pero todo el mundo vende los rubores *(blush)* dulces; casi nadie los rosés secos.

# Otras maneras de clasificar el vino

Hay un juego que jugamos a veces con los amigos. Les preguntamos: "¿Qué vino querrían tener si estuvieran abandonados en una isla desierta?" En otras palabras, ¿qué vino podrían tomar el resto de su vida sin cansarse de él? Nuestra propia respuesta es Champaña, con mayúscula (más sobre por qué la mayúscula dentro de unos minutos).

De cierto modo, es una escogencia poco frecuente porque, por mucho que nos guste el Champaña, no lo tomamos *todos los días* en circunstancias normales. Con él le damos la bienvenida a nuestros huéspedes, celebramos cuando el equipo de casa ha tenido éxito, y brindamos a la salud de nuestros gatos en sus cumpleaños. No se necesita mucho para darnos ocasión de tomar Champaña, pero no es el vino que tomamos todas las noches.

Lo que tomamos todas las noches es vino común y corriente — rojo, blanco o rosado — sin burbujas. Hay varios nombres para estos vinos.

En los Estados Unidos los llaman vinos *de mesa,* y en Europa, vinos *ligeros.* A veces los llamamos vinos *tranquilos,* porque no tienen movimientos de burbujas dentro.

## ¿Puedo servir vino si estoy dando un bufé?

El *vino de mesa,* o el vino ligero, es un jugo de uva cuyo contenido de alcohol está dentro de una escala definida por la ley. Además, el vino de mesa no es burbujeante. (Aunque algunos vinos de mesa tienen una ligera cantidad de gas, ésta no es suficiente para descalificarlos como tales.) De acuerdo con las normas de identidad de los Estados Unidos, el vino de mesa puede tener hasta un 14 por ciento de alcohol; en Europa, el vino ligero debe tener un contenido de alcohol entre 8.5 y 14 por ciento al volumen, de manera general (con muy pocas excepciones). De manera que, a menos que un vino tenga más del 14 por ciento de alcohol — lo que usualmente quiere decir que se le ha agregado alcohol extra — o que tenga burbujas, es un vino de mesa o vino ligero.

Los legisladores no obtuvieron el número 14 sacándolo de un sombrero. Cuando las uvas más o menos maduras se fermentan, el porcentaje de alcohol que resulta no pasa de 14, usualmente. De hecho, el porcentaje está casi siempre entre 12 y 13.5 por ciento. La mayor parte del vino que usted toma está probablemente dentro de ese rango.

Se puede saber el porcentaje de alcohol de un vino buscándolo en la etiqueta: a los productores se les exige, por ley, que muestren el porcentaje de alcohol en la etiqueta (otra vez, con algunas excepciones). Puede especificarse en *grados,* como 12.5 grados, o en porcentaje, como 12.5%.

Cuando se trata de los vinos que se venden en los Estados Unidos — nacionales o importados — hay un gran riesgo. Las etiquetas tienen permiso de mentir. Las regulaciones de los Estados Unidos les dan a los productores un margen de error de 1.5 por ciento en el contenido de alcohol. Si el contenido del alcohol realmente es 12.5 por ciento, la etiqueta puede indicar un contenido tan alto como el 14 por ciento, o tan bajo como el 11 por ciento. El margen de error, sin embargo, no les da derecho a los productores de vino a exceder el máximo de 14 por ciento.

Si el porcentaje de alcohol no se expresa como un número entero o un medio — no es 12 o 12.5, por ejemplo, sino 12.8 o 13.2 — lo probable es que sea preciso. Si la etiqueta dice: "Contenido de alcohol al volumen de 11 a 14 por ciento", el contenido de alcohol puede ser lo que se le ocurra a cualquiera.

# Más allá de los vinos de mesa

Aunque el de mesa es el tipo de vino más popular, por amplio margen, otros tipos tienen fuerte acogida entre la gente (como nosotros con el Champaña). Los nombres de esos otros dos tipos son los *vinos espumosos,* vinos que tienen burbujas, y los *vinos de postre* o *vinos liqueur* (licor), vinos con más de 14 por ciento de alcohol.

## Vinos de postre

Si un vino tiene más de 14 por ciento de alcohol, lo probable es que le hayan agregado alcohol, durante la fermentación o después. Éste es un modo poco usual de hacer vino, pero algunas regiones del mundo, como Jerez en España, y Oporto en Portugal, han hecho de él toda una especialidad.

*Vinos de postre* es el término legal, en los Estados Unidos, para estos vinos, probablemente porque usualmente se toman después de comer, y son dulces por lo general. Nosotros consideramos despistador ese término, porque los vinos de postre no *siempre* son dulces y no se consumen *siempre* después de cenar. (El Jerez seco, por ejemplo, se clasifica como vino de postre, pero es seco y lo tomamos antes de cenar.) Preferimos el término *fortificado*, que sugiere que al vino se le ha agregado fuerza con alcohol adicional. Pero mientras no nos elijan para manejar las cosas, el término seguirá siendo *vino de postre.*

En Europa se llama *vinos liqueur* (licor) a los vinos reforzados. Las autoridades del vino de la Unión Europea han hecho un trabajo tan prolijo en la denominación de todos los distintos tipos de vino, que nos parece cuesta arriba discutirles, pero el término vinos *liqueur* (licor) tiene para nosotros la misma connotación que vino de postre: dulce.

## Vinos espumosos (y una lección de ortografía altamente personal)

Los vinos espumosos son los que tienen burbujas. Las burbujas son dióxido de carbono, un subproducto natural de la fermentación que los productores de vinos, a veces, deciden capturar entre el vino para que burbujee.

En los Estados Unidos, el Canadá y Europa, el nombre oficial es *vino espumoso* para la categoría de vino con burbujas. (¿No es bonito cuando todos están de acuerdo?)

El Champaña (con C mayúscula) es el más famoso de los vinos espumosos — y probablemente el *vino* más famoso, si a eso vamos. El Champaña es un vino espumoso específico (hecho de ciertas variedades de uva y producido de cierto modo) que viene de una región de Francia llamada Champaña. Es el indiscutible Gran Campeón de los Burbujeantes.

Por desgracia para la gente de Champaña, Francia, su vino es tan famoso, que el nombre *champaña* se ha tomado prestado una y otra y otra vez por los productores de otras partes, hasta que la palabra se ha vuelto sinónimo de prácticamente toda la categoría de vinos espumosos. En los Estados Unidos, por ejemplo, se puede llamar champaña a cualquier vino espumoso — hasta con C mayúscula, si se quiere — mientras el gas carbónico no se le haya añadido de modo artificial. A los productores de vino del Canadá y Australia también se les permite usar, según las leyes locales, el nombre *champaña* para sus vinos espumosos.

A los franceses, sin embargo, el limitar el uso del nombre *champaña* a los vinos de la región de Champaña se les ha convertido en una *causa célebre*. Los reglamentos de la Unión Europea no sólo le impiden a cualquier país miembro llamar *champaña* a sus vinos espumosos, sino que también prohíben el uso de términos que incluso *sugieran* la palabra champaña, tales como las letras menudas de las etiquetas en las que se diga que un vino se hizo mediante el método del champaña. Es más, las botellas de vinos espumosos de países de fuera de la Unión Europea — tales como los Estados Unidos y Australia — que usan la palabra champaña en la etiqueta no pueden, por ley, venderse en Europa. Los franceses son así de serios.

---

# Diez vinos tintos corrientes

Éstos son algunos de los vinos tintos (rojos) de más fácil obtención. Encontrará descripciones y explicaciones sobre estos vinos a todo lo largo de este libro.

1. **Cabernet Sauvignon:** Puede venir de California, Chile, Francia y otros lugares.

2. **Merlot:** Puede venir de California, Francia, Washington, Nueva York, Chile y otros lugares.

3. **Pinot Noir:** Puede venir de California, Chile, Francia, Oregón y otros lugares.

4. **Beaujolais:** Viene de Francia.

5. **Valpolicella:** Viene de Italia.

6. **Lambrusco:** Usualmente viene de Italia.

7. **Chianti:** Viene de Italia.

8. **Borgoña:** Viene de Francia. (Vinos completamente diferentes llamados Burgundy (Borgoña) vienen también de California y otros lugares.)

9. **Zinfandel:** Usualmente viene de California.

10. **Burdeos:** Viene de Francia.

## Diez vinos blancos corrientes

Éstos son algunos de los vinos blancos de más fácil obtención. Encontrará descripciones y explicaciones sobre ellos a todo lo largo de este libro.

1. **Chardonnay:** Puede venir de California, Australia, Francia, Chile y otros lugares.

2. **Sauvignon Blanc:** Puede venir de California, Francia, Nueva Zelanda, Sudáfrica, Chile y otros lugares.

3. **Riesling:** Puede venir de Alemania, California, Nueva York, Washington, Francia y otros lugares.

4. **Gewürztraminer:** Puede venir de Francia, California, Washington, Alemania y otros lugares.

5. **Pinot Grigio o Pinot Gris:** Puede venir de Italia, Oregón, Francia y otros lugares.

6. **Soave:** Viene de Italia.

7. **Pouilly-Fuissé:** Viene de Francia.

8. **Liebfraumilch:** Viene de Alemania.

9. **Chablis:** Viene de Francia. (Vinos completamente diferentes llamados "Chablis" vienen también de California y otros lugares.)

10. **Frascati:** Viene de Italia.

A nosotros, eso nos parece perfectamente justo. Nunca nos sorprenderán usando la palabra *champaña* como término genérico para vino con burbujas. Le tenemos demasiado respeto a la gente y a las tradiciones de Champaña, Francia, donde se hacen los mejores vinos espumosos del mundo. Ésta es la razón por la cual ponemos énfasis en la C mayúscula cuando decimos Champaña. *Ésos* son los vinos que queremos en nuestra isla desierta, no cualquier vino espumoso de cualquier parte que se llame a sí mismo champaña.

Cuando alguien trate de impresionarlo sirviendo un champaña nominal (por oposición al real), no se impresione. En los lugares en que es legal llamar champaña a los vinos espumosos, por lo general los menos costosos, ciertos vinos de baja calidad usan, de hecho, ese nombre. La mayoría de los principales productores de vino espumoso, en los Estados Unidos, por ejemplo, no llaman champaña a sus vinos — aunque sea legal — por respeto a sus colegas franceses. (Varias compañías de California productoras de vino espumoso de alta calidad son, de hecho, de propiedad de los franceses, de manera que no es una sorpresa que *ellos* no llamen champaña a sus vinos — pero muchas otras tampoco lo hacen.)

# Capítulo 2

# Estas papilas gustativas son para usted

*N*uestros amigos que son gente normal (por oposición de los que son gente del vino) se burlan de nosotros cuando hacemos cosas como llevar nuestro propio vino a una fiesta o manejar todo el camino de Nueva York a Boston para ir a comprar vino. En general, ni tratamos de defendernos. Nos damos cuenta de lo ridícula que debe parecer nuestra conducta.

En nuestros primeros tiempos de bebedores de vino, también pensábamos que todos los vinos saben más o menos lo mismo. El vino era vino. Nos gustaban unos más que otros, pero no podíamos decir exactamente por qué. Todo eso cambió cuando comenzamos a saborear el vino del modo en que lo hacen los profesionales.

# La técnica especial para catar (saborear) el vino

Sabemos dónde está usted — expuesto a los cínicos burlones que dicen: "¡Hombre!, si yo sé cómo se saborea. Lo hago todos los días, cuatro o cinco veces. Toda esa carreta sobre la degustación es otra manera de hacer que el vino parezca algo del otro mundo".

Y, mire usted, de cierto modo los cínicos tienen razón. Cualquiera que pueda saborear el café o una hamburguesa puede degustar el vino. Todo lo que se necesita es la nariz, las papilas gustativas y el cerebro. A menos que usted haya perdido para siempre el sentido del olfato, usted también tiene todo lo que hace falta para catar vinos como debe hacerse.

También usted es capaz de hablar chino. Sin embargo, ser capaz de hacer algo es distinto de saber cómo hacerlo y de poder aplicar ese saber en la vida diaria.

## Dos reglas muy complicadas para catar vino

Aunque usted toma bebidas todos los días, y aprecia su sabor mientras pasan por su boca, el vino es un caso especial. El vino es mucho más complejo que otras bebidas. La gente del vino piensa que es tan complejo, que hasta merece mirarse y olerse antes de tomarlo.

Algo es seguro: Mientras más atentamente se saborea el vino, el sabor resulta más interesante. Si usted toma vino a largos tragos, como quien toma gaseosa, no nota más que un diez o un veinte por ciento del sabor del vino.

Y con esto, tenemos dos de las reglas fundamentales de la degustación del vino:

1. Vaya despacio.

2. Ponga atención.

## La apariencia del vino

Mirar el vino en la copa inclinada nos produce placer, al notar qué brillo tiene y cómo refleja la luz, al tratar de decidir de qué matiz del rojo es y si dejará una mancha permanente en el mantel en el caso de que inclinemos demasiado la copa.

La mayoría de los libros dicen que se mira el vino para saber si es claro (si el vino está turbio, en general, se trata de un vino dañado). Este aviso, sin embargo, está algo obsoleto. Desde cuando la tecnología se infiltró en la industria del vino, especialmente para vinos de precio bajo y medio, las fallas perceptibles a la vista en el vino son tan raras como ganarse la lotería. A lo mejor toma usted vino todas las noches durante un año entero, sin encontrar un vino turbio.

Pero, de todos modos, mire el vino un momento. Aparte su copa (medio llena) y mire el color del vino contra alguna superficie blanca. Los catadores serios prefieren manteles blancos en la mesa para poder contar siempre con un fondo blanco cercano. Pero una hoja de papel blanco sirve lo mismo. ¡Una vez en una comida de corbata negra vimos a un tipo muy distinguido, que debía de ser un amante del vino sumamente serio, que se sacaba la manga almidonada de la camisa y ponía la copa de vino contra ella para apreciar el color!

Mire el vino en la copa inclinada y dése cuenta de si es oscuro, pálido y de qué color es, para anotarlo. Eventualmente empezará a notar diferencias de un vino al otro; pero, por ahora, solamente observe.

## La nariz sabe

Ahora entramos en la parte realmente divertida de probar el vino: darle vueltas en la copa y olfatearlo. Ahora es cuando puede dejar volar la imaginación, y nadie puede contradecirlo. Si dice que el vino le huele a arándano, ¿quién le prueba que no?

Para aprovechar al máximo su olfateo, déle la vuelta al vino en la copa primero. Pero ni *piense* en darle vueltas al vino si la copa está más que medio llena.

Mantenga la copa sobre la mesa, y menéela de modo que el aire se mezcle con el vino dentro de ella. Después, llévese la copa a la nariz rápidamente. Meta la nariz dentro del espacio de aire de la copa hasta donde pueda, sin tocar el vino, y huélalo. Asocie libremente. ¿El aroma es frutal, de madera, fresco, cocido, intenso, ligero? La nariz se cansa pronto, pero

## Datos para oler el vino

1. Atrévase. Meta bien la nariz dentro de la copa hasta donde están los aromas mezclados con el aire.

2. No se ponga perfume fuerte; el perfume compite con el olor del vino.

3. No se canse oliendo el vino cuando haya alrededor olores fuertes de la comida. El tomate que huele en el vino bien puede ser el de la pasta.

4. Vuélvase un olfateador. Olfatee los ingredientes cuando cocine, todo lo que coma, las frutas frescas y las verduras, hasta los olores de su medio ambiente — como el cuero, la tierra mojada, el pasto, las flores, su perro mojado, el betún, el botiquín. Acumule su base mental de datos con olores de modo que pueda recurrir a ellos cuando los necesite.

5. Ensaye diferentes técnicas de olfateo. Algunas personas prefieren dar olfateos cortos y rápidos, mientras otras prefieren inhalar largamente el olor del vino. Mantener la boca un poquito abierta mientras inhala puede ayudar. (Hay quien se tapa una ventana de la nariz y huele con la otra, pero creemos que esto ya es exageradillo, especialmente en los restaurantes.)

se recobra pronto también. Espere un momento y ensaye otra vez. Ponga atención a lo que dicen sus amigos y trate de encontrar las mismas cosas que ellos encuentran en el olor.

Se puede revitalizar el olfato más rápidamente si se pone uno a oler el vaso de agua, por ejemplo, un pedazo de pan, la manga de la camisa, pero es bueno prepararse para las miradas raras que le van a echar.

Mientras agita el vino en la copa, los aromas del vino se vaporizan en el aire y usted puede olerlos. El vino tiene tantos *componentes aromáticos* que cualquier cosa que se encuentre en el olor de un vino no es probablemente un engendro de la imaginación.

## Los vinos tienen narices

Con una licencia poética típica de catadores de vino, alguien llamó una vez *nariz* el olor del vino, y la expresión hizo carrera. Si alguien dice que un vino tiene una enorme nariz, quiere decir un olor muy fuerte. Si dice que percibe fresas *en la nariz* del vino, dice que éste huele a fresas. De hecho, los catadores de vino raramente usan la palabra *olor* para describir cómo huele el vino, porque la palabra *olor* parece peyorativa. Los catadores hablan de *nariz* o *aroma.* A veces usan la palabra *buqué,* aunque ésta parece ya un poco pasada de moda.

La cuestión de que se trata en todo este ritual de agitar y olfatear es que lo que usted huela le resulte placentero, incluso fascinante, y que en el curso de la ceremonia usted se divierta. Pero, ¿qué pasa si usted nota un olor que no le gusta?

Frecuente a los fanáticos del vino durante un tiempo, y empezará a oír palabras como *petróleo, estiércol, galápago sudado, fósforo quemado* y *espárrago*, usadas para describir los aromas de algunos vinos. "¡Madre mía!" ¿dice usted? ¡Claro que lo dice! Por fortuna, los vinos que sueltan esos olores no son los que se toman con frecuencia — no, por lo menos, mientras usted no se haya contagiado realmente del virus del vino. Y cuando usted ya lo tiene, bien puede descubrir que esos aromas, en el vino que debe ser, pueden ser de veras sensacionales. Incluso si usted no aprende a gozar de esos aromas (algunos de nosotros los gozamos, honradamente), llegará a apreciarlos como características típicas de ciertas regiones o de ciertas uvas.

Pero también existen los olores malos que nadie trataría de defender. No pasa con frecuencia, pero pasa, porque el vino es un producto natural, agrícola, que tiene su propia voluntad. Es frecuente que, cuando un vino se daña seriamente, se nota inmediatamente en el olor. Los jueces de vinos tienen un término para esa clase de vinos. Los llaman *NLP:* no lo pruebe. No es que usted se enferme, pero ¿para qué someter a sus papilas gustativas al mismo maltrato que acaba de sufrir su olfato? A veces es un mal corcho el que tiene la culpa, y a veces es otro problema en la producción del vino o en su almacenamiento. Sin más, cárguelo a experiencia y destape otra botella.

Cuando se trata de oler el vino, mucha gente se preocupa de que no va a ser capaz de detectar tantos aromas como creen que se debería. Oler el vino es realmente cuestión de práctica y de atención. Si usted empieza a ponerle más atención a los olores en sus actividades normales, mejorará en el arte de oler el vino.

## Cómo probar el vino

Después que usted ya ha mirado el vino y lo ha olido, se le permite probarlo. Ése es el momento en que hombres y mujeres adultos se sientan y ponen caras extrañas, mientras hacen gárgaras con el vino y se lo pasan por toda la boca con miradas de intensa concentración en los ojos. Usted se puede echar un enemigo de por vida, si distrae a un catador de vino, preciso en el momento en que está enfocando toda su energía en las últimas pocas gotas de un vino especial.

Antes de explicarle el ritual, queremos asegurarle lo siguiente: a) No tiene por qué aplicarle este procedimiento a cada uno de los vinos que se tome; b) usted no les va a parecer tonto al hacerlo, por lo menos a los otros amantes del vino (no podemos responderle por el otro 90 por ciento de la raza humana); y c) es un gran truco para evitar hablar en las fiestas con alguien que no le cae bien.

Tome un sorbo mediano. Manténgalo en la boca, frunza los labios y tome un poco de aire a lo largo de la lengua, sobre el vino. (Tenga mucho cuidado de no atragantarse o ahogarse, o los demás van a tener fuertes sospechas de que usted no es experto en vino.) Después, pásese el vino por toda la boca como si estuviera masticándolo. Entonces, trague. Todo el proceso puede durar unos cuantos segundos, depende de cuánto se esté usted concentrando en el vino.

### Qué es lo que realmente está pasando

Esto es lo que pasa en su boca cuando usted prueba el vino de modo lento. Diferentes partes de la lengua se especializan en registrar las diferentes sensaciones; la dulzura se siente más finamente en la punta de la lengua, la acidez se percibe principalmente a los lados, y el amargo se detecta en la parte de atrás de la lengua. El mover el vino por toda la boca, le da oportunidad de tocar todos esos lugares de manera que usted no se pierda nada del vino (incluso si la acidez o el amargo suenan como cosas que usted no lamentaría perderse).

Mientras usted se pasa el vino por toda la boca, también está ganando tiempo. El cerebro necesita unos cuantos segundos para darse cuenta de lo que la lengua está saboreando y encontrarle algún sentido. Cualquier dulzura se registra primero en el cerebro, porque corresponde a la primera parte en que el vino toca en la boca; la *acidez* se registra en seguida y, luego, lo amargo. Mientras el cerebro está trabajando en las impresiones relativas de lo dulce, lo amargo y lo ácido, usted puede estar pensando en cómo se siente el vino en la boca — si es pesado, liviano, suave o áspero, y cosas así.

### Cómo saborear los aromas

Mientras usted no le meta la nariz a la acción, todo lo que puede percibir en el vino son esas tres sensaciones de dulzura, acidez y amargo y una impresión general de peso y textura. Y, entonces, ¿qué se hicieron esos sabores frutales?

Siguen allí en el vino, muy cerca del chocolate y las ciruelas. Pero — para ser exactos — esos sabores son en realidad *aromas* que le saben a usted, no mediante el contacto con la lengua, sino al inhalarlos en un pasaje interior de la parte de atrás de la boca que se llama el *pasaje retronasal* (vea la figura 2-1). Cuando usted aspira aire a través del vino que tiene en la boca, está vaporizando los aromas lo mismo que cuando le daba vueltas al vino en la copa. (Hay un método en toda esta locura.)

**Figura 2-1**
La mayor parte de los sabores del vino son realmente aromas que, al vaporizarse en la boca, se perciben a través del pasaje retronasal.

Cavidades nasales

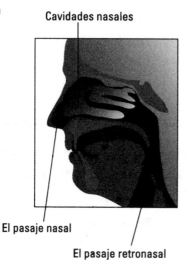

El pasaje nasal

El pasaje retronasal

Cuando usted pasa por todo este enredo, es tiempo de llegar a una conclusión: ¿Le gustó lo que saboreó? Las posibles respuestas son sí, no, un encogerse de hombros indiferente o "no estoy seguro, permítame hacer otra prueba", lo cual quiere decir que usted tiene un serio potencial de *nerd* de vino.

Lo mismo que un catador de vino puede usar la palabra *nariz* para hablar del olor del vino, puede usar la palabra *paladar* para referirse a su sabor. El *paladar* de un vino es la impresión general que deja en la boca o cualquier aspecto aislado de su sabor. Por ejemplo: "Este vino tiene un paladar armonioso" o "El paladar de este vino es un poco ácido".

# El principio del placer: Cómo descubrir lo que a usted le gusta

Toda esta cosa de probar el vino se nos ha vuelto tan automática que, probablemente, la practicamos con todo vino que nos tomamos, sin darnos cuenta. A veces nos pescamos a nosotros mismos haciendo la cosa con cerveza o jugo de naranja — para nuestra gran vergüenza si estamos fuera de casa.

## Diez aromas (o sabores) asociados con el vino

1. Frutas
2. Hierbas
3. Verduras
4. Tierra
5. Flores

6. Pasto
7. Tabaco
8. Tostadas
9. Humo
10. Café o chocolate

## Diez olores no asociados con el vino

1. Pintura
2. Vinilo
3. Papel de fax
4. Goma
5. Gorgonzola

6. Cannabis
7. Tinta de marcador
8. Estiércol de elefante
9. Chanel N° 5
10. Suavizante para tela

Hemos descubierto que probar así tiene sus desventajas, además del riesgo de parecer imbécil. Cuando se prueba el vino del modo sofisticado, se le saca lo bueno y lo malo. La mayoría de los vinos resisten el desafío, pero hay vinos que es mejor no probar demasiado.

Esto nos lleva al asunto fundamental en la desgustación del vino: el placer. Si se está tomando vino mediocre, la ignorancia es una dicha. Pero cuando se puede escoger el vino que se quiere, el ejercicio de probar el vino conscientemente puede ayudarle a encontrar los vinos que a usted le producen el mayor placer. Y, a menos que usted descubra lo que le gusta, ¿cómo puede pedirlo?

# Usted recibe lo que pide

Ahora, tenemos que confesar que hay otro paso entre saber cómo probar el vino y poder tomar siempre vino que a uno le guste. Ese paso consiste en poner el sabor en palabras.

No tendríamos que molestarnos con este detalle, si se pudiera escoger los vinos como se escogen los quesos en un almacén de gourmets. (¿Puedo probar ése? No. No me gusta; déjeme probar ese otro. Bueno, me llevo media libra.)

"Me gusta/no me gusta", es muy fácil cuando uno tiene el vino en la boca. Pero la mayoría de las veces hay que comprar el vino sin probarlo. De manera que, a menos que quiera seguir tomando el mismo vino el resto de sus días, va a tener que decidir qué le gusta en un vino y poder comunicárselo a otra persona que lo pueda orientar en la dirección correcta.

## ¿Parlez-vous Vinoparla?

Hay dos obstáculos aquí: Encontrar las palabras para describir lo que le gusta o no le gusta, o lograr que la otra persona entienda lo que usted quiere decir. Naturalmente, ayuda el que ambos hablen el mismo lenguaje.

Infortunadamente, la Vinoparla es un dialecto con un vocabulario indisciplinado y, a veces, poético, cuyas definiciones cambian según quien sea el que habla. En caso de que quiera meterse en esto del vino, lo invitaremos a disfrutar algún lenguaje sofisticado sobre vino en los capítulos 3 y 18. Por ahora basta para sus necesidades con unas pocas palabras y conceptos básicos.

# Cómo describir el gusto

La apariencia y el aroma no son decisivos para conseguir un vino que usted quiera. Si usted prefiere blanco, rojo o rosado, es por la forma en que sabe el vino, no por el color en sí (a menos que se esté coordinando en serio el color de la comida). Y los aromas del vino son más o menos similares a sus sabores.

Todo el truco está en describir el *gusto* en la boca. Cuando comenzamos a catar vino, nos dimos cuenta de que nos enfrentábamos a un dilema: o bien, el vino era tan simple que no encontrábamos realmente qué decir de él, o los sabores nos llegaban tan rápido y con tanta furia que no podíamos aislarlos. Eventualmente, aprendimos a catar el vino un paso a la vez.

Los gustos del vino se revelan en secuencia, de acuerdo con la parte de la lengua que los detecta. Le recomendamos seguir esa secuencia natural cuando trate de poner en palabras lo que saborea.

**Dulzura:** Gusto en la punta de la lengua; apenas tiene el vino en la boca, se nota la dulzura o la falta de ella. En Vinoparla, *seco* es lo contrario de *dulce*. Clasifique el vino que está tomando como *seco, semiseco* (en otras palabras, levemente dulce) o *dulce*.

**Acidez:** Todo vino contiene ácido (principalmente *ácido tartárico,* el cual existe en las uvas), pero algunos vinos son más ácidos que otros. La acidez es más un factor de gusto en los vinos blancos que en los tintos (rojos). En los blancos la acidez es la columna vertebral del vino (le da la firmeza al vino y la definición en la boca). Los vinos blancos que tienen una cantidad alta de acidez tienen un gusto *firme;* y los que no tienen suficiente acidez tienen un gusto *flojo.* Los lados de la lengua despiertan la percepción de la acidez. Se pueden sentir las consecuencias de la acidez (o de la falta de ella) en el estilo del vino, si es un agriecillo tieso o uno de carácter suave y amable, por ejemplo. Clasifique el vino que se está tomando como *agrio, firme, suave* o *flojo.*

**El tanino:** El tanino es una sustancia que se produce naturalmente en la cáscara y en otras partes de la uva (vea el capítulo 1). Como los vinos tintos se fermentan con las cáscaras de las uvas, los niveles de tanino son mucho más altos en los vinos tintos (rojos) que en los blancos. ¿Ha probado alguna vez un vino rojo oscuro y le ha parecido que tomaba tinta o que la boca se le resecaba como si le hubieran metido una esponja? Eso es el tanino.

Para generalizar un poco, el *tanino* es al vino tinto lo que la acidez al blanco: la columna vertebral. Usted siente el tanino cerca del fondo de la lengua, porque el tanino, con frecuencia, sabe amargo. Pero se puede detectar en otras partes, también: en el lado interior de las mejillas, y entre éstas y las encías, si el nivel de tanino en el vino es alto. Del contenido de tanino depende si un vino puede llamarse *amargo, firme* o *suave.*

CONSEJO

## ¿Es dulce o frutal?

Los catadores primerizos a veces describen los vinos *secos* como *dulces* porque confunden la calidad frutal con la dulzura. Un vino es *frutal* cuando tiene nítidos aromas y sabores de fruta. Lo frutal se percibe con la nariz; y en la boca, se "huele" a través del pasaje retronasal.

La dulzura, por otra parte, se percibe en la lengua. Si duda, trate de contener el aliento cuando degusta el vino; si el vino es realmente dulce, usted será capaz de degustar la dulzura a pesar de no poder percibir el olor frutal.

# ¿Es ácido, o tanino?

Los vinos tintos tienen ácido lo mismo que tanino, y distinguir entre los dos, mientras se degusta un vino, puede ser un verdadero reto. Cuando no esté seguro de si es ácido o tanino lo que percibe, póngale atención a cómo siente la boca después de haber tragado el vino.

Tanto el tanino como el ácido le hacen sentir la boca seca. Pero el ácido lo hace salivar en respuesta a la sequedad (la saliva es una base que neutraliza el ácido). El tanino solamente le deja seca la boca.

La suavidad y la firmeza son realmente *impresiones de textura* que le da a usted el vino al probarlo. Lo mismo que la boca siente la temperatura de un líquido, siente la textura del mismo. Algunos vinos literalmente se *sienten* suaves o tersos en la boca, mientras otros se sienten duros y ásperos. En los vinos blancos, el ácido es, en general, responsable por las impresiones de dureza o firmeza; en los tintos, el tanino es usualmente responsable. Los bajos niveles de una u otra substancia pueden hacer de un vino algo placenteramente suave o demasiado flojo. Depende de qué vino se trate. La cantidad de alcohol y de azúcar sin fermentar también contribuye a la impresión de suavidad.

**Cuerpo:** El cuerpo de un vino es la impresión que nos da el total de éste, no en un lugar preciso de la lengua. Es la impresión del peso y tamaño del vino en la boca. Decimos "impresión", obviamente porque una onza de cualquier vino va a ocupar el mismo espacio en la boca y a pesar lo mismo que una onza de cualquier otro vino. Pero algunos vinos *parecen* en la boca más plenos, más grandes o más pesados que otros. Piense sobre la densidad del vino y páselo mientras lo prueba. No les diga a sus amigos que está haciendo esto, pero imagínese que su lengua es una balanza de correo y juzgue cuánto pesa el vino. Clasifique el vino como de *cuerpo ligero, cuerpo medio* o *cuerpo completo.*

**Sabores:** Los vinos tienen sabores (¡ejem! queremos decir, *aromas bucales*) pero no vienen en un sabor determinado. Es cierto que a uno le puede gustar la impresión de chocolate en un vino tinto que esté probando, pero no puede ir a una vinatería y pedir un vino achocolatado sin hacer el oso.

Más bien uno se refiere a *familias de sabores* en el vino. Están los *vinos frutales o frutosos* (los que lo hacen pensar en frutas cuando los tiene en la boca); los *terrosos* (que lo hacen pensar en hongos, en paseos al bosque, en la tierra removida del jardín, en hojas secas, etc.); los *picantes*

(canela, clavo o pimienta); los *herbales* (que le saben a hierbabuena, menta, pasto, mejorana, etc.). Hay tantos sabores en el vino que se puede seguir indefinidamente. Pero con éstos usted se hace una idea.

Si a usted le gusta un vino y quiere ensayar otro que sea similar, pero diferente (y será siempre diferente, se lo garantizamos), trate de definir qué sabores prefiere en el vino que le gusta y mencióneselos a la persona que le vende el vino cuando compre la próxima botella. En la parte II encontrará vinos que tienen sabores específicos.

Ahora, usted cuenta con varias palabras y con una comunidad de familias que le permiten explicar qué clase de vino quiere. En el capítulo 18, avanzaremos en la Vinoparla y le mostraremos cómo describir un vino en términos de *redondo* y *suelto, con realeza pero sin pretensiones, gustoso pero no imponente.*

# El asunto de la calidad: ¿Qué es un buen vino?

¿Se dio cuenta, por casualidad, de que en ninguna parte dentro de la lista de términos que usamos para describir los vinos figuran las palabras *gran,* o *muy bueno* o *bueno*? En lugar de preocuparse por finos, firmes, frutosos y terrosos, ¿no sería más fácil decir en el almacén "déme un vino muy bueno para la cena de esta noche"? ¿No es *calidad* de lo que se trata en último término — o, por lo menos, la calidad dentro de sus posibilidades de precio, conocida también como *valor?*

Bueno, la calidad es tan importante, que a veces discutimos en la mesa sobre la calidad del vino que estamos tomando. No es que no reconozcamos un gran vino cuando lo encontramos; de hecho, usualmente estamos de acuerdo sobre si el vino que estamos tomando es bueno. Lo que discutimos es *qué tan bueno es,* porque ésta es una cuestión de gusto personal.

## El gusto de cada cual

El instrumento que mide la calidad de un vino es el *paladar* de un ser humano y, puesto que somos todos diferentes, tenemos diferentes opiniones sobre qué tan bueno es un vino. La opinión combinada de un grupo de paladares expertos y adiestrados (conocidos también como catadores de vino) se considera, en general, como un juicio definitivo sobre la calidad de un vino. Pero no hay garantía de que a usted le va a gustar el vino en que los expertos están de acuerdo en que es muy bueno. Hemos comprado vinos altamente calificados y los hemos echado por el fregadero porque no nos parecían nada buenos.

Nos damos cuenta de que esto suena un poco a una anarquía, en la que cada cual decide por sí mismo qué es bueno y qué no. Pero así es como es. Puesto que el propósito primordial de un vino es saber bien, la persona que lo prueba es la única que puede decidir si un vino particular sirve o no sirve.

Desde luego hay grados de bueno o malo. Nuestro viejo armatoste sirve si nos lleva a donde vamos, pero probablemente no se le considere un buen auto porque sentimos cada bache de la carretera. En algún momento alguien estableció patrones de calidad para los autos que dicen que los mejores autos son silenciosos, andan suavemente y se timonean con facilidad. El nuestro no tiene nada de eso.

Para los vinos también existen patrones de calidad. Lo que es frustrante es que no existen campos de prueba como los de Detroit en donde se pueda medir la calidad del vino con instrumentos científicos. La medida está en nuestros propios paladares.

Entonces, ¿qué es un buen vino? Es, por encima de todo, un vino que nos gusta lo suficiente para tomarlo. Más allá de eso, lo bueno que es un vino depende de hasta qué punto da la medida de una serie de condiciones establecidas por expertos y entrenados catadores que están (más o menos) de acuerdo con ellas. Estos conceptos explican conceptos misteriosos como *equilibrio, longitud, profundidad, complejidad* y *fidelidad al tipo (tipicidad* en Vinoparla, *typicité* en esnobvinoparla). De paso sea dicho, ninguno de estos conceptos es mensurable objetivamente.

**Equilibrio:** Las palabras que usted aprendió — dulzura, acidez, tanino — representan los tres *componentes* principales del vino. El cuarto es el alcohol. Además de ser una de las razones por las cuales queremos tomarnos una copa de vino, en primer lugar, el alcohol es un elemento importante en la calidad del vino.

El *equilibrio* es la relación de estos cuatro componentes entre sí. Un vino es equilibrado (balanceado) cuando nada resalta al probarlo, como el tanino fuerte o la demasiada dulzura. La mayoría de los vinos le parecen equilibrados a mucha gente. Pero si usted tiene cualquier antipatía particular en la comida — si le chocan las cosas astringentes, por ejemplo, o no come dulce — se dará cuenta de que algunos vinos son desequilibrados para *su gusto*. (Los catadores profesionales conocen sus propias idiosincrasias y las controlan cuando juzgan un vino.)

## Equilibrio en acción

Para experimentar de primera mano sobre cómo trabaja el principio del equilibrio, ensaye esto: haga una taza de té bien fuerte. Al sorber el té, le sabrá amargo porque tiene mucho tanino. Entonces, agréguele jugo de limón; el té le sabrá astringente, porque el ácido del limón y el tanino del té se acentúan uno a otro. Entonces póngale mucho azúcar al té. El azúcar debe contrabalancear el impacto del ácido y el tanino, y el té le sabrá más suave que antes.

Como decíamos atrás, el tanino y la acidez son *elementos endurecedores* en el vino (hacen que el vino sepa más firme en la boca), mientras que el alcohol y el azúcar (si la hay) son *elementos suavizadores.* El equilibrio en el vino es, entonces, la interrelación de sus aspectos duros y suaves.

**Longitud:** Cuando decimos que un vino es *largo* o *corto,* no nos referimos a cuánto nos dura la botella. La *longitud* es un término que se usa para describir un vino que *sabe* a todo lo largo del paladar — se degusta en toda la longitud de la lengua — y no se queda en la mitad del camino al paladearlo. Un vino de buena longitud es el que centra todo el sabor en la lengua y se sostiene todavía después que uno se lo ha pasado. Muchos vinos, hoy día, llegan pronto al frente del paladar — hacen una gran impresión apenas se prueban — pero son cortos. La longitud es un signo seguro de calidad.

**Profundidad:** Éste es otro factor subjetivo, y un inconmensurable atributo de alta calidad en el vino. Decimos que un vino tiene profundidad cuando no nos sabe plano y unidimensional en el paladar sino, en cambio, parece tener capas subterráneas de sabor. Un vino plano nunca podría ser gran vino.

**Complejidad:** Nada tiene de malo un vino simple y directo, como nada de malo tiene un tipo sencillo y buena persona — son lo que son. Pero un vino que sigue revelándonos cosas diferentes sobre sí mismo, siempre descubriéndonos una nueva impresión o un nuevo sabor, se considera de mejor calidad.

**Tipicidad:** Para juzgar si un vino es típico (fiel a su tipo), hay que saber cómo se supone qué es ese tipo de vino. De manera que hay que conocer las características que los libros de texto le atribuyen a los vinos hechos de las principales variedades de uvas, y a los procedentes de las regiones clásicas del vino en el mundo. (Por ejemplo, la uva Cabernet Sauvignon tiene un aroma y un sabor típicos de pasas, y el vino blanco francés llamado Pouilly-Fumé, típicamente, tiene un leve aroma parecido al de la chispa de una piedra de encendedor.) Pase a los capítulos 9 a 12 para todos esos detalles.

# ¿Qué es un vino malo?

Es curioso, pero el derecho a declarar "bueno" un vino porque a uno le gusta no implica que uno pueda decir que un vino es "malo" porque no le gusta. En este juego, uno llega a hacerse sus propias reglas, pero no a forzar a los demás a regirse por ellas.

El hecho es que hay muy pocos vinos malos hoy día, si se compara con no hace más de 20 años. Y muchos de los vinos que podríamos llamar malos, en realidad sólo son malas *botellas* de vino. Botellas que se manejaron mal, de manera que el vino que contenían se dañó. (¡Pobre muchacho! tenía todo para que le fuera bien hasta que se metió con esos tipos…)

Aquí están algunas características con las que todo el mundo está de acuerdo como indicadoras de vino malo. Esperamos que usted nunca encuentre una. Es posible que no.

- ✔ **Fruta estropeada:** ¿Se ha comido alguna vez una mora del fondo del empaque que le sabe a cartón? El mismo sabor de fruta dañada lo puede tener un vino si lo hicieron con uvas que no estaban completamente frescas cuando las cosecharon. Mal vino.

- ✔ **Vinagre:** En la evolución natural de las cosas, el vino es sólo un punto ideal entre el jugo de uvas y el vinagre. La mayoría de los vinos, hoy, permanecen para siempre en la etapa del vino, gracias a la tecnología o la producción cuidadosa. Si usted encuentra un vino que ha cruzado la raya hacia el vinagre, es un mal vino.

- ✔ **Olores químicos o bacterianos:** Los más comunes son, acetona (removedor de esmalte para las uñas) y vapores de azufre (huevos podridos, caucho quemado, ajo dañado). Malos vinos.

- ✔ **Vino oxidado:** Huele plano, débil o tal vez cocido, y sabe lo mismo. Puede haber sido un buen vino alguna vez, pero el aire — el oxígeno — se le entró de algún modo y lo mató. Mala botella.

- ✔ **Aromas y sabor cocidos:** Cuando un vino se ha almacenado o traído en un barco con demasiado calor, puede saber realmente cocido o tostado. En ocasiones el corcho está flojo o un poco hundido. Mala botella. (Por desgracia, todas las botellas que hayan pasado por el mismo mal almacenamiento o embarque van a estar dañadas.)

✔ **Vino con sabor a corcho:** Es la falla más común, un olor de cartón húmedo que empeora al exponerse al aire. Lo causa un corcho malo, y ni los mejores vinos del mundo son inmunes a él. Mala botella.

# El análisis final: ¿Le gusta?

No nos demoremos demasiado en lo malo que puede pasar con un vino. Si usted encuentra un vino malo o una mala botella — o incluso un vino que se considera bueno, pero a usted no le gusta — pásese sin más a algo que le guste. Tomar un supuesto gran vino que a uno no le gusta es tan tonto como ver una película premiada que lo aburre. Cambie de canal, explore.

## Las diez palabras más útiles en la degustación de vino (y lo que significan)

1. **Aroma o buqué:** Es el olor del vino. Aroma se aplica, en general, a los vinos más jóvenes, y buqué a los más añejos.

2. **Seco:** Que no es dulce.

3. **Firme:** Un vino de una acidez refrescante.

4. **Suave:** Un vino de poca acidez.

5. **Cuerpo:** El peso aparente de un vino en la boca (ligero, mediano o pleno).

6. **Intensidad del sabor:** Qué tan fuertes o débiles son los sabores de un vino.

7. **Roblizo:** Un vino que tiene sabores de roble por haber estado en contacto con esa madera en las barricas.

8. **Tánico:** Un vino tinto que es firme y hace sentir la boca seca.

9. **Frutal (o frutoso):** Un vino que tiene aromas y sabores de fruta.

10. **Acabado:** La impresión que le deja un vino al acabar de tragarlo.

# Cinco de las más extrañas expresiones sobre vino

1. **Contacto con la piel:** Asociación entre cáscaras legalmente aquiescentes y jugo de uva con el propósito de darle más sabor al vino.

2. **Vinos rubor:** Vinos rosados que se dicen blancos, cuya popularidad es suficiente para lograr que los contadores se ruboricen.

3. **Vinos amistosos:** Vinos que le sonríen y no le muerden la nariz. En otras palabras, vinos fáciles de tomar que le gustan a un montón de gente.

4. **Vinos generosos:** Vinos planos y ricos que dan fácilmente sus sabores. Lo opuesto son los vinos tacaños que nos hacen trabajar para encontrar sus atributos.

5. **Vinos gordos:** Vinos que se sienten suaves en la boca, sin ninguna firmeza. Si a usted no le gustan, puede llamarlos flojos; si le gustan, llámelos voluptuosos.

# Cinco de las más extrañas expresiones sobre vino

# Capítulo 3

# Cómo hacer que el vino sepa bien

• • • • • • • • • • • • • • • • • • • • • • • • • • • • • • • • • • • • • • •

• • • • • • • • • • • • • • • • • • • • • • • • • • • • • • • • • • • • • • •

*L*o más frustrante en materia de vino se ha vuelto la jerga técnica. Todo lo que usted necesita es un fino, firme y frutal vino para servirlo con el pollo frito de esta noche. Pero tiene que abrirse paso a través de una selva de terminachos que se le enfrentan desde las etiquetas que llevan atrás las botellas, en los avisos puestos por todo el almacén y en las frases que usa el dependiente para explicarle sus recomendaciones. ¿Por qué diablos se pone todo el mundo a complicar tanto el vino?

He aquí el problema: el vino es dos productos. Por un lado, es una bebida y debería saber bien, punto. Pero, por el otro, es una forma del arte — algo de lo cual les gusta hablar a montones de personas, y, además, estudiarlo y coleccionarlo. Las personas que gozan del vino como una forma del arte (deliciosa forma de arte) están tan entregadas al tema, que a veces olvidan que otros no lo están. Terminan por darle a usted información sobre la fabricación del vino que usted no estaba pidiendo.

¿Cuánta de esta información (si la hay) es importante, cuánto es bla, bla, bla pretencioso? En otras palabras, ¿qué técnicas hacen que el vino sepa bien?

# Una prueba de realidad para la jerga del vino

Los fabricantes aplican una serie de procedimientos para hacer vino, que varían de acuerdo con las uvas que tienen y con el tipo de vino que quieren hacer. (Si están haciendo grandes cantidades de un vino que debe venderse al por menor por 5.99 dólares, por ejemplo, no van a fermentar el vino en pipas nuevas de roble francés, porque el solo costo del roble le añade 2 dólares al precio de la botella.)

Ninguno de estos procedimientos es bueno o malo de por sí. Todo depende de las uvas y del tipo de vino que se esté haciendo. Toda técnica de producción afecta al sabor del vino de un modo u otro. Y la medida final de la calidad del vino es cómo sabe: Los procedimientos de por sí, no significan nada si no logran crear un vino que les atraiga a los bebedores de vino.

El *gusto* del vino implica su sabor, su aroma, cuerpo, textura, longitud, etc. (vea el capítulo 2), y no solamente sus sabores. Y el gusto de un vino es una experiencia subjetiva.

La mayoría de las palabras técnicas que van y vienen en los círculos del vino representan procedimientos que tienen relación verdadera con el gusto de un vino. (Claro que si se excava lo suficiente, hasta el estiércol de los dinosaurios tiene que ver con el gusto de un vino.) Pero cada una de esas palabras técnicas representa un elemento aislado de la producción del vino; son *partes* de la imagen total que, individualmente, tienen un significado limitado.

La importancia de estas técnicas se ha exagerado fuera de toda proporción, por parte de la industria del vino, en respuesta a una tendencia mundial en el consumo de vinos: la gente toma menos vino, pero toma mejor vino.

En mercados competitivos como el de los Estados Unidos, los productores de vino están haciendo contorsiones para convencerlo a usted de que su vino es mejor que el del vecino, para que usted lo compre. Para llegar a esa meta, hablan técnicamente: *"Nuestro vino es 70% fermentado en roble de Nevers mediano, el cual reemplazamos en una rotación de cinco años; la mitad del vino se fermentó con sedimentos de Epernay y el resto con Montrachet; el vino reposó en las barricas durante 11 meses, y nosotros agitamos las barricas dos veces al día; todo el vino fue sometido al proceso maloláctico".*

El sentido implícito en la mayor parte de la jerga del vino que se lee y se oye, es simplemente: "Éste es un buen vino" — como si las palabras pudieran hacer bueno el vino.

# Operación: Delicioso

Todo lo que hace un productor de vino tiene un solo propósito: que el vino sepa lo mejor posible. Algunos productores hacen vinos para que sepan bien inmediatamente, mientras que otros hacen vinos destinados a saber bien más adelante, cuando el vino ha madurado (vea el capítulo 20).

De hecho, la producción del vino comprende dos etapas separadas: el cultivo de las uvas (vides) llamado *viticultura* y la fabricación del vino, llamada *vinificación*.

Algunas veces ambas etapas las ejecuta la misma compañía, *como se indica en algunas botellas* (vea el capítulo 8), y otras, las dos etapas están completamente separadas. Algunos grandes productores de vino, por ejemplo, tienen contratos con centenares de cultivadores de uvas. Esos cultivadores no hacen vino; cultivan las uvas y se las venden al productor que les paga el mejor precio por tonelada.

## El lenguaje del cultivo de la vid

Éstas son las palabras claves relativas al cultivo de la vid que puede usted encontrar en las etiquetas de vino u oír en la conversación:

✔ **Bajos rendimientos.** Ejemplo: "Nuestras uvas vienen de viñedos de bajo rendimiento". El concepto operativo es que mientras más uvas produce una vid (más alto es su *rendimiento)* los sabores de esas uvas serán menos intensos y su calidad — y la del vino hecho con ellas — será más baja.

En la mayoría de los viñedos europeos, el rendimiento máximo lo fija la ley. Pero en los de los Estados Unidos no hay límites. Casi cualquier productor, en cualquier parte, puede *proclamar* que sus rendimientos son bajos, porque es muy complicado probar lo contrario. Si el vino tiene un sabor delgado o acuoso, sería el caso de sospechar.

✔ **Madurez.** Ejemplo: "Nuestras uvas estaban perfectamente maduras en la vendimia". Vendimiar las uvas cuando están perfectamente maduras — una breve etapa entre poco maduras y demasiado maduras — es uno de los puntos cruciales en la producción del vino. Pero la madurez es un asunto subjetivo. En los climas más frescos, la plena madurez es algo extraordinario que no pasa todos los años, y el vino resultante debe ser insólitamente bueno.

En los climas más cálidos, la madurez es casi automática; el punto consiste en no dejar que las uvas se maduren demasiado pronto, lo cual es causa de que las uvas estén fisiológicamente maduras pero no hayan desarrollado todos sus sabores (como una quinceañera precoz pero inmadura). Y en algunas regiones, los productores recogen la uva un poco temprano a propósito porque buscan un contenido de ácidos más alto en su vino. (Vea el capítulo 9 para una explicación sobre cómo maduran las uvas.) No hay un límite fijo para la perfecta madurez.

✔ **Pabellón.** Ejemplo: "Usamos pabellones abiertos para lograr la perfecta madurez de nuestras uvas". Si se dejan silvestres, las vides crecerán desparramadas por el suelo, treparán por un árbol o por cualquier cosa de la que se puedan prender (al fin y al cabo, *las vides* son enredaderas). Pero la viticultura comercial exige enredar los vástagos de las vides en enrejados o alambres en un patrón sistemático. El *propósito* de enredar la vid de esa manera, es lograr que los racimos cuelguen en la mejor posición para recibir suficiente sol y maduren bien y, además, se cosechen más fácilmente.

Un *pabellón abierto* es un método de enrejado que logra el máximo de exposición de las uvas al sol. El *manejo del pabellón,* la práctica de colocar las hojas y los racimos en la mejor posición en un viñedo, es una carreta muy popular. Los productores de vino quieren que usted sepa que están haciendo todo lo posible para que las uvas maduren. Pero la prueba está en el vino, no en la palabras.

✔ **Microclima.** Ejemplo: "Nuestros viñedos se benefician de un microclima que asegura la perfecta madurez todos los años". Toda región vinícola tiene condiciones climáticas (la cantidad y oportunidad de sol, lluvia, viento, humedad, etc.) que se consideran la norma para esa área. Pero las localidades dentro de una región — el lado de una colina en particular, por ejemplo — pueden tener una realidad climática diferente de la de los viñedos vecinos. La realidad climática única de una determinada localidad se llama su *microclima.* Naturalmente, todo productor de vino cree que su microclima es ideal — o quiere convencernos de que lo es.

La jerga del cultivo de las uvas se refiere a asuntos que son realmente importantes para la gente que se gana la vida con el cultivo de la vid o con la producción de vino. Pero ninguno de esos asuntos, por sí solo, prueba nada sobre la calidad o el gusto de un vino. Cada uno de estos asuntos es sólo un elemento del panorama total: cómo sabe el vino.

# Palabras mágicas de la producción del vino

La vinificación se divide usualmente en dos partes: *fermentación,* el período en que el jugo de uvas se convierte en vino, y *maduración* (o terminado), el período que sigue a la fermentación cuando el vino se asienta, pierde sus asperezas, va al bachillerato y queda listo para encontrarse con el mundo. El proceso en total puede tomar tres meses o cinco años; depende del tipo de vino que se esté haciendo — incluso más, si el banco no está acosando al fabricante.

## Cuando la madera se vuelve mágica

*Los barriles de roble* de 60 galones (más o menos del tamaño de una caneca grande de basura) se usan con frecuencia para la fermentación o la maduración del vino. Esos barriles son caros — alrededor de 600 dólares por barril, si son hechos de roble francés. (La mayoría considera que el roble francés es el más fino.) Suponemos que el gusto es una buena razón para ufanarse de que se usan esos barriles.

Pero no todo roble es lo mismo. Los barriles de roble varían en el origen de la madera, la cantidad de costra de cada barril, la edad de los barriles (pierden su roblicidad con el tiempo), e incluso, el tamaño. Incluso si todos los robles fueran lo mismo, un vino saldría distinto dependiendo de si lo que se puso en los barriles fue jugo sin fermentar o vino ya hecho, y de cuánto duró en ellos.

De hecho, la cuestión del roble es tan complicada, que cualquiera que sugiera que un vino es mejor simplemente porque ha pasado por el roble, es culpable de un grosero simplismo. *No hay una correlación automática entre el uso del roble y la calidad del vino.*

El propósito de usar barriles de esa madera es doble: Los barriles le dan un sabor y un aroma roblizos al vino que, en general, es muy atractivo; además, al permitir un intercambio lento de oxígeno con el vino, el roble actúa como catalizador en los cambios químicos dentro del vino. (La alternativa usual al roble — el acero inoxidable — es impermeable al aire.) La mayor parte de lo que se dice ahora del roble, se refiere, sin embargo, a la primera cuestión — al aroma y el sabor de roble en el vino. Algunos fabricantes, de hecho, sumergen redondeles o virutas de roble en el vino para darle carácter roblizo sin el gasto de comprar los barriles, o le agregan esencia de roble. (Ésta es menos común que las tajadas de roble y en algunos lugares es ilegal.) Estas prácticas resultan mucho menos costosas que los barriles hechos a mano. Y trate no más de lograr que algún fabricante admita que las aplica.

### Fermentación en barril vs. añejado en barril

No hay que aventurarse demasiado en el vino antes que alguien se ponga a explicarle que algún vino en particular se fermentó o se añejó en el barril, sin que usted le estuviera preguntando. ¿Qué demonios querrá decir, y hay alguna razón para que eso importe?

La locución *fermentado en barril* quiere decir que el jugo de uvas sin fermentar se echó en los barriles (casi siempre de roble) y se convirtió allí en vino. La locución añejado en barril usualmente significa que el vino (ya fermentado) se puso en barriles y se mantuvo en ellos durante un período de maduración de algunos meses o algunos años.

Puesto que la mayor parte de los vinos que se fermentan en barriles permanece en ellos varios meses después que la fermentación ha terminado, las locuciones fermentado en barril y añejado en barril se usan juntas. La locución añejado en barril sólo sugiere que la fermentación tuvo lugar en alguna otra cosa — usualmente en acero inoxidable.

La fermentación en barril se aplica sólo a los vinos blancos, y la razón es muy práctica. Como lo mencionamos en el capítulo 2, el jugo de los vinos tintos se fermenta junto con los hollejos de las uvas para que se vuelva rojo, y ésa es una mezcla bastante pegajosa para tenerla que limpiar de un barril pequeño. Los vinos tintos generalmente se fermentan en tinas más grandes — de acero inoxidable o incluso de madera — y después se *añejan* en barriles pequeños cuando ya se ha colado el vino. (Algunos estilos de vino tinto ligero y frutoso no se pasan por el roble nunca.)

Ésta es la razón por la cual importa que un vino blanco sea fermentado en barriles o sólo añejado en barriles. Los vinos fermentados en barriles, al final, tienen un sabor menos robliz que los vinos que simplemente se añejaron en barriles, aunque puedan haber pasado más tiempo en el roble. (Un Chardonnay fermentado y añejado en barriles puede haber pasado 11 meses en roble, por ejemplo, y un Chardonnay añejado en barriles puede haber pasado sólo 5 meses.)

Muchas personas que, se supone, saben más de vino que usted — por ejemplo, el vendedor de la viñatería — entienden los procesos al revés y le dicen a usted que el vino fermentado en barriles sabe más a roble. Si usted tiene una fuerte opinión sobre el sabor de roble en su vino, terminará comprando el vino equivocado, por el consejo de esas personas.

### Otros términos de la fabricación de vino

Vuélvase un experto en vino de la noche a la mañana y deslumbre a sus amigos con este asombroso arsenal de jerga de vino. (Pero no se engañe usted mismo creyendo que cualquiera de los procedimientos descritos

## En defensa del acero inoxidable

Puesto que al roble lo rodea un aura de alta calidad, el acero inoxidable tiene mala prensa con los esnobs de vino. En realidad, a menos que un productor quiera hacer específicamente el estilo de vino que resulta de la fermentación en barriles, el acero inoxidable es el material ideal para los tanques de fermentación.

Es fácil de limpiar, viene en todas las formas y en todos los tamaños, permite una regulación fácil de la temperatura del vino mediante controles por computador, y dura para siempre. Hay algunos muy buenos vinos hechos enteramente en acero inoxidable, que no han visto el roble jamás.

necesariamente produce un vino de alta calidad. El mérito de cada procedimiento depende del vino en particular a que se aplique.)

✔ **Sedimentos.** Ejemplo: "Nuestro Chardonnay ha tenido 11 meses de contacto con los sedimentos". Estos sedimentos son distintos sólidos que se precipitan hacia el fondo después de la fermentación. Los sedimentos incluyen células muertas de levadura que ya han cumplido su oficio de cambiar en vino el jugo de uvas, lo mismo que pulpa de uva y, en el caso de los vinos tintos, cáscaras y pepitas. Cuando la gente habla de sedimentos y de contacto con ellos, son las células muertas de levadura las que tienen mayor importancia. Estas células pueden interactuar con elementos del vino y darle un sabor más complejo. (A veces el productor agita periódicamente los sedimentos para acelerar el proceso.) Un vino blanco, que ha tenido un largo contacto con los sedimentos, usualmente tiene un sabor más rico y menos abiertamente frutal que si no lo hubiera tenido.

✔ **ML o maloláctico.** Ejemplo: "Pasamos nuestro vino por un maloláctico completo". El maloláctico, llamado ML, es una fermentación secundaria que cambia la naturaleza de los ácidos del vino. (Durante este proceso de fermentación, el *ácido málico,* un ácido fuerte, que también se encuentra en las manzanas, se convierte en *ácido láctico,* un ácido más suave que también está presente en la leche.) El resultado neto es que el vino resulta menos ácido y más suave. El ML, usualmente, ocurre naturalmente, pero un productor de vino puede impedirlo.

Los vinos rojos casi siempre pasan por la fermentación maloláctica. Pero en el caso de los blancos, ésta depende del juicio estilístico del productor. Un vino blanco que debe ser firme y pronto, con sabores frutales vívidos — como un Riesling seco, por ejemplo — logra mucho mejor ese estilo, sin ML. En ocasiones, el ML contribuye a darle al vino un sabor como de mantequilla. La fermentación maloláctica puede ser clave para crear blancos deliciosos, si a uno le gusta el estilo de vino que se logra.

Varios productores describen sus vinos como "parcialmente malolácticos". En general, esto quiere decir que algunos barriles o tanques pasaron por el ML y otros no, y luego se mezclaron unos y otros para obtener un efecto intermedio. El productor de vino previene el ML usando dióxido de azufre (que inhibe las bacterias que provocan el ML) o filtrando el vino para quitarle las bacterias ML.

✔ **pH.** Ejemplo: "El pH de este vino es 3.4". El término químico pH significa exactamente lo mismo en el vino que en otros campos científicos. ("Nuestra crema facial tiene un pH equilibrado para pieles sensibles".) Si quiere una explicación técnica, busque a su antiguo profesor de química. Si se contenta con el concepto general, el pH es una medida de acidez; los vinos con bajo pH (más o menos 3, 4 o menos) tienen una acidez alta, y los vinos con pH alto tienen una acidez más baja.

✔ **Clarificación y filtración.** Ejemplo: *"Nuestro* vino no ha sido clarificado ni filtrado". Los procesos de *clarificación* y *filtración* se llevan a cabo en la mayoría de los vinos hacia el fin del período de maduración cuando están casi listos para embotellarse. El propósito de estos procesos es darle *transparencia* al vino — esto es, quitarle cualquier aspecto turbio o cualquier partícula sólida, y *estabilizarlo —,* o sea, quitarle cualquier levadura, bacteria o criatura microscópica que pueda dañar el vino ya embotellado.

Hay una creencia popular entre los amantes antitécnicos del vino, según la cual aclarar y filtrar un vino es despojarlo de su carácter — según esto, los vinos que no han sido ni aclarados ni filtrados son mejores de por sí. Pero es un asunto complejo. (Para empezar, hay *grados* de aclaración y filtración, como aclarado *ligero* y filtrado *suave.)*

✔ **Mezcla.** Ejemplo: "Mezclamos los vinos de cinco uvas diferentes para crear capas de complejidad en nuestro vino". Esto es fácil. *Mezclar* quiere decir lo mismo en la producción de vino que en la panadería: poner juntos unos ingredientes y otros. En la producción de vinos los ingredientes son los vinos de distintas variedades de uva que se fermentan por separado y después se juntan. Pero *mezclar* también se aplica a juntar distintos barriles (o lotes) de vino de la misma variedad de uva para crear un lote homogéneo antes de embotellarlo. Mezclar es también el término para agregarle extracto líquido de roble al vino. Cuidado con el azúcar del pastelero, por favor.

Mezclar vinos de distintas variedades de uva es más común de lo que pensamos. Muchos vinos que llevan el nombre de una sola uva están hechos realmente de más de una, pero se nombran por la principal, de acuerdo con la regla del 75 por ciento — o el 85 por ciento. (Vea "Hola, mi nombre es Chardonnay, en el capítulo 7.)

Las razones para mezclar los vinos de diferentes uvas son:

✔ Reducir costos al diluir un vino caro como el Chardonnay con algo mucho menos costoso.

✔ Mejorar la calidad del vino, usando uvas cuyas características se complementan y se ayudan unas a otras.

Muchos de los vinos tradicionales de Europa, como el Rioja tinto, el Burdeos tinto, el Châteauneuf-du-Pape y el Champaña, son vinos de mezcla que le deben su personalidad a varias uvas.

# Ninguna técnica de producción de vino es una isla

Si usted se mete de veras en el vino, y si es la clase de persona que goza sabiendo cómo funcionan las cosas, algunos de los términos propios de la fabricación del vino y del cultivo de las uvas, que aparecen en este capítulo, pasarán, tal vez, a hacer parte de su vocabulario. Si es usted un hedonista que sólo quiere gozar del vino sin tanto detalle técnico, por desgracia estará expuesto a la jerga de todos modos, cuando asista a degustaciones, visite un país del vino o lea sobre vino.

En ambos casos, es capital el sentido de la perspectiva. Recuerde que la producción de vino es un proceso complicado en el cual cada paso depende de otro. En último término, la calidad de un vino reside en la copa, no en las palabras.

# Capítulo 4

# Cómo navegar por una tienda de vinos

• • • • • • • • • • • • • • • • • • • • • • • • • • • • • • • • • • • • • • • • • • • • • •

*En este capítulo*

▶ Cómo armarse contra las fuerzas de la intimidación

▶ Qué hay de malo en los supermercados

▶ Cómo seleccionar un buen comerciante en vino

▶ Cómo seleccionar el vino adecuado

• • • • • • • • • • • • • • • • • • • • • • • • • • • • • • • • • • • • • • • • • • • • • •

A menos que goce de la permanente relación de dependencia con un amante del vino, conocedor e indulgente, el día llegará en que tenga que comprar una botella de vino u ordenarla en el restaurante usted mismo. Si tiene suerte, el dueño de la tienda o el gerente del restaurante, por casualidad, será un tipo iluminado cuyo propósito en la vida sea hacerles el vino fácil y accesible a los otros. Si usted tiene tanta suerte también puede que reciba un grado honorario de la universidad de Harvard, y una herencia libre de impuestos de una tía que nunca conoció. Las probabilidades son más o menos las mismas.

## Comprar vino puede intimidar a cualquiera

El sentido común nos sugiere que comprar unas cuantas botellas de vino debe ser menos estresante que, digamos, solicitar un préstamo bancario o ser entrevistado para un puesto. ¿Cuál es el problema? No es sino jugo de uvas.

Pero los recuerdos *nos* dicen otra cosa. Había una época en que la tienda de vinos no nos aceptaba la devolución de una de las dos botellas de vino alemán barato que le habíamos comprado la semana pasada, ni siquiera cuando explicábamos lo espantosa que nos había salido la primera. (*¿Estábamos* equivocados sobre el vino o *ellos* eran arrogantes? Perdíamos días enteros tratando de saberlo.) Y la vez que presumimos de saber lo que hacíamos y compramos una caja entera (12 botellas) de un vino francés, basados en la reputación general de la marca, sin darnos cuenta de que la cosecha en particular que compramos era una miserable aberración de la calidad acostumbrada del productor. (¿Por qué ni siquiera le *preguntamos* a alguien en la tienda?) Y luego todo ese tiempo que nos pasamos mirando las estanterías, en las que se alineaban unas botellas cuyas etiquetas igual podían estar escritas en griego, para lo que entendíamos en ellas.

Por fortuna, nuestro entusiasmo por el vino nos hizo perseverar. Llegamos a descubrir que comprar vino puede ser divertido.

Descubrimos también una cosa extraña sobre las botellas de jugo de uvas fermentado: la posibilidad de comprarlas o venderlas puede convertir a personas normalmente amables y sensitivas en victimarios o en víctimas, si la cosa depende de que están tratando de probar que saben más de lo que saben o están tratando de ocultar lo que no saben. Pero no tiene por qué ser así.

Demasiada información sobre vino cambia constantemente — nuevas cosechas todos los años, centenares de nuevos productores, nuevos vinos, avances de la tecnología del vino y de todo lo demás — para que *alguien* presuma que lo sabe todo o alguien pueda sentirse inseguro sobre lo que no sabe.

Piénselo un momento: Si usted pudiera saber todo lo que se sabe sobre el vino que hay ahora en existencia (lo que, de todos modos es una hazaña imposible), en el momento de la próxima vendimia tendría que empezar de nuevo a aprender sobre los vinos nacidos de esa cosecha. Mientras tanto, los vinos que usted ya conoce están cambiando a medida que se añejan y, dentro de un año, habrá una nueva vendimia y vinos nuevos.

El del vino es un campo tan rico, que nadie en el mundo sabe todo lo que hay que saber sobre él. Y eso es, justamente, lo que hace del vino algo tan interesante. Siempre hay algo que aprender.

La experiencia nos ha enseñado que la manera más eficaz de asegurarse uno mismo más experiencias buenas que malas es llegar a términos claros con lo que uno sabe — o ignora por consiguiente — en la materia. Si todos dejamos de presumir de que sabemos y renunciamos a nuestra actitud defensiva sobre lo que ignoramos, comprar vino se volverá el sencillo intercambio que debe ser.

# Dónde se vende el vino

Hay tres grandes ventajas de comprar vino en una tienda para tomárselo después en casa: Las tiendas tienen, por lo general, una selección de vinos mucho más grande que los restaurantes; el vino es menos costoso que en los restaurantes, y el tipo que se lo vendió no puede estar viéndolo y oyendo lo que usted dice mientras se lo toma.

Por otro lado, usted tiene que disponer de sus propias copas y destapar el vino usted mismo (vea en el capítulo 6 todo lo relativo con estos aspectos). Y la gran existencia puede ser atortolante. Pero, por lo menos, uno puede tocar las botellas y comparar las etiquetas.

Se puede comprar vino en toda clase de establecimientos: desde supermercados hasta tiendas especializadas, bodegas de descuento o pequeñas tiendas y cigarrerías. Todos tienen sus ventajas y desventajas en cuanto a existencias, precios o servicio.

Como el vino es una bebida sujeta a reglamentaciones en la mayoría de los países, los gobiernos intervienen en las decisiones sobre dónde y cómo se puede vender (y a veces, incluso, cuándo). De manera que usted tendrá más o menos opciones sobre lugares para comprar vino, según dónde viva.

Algunos estados de los Estados Unidos y algunas provincias del Canadá han convertido el control de las bebidas alcohólicas en una de las bellas artes. Deciden, no sólo *dónde* se puede comprar vino, sino también *cuáles vinos* pueden comprarse. Si a usted le gusta el vino y vive en una de esas áreas (usted sabe quién es), consuélese con los siguientes hechos: a) usted puede votar; b) la libertad de escogencia se encuentra al pasar la frontera; y c) si se cayó el muro de Berlín, hay esperanza de que su gobierno local cambie.

Presumimos que existe una economía de mercado sana y libre para el vino, en las reflexiones que hacemos sobre la venta de vinos al por menor. Esperamos que ésta se practique en donde usted vive porque, así, su disfrute del vino florecerá con mucha mayor facilidad.

## Supermercados

En los mercados verdaderamente *abiertos,* el vino se vende en los supermercados como cualquier otro producto alimenticio. Los supermercados ponen el vino al alcance de cualquiera. Si se puede comprar lo necesario para hacer una comida, se puede comprar una botella de vino para tomársela con la comida.

Cuando en los supermercados se vende vino, todo el misterio que rodea el producto se evapora. (¿Quién va a perder tiempo en sentirse inseguro sobre la compra del vino, cuando hay asuntos mucho más críticos a mano, tales como cuánto tiempo le queda antes que los chicos se conviertan en monstruos y cuál es la cola más corta en la caja?) Y los precios, especialmente en los supermercados grandes, son usualmente muy razonables.

Conocemos el hecho de que algunas personas en el negocio de los vinos desaprueban la actitud descomplicada hacia el vino en los supermercados; para ellas el vino es sacrosanto y debe tratarse siempre como una bebida de elite. Por lo menos no se tropezará con esas personas mientras curiosea en los estantes de vino de su supermercado.

# Bodegas de descuento y supertiendas

Algunas tiendas venden vino en el mismo volumen que los supermercados, pero, en rigor, no son supermercados. La mayoría de las cadenas de bodegas de descuento están dentro de esta categoría. Con su vino, usted puede comprar cualquier clase de licores, gaseosas, picadas y otras cosas que necesite en una fiesta. Las tiendas son grandes y los precios, por lo general, muy buenos.

En algunas partes, los compradores de vino afortunados tienen acceso a los supertiendas de vinos que pueden ofrecer precios estupendos. Pero los vinos se venden *por cajas,* lo que quiere decir que uno tiene que comprar doce botellas del mismo vino. (Algunos vinos especiales muy costosos vienen en cajas de seis botellas.)

## El lado malo de los supermercados y las supertiendas

Si usted decide comprar su vino en el supermercado o en la bodega de descuento, gozará usualmente de una amplia variedad, una actitud sin falsos misterios, y precios a su alcance — incluso, tal vez, los mejores de la ciudad.

Por otro lado, puede sentirse necesitado de servicio. En esas operaciones grandes de autoservicio, puede ser difícil encontrar a alguien que lo guíe con consejos expertos. Lo más probable es que tenga que atenderse usted mismo.

Para guiarlo a usted en su viaje solitario, habrá un montón de *habladores de estantería* (letreritos en los estantes que describen cada vino). Pero los habladores están allí, probablemente porque los puso la compañía que vende ese vino y que está más interesada en que usted agarre la

## Datos para sobrevivir en el supermercado

Si está comprando en un supermercado en el que no hay nadie a quien pedirle consejo, haga una de estas tres cosas:

1. Trate de recordar los nombres de los vinos recomendados en el último artículo sobre vino que haya leído. Mejor si usted trae consigo el artículo o los nombres.

2. Llame por teléfono a una amiga que sepa de vinos o, mejor, tráigala (si se supone que sus paladares son afines).

3. Compre el vino de la etiqueta más bonita. ¿Qué tiene que perder?

botella que en ofrecerle información para ayudarle a entender el vino. Frases floridas, adjetivos hiperbólicos y cautas afirmaciones genéricas como "delicioso con el pollo" *(¿cualquier* pollo, cocinado de *cualquier modo?)* son lo que muy probablemente se va a encontrar, y la información tendrá un valor muy escaso.

En los supermercados y las bodegas de descuento puede descubrir también que la variedad ilimitada en apariencia es en realidad limitada de algún modo. La mayoría de los vinos que se encuentran son los que se producen en cantidades suficientes para atender las ventas a la escala de las cadenas. No hay nada malo en esto, a menos que uno ande buscando uno de esos vinos especiales, de producción limitada sobre los cuales los amantes del vino se pasan horas discutiendo en voz baja. (¡Desde luego, esos vinos especiales sabrían un trisito menos bien si se compraran en algún lugar que no los rodeara de una atmósfera de elitismo!)

La cosa, en el fondo, es que los supermercados y las bodegas de descuento pueden ser estupendos lugares para comprar el vino de todos los días para gozarlo comúnmente. Pero si lo que uno quiere realmente es aprender de vino, al comprarlo, o si desea una variedad desusada e interesante de vinos para satisfacer su voraz curiosidad, usted se encontrará comprando en otros lugares, probablemente.

## *Tiendas de vinos especiales*

Estas tiendas o vinaterías son de tamaño pequeño a mediano que venden vinos y licores y, a veces, libros sobre vinos, sacacorchos, copas para vino (vea en el capítulo 6 más información al respecto) y unos pocos comestibles especiales. Los comestibles que se venden en estas tiendas son más bien artículos para *gourmets* que simples picadas de serie. Esta clase de tiendas busca los clientes de los estratos altos.

Si usted se decide a seguir con el vino como afición seria, probablemente terminará comprando sus vinos en tiendas como éstas, porque pueden ofrecer muchas ventajas que los grandes negocios no pueden proporcionar. Para empezar, las tiendas de vinos especiales casi siempre tienen a alguien experto en vinos en el establecimiento. Además, usualmente se encuentra una variedad interesante de vinos de todos los niveles de precio.

(Conocimos una vez a un vendedor de vino al por menor que estaba situado a pocos pasos de una bodega de descuento. Se lamentaba de que la suya era una tienda para la *13ª botella:* los clientes le consultaban sobre vinos nuevos o raros y le compraban, tal vez, una botella del que les recomendara. Si les gustaban sus recomendaciones, se iban derecho a la bodega más cercana y compraban una caja [doce botellas] al precio con descuento. Después volvían a pedirle consejo sobre la próxima *13ª botella.*)

## Dentro de la tienda de vinos

Con frecuencia, las tiendas de vinos organizan sus existencias por países de origen y — en el caso de los países clásicos del vino, como Francia — por regiones (por ejemplo, Burdeos, Borgoña, Ródano, Champaña, etc.). Los vinos tintos y los blancos frecuentemente están en secciones distintas dentro de los espacios del país respectivo. Puede haber una sección especial para vinos espumosos y otra para vinos de postre.

En ciertas tiendas hay un área (y hasta un *cuarto* especial) para los vinos *mejores* o más costosos. En algunas, es un cuarto cerrado y abovedado. En otras es toda el área del fondo de la tienda. Si el área especial es grande, se puede deducir algo sobre los vinos del resto de la tienda: que son en su mayoría vinos de, digamos, menos de 10 dólares la botella. Cuando uno está buscando un vino entre muy bueno y excelente, se puede sentir en su casa en la sección especial. Naturalmente, muchos clientes comprarán en ambas partes de la tienda.

En algún rincón, con frecuencia al lado de la puerta en donde se ponen las compras de afán, hay un *gabinete refrigerado* con puertas de vidrio en donde reposan botellas de los vinos blancos y los espumosos que más se venden. A menos que usted *tenga la necesidad* de una botella helada de vino para *ya* (ustedes dos han decidido escaparse, el cura que los va a casar está a dos kilómetros y el brindis del matrimonio no se va a demorar más de diez minutos) evite el gabinete refrigerado. Los vinos que están adentro, usualmente están demasiado fríos y pueden no estar en buenas condiciones.

Cerca del frente de la tienda se puede encontrar, también, cajas o parejas de vinos en rebaja. Esos despliegues de rebajas tienen encima, en general, *carteles de caja* u otro material descriptivo. Lo que dijimos sobre los habladores de estantería se aplica a estos carteles; pero como son más grandes, hay más probabilidad de que en ellos aparezca alguna información útil.

# Cómo escoger el comerciante en vinos acertado

Juzgar a un comerciante en vinos es tan simple como juzgar a cualquier detallista especializado. Los criterios principales son *selección, servicio, calidad de experto,* y *precio.* Pero las condiciones en que una tienda almacena sus vinos son capitales.

## Precio

Cuando se es un comprador novato, la mejor estrategia es salir de compras más con el ojo puesto en el servicio y en el consejo confiable que en el precio. Cuando usted haya encontrado un comerciante en vinos que le haya sugerido varios vinos que le han gustado, quédese con él, incluso si no tiene los mejores precios de la ciudad. Tiene más sentido pagar un poco más por los vinos que ha recomendado un comerciante de confianza (vinos que a usted probablemente le gustaron), que comprar vinos en una tienda que quiebra precios o en una casa de descuentos, para ahorrarse algo de dinero. Especialmente, si esas tiendas no tienen un consejero especial de vinos o si el consejo que le dan es sospechoso.

Cuando ya tenga más conocimiento del vino, tendrá la confianza suficiente para comprar en las tiendas de mejores precios. Pero, incluso entonces, el precio debe ser menos importante que las condiciones de almacenamiento del vino (vea "almacenamiento" más adelante en este capítulo).

## Selección

En la primera visita, usted no sabrá necesariamente si la selección de vinos que hay en una tienda es la que le conviene. Si se da cuenta de que hay varios vinos de muchos países diferentes, déle a la selección de la tienda el beneficio de la duda. Pero si, a medida que usted aprende, la selección le queda corta, en ese momento, busque otro comerciante de vinos.

## Calidad de experto

No le dé fácilmente el beneficio de la duda a un comerciante en vinos cuando se trata de saber si es un experto, sin embargo. Algunos detallistas no sólo son muy conocedores de los vinos que venden, sino que saben mucho de vino, en general. Pero algunos, saben incluso menos que sus consumidores. Así como usted espera que su carnicero conozca los cortes de carne, así mismo ¡debe esperar que su vinatero sepa mucho más de vino que la mayoría de sus clientes! Pregunte libremente y juzgue hasta qué punto el comerciante tiene deseos y es capaz de responderle.

Exija que su vinatero tenga un conocimiento *personal* de los vinos que vende. Hoy día hay muchos que usan las calificaciones de unos pocos críticos como muletas para vender sus vinos. Empapelan sus estantes con las notas de las críticas (usualmente algo del orden de 90 en una escala de 100) y le hacen propaganda a sus vinos con esos números (vea revistas y publicidad directa sobre vino en el capítulo 17). Estamos de acuerdo en que ésta es una forma rápida de comunicar un concepto aproximado de la calidad del vino (acuérdese, ¡eso no quiere decir que a usted *le guste!*). Pero el conocimiento y la experiencia del detallista deben ir más allá de los números de los críticos o el hombre no está desempeñando su puesto cabalmente.

## Servicio

La mayoría de los comerciantes de vinos que saben se enorgullecen de su capacidad de guiarlo a usted a través del laberinto de las existencias de vinos y ayudarlo a encontrar un vino que le guste. Confíe en un comerciante una o dos veces, por lo menos, y mire si sus elecciones son buenas. Si no es lo bastante flexible — o no sabe lo suficiente — para sugerirle vinos que llenen sus necesidades, es obvio que usted requiere otro comerciante. Todo lo que le habrá costado es el precio de una o dos botellas de vino. ¡Un poco menos costoso que escoger el médico o el abogado equivocado!

Hablando de servicio, cualquier comerciante de vinos de buena reputación le aceptará la devolución de una botella si le ha hecho una mala recomendación o si el vino parece dañado. Después de todo quiere conservarlo a usted como cliente. Pero ese privilegio implica responsabilidad: sea razonable. No se puede devolver una botella *destapada* si no se piensa que tiene algo defectuoso (¡y en ese caso debe estar llena en su mayor parte!). Y no espere meses para devolver una botella de vino destapada. Para entonces, a la tienda le será muy difícil reclamarle la devolución de su dinero al mayorista. Después de una o dos semanas, la botella es suya, gústele o no.

## El almacenamiento del vino

Éste es un hecho sobre el vino que vale la pena aprender pronto: El vino es un producto perecedero. No se llena de hongos como el queso, pero puede alojar bacterias e-coli como la carne. De hecho, algunos vinos — en general los más costosos — pueden mejorar y mejorar a medida que se vuelven añejos. Pero si el vino no se almacena adecuadamente, su sabor puede sufrir. (Si quiere saber cómo almacenar el vino en su casa, vea "Un ambiente saludable para sus vinos" en el capítulo 15.)

Al juzgar una tienda de vinos, especialmente si planea comprarle mucho vino o vino costoso, verifique sus condiciones de almacenamiento. Lo que no se quiere encontrar es un área en la que haya calor — por ejemplo, una en que los vinos se almacenan cerca de la caldera, de modo que éstos se cocinen todo el invierno, o un lugar en el piso más alto del edificio donde el sol le sonríe al vino todo el verano. Las mejores de las mejores tiendas de vinos tienen bodegas de clima controlado para sus productos. Sin embargo, con franqueza, éstas son la minoría. Si una tienda tiene un buen sistema de almacenamiento, el dueño estará feliz de mostrárselo a usted, porque se siente orgulloso del gasto y el esfuerzo que empleó.

Por desgracia, el problema del daño de los vinos no comienza en la tienda detallista. Con mucha frecuencia el *mayorista o distribuidor* — la compañía a la cual el detallista le compra el vino — no cuenta, tampoco, con las condiciones de almacenamiento adecuadas. Y, ciertamente, se han dado casos en los que el vino se ha dañado, por circunstancias extremas de clima, incluso antes de llegar al distribuidor, por ejemplo, reposando en los muelles en lo más frío del invierno (o en lo más caliente del verano) o en el viaje a lo largo del Canal de Panamá. Un buen comerciante verifica la calidad del vino, antes de comprarlo, o lo devuelve si descubre el problema después de haberlo comprado. De la misma manera, le acepta la devolución del producto dañado. (Para más información sobre las condiciones ideales de almacenamiento, vea el capítulo 15.)

### Cómo evitar encontrarse con vino mal almacenado

Si usted no sabe cómo se almacenó el vino — y la verdad es que la mayoría de las veces no se sabe — puede hacer dos cosas para minimizar el riesgo de comprar una mala botella.

Primero, sea cliente de detallistas que parezcan cuidar de sus productos y den buen servicio a sus clientes. Segundo, esté atento a los cambios de clima y a sus tendencias cuando compre vino o cuando se lo envíen a casa. Nosotros mismos tenemos mucho cuidado de no comprar vino al final o durante un verano muy caluroso, a menos que la tienda tenga un buen sistema de control climático. Y no pedimos que nos envíen vino (distinto de en-

tregas pequeñas de nuestra tienda local) en lo más caluroso del verano o en los más helado del invierno.

Otra manera de saber que el vino que uno compra está sano es sólo comprar los vinos que más se venden, los más populares — esto en el caso de que a uno no le importe ser esclavo de las tendencias del gusto. Los vinos que se mueven rápidamente por la cadena de la distribución tienen menos oportunidades de dañarse en el camino. A veces nos preguntamos si los vinos que más se venden, justamente se venden más porque se venden más...

# Estrategias para comprar vino al por menor

Cuando uno sobrepasa todas las implicaciones que comprometen el ego en la compra del vino, se puede realmente divertir en las tiendas de vino. Nos acordamos de cuando al fin contrajimos el *virus* del vino. Nos pasábamos incontables horas los sábados visitando distintas tiendas de vinos cerca de nuestra casa (para un amante apasionado del vino, 45 kilómetros puede ser *cerca)*. Los viajes a otras ciudades ofrecían nuevas oportunidades de explorar. Tantos vinos, tan poquito tiempo...

Descubrimos almacenes buenos, de confianza — y almacenes que recomendaríamos sólo a nuestros peores enemigos (RSANPE). Naturalmente, cometimos nuestra cuota de errores por ese camino, pero aprendimos buenas lecciones.

## Si ve una oportunidad, aprovéchela

Cuando comenzamos a comprar vino, nuestro repertorio era más o menos tan amplio como el vocabulario de un niño de dos años. Comprabamos las mismas marcas una y otra vez porque eran escogencias seguras, sabíamos qué esperar de ellas y nos gustaban lo suficiente — todas buenas razones para comprar un vino particular. Pero, en contrapartida, nos dejábamos atascar porque nos daba susto arriesgarnos con algo nuevo.

Si el vino iba a ser realmente una diversión, nos dimos cuenta, teníamos que ser un poco más aventureros.

Si uno quiere probar la maravillosa variedad de vinos del mundo, experimentar es lo que toca. Los nuevos vinos pueden ser interesantes y emocionantes. De vez en cuando se encuentra un clavo, pero, por lo menos, ¡uno no vuelve a comprar *ése* otra vez!

## Explique lo que quiere

La escena siguiente — o algo muy parecido — ocurre en todas las tiendas de vinos todos los días (y diez veces todos los sábados):

**Cliente:** Me acuerdo de que tiene etiqueta amarilla. Lo tomé en un restaurantico, la semana pasada.

**Comerciante:** ¿Sabe de qué país es?

**Cliente:** No, pero creo que tiene una flor en la etiqueta.

**Comerciante:** ¿Se acuerda de la cosecha?

**Cliente:** Creo que es joven, pero no estoy seguro. Tal vez si doy una vuelta lo encuentro.

No hay que decir que el cliente raramente encuentra el vino que está buscando.

Cuando encuentre un vino que le guste en un restaurante o en la casa de un amigo, escriba toda la información posible de la etiqueta. No confíe en la memoria. Cuando llegue a la tienda de vinos, puede no recordar tantos detalles sobre el vino como si los hubiera anotado. Si su detallista ve el nombre, puede darle ese vino — y si no tiene ése, exacto, le puede dar uno similar.

A usted lo favorece claramente el poder darle a su detallista todo lo que pueda sobre los tipos de vino que le han gustado o que quiera ensayar. Con frecuencia, es útil decirle qué clase de platos tiene en mente para comer con el vino.

## Diez pistas para identificar una tienda en donde NO se debe comprar

1. Las botellas tienen una capa de polvo de más de un milímetro.

2. La mayoría de los vinos blancos son de un color café claro.

3. La cosecha más reciente de la tienda es 1984.

4. Los colores de todas las etiquetas se han desteñido con el sol.

5. Hace más calor adentro que en una sauna.

6. Todas las botellas están de pie.

7. Un letrero que dice: "Gratis, botella de vino rellenada".

8. Tres cuartas partes de las botellas tienen tapas de rosca.

9. El vino del mes, del mes de julio, tiene un Papá Noel en la etiqueta.

10. El dueño se parece a Pedro Picapiedra.

## *Diga su precio*

Como los precios de los vinos pueden ir de dos o tres dólares a, literalmente, centenares, es buena idea decidir cuánto quiere gastar, para decírselo al detallista. Un buen comerciante que tenga una buena selección debe poder hacerle varias sugerencias sobre vinos, dentro de su categoría de precios preferida.

Un buen comerciante está más interesado en seguir haciendo negocio con usted, si lo deja contento, que en encajarle una botella que está más allá de sus límites de precio. Si todo lo que quiere gastar son cinco dólares por botella, dígalo sin más, y manténgase firme sin avergonzarse. Hay muchos vinos decentes y sabrosos a ese precio.

# *El fondo de la cuestión de comprar vino*

El mejor comerciante en vinos le suministra a usted el vino que a usted le gusta a un precio razonable. Y si, además, lo está educando a usted en materia de vino en el proceso de venderle, es una ventaja definitiva. ¡Usted ha encontrado un proveedor de vino!

¿No hay tal especie en sus vecindades? En el capítulo 16 hablamos de las ventajas y desventajas de comprar vino por catálogo, por teléfono, correo o Internet (que pueden ser buenas alternativas si usted no tiene acceso a una tienda decente en el lugar donde vive).

# Cuatro pasos fáciles para conseguir un vino que le guste

**Paso uno**

Decida cuánto quiere gastar en una botella:

a) Para el consumo corriente (esto puede cambiar con el tiempo; la escala de 5 a 6 dólares con la que comenzó puede pasar a una de 10 a 15 dólares a medida que usted descubre mejores vinos).

b) Para ocasiones especiales.

Dígale a su comerciante de vinos cuál es su escala de precios; esto reduce el campo de vinos que deben tenerse en cuenta.

**Paso dos**

Descríbale a su detallista la clase de vinos que le gustan, en términos claros y sencillos. Por ejemplo, para el vino blanco se pueden usar términos tales como "firme seco", o "frutal, maduro, roblizo, mantequilloso, de cuerpo pleno". Para los vinos tintos puede decir "grande, intenso, tánico" o "de cuerpo medio, suave". (Vea el capítulo 2 para aprender otras palabras descriptivas útiles.) Después de todo la persona no puede decidir qué le gusta a usted, leyéndole la mente.

**Paso tres**

Dígale al comerciante en vinos qué clase de comida planea servir con el vino, si ya lo sabe. Esto reducirá aún más las opciones. ¡El vino que usted toma con el filet de sole no es, probablemente, el mismo que toma con el asado! Un buen comerciante en vino le puede resultar de una ayuda invaluable en la tarea de casar los vinos con la comida.

**Paso cuatro**

Si la tienda las ofrece, pida muestras para probar (las tiendas, con frecuencia, ofrecen muestras para degustar todos los sábados, donde esto es permitido). Por supuesto, la muestra, probablemente, vendrá en un vasito plástico y a una temperatura que puede no ser la mejor para ese tipo de vino; por esa razón la muestra puede no ser verdaderamente indicativa de la calidad o el gusto de ese vino. Pero cuando menos usted tendrá una idea general de si éste es o no el que a usted le gusta.

# Cinco preguntas que usted debe hacer en una tienda de vinos

1. Si es un vino de más de 10 dólares: ¿Cómo almacenaron este vino? Las vacilaciones y los carraspeos por parte del comerciante deben tomarse como "mal".

2. ¿Cuánto tiempo ha estado este vino en su tienda? (Esto es especialmente importante si la tienda no tiene un sistema de control climático.)

3. ¿Qué compras especialmente buenas hay este mes? (Sobre la base de que usted confíe en el comerciante y no cree que le quiere meter algún vino viejo con el que está atascado.)

4. Si es del caso: ¿Por qué se está vendiendo este vino a un precio tan bajo? (El comerciante puede saber que el vino está demasiado viejo o dañado por alguna otra razón; si no le da una explicación creíble, dé por sentado que el caso es ése.)

5. ¿Este vino irá bien con la comida que voy a servir?

# Cinco preguntas que usted no debe hacer en una tienda de vinos

1. ¿Tiene algún vino frutal y sabroso? (Demasiado vaga.)

2. ¿Este vino sabe a roble? (Si el detallista piensa que usted quiere un vino con sabor a roble, lo probable es que le dé algún monstruo de vino que ha estado demasiado tiempo en barriles de roble o tiene demasiada esencia de éste, que a usted le va a parecer demasiado roblizo.)

3. ¿Puede darme un vino sin sulfitos? (*Todos* los vinos contienen una pequeña cantidad de sulfitos — un preservante que le hace más bien al vino, que mal a la gran mayoría de los bebedores, especialmente en las mínimas cantidades en que se usa en el vino; se dice que sólo un cuarto de un uno por ciento de la población, usualmente los que padecen de asma severa, tiene un motivo justificable para preocuparse por los sulfitos en el vino.)

4. ¿Me puede dar una botella del refrigerador? (En algunas tiendas, el vino puede haber estado en ese refrigerador durante meses, y puede estar entumido — sin sensibilidad como un pie entumido —, o si se supone que sea burbujeante, puede estar muerto. Lo mejor es que usted mismo enfríe el vino.)

5. ¿Cúal es el mejor vino que tiene? No me importa el precio. (El comerciante probablemente le venderá el vino más costoso que tenga, no necesariamente el mejor.)

# Capítulo 5

# Cómo orientarse en la lista de vinos de un restaurante

● ● ● ● ● ● ● ● ● ● ● ● ● ● ● ● ● ● ● ● ● ● ● ● ● ● ● ● ● ● ● ● ● ● ● ● ● ● ● ●

*En este capítulo*

▶ Cómo mostrarle a la lista de vinos quién es el jefe

▶ Cómo sobrevivir al ritual de la presentación del vino

▶ Cómo escoger el vino adecuado

▶ Cómo experimentar en las costas extranjeras

● ● ● ● ● ● ● ● ● ● ● ● ● ● ● ● ● ● ● ● ● ● ● ● ● ● ● ● ● ● ● ● ● ● ● ● ● ● ● ●

**C**uando usted pide una botella de vino en un restaurante, usted pasa a probarlo en el acto: inmediata satisfacción. Si usted ha escogido bien, se puede bañar en agua de rosas con los elogios de la familia y los amigos y salir para su casa noventa centímetros más alto. Si usted no ha escogido bien... en fin, *todos* sabemos cómo *se* siente: argumentos autodefensivos que le vagan por la mente, propina excesiva para compensar sus ideas de no haber cumplido. Por lo menos, se puede consolar con la idea de que la próxima vez le tocará a otro escoger el vino.

## Cómo pedir bien el vino en un restaurante

Aquí y allá, uno se encuentra con un restaurante que tiene incorporada una tienda de vinos. Es un establecimiento híbrido muy útil, en el cual se pueden mirar todas las botellas, leer todas las etiquetas, hojear libros y revistas de vinos, y luego llevarse a su mesa la botella que escoja. Infortunadamente, esa clase de establecimientos es tan escasa como los tréboles de cuatro hojas. En la mayoría de los restaurantes uno tiene que escoger el vino de un pedazo de papel en el que dice el nombre de los vinos y el precio por botella — y se las arregla para hacer de tan escasa información algo por completo incomprensible. Bienvenido a la *carta de vinos de restaurante.*

Las cartas de vinos de los restaurantes pueden ser enfurecedoras: no le dicen lo suficiente sobre los vinos, o le dicen cosas sin sentido. O bien, no hay nada que valga la pena tomar, o la lista es tan enorme que uno queda inmovilizado. Con frecuencia las listas son simplemente inexactas. Uno pierde diez buenos minutos de su vida en escoger un vino, sólo para descubrir que "esta noche no lo tenemos" (y eso probablemente ha sido así durante meses).

Cuando uno recibe la carta de vinos de un restaurante, lo probable es que uno no haya oído hablar de la mayoría de los vinos que aparecen. Uno puede sentirse inclinado a no recorrer toda la lista, sabiendo que ésta puede ser una mala experiencia para el ego. Pero no se rinda sin luchar. Con un poco de guía y unos cuantos datos, usted puede navegar por las agitadas aguas de la carta de vinos.

# Cómo se vende el vino en los restaurantes

Créalo o no, los restaurantes en realidad quieren que usted les compre sus vinos. Hacen una utilidad en cada venta, sus servidores ganan mejores propinas y se ponen más contentos, y usted goza más de su comida para volver a casa como un cliente más satisfecho.

Tradicionalmente, sin embargo, los restaurantes han hecho más para dificultar las ventas de vinos que para alentarlas. Por fortuna, los viejos usos están cambiando. (Infortunadamente, están cambiando despacio.)

Los vinos disponibles en un restaurante, estos días, se pueden dividir hasta en cuatro categorías (no todos los restaurantes ofrecen vino en todas las cuatro categorías, sin embargo):

✔ Los *vinos de casa:* Usualmente un blanco y un tinto, a veces también un vino espumoso; pueden comprarse *por copas* o en una *jarra.*

✔ *Vinos de marca* que se venden por copas: Una selección más amplia que la de los vinos de la casa, y en general de mejor calidad.

✔ La lista de los *acostumbrados* del restaurante o estándar.

✔ Una lista especial de vinos más añejos o menos comunes, a los cuales a veces se llama *la lista de vinos de reserva.*

## *La escogencia de la casa*

La lista de vinos parece tan imponente que uno a veces renuncia a trabajar sobre ella y dice (o tímidamente, porque reconoce que no pudo manejar la lista, o con un aire desafiante que significa que no va a perder su tiempo en ese embrollo): "Quiero sólo una copa de vino blanco". ¿Buena jugada, o gran error?

Probablemente, uno sabrá la respuesta apenas el vino de la casa le toque los labios. Puede ser lo que uno quería, y sin el esfuerzo de atravesar toda esa lista. Pero, en teoría, diríamos: "Error".

Usualmente, los *vinos de la casa* de un restaurante son productos de calidad inferior, en los que el dueño está haciendo una utilidad enorme. (Costo por onza es el criterio principal del dueño de un restaurante al escoger un vino de la casa.) Los vinos de la casa pueden ir en una escala de 3 a 4 dólares hasta 7.50 dólares por copa (con un promedio de 5 a 6 dólares). ¡Con frecuencia, la botella entera le cuesta al propietario lo mismo que el precio por copa o menos! No hay que asombrarse de que el camarero atento le llene a uno la copa hasta el borde.

Hemos establecido que sólo un pequeño porcentaje de los mejores restaurantes situados en áreas en las que se sabe de vinos, como Napa o Sonoma, ofrecen un vino de la casa que vale la pena tomar. Y prácticamente nunca es una buena alternativa. En la mayoría de las circunstancias, evite el vino de la casa.

Si las circunstancias hacen que una copa de vino blanco sea lo lógico (por ejemplo, si usted es el único que va a tomar vino con la comida), pregunte qué vino es el de la casa. No quede satisfecho con que le digan "es Chardonnay"; haga preguntas específicas. ¿Chardonnay de dónde? ¿De qué marca? Diga que le muestren la botella. O bien sus peores temores se confirman (usted nunca oyó de ese vino o tiene fama de ser inferior) o usted puede quedar gratamente sorprendido (usted ha oído de ese vino, y tiene buena reputación). Y, cuando menos, usted sabrá lo que está tomando para futura referencia.

## *Vinos premium*

La palabra *premium* se usa de manera bastante laxa en la industria del vino. Uno podría pensar que se refiere a vinos de calidad más bien alta, pero cuando se compilan las estadísticas anuales de ventas para los Estados Unidos, ¡*premium* indica cualquier vino que se venda en las tiendas por más de 3 dólares la botella!

Sin embargo, tal como se usa en la frase, *vinos premium por copas,* la palabra *premium* usualmente sí denota buena calidad. Éstos son los vinos tintos y blancos que ofrece un restaurante a un precio más alto que el de sus vinos de la casa. (¡Ah!, nos damos cuenta: ¡se paga un premio por ellos!) Los vinos premium están usualmente en una escala de 6 a 12 dólares por copa.

Un restaurante puede ofrecer un tinto y un blanco premium, solamente, o puede ofrecer varias opciones. Estos vinos premium no son bebidas anónimas, como el blanco y el tinto de la casa, pero se los identifica a usted de alguna manera — en la lista de vinos, en una carta separada, verbalmente o, a veces, hasta en un despliegue de botellas. (¿Por qué va a pagar uno un premio por esos vinos si no sabe lo que son?) En algunos restaurantes informales, los vinos por copas se ponen en un tablero con tiza.

Ordenar vinos premium por copas es una buena idea, especialmente si se quiere sólo una copa o dos o si usted y sus invitados quieren experimentar con varios vinos. A veces nosotros ordenamos un vino premium blanco para empezar y después seguimos con una botella de vino rojo.

Desde luego, hay algo oculto. Sólo un porcentaje pequeño de los restaurantes, los que tienen afición por el vino, ofrece vinos premium por copas. También es cierto que usted acaba pagando más por el contenido de una botella, copa por copa, que si hubiera pedido la botella entera, de una vez.

Si ustedes son tres, y están pidiendo el mismo vino — y, especialmente, si van a repetir — pregunten cuántas onzas les sirven en cada copa (en

---

# ¿Por qué no hay más vinos por copas?

Usted se puede estar preguntando por qué no hay más restaurantes que ofrezcan una mayor variedad de vinos por copas; ¡una variedad mayor podría ayudar tanto a su placer! ("Veamos, queremos uno de ése, y una copa de ese otro, y...") El problema para el restaurador es preservar el vino de todas esas botellas destapadas. Mientras más vinos por copas ofrezca el gerente de un restaurante, mayores serán las probabilidades de que se le quede vino sobrante en cada botella al final de la noche, y ese vino no estará lo bastante fresco para servirlo al otro día.

A menos que tenga un sistema de preservación costoso — con frecuencia una atractiva consola en la que se le inyecta gas inerte a las botellas para desplazar el oxígeno — o a menos que sea tan de buenas que acabe todas las botellas en el día, el restaurador va a desperdiciar una enorme cantidad de vino. ¡Las ganancias en el vino se le van por el fregadero!

general, 5 o 6 onzas) y comparen el precio con el de las 25.6 onzas (750 ml) de una botella del mismo vino. A veces, por lo que cuestan tres copas, se puede pedir la botella entera.

## Listas de vinos especiales o de reserva

Algunos restaurantes — unos pocos y usualmente los más pretenciosos — ofrecen una lista especial de vinos poco comunes como suplemento de su lista corriente. Esas listas especiales atraen a dos clases de clientes: los conocedores muy serios y los arribistas. Si usted no está en ninguna de las dos, ni se moleste en preguntar si el restaurante tiene esa clase de lista. Pero también, si usted no es el que paga la invitación o si quiere seriamente impresionar a un cliente suyo o a una invitada, puede querer ver la lista. Trate, sin embargo, de que le ayude con ella alguna persona conocedora de vino del restaurante. Cualquier error puede salirle caro.

## La (cualquier cosa menos) lista corriente de vinos

La mayoría de las veces, terminará volviendo a la lista de vinos del restaurante para escoger su vino. Usted está de buenas.

Usamos los términos *lista corriente de vinos* para distinguir la lista básica de un restaurante, de la especial o de reserva. Infortunadamente, no hay nada corriente en materia de listas de vinos. Vienen en todos los tamaños, las formas, los grados de detalle y exactitud y los grados de cordialidad hacia el usuario (estos últimos, desde bajo hasta ninguno).

Si usted todavía se siente emocionalmente vulnerable ante la idea de comprar vino, ni siquiera mire la lista de vinos. (En lugar de eso, pase al capítulo 4 y relea nuestra charla estimulante sobre la compra de vino en la sección "Comprar vino puede intimidar a cualquiera".) Cuando esté listo, siga estos pasos para que le den un vino que le guste, con el mínimo de ansiedad.

# Cómo estimar una lista de vinos

Su primer paso en el oscuro enfrentamiento con una lista de vinos es medir al oponente. Dése cuenta de cómo está organizada la lista de vinos.

## Cuando el restaurante no tiene licencia — TSPB

En muchos lugares, los establecimientos que expenden bebidas alcohólicas deben tener una licencia del gobierno para que haya la seguridad de que se pagan todos los impuestos debidos y en cumplimiento de las leyes locales. A veces un restaurante no tiene esa licencia, debido a las circunstancias o porque así lo prefiere. En esos restaurantes usted puede TSPB (traer su propia botella de vino) para tomarla con su comida.

Por ejemplo, varios restaurantes chinos están dentro de esa categoría. (Aunque puede ser difícil mezclar la cocina asiática con el vino, hemos descubierto que el Champaña y los otros vinos espumosos van bien con ella, como va bien el Gewürztraminer alemán o alsaciano.) Otros ejemplos pueden ser restaurantes que acaban de empezar y todavía no han recibido la licencia para vender licor o restaurantes que, por alguna razón, no pueden recibirla (pueden estar situados demasiado cerca de una escuela o de una iglesia, por ejemplo).

Lea los encabezamientos de la carta de vinos del mismo modo que leería los títulos de los capítulos de un libro que pensara comprar. Note la forma en que los vinos se dividen en categorías y la forma en que se ordenan dentro de cada categoría. Verifique qué tanta o qué tan poca información se da respecto de cada vino. Compruebe el estilo de la lista. Estime el número de vinos que incluye — pueden ser 12 o 200. (Un beneficio indirecto de este procedimiento es que la mirada atenta de sus ojos, mientras escruta la lista, convence a sus invitados de que usted sabe lo que está haciendo.)

## Cómo medir la organización de la lista

No hay modo de predecir exactamente lo que usted va a encontrar en la lista, aparte de los precios. De manera general, sin embargo, usted puede descubrir que los vinos están organizados en las siguientes categorías:

- ✔ Champaña y vinos espumosos
- ✔ (Secos) vinos blancos
- ✔ (Secos) vinos tintos
- ✔ Vinos para los postres

Las bebidas para después de comer como el coñac, el armañac, los whiskys de una sola malta o los licores dulces, normalmente no aparecen en la lista, o, si aparecen, tienen su propia sección al respaldo de ella.

ALERTA AL ESNOB

## Las luchas de poder de la lista de vinos

En muchos restaurantes, el camarero no le da a uno tiempo suficiente para estudiar la carta de vinos. (Los restaurantes realmente buenos se dan cuenta de que escoger una botella de vino toma algún tiempo y, por tanto, no lo ponen a uno en esa situación.) Si su camarero le pregunta con cierta impaciencia, "¿ya escogió su vino?", simplemente dígale (con firmeza) que necesita más tiempo. No se deje acosar para que usted escoja apresuradamente.

Usualmente, no le traerán a su mesa sino una lista. Una convención pasada de moda obliga a que sólo el anfitrión (el masculino es intencional) debe ver la carta. (Esto hace parte de la misma mentalidad anacrónica que obliga a que a las mujeres les pasen cartas sin precios.) En nuestra mesa de dos, hay dos clientes, curiosos y decisorios. Pedimos una segunda carta de vinos.

Invariablemente, la carta o la lista de vinos se la pasan al varón más viejo de la mesa o al que parece más importante. Si usted es una mujer que está atendiendo a unos clientes de negocios, esto puede ser insultante y enfurecedor. Hable en voz alta y pida otra carta de vinos para usted. Si le parece que tiene la importancia del caso, póngase de pie discretamente y hágale saber al camarero que usted es la anfitriona de la mesa.

Algunos restaurantes subdividen, además, sus listas por países, especialmente en las categorías de blanco y tinto: Vinos tintos franceses, vinos tintos italianos, tintos norteamericanos, etc. Estos segmentos nacionales pueden dividirse por regiones vinícolas. Francia, por ejemplo, puede tener listados de Burdeos, Borgoña, y posiblemente Ródano, todos bajo *vinos tintos franceses.* Los vinos tintos estadounidenses pueden dividirse en vinos de California, de Oregón y de Washington.

También puede darse que las categorías, en cuanto a vinos blancos y tintos, sean los nombres de las variedades de uva; por ejemplo, Chardonnay puede ser una sección, Sauvignon Blanc otra sección, y una miscelánea, *otros blancos secos,* todos bajo el título general de vinos blancos. Si el restaurante ofrece la cocina de un país particular, los vinos de ese país pueden estar de primeros en la lista (y algo destacados), seguidos de una somera lista de vinos de otros países.

No hay dos cartas exactamente iguales, a menos que los dos restaurantes hagan parte de una cadena, o que ambos le hayan entregado el control de sus listas a su distribuidor favorito, quien ha cargado la lista de sus propios vinos y los presenta a su modo.

A veces, uno se encuentra una lista muy corta, sin casi nombres de vinos. Es difícil dar la impresión de estar seriamente interesado, durante mucho tiempo, cuando uno está estudiando una lista así.

# Cómo manejar el arreglo de precios

Con frecuencia usted verá que los vinos, dentro de cada categoría, están puestos en orden ascendente de precios, con el menos costoso de primero. El restaurador está apostando a que usted *no* pida ese primer vino por temor a parecer mezquino. Se imagina que usted escogerá el segundo, el tercero o el cuarto vino de la columna o, incluso, uno de más abajo, si se siente inseguro y necesita la confianza de que su escogencia va a ser buena. (Entre tanto, no pasa nada malo con el vino menos costoso.)

# Cómo determinar lo que la lista no le dice

Mientras más serio es un restaurante en su selección de vinos, más información le dará sobre cada vino.

Aquí le damos alguna información que se parece a la que usted puede encontrar en una carta de vinos:

## El lado oscuro de los precios altos

La mayoría de los restaurantes cuentan con las ventas de los vinos y los licores para extraerles una parte desproporcionada de sus ganancias en el negocio. El típico restaurante, por tanto, cobra de dos a dos y media veces (¡a veces tres!) el precio de una botella al por menor en una tienda. Esto quiere decir que el restaurante se está ganando *de tres a cuatro veces* lo que pagó por la botella.

Hay que admitir que los restauradores incurren en costos de almacenamiento, copas, servicio y todo lo demás. Pero esos costos no justifican esos márgenes tan altos, a los ojos de la mayoría de los bebedores de vino.

Algunos restaurantes expertos han descubierto que ganándole menos a su vino venden en realidad más y, a la larga, hacen más dinero. Nosotros tratamos de ser clientes de *esos* restaurantes.

Si usted frecuenta los restaurantes en el Canadá, debe saber que los restauradores de allá tienen una desventaja seria (excepto en la provincia de Alberta): tienen que comprarles sus vinos a las autoridades del control de licores *a los mismos precios a que se compran para tomarlos en casa*. Para ellos no hay tal cosa como precios al por mayor.

✔ Un *número de orden* para cada vino. A veces los llaman números de estante para referirse a su lugar específico en la bodega o el depósito del restaurante.

Los números de orden le facilitan al camarero encontrar la botella y llevársela pronto. También son una ayuda para que el camarero le lleve el vino que usted quiere en el caso de que usted no tenga idea de cómo pronunciar el nombre de ese vino. (Y usted puede siempre dar la impresión de que usa el número para ayudar al camarero.)

✔ El nombre de cada vino. Estos nombres pueden indicar variedades de uva o lugares (vea el capítulo 7), pero es mejor que incluyan también el nombre de cada productor (Château tal o cual o no tendrá modo de saber exactamente qué vino figura en cualquier lista).

✔ Una indicación de vendimia para cada vino — el año en que se cosecharon las uvas. Si el vino es una mezcla de vinos de distintas cosechas, dirá *NV,* por *non-vintage.* (El capítulo 7 explica por qué puede ocurrir esto.) A veces, usted verá *VV,* que significa que es un vino de una cosecha determinada, pero no se lo dejan saber, a menos que pregunte. Con frecuencia, nosotros nos sentimos tentados de levantarnos e irnos, cuando vemos listas con actitudes como ésa.

✔ Algunas veces, una descripción breve del vino — pero esto es poco probable si hay docenas de vinos en la carta.

✔ Habrá *siempre* un precio para cada vino.

## *Cómo calificar el estilo de la lista*

Había una vez en que las mejores listas de vinos consistían de páginas escritas a mano dentro de pesadas cubiertas de cuero con las palabras *Carte des Vins* grabadas en dorado. Hoy las mejores cartas de vinos son

---

## La carta de vinos más complicada del mundo

Hemos oído de un restaurante en Colorado cuya carta de vinos es algo así:

"1. Vino blanco

2. Vino rojo

3. Vino rosé

Para evitar confundir al camarero, por favor pida su vino por número".

más bien páginas impresas en láser que más que compensan en funcionalidad lo que sacrifican de romance.

Mientras más inmutables y permanentes parezcan las listas, menos exactos deben de ser sus contenidos — y menos específicos. Las listas como ésas sugieren que nadie en el restaurante se ocupa del vino. Lo probable es que muchos de los vinos que figuran estén fuera de existencias.

A veces, la lista de vinos se incluye en el menú del restaurante, especialmente si se trata de una página impresa de computador o dos que cambian semanal o mensualmente. Los restaurantes que ofrecen listas de vinos a la fecha inmediata, como éstas, pueden ser una buena apuesta en materia de vino.

# Cómo pedir consejo

Si, después de estimar la carta de vinos, usted decide que la mayoría de los vinos no le son familiares, pida consejo para hacer su selección.

Si el restaurante es uno de los lujosos, pregunte si hay un *sommelier* (se pronuncia *somelié*) — un especialista de alto nivel responsable de integrar la lista de vinos y de asegurar que los vinos ofrecidos en ella complementan la cocina del restaurante. (Infortunadamente, sólo unos pocos restaurantes disponen de uno de estos especialistas, usualmente los que tienen consciencia respecto del vino.)

Si el restaurante no es tan lujoso, diga que le llamen al especialista en vinos. Con frecuencia, el dueño o alguien del personal administrativo conoce bien la carta.

Si alguien en el restaurante conoce bien la carta de vinos, esa persona es la indicada para ayudarle a escoger un vino. Normalmente sabe qué vinos van mejor con la comida que usted está ordenando. Igualmente, la persona apreciará enormemente su interés en la carta. Por esas razones, nosotros, aunque seamos conocedores de vinos, con frecuencia consultamos al *sommelier,* al propietario o al especialista en vinos para que nos haga sugerencias dentro de la carta de vinos.

Aquí le damos algunos métodos para pedir ayuda salvando la dignidad:

✔ Si no está seguro de cómo pronunciar el nombre del vino, señálelo en la lista o use el número de referencia (si lo hay).

✔ Indíquele dos o tres vinos de la lista al *sommelier* o al camarero y

## La sincronización cuenta

Tan pronto como se acerque el camarero a la mesa, pídale la carta de vinos. Además de que esto le da a entender al camarero que usted se siente cómodo con los vinos (sea así o no), el hecho de pedir la carta pronto le da más tiempo para examinarla.

Ordene el vino al mismo tiempo que la comida — si no antes; de otro modo puede encontrarse dando sorbitos de agua con el primer plato.

dígale: "Estoy pensando en estos vinos. ¿Cuál me recomienda?" Ésta también es una forma sutil de indicar cuál es su escala de precios.

✔ Pida que le *muestren* una o dos botellas; las etiquetas pueden ayudarle a decidir.

✔ Pregunte si hay medias botellas (375 ml) o botellas de 500 ml (a veces no figuran en la lista). Las botellas más pequeñas dan posibilidades más amplias al ordenar: por ejemplo, un grupo de cuatro puede tomarse una media botella de vino blanco y otra media o una entera de tinto (750 ml).

✔ Mencione la comida que va a ordenar y pida sugerencias de vinos que la complementen.

# Cómo enfrentar impávido el ritual de la presentación del vino

En muchos restaurantes la presentación del vino se hace con tanta ceremonia, que se creería que es una experiencia solemne. Los tonos susurrantes del camarero, la actuación del ritual, la seriedad de todo aquello pueden darle risa a cualquiera (pero eso no parece decente — como reírse en la iglesia). En el mejor de los casos, uno siente la tentación de decirle al camarero: "¡Tranquilo, hombre!, no es más que una botella de jugo de frutas fermentado".

Sin embargo, hay realmente alguna lógica detrás del ritual de la presentación del vino.

Paso por paso, el ritual (y la lógica) avanzan así:

1. **El camarero o el *sommelier* le presenta la botella a usted (en el supuesto de que fue usted quien pidió el vino) para que la inspeccione.**

   La razón de este proceder es asegurarse de que ésa *es* la botella que usted ordenó. Revise la etiqueta con cuidado. Según nuestra experiencia, el 15 o el 20 por ciento de las veces la botella no es la pedida. (Ésta también es una oportunidad para que usted aparente que reconoce algo en la etiqueta, como si el vino fuera un viejo amigo, así no lo haya visto nunca.)

2. **El camarero, entonces, saca el corcho y, o bien se lo da a usted, o bien se lo pone en frente.**

   El propósito de este paso es que usted determine, oliendo y revisando visualmente el corcho, si éste está en buen estado.

   Raras veces, un vino está tan impregnado de corcho (vea el capítulo 2) que el corcho mismo tenga un olor desagradable. En ocasiones todavía más raras, el corcho puede estar totalmente húmedo y arrugado o reseco y quebradizo — cualquiera de las dos situaciones indica que puede haberle entrado aire al vino y haberlo echado a perder.

   Una vez en su vida, usted puede descubrir un año de cosecha o un nombre de productor de vino que es diferente en el corcho del que figura en la etiqueta. (¡Rápido, llame a la policía de fraudes en el vino!) Si el corcho le da motivos para sospechar que la botella es problemática, debe esperar todavía a oler o degustar el vino mismo, antes de devolverlo. Pero, en la mayoría de los casos, la presentación del corcho no tiene consecuencias.

   Una vez, cuando a uno de nuestros amigos sabelotodo le presentaron el corcho, procedió a metérselo en la boca y a masticarlo, y luego se pronunció delante del camarero y le dijo que ¡estaba estupendo!

3. **Si su vino necesita ser decantado, el camarero procederá a decantarlo en este momento.**

   (Para más información al respecto, vea "Cómo airear su vino" en el capítulo 6.)

4. **El camarero sirve una pequeña cantidad de vino en la copa de usted, y espera.**

   En ese momento, es mal visto preguntar: "¿Eso es todo lo que me va a servir?" Se espera que usted olfatee el vino, tal vez que lo pruebe ligeramente, o le haga un gesto de aprobación al camarero, o le murmure: "Está muy bien". En realidad, éste es un paso importante del ritual de la presentación del vino porque, si pasa algo *malo* con el vino, *éste* es el momento de devolverlo (¡no cuando ustedes se hayan tomado la mitad de la botella!).

Si usted no está realmente seguro de si el estado de la botella es aceptable, pídale su opinión a alguno de los de la mesa y luego tomen una decisión de grupo; de otra manera, corre el riesgo de sentirse tonto, lo mismo si devuelve la botella después que otro la declaró defectuosa, que si se toman el vino sabiendo usted que tiene algo malo. De cualquier modo, usted sufre. Tómese todo el tiempo que necesite en este paso.

Si usted decide que la botella está en mal estado, descríbale al camarero lo que usted estima defectuoso en el vino, en el mejor lenguaje que pueda. *(Pasado* o *torcido* son descripciones que se entienden fácilmente.) Téngale consideración por el hecho de estarle causando más trabajo, pero no se excuse demasiado (¡por qué ha de hacerlo, usted no hizo el vino!). Permítale oler o probar el vino si él quiere. Pero no le permita que lo haga sentir culpable a usted.

Si el *sommelier* o el *maître* está de acuerdo en que la botella está mal, le puede traer otra del mismo vino; si cree que lo que pasa es que usted no entiende ese vino, le puede traer la carta de vinos para que escoja uno distinto. De cualquier modo el ritual comienza de nuevo.

5. **Si usted sí acepta el vino, el camarero se lo sirve a sus invitados y después a usted. En ese momento, usted se permite descansar.**

# Si usted está verdaderamente por su cuenta

Si no hay nadie en el restaurante que sepa más que usted sobre la lista de vinos, siga estas simples indicaciones para decidir qué vino va mejor con su comida:

✔ Escoja un vino que no se le imponga demasiado a la comida — o al cual la comida se le imponga. Por ejemplo, escoja un vino tinto relativamente ligero, como el Pinot Noir o el Borgoña francés, con platos ligeros de carne, aves, o pescados de sabor fuerte como el salmón. Un vino blanco de cuerpo ligero, como el Soave o el Chablis francés, va muy bien con el pescado más ligero o los platos con moluscos. Un Chardonnay de cuerpo pleno va bien con la langosta y

# El doble del precio

Algunos restaurantes en busca de ganancias entrenan a sus camareros para que maximicen las ventas de vino de cualquier modo — incluso a expensas del cliente. Por ejemplo se entrena a ciertos camareros en volver a llenar las copas generosamente, de modo que la botella se acabe antes de que traigan el plato principal (esto puede pasar con toda facilidad cuando las copas son grandes). Apenas vacía la botella, el camarero pregunta: "¿Les traigo otra botella del mismo vino?" Puede ser que haya bastante vino en las copas para que no se *necesite* otra botella, según lo que beban sus invitados. Pero usted tiende a pedirla para evitar que lo crean tacaño.

Un truco todavía peor consiste en rellenar las copas, comenzando por el anfitrión, de manera que la botella quede seca, antes que se le haya vuelto a servir a todos los invitados. ¡¿Cómo puede uno rehúsar una segunda botella a costa del placer de sus invitados?! Usted tendrá que pedir esa segunda botella — y usted debe hacerle saber al gerente cómo se siente por eso, cuando salga.

los platos de pescado de sabor más intenso. (Vea en los capítulos 10 a 12 explicaciones sobre estos vinos.)

✔ Algunas comidas, como el pollo o la pasta, van igualmente bien con vinos blancos o tintos. Fíjese en qué salsa acompaña al plato para darse la idea sobre el vino apropiado. La textura y el peso de la salsa serán los factores determinantes. Por ejemplo, una pasta con una salsa de carne molida en tomate cocido probablemente irá mejor con un vino tinto, mientras que la pasta con una salsa de crema irá bien con un vino blanco o un espumoso.

✔ Platos de sabor intenso, tales como los estofados, los asados, la caza, el pato y otros, van mejor con vinos tintos de cuerpo pleno.

✔ Los platos picantes o condimentados con especias, como los de las cocinas china, hindú o mexicana, son estupendos con Champaña u otros vinos espumosos (o con cerveza).

✔ Todas las "reglas" precedentes son guías generales. Siga su instinto y mantenga el espíritu de aventura.

(Vea en el capítulo 19 más información sobre comida y vinos que van bien con ella.)

## Escogencias seguras de vino en un restaurante

**Vino blanco:**

Soave, Pinot Grigio o Sancerre (si le gustan los vinos firmes y secos)

Sauvignon Blanc de California, Sudáfrica, Nueva Zelanda (sabores secos y ligeros pero afirmativos)

Mâcon-Villages o Pouilly-Fuissé (vinos secos y vivaces de medio cuerpo)

Chardonnay californiano o australiano (si quiere un vino blanco de pleno cuerpo)

Mersault (un vino seco, pero con un carácter de miel y nueces)

Chenin Blanc o Vouvray (vinos semisecos, si a usted no le gusta el vino demasiado seco)

**Vino tinto:**

Beaujolais (especialmente los de los productores con buena reputación, como Louis Jadot o Georges Duboeuf)

Zinfandel rojo de California (relativamente poco costoso; va con muchos platos)

Pinot Noir de Oregón o de California (tinto más ligero; puede apreciarse cuando está joven)

Borgoña tinto (la versión francesa básica de Pinot Noir)

Barbera o Dolcetto (en los restaurantes italianos; seco, ligero, relativamente poco costoso)

Chianti Classico (en los restaurantes italianos; muy seco, usualmente de confiar)

# Datos ganadores para el restaurante

Hay tantas decisiones que tomar sobre el vino en los restaurantes, que lo que usted necesita realmente es un manual. ¿Se debe dejar el vino en un balde de hielo? ¿Qué se debe hacer si el vino es malo? ¿Y puede uno llevar su propio vino?

**¿Cuándo se necesita un balde de hielo?** Por lo general, se considera necesario un balde de hielo para enfriar vinos blancos y vinos espumosos. Pero, en ocasiones, la botella está tan fría cuando llega a la mesa, que al vino le conviene entibiarse un poco. Si su vino blanco está en un balde de hielo, pero a usted le parece que se está enfriando demasiado, sáquelo o haga que el camarero lo saque. ¡Sólo porque el balde de hielo fue puesto allí en la mesa, o cerca de ella, no quiere decir que la botella deba estar dentro de él!

A veces, un vino tinto que está demasiado tibio puede mejorar con cinco o diez minutos en un balde de hielo. (Pero, ¡cuidado!, puede enfriarse demasiado rápido. Y si el camarero da a entender que usted está loco por enfriar un vino tinto, ignórelo.)

**¿Tengo que usar copas pequeñitas?** Cuando hay varias copas a su disposición, usted puede ejercer su derecho de escoger una copa distinta de la que le pusieron. Si la copa de vino tinto del restaurante es mínima, la copa del agua puede ser más apropiada para el vino tinto.

**¿El vino debe "respirar"?** Si un vino tinto que usted ordenó parece necesitar aireación para suavizar sus taninos ásperos (vea el capítulo 6), sacar el corcho no hará prácticamente nada que ayude (el espacio de aire en el cuello de la botella es demasiado pequeño). Decantar el vino o verterlo en las copas es la mejor táctica.

**¿Dónde está mi botella?** Nosotros preferimos tener nuestra botella sobre la mesa o cerca de ella, no fuera de nuestro alcance. Así podemos ver la etiqueta, y no tenemos que esperar a que el camarero se acuerde de volvernos a llenar las copas, además. Está bien... que nos llamen controladores.

Si usted no tiene acceso a la botella, puede descubrir que los camareros están tan ocupados, que se olvidan de volver a llenarles las copas. Llámeles la atención o tendrá que comerse su plato con una copa vacía.

**¿Qué hacer si la botella está dañada?** Rechace cualquier botella que sepa o huela desagradablemente (¡a menos que la haya llevado usted mismo!). Un buen restaurante reemplaza siempre el vino, incluso si cree que no tiene nada de malo.

**¿Puedo llevar mi propio vino?** Algunos restaurantes le permiten llevar su propio vino — especialmente si usted expresa el deseo de llevar un vino especial o un vino añejo. Los restaurantes usualmente cobran un derecho de *descorche* (un cargo por el servicio, el uso de las copas y lo demás) que puede variar de 5 dólares hasta incluso 25 dólares. Depende de la actitud del restaurante. No se debe llevar nunca un vino que ya está en la carta del restaurante; esto es mezquino y es insultante. (Llame usted al restaurante y pregunte cuando no esté seguro de si el vino está o no está en la carta.) De todos modos, es necesario llamar para saber si se puede o no llevar vino (en algunos lugares, la licencia del restaurante lo prohíbe) y cuánto vale el descorche.

## Diez maneras eminentes de reconocer un restaurante en donde se está mucho mejor tomando cerveza

1. Las botellas de vino están paradas por todo el restaurante (algunas sobre el radiador) y dan la impresión de haber estado allí durante años.

2. El vino tinto que usted ordenó sale del refrigerador, congelado.

3. Cuando usted le pide al camarero la carta de vinos, le gruñe: "Tenemos blanco o rojo".

4. La carta de vinos es vieja y pesada y algunas de las decrépitas etiquetas de vino, que estaban pegadas adentro, se han desprendido.

5. Los únicos vinos disponibles son *vinos de la casa* (blanco o tinto) servidos en jarras.

6. El camarero no puede pronunciar "Chardonnay".

7. El único experto en vinos del establecimiento es el grandote que echa a los borrachos.

8. Las copas de vino apenas son más grandes que los vasos de un trago de ron.

9. El camarero no sabe usar un sacacorchos.

10. El vino más caro de la carta es el Zinfandel blanco.

## Bares de vino

Los *bares de vino* son más o menos populares en Londres, Italia y París. Son establecimientos que ofrecen una extensa variedad de vinos por copas —de 12 a 100— lo mismo que platos sencillos para acompañar el vino. Las botellas de vino, o bien están conectadas con un sistema de inyección de gas inerte que mantiene fresco el vino, o bien están tapadas con un dispensador suelto de gas inerte que permite cada servicio. El primer sistema, con frecuencia, forma una espectacular pieza central detrás del bar.

En los bares de vino, se ofrecen a veces dos tamaños de copa. Uno puede pedir una *prueba* de vino (cerca de dos onzas y media), por un precio, o una copa de vino (con frecuencia cinco onzas) por otro precio. Los bares de vino no han prendido mucho todavía en los Estados Unidos, pero hay unos cuantos en las principales ciudades tales como Nueva York y San Francisco. Los bares de vinos son la manera ideal de probar un montón de vinos por copa —una experiencia tan educativa como satisfactoria. Es de esperarse que su número crezca con los años.

# Cuando se viaja por el extranjero

Si usted viaja a países en donde se hace vino, como Francia, Italia, Alemania, Suiza, Austria, España o Portugal, de todos modos ensaye los vinos locales. Estarán más frescos que los importados, en buenas condiciones, y serán las mejores escogencias en la carta de vinos. No es una idea muy buena ordenar vinos franceses, tales como el Burdeos o el Borgoña, en Italia, por ejemplo. O Cabernets de California en París. Entre otras razones, porque uno tiene que pagar el costo implícito de los derechos de importación.

## La 5ª ola                            por Rich Tennant

**"ESTOY BASTANTE SEGURA DE QUE SE SUPONE QUE APENAS DEBES *OLER* EL CORCHO".**

# Capítulo 6

# Qué hacer después de destapar una botella

**L**a mayor parte de los vinos están vivos en el sentido de que cambian químicamente a medida que envejecen lentamente. El vino absorbe oxígeno y, como nuestras propias células, se oxida. Cuando las uvas se convierten en vino al principio, exhalan dióxido de carbono, lo mismo que nosotros. De manera que suponemos que se puede decir que el vino respira, en cierto sentido.

Pero eso no es lo que el camarero quiere decir, cuando pregunta: "¿Saco el corcho y dejo que el vino respire, señor (o señora)?" El término respirar usualmente se refiere al proceso de airear el vino o exponerlo al aire. A veces un vino muy joven mejora un poco al airearlo. Pero sacar el corcho, nada más, y dejar reposar la botella es un modo verdaderamente ineficaz de airear el vino. El pequeño espacio que hay en el cuello de la botella es demasiado escaso para permitirle respirar al vino gran cosa.

## ¿Cómo airear el vino?

Si se quiere airear realmente el vino, hay que hacer una de las dos cosas siguientes o ambas:

1. Verter el vino dentro de un frasco (los hay de cristal fino y de capacidad para una botella entera).

2. Servir el vino en copas grandes por lo menos diez minutos antes de tomarlo.

No importa lo que parezca su frasco o cuánto cueste. De hecho, las garrafas de boca ancha están muy bien. Los vinos de bajo precio de Paul Masson vienen en envases como ésos.

## ¿Qué vinos necesitan decantarse?

Muchos vinos tintos, pero sólo unos pocos blancos — y algunos vinos de postre — pueden beneficiarse de la aireación. La mayoría de los vinos blancos pueden consumirse al servirlos, a menos que estén demasiado fríos, pero ésa es una discusión para más adelante.

### Vinos tintos jóvenes y tánicos

Los vinos tintos jóvenes, especialmente los altos en tanino (vea en el capítulo 2 más sobre el tanino) — tales como los Cabernet Sauvignons, la mayoría de los Zinfandels, el Burdeos, varios vinos del valle del Ródano, y muchos vinos italianos — saben mejor realmente con la aireación porque sus taninos se suavizan y el vino se vuelve menos áspero. Mientras más joven y más tánico es el vino, necesita más tiempo para respirar.

Por regla general, una hora de aireación es tiempo suficiente para suavizar la mayoría de los vinos tintos jóvenes. Una excepción evidente a la regla de una hora serían muchos Barolos o Barbarescos (vinos tintos del

---

## Dos razones para decantar el vino

Hay dos razones básicas para decantar una botella de vino — o sea, ponerlo en un decantador — antes de servirlo:

1. Para dejarlo "respirar". Cuando el oxígeno del aire se combina con el vino, abre los sabores de éste; recuerde que el vino ha estado encerrado en la botella — a veces, durante varios años — en un estado retardado de desarrollo. Igualmente, cualquier olor ajeno al vino (al cual se llama a veces "mal olor de botella") tendrá oportunidad de disiparse en el aire.

2. Para separar el sedimento del vino. El sedimento, por lo general, empieza a formarse en los vinos tintos más o menos ocho años después de la cosecha.

Piamonte, Italia); estos vinos son a tal punto tánicos, que casi se paran solos. Con frecuencia mejoran con tres o cuatro horas de aireación.

### Vinos tintos añejos con sedimento

Muchos vinos tintos forman *sedimento* (partículas de tanino y otras sustancias que se solidifican con el tiempo y caen al fondo de la botella), por lo general, a los ocho o diez años de edad. El sedimento puede saber un poco amargo (recuerde que es tanino). Así mismo, la partículas oscuras que flotan en el vino, cerca del fondo de la copa, usualmente, no parecen muy apetitosas.

Para quitar el sedimento, deje la botella parada por lo menos un día o dos antes de disponerse a tomarla, de manera que el sedimento se deposite en el fondo. Después pase el vino a un frasco o garrafa: Vierta el vino despacio mientras mira al interior de la botella según va saliendo el vino hacia el cuello. Vigile el vino de manera que pueda dejar de verter, si nota que viene vino turbio desde el fondo hacia el cuello. Para ver realmente el vino dentro de la botella, mientras lo vierte, se necesita una luz fuerte que pase a través de la botella.

Se usan velas, en general, con este propósito y son románticas, pero una linterna, parada en la punta es todavía mejor. (Es más brillante y no titila.) Deje de verter el vino entre el frasco cuando llegue al sedimento que debe estar hacia el fondo de la botella.

Mientras más añejo sea el vino, más delicado puede ser. No se debe dar aireación excesiva a los vinos añejos de aspecto frágil. (Fíjese en el color del vino a través de la botella antes de decantarla; si parece pálido, el vino puede estar muy avanzado en la curva de madurez.) Los sabores de los vinos realmente añejos empiezan a desvanecerse rápidamente después de 10 o 15 minutos de estar expuestos al aire. ¿Se acuerda de lo que les pasó a los que salieron del Valle Escondido de Shangri-La, en *Horizontes perdidos?* ¡Se volvieron ancianitos arrugados en cosa de minutos!

Si el vino necesita más aireación, después de decantarlo, déjelo respirar más. Si el vino tiene un color oscuro, lo probable es que esté todavía muy juvenil y necesite respirar más. A la inversa, si el vino tiene un rojo ladrillo o granada, probablemente ha madurado y no necesita mucha más aireación.

### Unos cuantos vinos blancos

Algunos vinos blancos secos muy buenos — como los Borgoñas de pleno cuerpo o los Burdeos, y los mejores blancos de Alsacia — también mejoran con la aireación. Un Corton-Charlemagne joven (un gran Borgoña blanco), que no parece mostrar mucho aroma o sabor, lo probable es que necesite aireación. Decántelo, y pruébelo media hora después. En la mayoría de los casos, su vino mejorará espectacularmente.

### Oportos de cosecha

Uno de los vinos fortificados más famosos es el Oporto de cosecha. Hablaremos de este vino en más detalle en el capítulo 14.

Por ahora, sólo diremos que, sí, el Oporto de cosecha necesita lecciones de respiración, ¡y las necesita mucho, decididamente! Los Oportos de cosecha jóvenes son tan brutalmente tánicos, que necesitan varias horas de aireación (ocho no serían demasiadas). Incluso los Oportos más añejos mejoran con cuatro horas de aireación o más. Los Oportos de cosecha más añejos requieren también decantación porque están repletos de sedimentos (con frecuencia, el 10 por ciento del fondo de la botella). Mantenga los Oportos de cosecha de pie durante varios días antes de destaparlos.

### Excepciones a la regla de "decante sus vinos tintos y sus Oportos"

Las excepciones confirman la regla. La mayoría de los vinos tintos que usted toma no necesitan decantación, aireación, ni ninguna otra preparación especial distinta de sacarles el corcho y tener una copa a mano.

Los siguientes vinos no necesitan decantación:

- ✔ Los vinos tintos de cuerpo más ligero como los Pinot Noirs, los Borgoñas, los Beaujolais, Côtes du Rhônes; los Zinfandels tintos más ligeros; y los tintos italianos de cuerpo más ligero, como los Dolcettos, los Barberas y los Chiantis más ligeros. Estos vinos no tienen mucho tanino y, por tanto, no necesitan mucha aireación.

- ✔ Los vinos tintos poco costosos, por las mismas razones que los precedentes.

- ✔ Los Oportos que no son de cosecha. Estos vinos deben estar libres de sedimentos (que se quedaron en los barriles cuando el vino se estaba añejando) y están listos para tomar al servirlos.

# ¿Importa realmente qué copa se usa?

Si uno está tomando vino como bebida para acompañar una comida y no le está poniendo mucha atención al vino mientras pasa, probablemente la copa que use no importe en lo mínimo. ¿Un vaso de mermelada? ¿Por qué no? ¿Vasos plásticos? Los hemos usado docenas de veces en los paseos, para no hablar de los aviones.

Pero si usted tiene un buen vino, en una ocasión especial, amigos que quieren hablar del vino con usted, o el jefe está invitado a comer, las copas son lo que toca. Y no es sólo una cuestión de etiqueta y status: el buen vino sabe mejor en buenas copas. Realmente.

Compare las copas de vino con los parlantes estéreo. Cualquier parlante viejo le lleva la música a los oídos, lo mismo que cualquier viejo vaso le lleva el vino a los labios. Pero (en el supuesto de que usted conozca la diferencia y se preocupe por notarla) ¿no aprecia usted el sonido mucho más, desde el punto de vista estético y el emocional, cuando viene de buenos parlantes? El mismo principio se comprueba con el vino y las copas. Se aprecian el sabor y el aroma del vino en sus complejidades tanto mejor en una copa fina. El medio es el mensaje.

## Primero, el color acertado

A menos que les esté jugando una broma perversa a sus amigos expertos en vino, sus copas de vino deben ser claras. Esas copas rosadas o verdes se ven muy bien en el escaparate del cristal de la tía Teresa, pero estropean su capacidad de distinguir los verdaderos colores de los vinos. Aquellas copas negras opacas, que se usaban hace algún tiempo, pueden ser las apropiadas para un aquelarre, pero ciertamente no para la apreciación del vino.

## Ahora, el tamaño, el ancho y la forma

Créalo o no (nosotros no siempre lo creíamos), el sabor de un vino cambia cuando se toma en tipos distintos de copa. Por poco se declara un motín en un evento de vino que organizamos, porque los catadores creyeron que les estábamos sirviendo vinos distintos en cada copa, y fingíamos que era el mismo vino, para engañarlos — así de diferente sabe el vino en copas diferentes. Aprendimos que son importantes tres aspectos de una copa: el tamaño, la forma y el grosor del cristal de que está hecha.

### Tamaño

Para el vino seco tinto o blanco, las copas pequeñas son anatema — además de que son un fastidio. No se puede darle vuelta al vino en esas copas pequeñas sin derramarlo, lo cual hace casi imposible apreciar la nariz del vino. Y, por otra parte, ¿quién quiere molestarse de seguido volviéndolas a llenar? Las copas pequeñas pueden servir bien para vinos de postre o Jerez, que tienen aromas fuertes, para empezar, y que se beben en cantidades menores que los vinos de mesa.

✔ Para los vinos tintos, la copa debe tener una capacidad mínima de 12 onzas; muchas de las mejores copas tienen capacidades de 16 a 24 onzas, o más.

✔ Para los vinos blancos, de 10 a 12 onzas debe ser la capacidad mínima.

✔ Para los vinos espumosos, una capacidad que vaya de 8 a 12 onzas está muy bien; en materia de copas de vino, usualmente, mientras más grandes, mejor.

### Ancho (espesor) y forma

El cristal muy delgado cuesta mucho más que el vidrio grueso normal. Ésa es una razón por la cual mucha gente no lo usa (y una razón por la cual mucha gente, sí).

La mejor razón para usar cristal fino es que el vino sabe mejor cuando se toma en él. No estamos seguros de si es que el cristal elegante simplemente hace más elevada la experiencia de tomar vino, o si existe alguna otra razón más científica.

## Tulipanes, flautas, balones, y otros nombres pintorescos de copas de vino

¿Usted pensaba que el tulipán es una flor y la flauta un instrumento musical? Pues bien, el tulipán es también la copa de la forma ideal para tomar vino espumoso (vea la figura 6-4). Es alta, alargada, y más estrecha al borde que en el medio. Esta forma ayuda a mantener más tiempo las burbujas en el vino, sin dejarlas escapar (como lo hacen las copas de sorbete llamadas de champaña).

La flauta es también una buena copa para vino espumoso por su forma alargada y estrecha (vea la figura 6-5); pero es menos ideal porque no se estrecha en el borde. La trompeta de hecho se amplía en el borde, lo cual la hace menos propia para vino espumoso, pero tiene una forma muy elegante (vea la figura 6-6).

El balón es una copa ideal para airear muchos vinos tintos como los Borgoñas, los Barolos y otros, por su forma amplia.

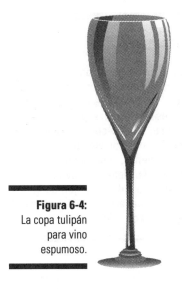

**Figura 6-4:**
La copa tulipán
para vino
espumoso.

**Figura 6-5:**
La flauta, copa
para vino
espumoso.

**Figura 6-6:**
La trompeta,
para vino
espumoso.

## ¿Medio lleno o medio vacío?

"Llénelo" puede estar muy bien para el que lo atiende en la estación de servicio, pero no para la persona que le sirve el vino. Siempre nos molesta cuando los camareros nos llenan la copa hasta el borde. Tal vez es que no quieren molestarse en volver a servir. O quizá quieren darnos lo justo por nuestra plata. Pero, ¿cómo se le puede meter la nariz a una copa llena sin parecer un idiota? Una vez, en la mesa vecina, un niñito chillaba: "Mira mamá, ¡ese señor está tomando vino con las narices!"

Llene la copa sólo en parte para dejar un margen de seguridad que permita darle vuelta al vino y olerlo. Un tercio de la capacidad, cuando mucho, es el mejor nivel para los vinos tintos serios. (Esto vuelve sobre la idea de airear el vino.) Las copas de vino blanco pueden quedar medio llenas, mientras que las de vino espumoso pueden llenarse todas o hasta tres cuartos. Por otro lado, si lo que se está usando son tazas de papel o vasos de mermelada, lo mismo se puede, "llénelo".

Ciertas formas de copas parecen intensificar los sabores de algunos vinos en particular. Por ejemplo, una copa de forma ovalada que tiene la boca estrecha (vea la figura 6-7) es ideal para muchos vinos tintos, tales como Burdeos, Chiantis, Cabernet Sauvignons, Merlots y Zinfandels. Por otra parte, algunos vinos tintos, como los Borgoñas, Pinot Noirs y Barolos, se aprecian mejor en copas más amplias de forma de manzana (vea la figura 6-8). El Champaña está mejor en las copas largas — tulipanes o flautas — que conservan las burbujas en el vino durante más tiempo.

**Figura 6-7:**
La copa de
Burdeos.

**Figura 6-8:**
La copa de
Borgoña.

# Entonces, ¿cuántas copas necesito?

Qué tiene que hacer un amante del vino: ¿Comprar copas distintas para cada clase de vino? Por fortuna, hay algunas copas para toda clase de vinos blancos o para todos los tintos, que combinan las mejores características de los tipos que mencionamos atrás. Y usted no tiene que gastar una fortuna en copas decentes. Una compañía llamada St. George Crystal hace copas de cristal de todos los tamaños y formas que se venden por tres o cuatro dólares la pieza. Se encuentran en la mayoría de las tiendas de vinos.

Si quiere algo más fino, ensaye Riedel Crystal. Riedel es un fabricante de copas austriaco que se especializa en hacer la copa precisa para cada clase de vino. Riedel ha hecho mucha investigación para descubrir qué formas de copa son las que les van mejor a los principales tipos de vino, por ejemplo, el Burdeos, el Borgoña, el Chardonnay, el Champaña, etc.

Riedel produce tres líneas de copas de vino: la relativamente poco costosa (7.25 dólares, la copa). La serie Overture, de precio intermedio (15 a 20 dólares, la copa). La serie Vinum, y sus obras de arte, copas para somelier sopladas a mano, para conocedores serios (¡de 50 a 70 dólares la copa, es mejor que sea usted serio!). Las Riedel se pueden conseguir fácilmente en tiendas de vinos y por catálogo.

Mientras más se preocupe usted por ponerle atención al sabor del vino, apreciará de manera más real y verdadera el vino tomado en una buena copa. Si le pasa como al que no tiene oído para la música, está bien, también.

# Cómo lavar sus copas de cristal

Los detergentes con frecuencia dejan una película residual en las copas, que puede afectar el aroma y el sabor del vino. Le aconsejamos, decididamente, lavar sus copas de cristal fino a mano, con soda de lavar o con bicarbonato de soda (la soda de lavar es la mejor: no forma costras, como el bicarbonato). Ninguno de estos dos productos deja ninguna película jabonosa como residuo en las copas. La soda de lavar puede encontrarse en la sección de jabones y detergentes de los supermercados. Compre la marca menos costosa. No tendrá aromas agregados.

# Cómo servir vino: ni demasiado tibio, ni demasiado frío

Así como la buena copa intensifica la experiencia del vino, servirlo a la temperatura ideal es un factor vital en su goce del vino. Con frecuencia nos ha pasado que probamos el mismo vino a temperaturas diferentes (y, créalo o no, a distintas presiones barométricas) y en una ocasión nos ha encantado y, en la otra, ¡nos ha desagradado!

La mayoría de los vinos tintos dan lo mejor de sí a la temperatura de una habitación fresca, de 62° a 65° F (o de 16° a 18° C). En los tiempos pasados, en los viejos castillos ingleses o escoceses recorridos de chiflones, ésa era simplemente la temperatura de un cuarto (de hecho, era, tal vez, ¡la de un cuarto tibio!). Hoy día, cuando uno oye decir temperatura de un cuarto uno piensa en una habitación que está alrededor de los 70° F (21° C), ¿cierto? El vino tinto servido a esa temperatura puede saber plano, flojo, sin vida y con frecuencia demasiado caliente — una sensación quemante del alcohol.

Quince minutos en la nevera hacen maravillas para revivir los vinos tintos que han sufrido por el calor. Pero no deje que el vino se enfríe demasiado. Los vinos tintos servidos demasiado fríos tienen un sabor demasiado tánico y ácido, decididamente desagradable. Los vinos tintos ligeros y frutales, como el Beaujolais, son de lo más delicioso cuando se sirven levemente fríos, a 58° o 60° F (14° a 15.5° C).

¿Se está preguntando cómo saber cuando su botella está a 58° o 60° F? Puede comprar un buen termómetro digital que se envuelve alrededor de la botella y le da una lectura en un código de color. O puede comprar algo que se parece a un verdadero termómetro que usted pone en la botella destapada (en la boca del vino, como quien dice). Nosotros tenemos ambos, y nunca los usamos. Toque la botella con la mano, no más, y haga un cálculo. La práctica hace al maestro.

Lo mismo que muchos vinos tintos se sirven demasiado tibios, muchos vinos blancos se sirven demasiado fríos; por lo menos, a juzgar por el servicio que le dan a uno en muchos restaurantes. Mientras más alta sea la calidad de un vino blanco, menos frío ha de estar para que se pueda apreciar su sabor con propiedad.

✔ Los buenos vinos blancos son mejores entre los 58° y los 62° F (14° a 16.5° C).

✔ Los vinos más simples y menos costosos, los de beber a tragos largos, son mejores más fríos, entre 50° y 55° F (10° a 12.8° C).

✔ Los rosados y rubores se pueden tratar lo mismo que los blancos poco costosos.

✔ Los vinos dulces de bajo precio se deben servir lo mismo que los vinos blancos baratos.

✔ Los vinos de postre más finos, como el Sauternes o el Oporto, como saben mejor es a la misma temperatura aconsejada para los mejores vinos blancos (para el Sauternes, 58º a 62º F, 14º a 16.5º C) o para los mejores vinos tintos (para el Oporto, 62º a 65º F, 16º a 18º C).

✔ Los Champañas están mejor fríos, a más o menos 45º F (7º C).

Para evitar el problema del Champaña tibio, tenga a mano un balde de hielo. O vuelva a meter la botella en la nevera, cada vez, después de servir. De paso, el tapón para vino espumoso, un artefacto que ajusta en la botella destapada y la mantiene cerrada, es realmente eficaz para conservar fresco el Champaña o el vino espumoso que queda (con frecuencia, varios días) en la nevera.

# Cómo conservar el vino que sobra

Ya hablamos del tapón para vino espumoso para el Champaña que sobra. Pero ¿qué se hace con el vino tinto o blanco que queda en la botella?

Se puede corchar de nuevo la botella, si todavía calza bien el corcho, y

¡ADVERTENCIA!

## Un aparte sobre presión atmosférica

Archive esto bajo PSI (para su información) o tal vez bajo "créalo o no".

Hace algunos años, estábamos saboreando uno de nuestros vinos tintos favoritos, un Barbera italiano, en los Alpes. Era un día perfecto de alta presión, fresco y claro. El vino estaba también perfecto — absolutamente delicioso con el salami, el pan y el queso. Un par de días después, tomamos exactamente el mismo vino a la orilla del mar, en un día húmedo de baja presión. El vino estaba pesado, plano y sin vida. ¿Qué le había pasado a nues-

tro maravilloso vino de la montaña? Hicimos averiguaciones entre algunos de nuestros amigos bebedores de vino y descubrimos que habían tenido experiencias similares. En el caso de los vinos tintos, por lo menos, la presión atmosférica, aparentemente, influye en el sabor del vino: con presión alta mejora; con presión baja empeora. De manera que la próxima vez que uno de sus vinos tintos favoritos no le parezca del todo bien, ¡verifique la presión! Aunque usted no lo crea.

poner la botella en la nevera. (Hasta los vinos tintos se mantienen más frescos allí; solamente saque la botella a que se tibie una hora antes de servirla.) Pero hay otras tres maneras que son probablemente más seguras para impedir que el vino que le queda se le oxide:

✔ Si a usted le queda más o menos media botella de vino, simplemente puede pasarla a una de tamaño de media y corcharla de nuevo. A veces, nosotros compramos vino en medias botellas sólo para estar seguros de que tenemos a mano medias botellas vacías.

✔ Hay una bomba en miniatura fácil de manejar que se puede comprar en cualquier tienda de vinos. Se llama Vac-U-Vin. La bomba saca el oxígeno de la botella y los tapones de caucho que vienen con ella, impiden que le entre más oxígeno. Así se puede mantener el vino fresco hasta una semana.

✔ Se puede comprar latas de gas inerte en algunas tiendas de vinos. Solamente hay que inyectar unos centímetros cúbicos de gas en la botella a través de un tubito delgado que viene con la lata. El gas actúa como una copa protectora entre el vino y el oxígeno que hay en la botella, impidiendo que el vino se oxide, sin combinarse el mismo con el vino. Simple y eficaz.

Para evitarse todo esto, lo sencillo es tomarse el vino. O, si usted no es demasiado escrupuloso, ponerlo en la nevera al día siguiente o al otro — antes de que entre en coma.

# Parte II
# Si usted es un bebedor ocasional

**La 5ª ola**      **por Rich Tennant**

"EL PROBLEMA CON LAS DEGUSTACIONES DE VINO ES QUE SE SUPONE QUE UNO NO DEBE TRAGARLO, Y CLIFFORD SE NIEGA A ESCUPIRLO. POR FORTUNA, ESTUDIÓ TROMPETA CON DIZZY GILLESPIE".

## En esta parte...

**E**stamos muy halagados si usted ha llegado hasta aquí después de leer cada palabra de lo que hemos escrito. Pero sabemos que usted puede haber aterrizado aquí saltándose un montón de cosas anteriores. Está bien — la carne y las papas del libro están justamente aquí.

Cinco de los capítulos de esta parte están llenos de información acerca de los mejores vinos del mundo, incluyendo nuestras recomendaciones sobre qué vinos específicos comprar. Esta parte también contiene todo lo que usted necesita saber (y algunos detalles que no necesita saber) sobre etiqueta, nombres de los vinos y variedad de uvas — como si fuera plato complementario.

# Capítulo 7
# ¿Es una uva? ¿Es un lugar?

Recordamos un chiste ilustrado de *The New Yorker* en 1980 que mostraba a los alumnos de un prekínder privado de Nueva York alineados para la fotografía del curso. El pie de foto identificaba a las criaturas por sus nombres de pila. Todas las niñas se llamaban Jennifer, y todos los niños, Scott.

Cuando uno entra a una tienda de vinos en estos días, pensaría que los que les ponen nombres a los vinos tienen la misma fijación que los padres de los niños de ese prekínder. Más de la mitad de los vinos blancos se llaman *Chardonnay* y la mayoría de los vinos tintos se llaman *Cabernet Sauvignon*.

De hecho, un Chardonnay no es más idéntico a otro que una de las pequeñas Jennifer lo es a la otra Jennifer. Pero, para distinguir un Chardonnay de otro (sin destapar la botella) se necesita más información. Se necesita leer la etiqueta.

## Qué hay en un nombre

En las etiquetas de vino pueden aparecer toda clase de nombres: el nombre de la *uva* de la cual se hizo el vino; un nombre de marca; el nombre de la compañía o la persona que hizo el vino (llamada el *productor);* a veces un nombre especial para ese vino particular (llamado *nombre de propietario);* y el nombre del *lugar* donde se cultivaron las uvas (a veces

## Cuídese de la simple etiqueta de vino

Piense dos veces cuando se encuentre una etiqueta de vino que no le dice casi nada sobre el vino. Lo probable es que el productor esté tratando de hacerle creer que el vino es algo que no es. Hay una marca de vinos chilenos que se vende mucho, por ejemplo, cuyas etiquetas dicen el nombre (un nombre que suena muy yanqui), el nombre de una variedad de uva (como Merlot), y — en letra chiquitita — el lugar de donde proviene el vino (Rapel, un área de Chile de la cual la mayoría de la gente nunca ha oído hablar). Apostamos a que del 98 al 99 por ciento de la gente que compra ese vino cree que está comprando un Merlot de California y no se da cuenta de que el vino es chileno. No se ha hecho daño, necesariamente. Si a usted le gusta el vino, ¿qué importa de dónde viene? Nos quitamos el sombrero ante los comerciantes que han establecido una marca exitosa. Pero, de algún modo, nos sentimos engañados.

*dos* lugares, como la región vinícola y el viñedo particular). Luego está el año de la vendimia *(vintage,* o sea el año en que cosecharon las uvas), que es parte del nombre del vino; y a veces se lee una descripción como *reserve,* que, o tiene un significado legal específico, o no quiere decir nada, depende de donde provenga el vino.

En esta edad de pleno destape, mientras más ilustrado es el productor, más información le da a usted en la etiqueta del vino. Los buenos productores quieren que usted sepa que no tienen nada que ocultar.

Los amantes veteranos del vino aprecian toda esa información porque saben todo lo que significa. Pero, para los que hasta ahora están descubriendo el vino, la información que contienen las etiquetas y los nombres de los vinos es algo que confunde más que ilustrar. Aunque todos estamos de acuerdo en que la pequeña Jennifer necesita más que el solo nombre *Jennifer* para identificarse en el mundo (a menos que piense ser estrella de rock o comediante), ¿sí necesita el equivalente de: Jennifer Smith, "Jenny", caucásica, de sexo femenino, producida por Don y Louise Smith, de Nueva York, Upper West Side, 1980?

Por supuesto que no lo necesita. Pero — sabemos que usted no quiere oír esto — para las botellas de vino, la respuesta es francamente, sí.

# El juego del nombre del vino

La mayoría de los vinos que uno se encuentra en las tiendas o en las cartas de los restaurantes reciben sus nombres de dos fuentes básicas: o

## Los nombres más comunes de uvas

Si su experiencia con las uvas se limita a lo que ve en el supermercado, no hay sino dos tipos de uvas en el mundo: sin pepas y Concord. En ese caso, recibirá una gran sorpresa al saber cuántas variedades de uvas de vino hay en la realidad. (Pase al capítulo 9 para la asombrosa verdad.) En el capítulo 9, encontrará también descripciones de las uvas que mencionamos a continuación — y de los vinos que se hacen de ellas.

| Vinos blancos | Vinos tintos |
|---|---|
| ✔ Chardonnay | ✔ Cabernet Sauvignon |
| ✔ Sauvignon Blanc | ✔ Merlot |
| ✔ Pinot Grigio/Pinot Gris | ✔ Pinot Noir |
| ✔ Riesling | ✔ Syrah/Shiraz |
| | ✔ Zinfandel |

de su *variedad de uva* o del *lugar de producción*. Esa información, más el nombre del productor, se convierte en el nombre taquigráfico que usamos al hablar de vino.

El Cabernet Sauvignon de Robert Mondavi, por ejemplo, es un vino hecho por la fábrica de Robert Mondavi y que recibe su nombre de la uva Cabernet Sauvignon. El Chianti Ruffino es un vino hecho por la fábrica Ruffino y que recibe su nombre del lugar llamado Chianti.

Puede que usted reconozca de una ojeada algunos nombres como nombres de uva y otros como nombres de lugar; pero si ése no es el caso, no entre en pánico. Esa información es de la clase que usted puede consultar (los capítulos del 9 al 14 le ayudarán), y también es la clase de cosa que se aprende pronto porque es muy fundamental.

## Hola, mi nombre es Chardonnay

Un vino *de variedad* es un vino que recibe su nombre por la principal o la única variedad de uva con que se hizo.

Un vino cualquiera no puede ser de variedad. Cada país (y en los Estados Unidos, algunos estados en particular) tiene sus leyes que prescriben el porcentaje mínimo de la uva mencionada que debe contener el vino para poder llamarse por ese nombre. La cuestión es la verdad en la publicidad.

En California, el porcentaje mínimo de la uva que da el nombre requerido por la ley es 75 por ciento (lo cual quiere decir que su Chardonnay de California favorito puede contener hasta un 25 por ciento de alguna *otra* variedad de uva). En Oregón, el mínimo es 90 por ciento (excepto para el Cabernet, que puede ser 75 por ciento). En Washington, es 75 por ciento. En Australia, es 85 por ciento. Y en los países que forman la Unión Europea (UE) el mínimo es 85 por ciento.

Algunos vinos se hacen *por completo* con la variedad de uva que les da su nombre. No hay ley contra eso en ninguna parte. El porcentaje mínimo es lo que controlan las leyes.

No todo vino que puede ser de variedad *quiere* serlo. El objeto de ponerle nombre a un vino por la variedad de uva es que los amantes del vino que reconozcan el nombre, tengan alguna idea de lo que es el vino, piensen qué es bueno, y lo compren. Si la variedad de uva es desconocida o poco apreciada (como la Chenin Blanc o la Riesling), el nombre respectivo puede desalentar las ventas. Los comerciantes de vinos con frecuencia piensan en un nombre mejor (es decir, más eficaz) para esos vinos. Ésa es una de las razones por las cuales se inventaron los *nombres de propietario*. (Vea la sección "Vinos con nombres de propietario" más adelante en este capítulo.)

### Por qué llamar un vino por la variedad de uva

Las uvas son la materia prima del vino. A excepción de lo que un vino pueda absorber de los barriles de roble (ciertos aromas y sabores, lo mismo que el tanino), lo que es cualquier vino *es* jugo de uvas. De manera que ponerle nombre a un vino por la variedad de uva de la que viene es muy lógico.

Llamar un vino por su variedad de uva es también algo muy satisfactorio para los consumidores exigentes. ¿Qué tipo de aceite hay en este aderezo de ensalada?; ¿cuántos gramos de grasa hay en esta sopa?; ¿hay MSG en este rollo de huevo?; ¿de qué está hecho este vino? Solamente los hechos, mi señora.

Y, en algún nivel del inconsciente, llamar a un vino por su variedad de uva nos parece una forma de hacer justicia. Chardonnay es Chardonnay, y el de una nación es tan bueno como el de otra. En el mundo jerárquico del vino, en el cual a ciertos países se les atribuye más prestigio que a otros en virtud de su historia, los vinos de variedad son por naturaleza igualitarios y sin clases (como en la "sociedad sin clases", no como en "este vino no tiene clase").

Los vinos de variedad no son un invento norteamericano — pero podrían serlo también, si se considera cómo esta clase de nombres prevalecen en los Estados Unidos y cómo les va a los vinos de variedad en la caja registradora. La mayoría de los vinos de California (y de Nueva York, Washington y Oregón) llevan nombres de variedad. De la misma manera, a la mayoría de los vinos australianos, sudamericanos y sudafricanos se les pone nombre siguiendo el principio de la variedad principal. Incluso algunos países que, como Francia, normalmente no llaman sus vinos por las uvas, se están pasando al vagón de los nombres de variedades para ciertos vinos que quieren venderles especialmente a los norteamericanos.

Una impresión común entre la mayoría de los amantes del vino es que un vino de variedad es de algún modo mejor que uno que no lo es. Aunque nos damos cuenta de cómo se llegó a esa impresión, pensamos que está totalmente fuera de lugar. El hecho de que un vino se llame por la principal variedad de uva de que está hecho, no es, en absoluto, *indicación de la calidad.*

### El juego del nombre de variedad

Durante varios decenios después que la Prohibición se derogó, en 1933, la mayoría de los vinos de los Estados Unidos tomaban sus nombres de tipos de vinos europeos, tales como Chianti, Borgoña, Champaña y Chablis. (Quedan algunos pero están desapareciendo rápidamente.) Los vinos no se parecían necesariamente a los *verdaderos* Chianti, Borgoña, Champaña o Chablis — es decir, a los vinos que provenían de esos *lugares* — pero los nombres les eran familiares y comprensibles a quienes compraban los vinos. No había control en el país sobre nombres como ésos. Cualquiera podía usar cualquier nombre para el vino que hacía. Hoy día, llamamos *genéricos* a esos nombres.

Corre el rumor de que algunos fabricantes de vinos embotellaban el mismo vino bajo dos etiquetas diferentes. Un cliente podía comprar lo mismo Chianti que Borgoña, según las que fueran sus preferencias, ¡pero era el mismo vino! Estábamos demasiado jóvenes para tener cualquier conocimiento personal sobre todo esto, pero no nos sorprendería que fuera cierto.

Hace cerca de 25 años, cuando los productores de California comenzaron a llamar sus vinos por las variedades de uva, los bebedores de vino inteligentes de todo el país empezaron a sentirse más cómodos con los vinos. Incluso, si en esas épocas la ley decía que el vino no debía contener sino el 51 por ciento de la uva del nombre, sentíamos que estábamos tomando Entidades Conocidas mejor que algún truco de las etiquetas.

Los productores que usaban nombres de variedad en aquellos días eran los de más avanzada del país, lo cual quería decir, por lo general, que producían el mejor vino. Los vinos de variedad eran, por definición, mejores, más genuinos, y más interesantes que los vinos genéricos.

Ahora, los vinos de variedad son el lugar común. Cuando uno compra un vino llamado por una variedad de uva, hoy día, *no* recibe necesariamente un vino de la mejor calidad, según lo que se dice. En definitiva uno *recibe* un vino hecho por alguien que conoce el poder vendedor de un nombre de variedad. Y uno, sin embargo, sigue experimentando el sentimiento hogareño de saber exactamente qué está tomando.

## Hola, mi nombre es Burdeos

Al contrario de los vinos norte y sudamericanos, la mayoría de los europeos reciben su nombre de la región en donde se producen, y no de la uva de que están hechos. Muchos de los vinos europeos se hacen precisamente de las mismas variedades de uva que los de los Estados Unidos (como Chardonnay, Cabernet Sauvignon, Sauvignon Blanc, etc.), pero no lo dicen en la etiqueta. Más bien, las etiquetas dicen Borgoña, Burdeos, Sancerre, etc.: el *lugar* en donde esas uvas crecen.

¿Es ésta alguna conspiración malvada para volverles el vino incomprensible a los amantes del vino que sólo hablan inglés, que nunca han visitado Europa, y que se rajaron en geografía en el colegio?

*¡Au contraire!* El sistema europeo de llamar los vinos se propone realmente suministrar más información sobre cada vino y mayor comprensión de lo que hay en la botella que la que suministra el nombre de variedad. La única dificultad es que usted tiene que aprender algo sobre las distintas regiones de donde viene el vino. (Pase a los capítulos del 10 al 14 para más información.)

## Los nombres más comunes de lugares

| | | |
|---|---|---|
| Bardolino | Chianti | Rioja |
| Beaujolais | Côtes du Rhône | Sancerre |
| Bordeaux | Mosela | Sauternes |
| Burgundy (Borgoña) | Port (Oporto) | Sherry (Jerez) |
| Chablis | Pouilly-Fuissé | Soave |
| Champagne | Rin (Rheingau, Rheinhessen) | Valpolicella |

### ¿Por qué llamar un vino por un lugar?

Las uvas, materia prima del vino, tienen que crecer en alguna parte. Las uvas pueden ser diferentes, según el tipo de suelo, la cantidad de sol, la cantidad de lluvia, la pendiente de la colina y las muchas otras características de cada *lugar*. Si las uvas son diferentes, el vino es diferente. Cada vino, por tanto, refleja el lugar donde se cultivan las uvas.

Cuando decimos que *las uvas pueden ser diferentes* de acuerdo con el lugar en donde se cultivan, queremos decir dos cosas. Primera, que la misma variedad de uva, Chardonnay, por ejemplo, puede darse de modo distinto cuando se planta en dos lugares diferentes. La misma variedad puede madurar más en un lugar que en otro (las uvas más maduras producen un vino con más alcohol y sabores frutales más maduros), o las uvas (y el vino) pueden tener ciertos sabores sutiles y desusados — tales como sabores minerales — que pueden atribuirse a un lugar particular. De un modo u otro, el lugar afectará *siempre* el carácter de las uvas.

Segunda, en dos lugares distintos muy bien se puede plantar variedades distintas de uvas. Incluso si el sentido de los negocios le aconseja plantar siempre Chardonnay porque con ella se hace el vino que más fácilmente se vende, la Chardonnay puede no ser la uva que se da mejor en un determinado lugar con el suelo y el clima que tiene (y siempre ha tenido y tendrá). De manera que usted tendrá que plantar otra clase de uva que, naturalmente, dará otra clase de vino.

En Europa, en donde los productores de vinos y cultivadores de uvas han tenido siglos para darse cuenta de en qué lugares se dan mejor las distintas uvas, han sistematizado la mayor parte de las conjunciones de uva y lugar y las han codificado en la ley. Por esa razón, el nombre de un lugar en el que se cultivan uvas y se hace vino, en Europa, denota automáticamente la uva o las uvas que se usan en ese lugar. La etiqueta de la botella, por lo general, no menciona la uva (o las uvas), sin embargo. Lo cual nos hace volver a nuestra pregunta original: ¿Hay alguna conspiración malvada para volverles incomprensible el vino a los no europeos?

### El juego del nombre del terroir

Ahora es tan buena ocasión como cualquiera para pegarle a usted con la palabra de moda en vino: *terroir*.

*Terroir* (pronunciado *terruar*) es una palabra francesa que no tiene traducción directa, de modo que la gente del vino la usa en francés. Usarla en francés no es una señal de esnobismo, sino de economía.[*]

---

[*] En castellano, *terroir* se aproxima a terreno o tierra, hablando de las aptitudes agrícolas de una parcela, tierra para papa, trigo, etc. *(N. del T.)*

# Cómo descodificar los nombres de los lugares europeos corrientes

| Nombre del vino | País | Variedades de uva |
|---|---|---|
| Bardolino | Italia | Corvina, Molinara, Rondinella* |
| Beaujolais | Francia | Gamay |
| Burdeos (tinto) | Francia | Cabernet Sauvignon, Merlot, Cabernet Franc y otras* |
| Burdeos (blanco) | Francia | Sauvignon Blanc, Sémillon, Muscadelle* |
| Borgoña (tinto) | Francia | Pinot Noir |
| Borgoña (blanco) | Francia | Chardonnay |
| Chablis | Francia | Chardonnay |
| Champaña | Francia | Chardonnay, Pinot Noir, Pinot Meunier* |
| Châteauneuf-du-Pape | Francia | Grenache, Mourvédre, Syrah y otras* |
| Chianti | Italia | Sangiovese, Canaiolo y otras* |
| Côtes du Rhône | Francia | Grenache, Mourvèdre, Carignan y otras* |
| Mosel | Alemania | Riesling u otras (mencionadas en la etiqueta) |
| Port (Oporto) | Portugal | Touriga Nacional, Tinta Barroca, Touriga Francesa, Tinta Roriz, Tinto Cão y otras* |
| Pouilly-Fuissé | Francia | Chardonnay |
| Rin (Rheingau, Rheinhessen) | Alemania | Riesling u otras (mencionadas en la etiqueta) |
| Rioja (tinto) | España | Tempranillo, Grenache y otras* |
| Sancerre | Francia | Sauvignon Blanc |
| Sauternes | Francia | Sémillon, Sauvignon Blanc* |
| Jerez | España | Palomino |
| Soave | Italia | Garganega y otras* |
| Valpolicella | Italia | Corvina, Molinara, Rondinella* |

*Indica que se usa una mezcla de uvas en estos vinos

El *terroir* es una combinación de factores naturales inmutables — tales como el suelo, el subsuelo de roca, el clima (sol, lluvia, viento, etc.), la pendiente de la colina y la altitud — que se dan en el lugar específico de un viñedo. Lo probable es que no haya dos viñedos en el mundo entero que tengan precisamente la misma combinación de estos factores. Por eso se considera que cada *terroir* de un viñedo es una combinación única.

El *terroir* es el principio que determina el concepto europeo de que los vinos deben llamarse a partir del lugar de donde provienen (creyó que nos habíamos salido del tema, ¿cierto?). El nombre del lugar denota qué uvas se usaron para hacer el vino allí (porque la ley prescribe la clase de uvas) — según se sabe — y el lugar influye en el carácter de esas uvas, a su manera única. Por esa razón, el nombre más acertado que puede llevar un vino es el nombre del lugar en el que se cultivaron sus uvas, no el nombre de las uvas.

No es una conspiración malvada; es sólo la manera totalmente diferente de mirar las cosas.

## Nombres de lugares en las etiquetas de vinos norteamericanos

Francia puede haber inventado el concepto de que los vinos se deben llamar por su lugar de origen, pero ni Francia, ni siquiera Europa siendo más grande, tienen el monopolio de la idea. Las etiquetas de vino de países fuera de Europa también pueden decir dónde se hizo el vino — usualmente poniendo el nombre del lugar (llamado *apelación* de origen en la parla del vino) en alguna parte de la etiqueta. Pero hay unas pocas diferencias.

En primer lugar, en una etiqueta de vino norteamericano (o australiana, chilena o sudafricana, si a eso vamos) cuesta algún trabajo encontrar el nombre del lugar de origen. Éste no es el nombre básico del vino (como lo es en la mayoría de los vinos europeos); usualmente es la uva

En segundo lugar, los nombres de lugares en los Estados Unidos quieren decir mucho menos que en Europa. Está bien, si la etiqueta dice Valle de Napa, y usted ha visitado esa área — y le encantó comer en Mustards, y quisiera pasar el resto de su vida en una de esas casas sobre una colina vecina de Silverado Trail — Valle de Napa le dirá algo. Pero, *legalmente,* el nombre Valle de Napa sólo quiere decir que por lo menos el 85 por ciento de las uvas provienen de un área definida por la ley como la zona del vino del Valle de Napa. El nombre Valle de Napa no define el tipo de vino que puede hacerse, ni implica la variedad específica de uvas, de la manera en que lo hace un nombre de lugar europeo. (Buena cosa, que el nombre de la uva esté, en la etiqueta, tan grande como el día.)

## Más grande que una canasta de pan

Cuando viajamos a otros países, nos damos cuenta de que la gente tiene maneras distintas de percibir el espacio y la distancia. Si alguien nos dice, por ejemplo, que un restaurante está "allá adelante", pensamos que debe de estar a unas tres cuadras, pero lo que quieren decir puede ser dos kilómetros. La discusión sobre los nombres de lugares de los vinos europeos puede ser lo mismo de problemática. Algunos de los lugares son de apenas unas cuantas hectáreas, otros de 100 millas cuadradas y otros del tamaño de Nueva Jersey. Ciertas palabras usadas para describir las zonas del vino sugieren el tamaño relativo del lugar. En orden descendente de tamaño y en orden ascendente de especificidad:

✔ País

✔ Región

✔ Distrito

✔ Subdistrito

✔ Comuna

✔ Viñedo

En la mayoría de las etiquetas de los vinos no europeos, los nombres de los lugares son meras alusiones sin compromiso al concepto del *terroir*. Por ejemplo, algunas apelaciones no europeas, son ridículamente amplias. Tenemos que reírnos cuando pensamos como reaccionaría el típico productor de vinos europeo delante de todas esas etiquetas que anuncian el lugar de origen de un vino simplemente como *California*.

Estupendo. Esta etiqueta dice que este vino proviene de un área específica que es un 30 por ciento más grande que Italia. ¡Qué área tan específica! (Italia tiene más de 220 áreas de vino específicas.)

Cuando el nombre del lugar puesto en la etiqueta es meramente *California,* no dice, de hecho, casi nada sobre el vino. California es un área grande, y esas uvas pueden provenir de más o menos cualquier parte. Lo mismo si se trata de los vinos australianos etiquetados *Australia Suroriental* — un área apenas un poquito más chica que Francia y España *juntas.*

## *Vinos llamados de otros modos*

De vez en cuando se encuentra uno con un vino que no recibe su nombre, ni de su variedad de uva, ni de su región de origen. Tales vinos, usualmente, están dentro de tres categorías: vinos de marca, vinos con nombres de propietario, o vinos genéricos.

## Nombres de uvas en vinos europeos

Aunque la mayoría de los vinos europeos toman su nombre de su lugar de producción, los nombres de las uvas sí aparecen a veces en algunas etiquetas.

En Italia, por ejemplo, a varios nombres de lugares se agregan los nombres de las uvas — el nombre Trentino (lugar) Pinot Grigio (uva) es un ejemplo. También, el nombre oficial de un vino puede ser una combinación de lugar y uva — como el nombre Barbera d'Alba, que se traduce como Barbera (uva) de Alba (lugar).

En Francia, algunos productores están agregándole deliberadamente el nombre de la uva a sus etiquetas, aunque la uva está ya implícita en el nombre del vino. Por ejemplo, un blanco de Borgoña (nombre de lugar) puede llevar también la palabra Chardonnay (uva) en la etiqueta, para aquellos bebedores de vino que no saben que el Borgoña blanco siempre es 100 por ciento Chardonnay.

Y los vinos alemanes con frecuencia llevan nombres de uva junto con sus nombres oficiales de lugar.

Pero, incluso si un vino europeo lleva un nombre de uva, la parte más importante del nombre del vino es el lugar, a los ojos de la gente que lo hace.

### Vinos de marca

La mayoría de los vinos tienen nombres de marca, incluso aquéllos llamados por su variedad de uva — como Simi (nombre de marca), Sauvignon Blanc (uva) — y los llamados por su región de origen — como Bolla (marca) Soave (lugar). Estos nombres de marca son, por lo general, los nombres de las compañías que los producen. Puesto que la mayoría de los productores hacen varios vinos diferentes, el nombre de marca no es lo bastante específico para ser el nombre propio del vino.

Pero, a veces, un vino tiene *sólo* un nombre de marca. Por ejemplo, la etiqueta dice *Salamandre* y *vino tinto francés,* sin dar casi otra identificación. Y, a veces, el nombre de marca *no* es realmente el nombre de la compañía que hace el vino, sino una simple marca. Por ejemplo, un vino puede llamarse Rocky Road Chardonnay, y no hay una fábrica de vinos que se llame Rocky Road. Esta segunda situación es bastante común para los vinos de California; cualquiera puede comprar vinos a granel, alquilar los servicios de una fábrica de vinos para mezclarlos y embotellarlos y los puede vender con su propia marca.

Los vinos que tienen *sólo* un nombre de marca, sin indicación de uva o lugar — distinto del país donde se producen — son, en general, los vinos más baratos y ordinarios de un país de la Unión Europea, y no tendrán siquiera el año de la vendimia (esto es, no habrá ninguna indicación de cuándo se cosecharon las uvas) porque las leyes de los Estados Unidos no les conceden a vinos como ésos el privilegio de llevar el año de vendimia. Recuerde lo que decía la mamá de alguien: no importa qué tan barata sea, no es una ganga a menos que a uno realmente le guste.

Por otro lado, vinos que llevan un nombre que no es el del productor pueden ser bastante decentes y buenas compras. Esos vinos, usualmente, mencionan el nombre de la variedad de uva o el lugar de origen en la etiqueta, y llevan el nombre del fabricante en letra pequeña en la parte de abajo de ésta. Lo único que les falta a esos vinos (en comparación con los vinos cuya marca es el nombre de la productora) es el grato sentimiento que se deriva de saber que uno está tomando un vino que hizo a alguien sentirse orgulloso de ponerle su nombre.

Los vinos de marca de ese tipo, usualmente, son de dos categorías:

✔ *Vinos de segunda marca* de productores conocidos (vino que no alcanza del todo el nivel de calidad de un productor y por eso se embotella bajo un nombre secundario).

✔ Vinos inventados por las fuerzas del marketing (calidad, estilo, etiqueta, y todo).

El el primer caso, el vino será relativamente poco costoso porque el productor debe ponerle un precio por debajo de su línea acostumbrada; en el segundo, el vino será relativamente poco costoso porque el que se lo pueda permitir mucha gente es una piedra angular del marketing de vinos en estos días. Mouton-Cadet es un buen ejemplo de vino de marca de Burdeos; Liberty School es un vino de marca de California.

### Vinos con el nombre del propietario

Se puede encontrar en estos días unos cuantos nombres bastante creativos en las botellas de vino: Tapestry, Conundrum, Insignia, Cardinale, Isosceles, Mythology, Trilogy. ¿Estas cosas son para tomar, para manejar, o para untárselas detrás de las orejas?

Nombres como ésos son *nombres de propietario* (con frecuencia marcas registradas) que crean los productores para vinos especiales. En el caso de los vinos de los Estados Unidos, las botellas con nombres de propietario, en general, contienen vinos hechos de una mezcla de uvas; por tanto no se puede usar un nombre de uva como nombre del vino. (¿Se acuerda de la regla del 75 por ciento de California?) En el caso de los vinos europeos, las uvas que se usaron para hacer el vino, probablemente, no son las apropiadas para esa región y, por tanto el nombre regional no puede ponerse en la etiqueta.

Un nombre de marca puede aplicarse a varios vinos distintos. Se puede encontrar Zinfandel, Cabernet Sauvignon, Chardonnay y numerosos otros vinos bajo la marca Fetzer de California, por ejemplo; y se encuentran Beaujolais, Pouilly-Fuissé, Macon-Villages y muchos otros vinos bajo la marca Louis Jadot de Francia. Pero un nombre de propietario se aplica a un solo vino en especial.

Un productor que crea un vino con nombre de propietario tiene altos motivos en mente. Se deja llevar por el impulso artístico, la curiosidad intelectual o el puro ego, para darle forma a un vino que sobrepase la norma de su país. Desarrolla el vino personalmente, lo cría hasta la madurez, y luego lo viste con el mejor empaque posible para que el mundo vea qué estupenda es la expresión de su arte, su intelecto o su ego. El precio de la botella confirma la magnitud de su intento.

Los vinos con nombre de propietario usualmente se hacen en cantidades pequeñas, son caros de veras (de 20 a 75 dólares la botella), y son, de hecho, de un nivel de calidad alto. Satisfacen en particular a los amantes del vino que tienen que ser los primeros de su grupo en probar los vinos más nuevos y los menos usuales. A veces se ganan reseñas delirantes de los críticos y se convierten en éxitos establecidos que resisten en el mercado. A veces, toman la ruta de los viejos soldados.

## Vinos genéricos

Un nombre genérico es el nombre de un vino que se ha usado impropiamente durante tanto tiempo que ha perdido ya su significado original a los ojos del gobierno (exactamente, en lo que Xerox, Kleenex y Band-Aid tienen miedo de convertirse).

Borgoña, Chianti, Chablis, Champaña, Rin, Jerez, Oporto y Sauternes son todos nombres que, en justicia, sólo deberían aplicarse a los vinos hechos en los lugares específicos que implican. Pero esos nombres han sido usurpados por compañías productoras grandes y poderosas. De manera que ahora, tanto el gobierno de los Estados Unidos como el del Canadá, reconocen esos nombres como los de *tipos* de vino, en sentido amplio, más que como los de vinos de esas regiones específicas.

La mayoría de los vinos de California tenían nombres genéricos hasta los últimos años 60 o los primeros 70, cuando se pusieron de moda los nombres por la variedad de uva. Los genéricos siguen en el mercado, pero se vuelven menos populares con cada año que pasa.

Cuando uno compra un vino genérico no tiene ninguna idea de lo que recibe excepto que es una pieza histórica.

# Capítulo 8

# Cómo juzgar un vino por su etiqueta

*E*stamos en la ventanilla de inmigración de algún aeropuerto extranjero, un funcionario desconfiado estudia nuestros pasaportes. Estamos mustios después de seis horas de tratar de dormir en unas sillas demasiado estrechas para sentarse. El hombre necesita formarse un juicio sobre nosotros y todo lo que tiene es la información esquemática de nuestros pasaportes y nuestras caras fatigadas.

A veces, ¿no se siente como ese funcionario de inmigración, cuando tiene por delante un despliegue de botellas de vino y trata de formarse un juicio sobre cuál comprar? Con ocasionales excepciones, las etiquetas apenas dicen algo más que un pasaporte, y las pinturas bonitas de las etiquetas revelan menos todavía, sobre lo que hay dentro de las botellas que las fotografías de pasaporte sobre la verdadera apariencia del viajero.

## La etiqueta de vino y lo que dice

Toda botella de vino debe tener una etiqueta, y la etiqueta debe ofrecer cierta información mínima sobre el vino. Parte de la información puesta en una etiqueta de vino se establece, y se define por orden del país en donde se *hace* el vino. Otras partes de la información se establecen y se definen por parte del país en donde se *vende* el vino. ¡Cuando los requisitos son distintos en los dos países, la vida se les puede complicar mucho, mucho a los que escriben las etiquetas!

# El adelante y el atrás de las etiquetas de vino

Muchas botellas de vino tienen dos etiquetas. La del *frente* lleva el nombre y atrae sus miradas según va usted por el pasillo de la tienda, y la de *atrás,* le da un poco más de información que va, de verdaderas sugerencias útiles, como "este vino sabe delicioso con la comida", a datos verdaderamente prácticos como "este vino tiene una acidez total de 6.02 y un pH de 3.34".

Ahora, si usted está con las pilas puestas, puede estar pensando: ¿Cómo se sabe la diferencia entre el frente y el trasero de una botella redonda?

Las autoridades de los Estados Unidos, aparentemente no han dado todavía con la solución. Éste y otros gobiernos exigen que aparezca cierta información en la etiqueta frontal de todas las botellas de vino — cuestiones básicas, tales como el porcentaje de alcohol, el tipo de vino (por lo general, *vino de mesa tinto* o *blanco)* y el país de origen — pero no definen *etiqueta frontal.* De manera que a veces los productores ponen toda esa información en la más pequeña de las dos etiquetas y a ésa la llaman la etiqueta frontal. Luego, los productores colocan otra etiqueta, más grande y llena de colores, que atrae el ojo espectacularmente — que apenas tiene algo más que el nombre del vino — en la parte *trasera* de la botella. Adivine hacia qué lado queda mirando la etiqueta frontal, cuando se coloca la botella en la estantería.

No nos sentimos ultrajados por esta situación. Preferimos siempre mirar las etiquetas coloridas puestas en el estante, que fijarnos en las aburridoras cargadas de información. Igualmente, no somos tan perezosos que no podamos alzar la botella y darle vuelta para encontrar lo que necesitamos saber. Además, nos encanta la idea de que los productores y los importadores de vino — cuyas palabras e imágenes, una por una, sufren el escrutinio de las autoridades no sea que tengan connotaciones sexuales o la más leve insinuación de que el vino es saludable (sin tener en cuenta los hallazgos de la medicina) — han dado con una modesta manera de desquitarse de las autoridades.

## ¿Contiene sulfitos? ¿Advertencia de qué gobierno?

Irónicamente, dos items de la información de la etiqueta (que son caros a los corazones de los políticos) requeridos para los vinos que se venden en los Estados Unidos — las palabras "contiene sulfitos" y la advertencia del gobierno sobre el consumo de alcohol durante el embarazo o cuando se usa maquinaria pesada — no pueden aparecer en las etiquetas de los vinos de los Estados Unidos cuando éstos se exportan a cualquier país de la Unión Europea. De la manera como operan las leyes sobre etiquetas en Europa, cualquier cosa cuya aparición en la etiqueta no esté explícitamente permitida, está prohibida. Lo sentimos por el departamento de salud.

## La información obligatoria

El gobierno federal ordena que ciertos items de información aparezcan en las etiquetas de los vinos que se venden en los Estados Unidos (vea la figura 8-1). Tales items se conocen como obligatorios. Éstos son:

Área Vitícola Americana (AVA)

GOBBLEDYGOOK

Nombre de marca

Sonoma Valley
Nonna's Vineyard

Select Reserve
Estate-Bottled

Designación de calidad
Embotellada en la propiedad

**Chardonnay**
White table wine
Net contents 750ml - 13.5% alcohol
Vinted and bottled by Gobbledygook Winery, Healdsburg, CA
CONTAINS SULFITES

Nombre del vino
Tipo
Alcohol al volumen

Información sobre el embotellador

Nombre del viñedo

**Figura 8-1:** Etiqueta de un vino de variedad estadounidense.

✔ Un nombre de marca

✔ La indicación del tipo (vino de mesa, vino de postre o vino espumoso)

✔ El porcentaje de alcohol al volumen

✔ El nombre y la dirección del embotellador

✔ El contenido neto (expresado en mililitros; la botella estándar de vino es de 750 ml, es decir, 25.6 onzas)

✔ La frase *contiene sulfitos* (con muy pocas excepciones)

✔ La *advertencia del gobierno* (que no dignificaremos repitiéndola aquí; puede verse en cualquier botella de vino)

Las etiquetas de los vinos hechos fuera de los Estados Unidos, pero vendidos en ese país, deben llevar también la frase *importado por,* lo mismo que la dirección de negocios del importador.

Las normas canadienses son similares. Estas normas requieren que las etiquetas de vino indiquen el *nombre común* del producto (o sea *vino),* el contenido neto, el porcentaje de alcohol al volumen, el nombre y la dirección del productor, el país de origen (aunque sólo el 75 por ciento del vino y las uvas deban venir de ese país), y el tamaño del envase. Muchos de estos items deben indicarse en francés y en inglés.

### Las obligaciones en Europa

Parte de la información obligatoria en las etiquetas de vino canadiense o

---

## El verdadero productor, por favor, póngase de pie

Aunque las leyes de los Estados Unidos y el Canadá sobre etiquetas de vino requieren que el nombre y la dirección del *embotellador* o el *distribuidor* figuren, respectivamente, en las etiquetas, esta información no indica necesariamente quién hizo el vino.

De las varias frases que pueden usarse para identificar al embotellador, en las etiquetas de los vinos vendidos en los Estados Unidos, solamente las palabras *producido por* o *hecho por* indican el nombre de la compañía que, en efecto, fermentó un 75 por ciento o más del

vino (o sea que realmente hizo el vino); palabras como *embodegado por* sólo quieren decir que alguien sometió el vino a un tratamiento de bodegaje (guardándolo durante un tiempo, por ejemplo).

En las etiquetas del vino que se vende en el Canadá, el distribuidor, cuyo nombre y dirección deben indicarse, es la persona que produce o para quien se produce el vino para venderlo. La persona, sin embargo, puede ser o no ser la productora del vino.

de los Estados Unidos se requiere también en la Unión Europea, para los vinos producidos o vendidos en ella. Pero se prescriben items adicionales de información para los vinos producidos por sus países miembros.

El más importante de estos items adicionales es la indicación del llamado nivel de calidad de un vino — que realmente significa la posición del vino en la jerarquía europea de nombres de lugares. En pocas palabras, todo vino hecho en un país miembro de la Unión Europea *debe* llevar uno de los siguientes items en la etiqueta:

✔ Un nombre de lugar registrado, acompañado de una frase oficial que confirma que el nombre, de hecho, es un nombre registrado.

✔ Una frase que indica que el vino es un *vino de mesa,* una posición inferior a la del nombre de lugar registrado.

Para los vinos de los Estados Unidos, el vino de mesa es una categoría que comprende todos los vinos no espumosos que contienen hasta 14 por ciento de alcohol. Éste es un uso muy diferente del término *vino de mesa.*

## Apelaciones de origen

Un nombre de lugar registrado se llama *apelación de origen.* De hecho, cada nombre de lugar de la Unión Europea define mucho más que el solo nombre del lugar de donde provienen las uvas: el nombre del lugar denota las variedades de uva del vino, los métodos de su cultivo, y los métodos de producción del vino. Cada apelación, en consecuencia, es una definición del vino, lo mismo que el nombre del vino. Los gobiernos europeos reglamentan las apelaciones del vino de varias maneras, destinadas a que los vinos que llevan nombres registrados de lugar se ajusten a las definiciones legales de esos nombres.

Entre las frases de ciertas etiquetas europeas que confirman que un vino tiene un nombre de lugar registrado, están las siguientes:

✔ **Francia:** *Appellation Contrôlée o Appellation d'Origine Contrôlée* (AC o AOC en abreviatura), que se traduce como *apelación controlada o apelación de origen controlada.* También, en etiquetas de vinos de lugares de posición ligeramente inferior, las iniciales AO VDQS, que equivalen a *Appellation D'Origine — Vins Délimités de Qualité Supérieure;* que se traduce *apelación de origen, vinos delimitados de calidad superior.*

✔ **Italia:** *Denominazione d"Origine Controllata* (DOC), que se traduce *denominación de origen controlada;* o, para ciertos vinos de posición incluso más alta, *Denominazione d'Origine Controllata e Garantita* (DOCG), que se traduce *denominación de origen controlada y garantizada.*

✔ **España:** *Denominación de origen* (DO); Denominación de origen calificada (DOCa) para las regiones de más alta posición (de las cuales sólo existe la Rioja).

✔ **Portugal:** *Denominação de Origem Controlada* (DOC), que se traduce *denominación de origen controlada,* para los principales nombres o lugares; e *Indicação de Proveniencia Regulamentada* (IPR), traducida como *indicación de proveniencia reglamentada* para otros nombres de lugar registrados.

✔ **Alemania:** *Qualitätswein bestimmter Anbauigebiete* (Qba), que se traduce como *vino de calidad de una región específica;* o *Qualitätswein mit Prädikat* (QmP), que se traduce *vino de calidad con atributos especiales,* para los mejores vinos. (Lea más sobre el complejo sistema alemán de apelaciones en el capítulo 11.)

El cuadro 8-1 es una lista de las designaciones europeas para referencia rápida.

## Cuadro 8-1  Designaciones europeas de una ojeada

| País | Categoría según apelación de origen | Designación de vino de mesa con indicación de lugar | Designación de vino de mesa con indicación de lugar |
|---|---|---|---|
| **Francia** | AOC | Vin de pays | Vin de table |
| | VDQS | | |
| **Italia** | DOCG | Vino da tavola | Vino da tavola |
| | DOC | (y nombre geográfico) | |
| **España** | DOCa | Vino de la tierra | Vino de mesa |
| | DO | | |
| **Portugal** | DO | Vinho de mesa regional | Vinho de mesa |
| | IPR | | |
| **Alemania** | QmP | Landwein | Deutscher tafelwein |
| | QbA | | |

Entre las frases de las etiquetas europeas que indican que se trata de un vino de mesa están:

✔ Francia: *Vin de pays (vino de la tierra)*

✔ España: *Vino de la tierra*

✔ Italia: *Vino da tavola (vino de mesa),* usualmente seguido del nombre de una región como en Vino de tavola di Toscana

✔ Alemania: *Landwein (vino de la tierra)*

✔ Portugal: *Vinho de mesa regional (vino de la tierra)*

La figura 8-2 muestra una etiqueta de vino europea tal como debe aparecer en los Estados Unidos.

Alcohol al volumen

Nombre de marca

Vendimia (cosecha)

Tipo

Contenido neto

Designación del viñedo

Información sobre el productor
País de origen
Información sobre el importador

Categoría según apelación de origen

**Figura 8-2:**
Etiqueta de un vino europeo.

En los Estados Unidos no hay equivalentes de todas estas frases extranjeras que designan nombres de lugares. Los nombres de lugares registrados en los Estados Unidos se llaman *Áreas vitícolas americanas (AVAs).* Pero ninguna frase como ésa aparece en las etiquetas de los vinos de Australia o Sudamérica.

## La información opcional

Otras palabras de toda clase pueden aparecer en las etiquetas de vino. Éstas pueden formar frases sin sentido destinadas a hacerlo creer a usted que está adquiriendo un vino de calidad especial, o pueden ser palabras que suministran información útil sobre lo que hay en la botella. A veces, la misma palabra puede ser de las primeras o de las segundas, según sea la etiqueta. Esta ambigüedad puede producirse porque el uso de ciertas palabras, que está estrictamente reglamentado en algunos países, no lo está para nada en otros.

### Vendimia

La palabra vendimia *(vintage)* seguida de un año, o el año solo, sin la palabra, es el ítem opcional más común en una etiqueta de vino (vea la figura 8-2). A veces, la vendimia aparece en la etiqueta del frente, y a veces tiene su propia etiqueta pequeña sobre la del frente.

INFORMACIÓN TÉCNICA

# La jerarquía del vino en la Unión Europea

Aunque cada país dentro de la Unión Europea hace sus propias leyes respecto de los nombres de los vinos, éstos deben conformarse al marco de la ley más amplia de la Unión. Este marco prevé dos niveles a los cuales deben ajustarse todos los producidos en la Unión Europea.

✔ **Vino de calidad:** Vinos con apelaciones de origen definidas y reglamentadas por el país europeo donde se producen. (Cada ley de apelación define el área geográfica, las uvas que pueden usarse, las técnicas de producción y añejamiento, etc.) Esta categoría se abrevia como VQPRD en varias lenguas europeas. Todos los vinos AOC, DOC, DO y QbA — para usar las abreviaturas mencionadas antes en este capítulo — están dentro de esta categoría.

✔ **Vino de mesa:** Todos los otros vinos produ-

cidos dentro de la Unión Europea. Si un vino de mesa lleva una indicación geográfica precisa en la etiqueta, tal como la que llevan los franceses, *vin de pays* o los españoles, *vino de la tierra,* tiene una posición más alta que los vinos de mesa sin otra indicación geográfica que el país de origen (por ejemplo, puede llevar un año de vendimia o el nombre de una uva).

Todos los demás vinos que se venden en la Unión Europea están dentro de una tercera categoría:

✔ **Vino:** Son los vinos producidos por países de fuera de la Unión Europea, como el Canadá, los Estados Unidos o Australia. Si un vino tiene una indicación geográfica menor que el país de origen, es de una posición más alta que los que no la tienen.

El *año de la vendimia* no es más que el año en que se cosecharon las uvas para un vino particular. Pero hay un aura que rodea a los vinos que llevan un año de vendimia que induce a la gente a creer que cualquier vino con año de vendimia es mejor, por definición, que un vino que no lo tiene. *De hecho, no hay correlación entre la presencia de un año de vendimia y la calidad de un vino.* (Sin embargo, como un año de vendimia es, para los consumidores, una indicación de calidad, la Unión Europea les niega a los simples vinos de mesa el privilegio de hacer figurar el año de vendimia.)

La mayoría de los vinos que se encuentran en las tiendas de vinos, los supermercados y los restaurantes son vinos de vendimia en el sentido de que el 95 por ciento o más de un vino dado viene de uvas cosechadas en un solo año — ésta es la definición oficial de los Estados Unidos para un vino de vendimia. (Los *vinos non-vintage* son mezclas de vinos cuyas uvas se cosecharon en años diferentes.) La mayoría de los vinos llevan el *año de la vendimia* en la botella porque así se venden mejor (gracias al aura de que hablamos).

Los vinos de vendimia pueden variar en estilo y calidad de una vendimia a la otra porque el tiempo (que afecta a las uvas) es distinto cada año (naturalmente). Pero, hablando en general, de *qué* vendimia es un vino — esto es, si las uvas crecieron en un año con tiempo perfecto o si las uvas sufrieron un desafío meteorológico — es un asunto que hay que tomar en consideración en estos casos: a) sólo cuando compre vinos de la más alta calidad y b) principalmente cuando esos vinos provienen de partes del mundo que experimentan variaciones de clima significativas de un año al otro — en una palabra, Europa. Las variaciones de vendimia sí existen en California y Australia, pero el vaivén de calidad, de un año a otro, es menos dramático que el que sufre la mayoría de los vinos europeos. En el caso de los vinos menos costosos — los que se venden al por menor hasta por 10 dólares la botella — las diferencias de un año a otro son insignificantes, por lo general.

## Reserva

Reserva *(reserve)* es nuestra palabra sin sentido favorita en las etiquetas de vino de los Estados Unidos. El término se usa para convencerlo a usted de que lo que hay entre la botella es algo especial. Ese truco resulta porque la palabra *sí* tiene un significado específico y *sí* implica cierto prestigio en las etiquetas de los vinos de muchos otros países. De manera que *reserve* (reserva) tiene connotaciones positivas cuando aparece en los vinos de los Estados Unidos aunque no quiera decir nada.

En Italia y España, la palabra reserva indica que un vino ha recibido añejamiento extra en la fábrica antes de darlo al mercado. En el añejamiento extra está implícita la idea de que el vino era mejor que lo normal y, en consecuencia, merecía el añejamiento más largo. De manera que un Chianti Classico Riserva se considera mejor y más costoso que el mismo vino básico del productor, Chianto Classico. Un Rioja Gran Reserva (España tiene grados de reserva) es mejor que el Rioja Reserva del productor, que es mejor que el Rioja corriente. Se da usted una idea.

En algunos otros países, como Francia, no se reglamenta el uso de la palabra reserva. Sin embargo, su uso implica, en general, la noción de que el vino es mejor que lo normal en un productor dado.

En ese sentido, también se ha usado la palabra *reserva,* históricamente, en los Estados Unidos — como en Beaulieu Vineyards Georges de Latour Private Reserve, el mejor Cabernet Sauvignon que hacen los viñedos Beaulieu. Pero en los últimos diez años, más o menos, la palabra se ha peloteado de un lado a otro hasta perder su significado. Hay vinos de California etiquetados Reserva del Propietario *(Proprietor's Reserve)* que se venden más o menos a 4 dólares la botella. Esos vinos, no sólo son los *más* baratos de la línea de un productor particular, sino algunos de los vinos más baratos, punto. Hay vinos Reserva Especial, Vendimia de Reserva, y Reserva de Selección — todas frases sin sentido.

### Embotellado en la propiedad

*Propiedad* es una palabra gentil para hablar de una finca de vinos, una operación combinada de cultivo de uvas y producción de vino. Las palabras *embotellado en la propiedad* en una etiqueta de vino indican que la compañía que lo embotelló también cultivó las uvas e hizo el vino. En

## ¿Por qué vendimia, no?

En realidad, no hay sino dos situaciones en las que los productores pueden inclinarse a mezclar vinos de dos o más años distintos y crear un vino sin año de vendimia. Si una fábrica está situada en una zona climática en donde la completa madurez de las uvas es algo poco frecuente (partes de Alemania, por ejemplo, o Champaña, que son regiones frías y nórdicas), el productor puede tomar la decisión de guardar vino de un año para mezclarlo con el del año siguiente en caso de que ese año tenga una mala cosecha. La decisión es cuestión

tanto financiera como cualitativa: tiene que asegurarse de tener un producto qué vender el año que viene.

La segunda razón para hacer una mezcla sin año de vendimia es el precio. Cuando una fábrica compra vino en el mercado a granel (como lo hacen las grandes fábricas para suplementar su propia producción), tiene más oportunidad de rebajar sus costos si no compra vinos de una vendimia específica.

otras palabras, *embotellado en la propiedad* sugiere responsabilidad del viñedo desde la fabricación del vino hasta el envase. La fábrica no tiene que ser, necesariamente, la propietaria de los viñedos, pero tiene que controlarlos y ejecutar sus operaciones.

El de embotellado en la propiedad es un concepto importante para aquéllos entre nosotros que creemos que no se puede hacer buen vino a menos que las uvas sean tan buenas como sea posible. Si *nosotros* hiciéramos vino, seguramente querríamos controlar nuestros propios viñedos.

No llegaríamos a afirmar que los grandes vinos *deben* ser embotellados en la propiedad, sin embargo. Ravenswood Winery — para dar un solo ejemplo — hace vinos muy buenos de las uvas de pequeños viñedos de propiedad de granjeros independientes y manejados por éstos. Y hay algunos grandes propietarios de tierra, tales como los hermanos Sangiacomo, que son totalmente serios en lo que se refiere a sus viñedos, pero no hacen vino ellos mismos (les venden sus uvas a varias fábricas). Ninguno de esos vinos se considera embotellado en la propiedad.

A veces las etiquetas de vino francés llevan las palabras *mis en bouteille au château/au domaine* [embotellado en el castillo o en el dominio]. El concepto es el mismo que "embotellado en la propiedad". Château es lo mismo que propiedad.

No hay sino una ambigüedad en el uso de la frase *embotellado en la propiedad.* Los *productores de vino cooperativos* (grandes operaciones en las cuales centenares de cultivadores de uva le entregan sus uvas a una fábrica central que vinifica el jugo) pueden afirmar que sus vinos son embotellados en la propiedad por los cultivadores de la cooperativa — o sea, dueños de la fábrica. En Europa, en donde algunos inmensos productores de vino cooperativos sacan al mercado millones de cajas de vino al año, esta interpretación parece llevar el concepto de "embotellado en la propiedad" un poco demasiado lejos.

## Nombre del viñedo

Los vinos entre medianos y costosos, en la categoría de precios — los que cuestan de más o menos 1 dólar para arriba — pueden llevar en la etiqueta el nombre del *viñedo* específico en donde se cultivaron las uvas con las cuales se hizo el vino. A veces una productora hace dos o tres vinos distintos que se distinguen sólo por el nombre del viñedo en la etiqueta. Cada vino es único porque el *terroir* [el terreno] de cada viñedo es único. (Vea en el capítulo 7 la explicación de *terroir.*)

Estos viñedos pueden o no identificarse por la palabra *viñedo* junto a su nombre.

ALERTA AL ESNOB

## Cómo leer las pinturas

Un joven amigo vivió en Francia muchos años, y al regresar a los Estados Unidos, inventó uno de los sistemas más insólitos para descodificar las etiquetas de vino francés de que hayamos oído hablar.

Aunque su presupuesto en Francia le había impedido probar y aprender gran cosa sobre el vino fino, se encontró sitiado por los amigos que le pedían una explicación completa (¡por fin!) sobre las etiquetas de vino francesas. No queriendo decepcionarlos, se dio cuenta de que, mientras dijera algo en el tono esperado, sus amigos creerían, al menos durante un tiempo, cualquier cosa que les dijera. Después de todo era un contexto de diversión, y el vino estaba en esas vecindades. Entonces inventó la teoría siguiente:

✔ Lo primero y lo principal, tomar nota de la presencia o ausencia de tintas de colores: La tinta roja indica mejor vino que la simple tinta negra; la tinta dorada significa que es un vino de primera calidad. La roja y la dorada juntas, en relieve, bueno, ese vino está por encima de lo mejor.

✔ En seguida, examinar la ilustración (falta de ilustración quiere decir falta de calidad, sin duda). La imagen de sólo las puertas de un château indican un vino apenas moderado, mientras que un dibujo que muestra un castillo completo indica el mejor vino. Unas puertas recargadas con un château al fondo indican un propietario super orgulloso, y debe evitarse ese vino.

✔ Finalmente, una tipografía delicada y elegante y no uno sino dos o tres marcos son la señal de los mejores vinos.

Por supuesto, a la mitad de esta laboriosa y fantástica teoría, presentada con gestos y énfasis elocuentes, sus comensales, por lo general, pescaban la cosa y empezaban a sonreírse. Después de una buena carcajada, al revelarles el chiste, comenzaban a tomar vino en serio y el gusto era la única regla. Cualquier preocupación sobre la interpretación de las etiquetas quedaba olvidada después de la segunda copa.

---

Los vinos italianos, que están realmente dentro del juego del nombre de viñedo único en la etiqueta, tienen las palabras italianas *vigneto* o *vigna*, o a veces la palabra francesa *cru*, en las etiquetas junto al nombre del viñedo. O no las tienen, es opcional.

### Otras palabras opcionales en la etiqueta

Estará complacido de saber que casi hemos agotado nuestra lista de los términos que pueden encontrarse en una etiqueta (para no hablar de agotarnos nosotros — y a usted probablemente — en el proceso).

Otra expresión que se encuentra en algunas etiquetas francesas es *Vieilles Vignes*, que traduce *viejas viñas*. Como el hecho es que las viñas viejas producen una cantidad de frutas muy pequeña, en comparación con las viñas más jóvenes, la calidad de sus uvas, y la del vino resultante, se considera muy buena. El problema es que no se reglamenta sobre estas palabras. Cualquiera puede afirmar que sus viñas son viejas.

La palabra *superior* puede aparecer en francés, *supérieure,* o en italiano, *superiore,* como parte de una AOC o una DOC del nombre de un lugar (repasar la sección "La información obligatoria", atrás en este mismo capítulo). Estas palabras quieren decir que el vino ha alcanzado un grado de alcohol más alto que la versión no superior del mismo vino. Francamente, es una distinción que no nos quita el sueño.

La palabra *classico* aparece en las etiquetas de algunos vinos italianos DOC y DOCG, cuando las uvas provienen del corazón del lugar nombrado.

# Términos de etiquetas en lenguas extranjeras

Las palabras o frases siguientes pueden aparecer en botellas de vinos franceses, alemanes, italianos, españoles o portugueses.

✔ **Etiquetas francesas**

*Clos:* viñedo cercado

*Cru:* cultivo, usualmente un buen viñedo

*Grand vin de:* frase no reglamentada que significa gran vino de

*Mis en bouteille au château:* embotellado en el castillo

*Mis en bouteille au domaine:* embotellado en la propiedad

*Négociant:* compañía que compra uvas para hacer y embotellar vino o compra vino para mezclarlo y embotellarlo

*Propriétaire:* propietario

*Récolte:* vendimia o cosecha

*Vendange:* vendimia o cosecha

*Vieilles Vignes:* viejas viñas (palabras, no sujetas a control, que sugieren calidad)

*Vignoble: vi*ñedo

*Vin:* vino

✔ **Etiquetas alemanas**

*Amtliche Prüfungsnummer:* (abreviado como número AP o algo similar); se refiere a un examen de control de calidad obligatorio

*Erzeugerabfüllung:* embotellado en la propiedad

*Halbtrocken:* semiseco

*Trocken:* seco

*Wein:* vino

*Winzergenossenschaft:* productora de vino cooperativa

(Vea en "Leyes del vino de Alemania: La madurez es la reina", capítulo 11, una explicación de las palabras *Kabinett, Spätlese, Auslese, Beerenauslese* y *Trockenbeerenauslese.*)

✔ **Etiquetas italianas**

*Annata:* vendimia

*Azienda agricola/vinicola/vitivinicola:* se refiere al productor

*Casa vinicola/vitivinicola:* se refiere al productor

*Cantina sociale:* productora cooperativa

*Consorzio:* asociación comercial de productores

*Fattoria:* granja, finca agrícola

*Imbottigliato all'origine:* embotellado en la propiedad

*Produttore:* productor

*Tenuta:* propiedad

*Vendemmia:* vendimia

*Vigna* o *Vigneto:* viñedo

*Vino:* vino

*Vitigno:* variedad de uva

✔ **Etiquetas portuguesas**

*Adega:* productora de vinos

*Adega cooperativa:* productora de vinos cooperativa

*Colheita:* vendimia

*Quinta:* propiedad o viñedo

*Tinto:* vino rojo

*Vinho:* vino

# Capítulo 9

# La envidia de la Pinot y otros secretos sobre las uvas

¿No sería una lástima si un científico loco inventara una manera de hacer vino sin uvas de verdad? Detestaríamos que se eliminaran las uvas del proceso porque la uva es una de las cosas más fascinantes que hay en el vino.

El campo cubierto hilera tras hilera de vides es una visión inspiradora para los amantes del vino. El cuidado de las vides y la cosecha de las uvas guardan un significado ritual para los cultivadores de todo el mundo, y para los productores que transforman esas uvas en vino. Las uvas son el eslabón, literal y emocionalmente, entre la tierra y el vino.

Las uvas nos dan también uno de los modos más fáciles de clasificar con sentido los centenares de tipos de vino que existen.

## La uva es la responsable

Si alguien quisiera inventar un acertijo sobre el vino, sería probablemente un gran fracaso porque no hay misterio en saber qué es lo que hace que la mayoría de los vinos sepan como saben. Las uvan lo han hecho. Con la complicidad de la madre naturaleza y de un hacedor de vino, las uvas son responsables del estilo y la personalidad y, a veces, de la calidad de todo vino, porque son su punto de partida. (Seguramente, un productor de vino puede hacer cosas para hacer irreconocible la uva en el producto final — como exponer demasiado el vino al roble o dejarlo oxidar — pero las uvas determinan la estructura genética del vino y la manera como éste responde a todo lo que se le haga.)

Recuerde el último vino que tomó. ¿De qué color era? Si era blanco lo probable es que lo era porque venía de uvas blancas; si era rosado o rojo era porque venía de uvas rojas.

¿Olía a yerba, a tierra o a fruta? Lo que fuera; esos aromas venían de las uvas. ¿Era firme y tánico o suave y voluptuoso? Gracias a las uvas (con una venia para los otros dos conspiradores la madre naturaleza y el productor).

La variedad (o variedades) específica de la cual se hace un vino dado es ampliamente responsable por las características sensoriales que éste ofrece — desde la apariencia hasta los aromas, los sabores y el perfil alcohol-tanino-ácido.

## Del género y la especie

Por *variedad de uva* entendemos el fruto de un tipo específico de vid: el fruto de la vid Cabernet Sauvignon, por ejemplo, o el fruto de la vid Chardonnay.

El término *variedad* tiene un sentido específico en los círculos científicos. Una variedad es una subdivisión de la especie. La mayor parte de los vinos del mundo se hacen con variedades de uva que pertenecen a la especie *vinífera* — una subdivisión del género *Vitis*. Esta especie se originó en Europa y Asia occidental; otras especies distintas de *Vitis* son nativas de Norteamérica.

Se hace algún vino de uvas de otras especies; por ejemplo, la uva Concord de la cual se hace vino Concord lo mismo que jugo de uvas, pertenece a la especie norteamericana nativa *Vitis labrusca*. Pero las uvas de esta especie tienen un sabor marcadamente distinto del de las uvas de la vinífera — *foxy* es la palabra usada para describir ese sabor. Los vinos hechos de uvas no vinífera son pocos porque su sabor como tales no es popular. En jalea o en jugo están muy bien.

Si existieron listas de especies en peligro al final del siglo XIX, la *Vitis vinífera* ciertamente estuvo entre ellas. La especie entera por poco desaparece a causa de un piojo minúsculo llamado *filoxera* que emigró a Europa desde América del Norte y procedió a devorar las raíces de las vides vinífera, arrasando viñedos a lo ancho y a lo largo del continente.

No se ha encontrado remedio, hasta hoy, que proteja las raíces de la vinífera de la filoxera. Lo que salvó la especie fue injertar vides vinífera en tocones de especies americanas nativas que son resistentes al piojo. La práctica de injertar la parte de la *Vitis vinífera* que lleva los frutos en tocones de la otra especie resistente a la filoxera continúa, hoy día, en cualquier lugar del mundo en donde haya filoxera y se haga vino. (La parte que lleva los frutos se llama *scion,* y la que lleva las raíces se llama tocón.) De algún modo, cada variedad de uva mantiene su propio carácter, a pesar de que las raíces le sean ajenas.

## *Una variedad de variedades*

Los copos de nieve y las huellas dactilares no son los únicos ejemplos de la infinita variedad de la naturaleza. Dentro del género Vitis y la especie vinífera hay hasta 10 000 variedades de uvas para vino. ¡Si se pudiera conseguir en el comercio el vino de cada una de estas variedades y usted tomara todos los días un vino distinto, se demoraría 27 años en probarlos todos!

## Matrimonios mixtos

Unas pocas variedades de uva que se usan para hacer vino no son *Vitis vinífera* sino *híbridos* — variedades de uva criadas por el nombre a partir de plantas de dos especies diferentes, usualmente una vinífera y una especie norteamericana (se crían mediante la polinización cruzada de dos variedades distintas y se plantan las semillas que resultan — un proceso completamente distinto del injerto.)

Cuando la devastación de la filoxera llegó a Europa, una de las primeras soluciones que ensayaron los franceses fue el cruce de sus vides con vides norteamericanas para desarrollar variedades enteramente nuevas que (eso esperaban) fueran resistentes a la filoxera. Éstas vinieron a llamarse híbridas *francoamericanas.*

La más exitosa de estas híbridas es la Seyval Blanc, que crece en Inglaterra, Canadá y el este de los Estados Unidos. Tal como resultó, la Seyval Blanc es una de las pocas híbridas francoamericanas cuyos sabores no muestran rastros de sabor raro (foxiness) y que resisten bien en los climas fríos. Algunas otras híbridas que se usan en la producción de vino son Vidal, Vignoles y Aurore, Baco Noir, Maréchal Foch y De Chaunac.

Las uvas híbridas se consideran innobles por parte del establecimiento del vino, y no pueden usarse para hacer vino en los países miembros de la Unión Europea. (Inglaterra es una excepción, por el estado experimental de su industria vinícola, pero esto está sujeto a cambios.)

Las variedades de vid que se han cruzado entre *dos padres vinífera* se llaman, por lo general, cruces, no híbridos. La uva Pinotage — cultivada en Sudáfrica — es un ejemplo famoso. Es un cruce de uvas Pinot Noir y Cinsault, ambas *Vitis vinífera.*

No es que uno quisiera hacerlo. Dentro de esas 10 000 variedades hay uvas capaces de hacer un vino extraordinario, uvas que tienden a hacer vino muy corriente, y uvas a las cuales sólo podrían querer sus padres. La mayoría de las 10 000 especies son de uvas desconocidas que raramente entran al comercio internacional.

Un chiflado por el vino *extremadamente* aventurero, que tenga todo el tiempo suficiente para explorar los caminos vecinales de España, Portugal, Italia y Grecia, podría ser capaz de encontrar 1 500 variedades distintas de uvas (solamente cuatro años de beber) en toda su vida. El número de variedades de uva que usted puede encontrar en el curso de su disfrute normal de vino no llegará a 50.

# Cómo lo hizo la uva

Toda clase de atributos distinguen a cada una de esas variedades de las demás. Estos atributos se dividen en dos categorías: rasgos de personalidad y factores de comportamiento. Los *rasgos de personalidad* son las características de la fruta por sí misma — su sabor, por ejemplo. Los *factores de comportamiento* tienen relación con la manera como crece la vid, cómo madura su fruto y con cuánta rapidez puede llegar de 0 a 100 kilómetros por hora.

Tanto los rasgos de personalidad como los factores de comportamiento de determinada variedad de uva, afectan al sabor y al estilo finales de los vinos que se hagan con ella.

## Rasgos de personalidad de las variedades de uva

El color de la cáscara es la distinción más fundamental entre las variedades de uva. Toda variedad de uva se considera o una variedad blanca o una variedad roja (negra), de acuerdo con el color de la cáscara cuando las uvas están maduras. (Unas pocas uvas de la variedad de cáscara roja se distinguen, además, por tener la pulpa roja en vez de blanca.)

Las variedades individuales de uva pueden distinguirse también por sus compuestos aromáticos. Por ejemplo, algunas uvas (como la Muscat) contribuyen con sabores y aromas florales al vino que se hace con ellas, mientras otras aportan aromas y sabores herbáceos (como la Sauvignon Blanc). Algunas uvas tienen aromas y sabores muy neutros y, por tanto, producen vinos más bien neutros. (La uva Trebbiano, que se usa para muchos vinos blancos italianos, es un ejemplo.)

Los niveles de acidez varían de una a otra variedad: algunas uvas tienen una disposición natural a tener niveles más altos de acidez en el momento en que se cosechan, lo cual influye en el vino que se hace con ellas.

El grosor de la cáscara y el tamaño de la uva madura (grano) son otros rasgos distintivos importantes. Las uvas de cáscara gruesa naturalmente tienen más tanino que las de cáscara delgada. Lo mismo se aplica a las variedades de grano pequeño comparadas con las de grano grande.

La cáscara de las uvas, las *pepitas* (semillas) y los tallos contienen todos *tanino,* esa sustancia más bien amarga que es importante en el estilo de los vinos tintos. Generalmente, los tallos se eliminan antes de la fermentación, de manera que su tanino no cuenta. Los vinos blancos usualmente se hacen del jugo solo, sin cáscaras o semillas, de modo que el tanino es un asunto menos importante. Pero, durante la fermentación del vino tinto, las cáscaras y las semillas están ambas entre el jugo y contribuyen con su tanino al vino. Los taninos son ambivalentes: algunos son benéficos para el vino, le dan firmeza y carácter, y algunos no lo son, recargan el vino con sabores picantes o demasiado amargos. Cómo hacer que los buenos taninos entren en el vino, sin los malos, es cuestión del productor. En el supuesto de que la forma de hacer el vino sea la misma, las variedades de uva que tienen cáscara más gruesa o granos más pequeños (y por tanto una proporción más alta de cáscara en relación con el jugo) darán un vino más tánico.

Los rasgos de personalidad de cada variedad de uva, en conjunto, se evidencian bastante en los vinos hechos con esa variedad. Un vino Cabernet Sauvignon casi siempre es más tánico y levemente más bajo en alcohol que un vino Merlot, por ejemplo, porque ésa es la naturaleza de esas dos uvas.

# *Factores de comportamiento de las variedades de uva*

Los factores de comportamiento que distinguen a las variedades de uva son de importancia vital para el cultivador porque determinan con qué facilidad — o con qué desafíos — cultivará una variedad específica en su viñedo. Pero los factores de comportamiento también afectan al sabor y al estilo de los vinos hechos con las distintas variedades, de acuerdo con el lugar específico en donde crece la variedad de uva.

## Los peores casos de madurez

Como cualquier otra fruta, las uvas son duras cuando empiezan a formarse, y son muy ácidas. A medida que maduran, pierden acidez gradualmente y adquieren azúcar, mediante la fotosíntesis y otros procesos normales del metabolismo de la vid. También ganan en color, llegan a su tamaño apropiado, y desarrollan sus elementos de aroma y sabor.

Si, por alguna razón, las uvas no maduran lo suficiente — una variedad particular se plantó en el clima erróneo, o el tiempo estuvo muy frío, en un año dado, o un cultivador codicioso trató de lograr más uvas de las que su terreno aguantaba — los granos resultarán más bajos de azúcar de lo que debieran y sus sabores no se habrán desarrollado del todo. El vino hecho de uvas como ésas tendrá un contenido bajo de alcohol (debido al azúcar escaso en las uvas) y alto en acidez (debido a niveles altos de acidez en las uvas), con sabores inmaduros. (¿Alguna vez ha mordido una pera tomada del árbol cuando estaba verde?)

Si las circunstancias son las que hacen madurar demasiado las uvas, ocurre lo inverso: vinos altos de alcohol, bajos de ácido, que se sienten flojos en la boca y que saben como la fruta que uno hubiera querido comerse una semana antes.

Toda variedad de uva tiene un período de madurez predecible, por ejemplo. Si se cultiva una variedad de uva que tiene un período largo de madurez en una región en la cual los veranos son cortos y frescos, las uvas no madurarán lo suficiente y el vino hecho con ellas puede tener un sabor cáustico y *vegetal* (como de legumbres verdes). Si se cultiva una variedad de uva que madura pronto en un clima muy cálido, puede madurar tan rápido, que el vino hecho de ella sabe demasiado maduro (como a fruta pasada) y tiene mucho alcohol.

Algunas variedades de uva tienen racimos muy densos y compactos. Cultive una variedad de ésas en un clima húmedo y caliente y es mejor que se prepare a pasarse todo el verano combatiendo el moho que quiere crecer entre los granos de las uvas. Si las uvas, a pesar de sus esfuerzos, quedan un poco mohosas, le darán un gusto mohoso al vino.

Algunas variedades de uva, naturalmente, tienden a que les crezcan más hojas y retoños que a otras. Esta vegetación puede hacerle sombra a los frutos e impedir que maduren del todo, dándole sabores poco maduros al vino. Si esa variedad de uva es alta en ácido, por naturaleza, el vino será doblemente áspero.

Las razones por las cuales algunas variedades de uva se comportan brillantemente en ciertos lugares son tan complejas que los productores de vino no han podido dar del todo con ellas todavía. La cantidad de calor y de frío, la cantidad de lluvia o de viento (o la falta de éstos), y la inclinación de los rayos del sol en la ladera en donde están las vides figuran entre los factores que afectan su comportamiento. Pero recuerde que no hay dos viñedos en el mundo que tengan precisamente la misma combinación de factores — precisamente el mismo terroir (vea el capítulo 7). El asunto desafía las simples generalizaciones.

## Tal la uva, tal el vino

Hay cosas que un productor de vino puede hacer para corregir las deficiencias o excesos de sus uvas — hasta cierto punto.

Puede agregarle ácido al jugo, si las uvas están demasiado maduras, por ejemplo, o agregarle azúcar para estimular el nivel de madurez que la madre naturaleza negó ese año. (Ese azúcar adicional se fermentará en alcohol.) Si decide poner su mosto o su vino en barriles de roble, puede crear sabores y aromas de roble en el vino que van más allá de lo que la uva le dio.

Pero en su mayor parte, el vino es lo que las uvas le dieron. Los rasgos de personalidad de cada variedad de uva, atemperados por su comportamiento de acuerdo con el suelo en que se cultiva, definen más o menos la naturaleza de cada vino.

*ÓN TÉCNICA*

## "Chardonnay, ¿te gusta este suelo de caliza?"

Uno de los elementos del *terroir* que ciertamente es un factor en el comportamiento de una variedad de uva es el suelo en que crece la vid. Algunas compatibilidades clásicas de la uva con el suelo se han hecho evidentes con los siglos: la Chardonnay en caliza o yeso, la Cabernet Sauvignon en suelo cascajoso, la Pinot Noir en caliza, y la Riesling en suelo pizarroso. De cualquier forma, éstos son los suelos en los que estas variedades de uva se dan en su legendaria máxima calidad.

El suelo afecta a una viña de varios modos (además de dejar arraigar la vid): es un medio de conducción de nutrientes para la vid; puede influir en la temperatura del viñedo hasta el punto de que puede retener calor o no retener-

lo; y provee un sistema de administración del agua para la planta. De estas tres tareas, la administración de agua se considera la más importante, y la influencia sobre la temperatura del viñedo, la menos importante.

Una generalización cauta es que los mejores suelos son los que tienen buen drenaje y no son particularmente fértiles. (Un ejemplo extremo es el suelo — si se puede llamarlo así — del distrito de Châteauneuf-du-Pape en el valle del Ródano en Francia: es puras piedras.) La sabiduría de las edades decreta que la vid deba bregar para producir las mejores uvas — y los suelos bien drenados y menos fértiles, retan a la vid a pelear, no importa de qué variedad sea.

## *Un exceso de riqueza*

Si se considera el número de variedades de *Vitis vinífera* que existen —
incluso limitando la discusión a las de los vinos comercialmente disponibles — y luego se tienen en cuenta todos los lugares distintos en que
cada variedad se cultiva, queda claro por qué hay tantos vinos diferentes en el mundo.

También queda claro que — aunque los vinos hechos con la misma variedad de uva comparten ciertas semejanzas de familia — *la variedad de
uva, sola,* no es una indicación completamente de confiar en cuanto a
cómo sabe un vino. El vino refleja también el comportamiento de la uva
de acuerdo con el lugar en el que creció — y cualquier cosa que haya
podido hacer el productor para cambiar lo que le dieron las uvas al vino.
Pero la variedad de la uva es la unidad fundamental.

# *Realeza y plebeyos en el reino de la uva*

Las abejas tienen sus reinas, los lobos sus machos alfa, los gorilas tienen
su espalda de plata, y los humanos sus casas reales. En el reino de las
uvas, hay nobles, también — por lo menos, según lo interpretan los humanos que beben el vino de esas uvas.

Las variedades *nobles* de uva (como las llama coloquialmente la gente
del vino) tienen el potencial para hacer no sólo buen vino sino *gran* vino.
Toda variedad noble puede reclamar por lo menos una región donde es
la reina indiscutible. Los vinos que se hacen de las uvas nobles en su
propio suelo pueden ser tan magníficos, que los productores de regiones
muy lejanas se sienten inspirados a cultivar la misma uva en sus propios
viñedos. La uva noble puede resultar noble también allí — pero con frecuencia la uva no lo hace. La adaptabilidad no es un prerrequisito de la
nobleza.

Los ejemplos clásicos de las variedades de uvas nobles en sus mejores
condiciones son:

✔ Las uvas Chardonnay y las Pinot Noir en Borgoña, Francia

✔ La uva Cabernet Sauvignon en Burdeos, Francia

✔ La uva Syrah en la parte norte del valle del Ródano en Francia

✔ La uva Chenin Blanc en el valle del Loira, Francia

## La clonación de la uva perfecta

Si uno anda bastante tiempo con gente del vino es seguro que oye hablar sobre *clones* o *seleccion clonar* de variedades de uvas. ¿Ya llegó la era futurista para el cultivo de la uva?

En términos botánicos, un *clon* es una subdivisión de una variedad. ¿Recuerda todas esas cosas que dijimos sobre que toda variedad de uvas es diferente de las demás? Pues bien, la individualidad no termina con la variedad de uva. Incluso dentro de una sola variedad, tal como la Chardonnay, puede haber diferencias de una planta a otra. En algunas vides maduran los frutos un poco más rápidamente, o se producen uvas con sabores y aromas levemente distintos de los de las otras.

Las vides se propagan por lo general de manera asexuada, sacando esquejes de una *planta madre* y dejándolos enraizar hasta que la nueva planta está lo bastante madura para injertarla en tocones resistentes a la filoxera. Por supuesto, las nuevas plantas son genéticamente idénticas a la planta madre. Como es natural, los cultivadores escogen, por lo general, las plantas ideales (en función de madurez, sabor frutal, resistencia a la enfermedad, robustez — o lo que estén buscando) para usarlas como plantas madres. ¡Voila! Han hecho una selección clonal.

De hecho, mucho de la selección clonal se hace, en estos días, en universidades y otras instituciones investigativas en donde se verifica la resistencia a los virus de las vides madres antes de propagarlas. Existen comerciantes que desarrollan las plantas madres y a ellos les compran los cultivadores especificando qué clones en particular desean.

¡Por fortuna para la mayoría de nosotros, los padres humanos no tienen las mismas opciones!

✔ La uva Nebbiolo en el Piamonte, Italia

✔ La uva Sangiovese en la Toscana, Italia

✔ La uva Riesling en las regiones del Mosela y Rheingau de Alemania

# *Cartilla sobre las principales variedades de uva*

En una época, no era tan común como ahora el poner los nombres de las uvas en las etiquetas de vino — y sólo los expertos en vino se preocupaban por las características de las distintas variedades. Pero hoy día hay tantos vinos de variedad de uva, que las uvas y los vinos se han vuelto sinónimos — y la diferencia entre Cabernet Sauvignon y Merlot se ha vuelto significativa para los bebedores de vino.

Los vinos europeos, en general, reciben su nombre de los lugares en donde se producen, más que de la uva — pero saber algo sobre la variedad de uva (tal como Chardonnay) puede ayudar más a entender un vino (tal como el Borgoña blanco). Vea en el capítulo 7 un cuadro de vinos europeos y sus respectivas uvas.

Damos aquí descripciones de las variedades vinífera más importantes de hoy día — 12 uvas blancas y 12 rojas. Al describir las uvas, naturalmente describimos el (los) tipo (s) de vino que se hace con ellas. Usted encontrará vinos de varias clases: vinos de variedad, vinos de lugar que no mencionan la variedad de uva en la etiqueta. Encontrará también las uvas como socias de otras uvas en una mezcla — a veces asociadas públicas, a veces cómplices secretas.

# Variedades de uva blanca

Las diferencias entre las variedades de uva blanca están principalmente en sus niveles de acidez y en sus aromas o sus sabores. Vuelva al capítulo 2 y dé un rápido repaso de algunos de los rasgos descriptivos que usamos en esa sección.

## Chardonnay

Es la uva blanca más apreciada y querida. Pero, a pesar de su atractivo populista, es una uva de toda la realeza que produce los mejores vinos blancos secos del mundo, los Borgoñas blancos. Chardonnay también es una de las principales uvas del Champaña.

La uva Chardonnay se planta prácticamente en todos los países productores de vino del mundo. Esta uva blanca es universal por dos razones: la variedad es relativamente adaptable a una amplia gama de climas, el nombre *Chardonnay* en una etiqueta es un arma segura de ventas.

Como el mosto y el vino de la Chardonnay son muy compatibles con los barriles de roble — y en vista de que el Borgoña blanco (el gran prototipo) es, en general, un vino que pasa por el roble, y el sabor resultante les gusta a los bebedores de vino — la mayor parte del vino Chardonnay recibe algún tratamiento en roble, durante la fermentación o después de ella. (Para los mejores Chardonnay, el tratamiento en roble implica costosos barriles de roble francés; pero para los de precio bajo puede implicar tajadas de roble sumergidas en el vino o incluso el agregado de esencia de roble. Vea en el capítulo 3 más sobre el roble.) De hecho, fuera del norte de Italia y de los distritos de Chablis y Mâconnais, en Francia, es difícil encontrar hoy un vino Chardonnay en cuyo sabor no haya influido el roble.

El Chardonnay tratado en roble es tan común, que muchos bebedores de vino confunden el sabor del roble con el de la Chardonnay. Si su copa de Chardonnay sabe o huele a tostado, ahumado, a nuez, a especias o a vainilla, ¡lo que usted percibe es el roble, no la Chardonnay!

En sí misma, la Chardonnay tiene aromas y sabores frutales que van de la manzana — en regiones frescas del vino — hasta las frutas tropicales, especialmente la piña, en regiones más cálidas. La Chardonnay puede desplegar también sabores terrosos, como de hongos o acentos minerales. El vino de la Chardonnay tiene una acidez entre media y alta. Puede ser de cuerpo alto o medio, según el lugar en donde se cultivaron las uvas y cómo se hizo el vino.

Lo clásico es que los vinos de la Chardonnay sean secos. Pero hay muchos Chardonnay provenientes de California que se apartan de la norma — especial pero no exclusivamente, los de precios más bajos.

La Chardonnay es una uva que puede sostener un vino ella sola, y los mejores vinos a base de Chardonnay (excepto el Champaña y vinos espumosos similares) son ciento por ciento Chardonnay. Pero, los menos costosos que llevan la etiqueta *Chardonnay* — los que se venden por menos de seis dólares la botella en los Estados Unidos, por ejemplo — es de pensarse que sean de una mezcla con los de otra uva menos distinguida. La razón es que la mezcla con un vino de una uva ordinaria, como la Colombard, ayuda a bajar el costo de producción. De todos modos, esto es perfectamente legal. ¿Y quién puede decir si es Chardonnay, del todo, detrás de todo ese sabor a roble?

### Sauvignon Blanc

Así como a casi todo el mundo le gusta el Chardonnay, el Sauvignon Blanc forma controversia entre los bebedores de vino. Y la razón es que tiene un carácter muy distintivo.

Por una parte, el Sauvignon Blanc tiene una acidez alta — muy bien si a uno le gustan los vinos firmes *(crisp),* pero no tan bien si no es así. Por la otra, sus aromas y sabores pueden ser *herbáceos* (que sugieren yerbas o pasto) — deliciosos e intrigantes para algunos amantes de vino, pero demasiado pronunciados para otros.

Los vinos Sauvignon Blanc son de cuerpo entre ligero y medio y usualmente secos. Los ejemplos europeos no han sido tratados en roble con más frecuencia que lo contrario, pero en California con frecuencia son tratados en roble y no del todo secos — al estilo de lo que sería un Chardonnay.

Además del carácter herbáceo (al cual se llama a veces de *pasto),* el Sauvignon Blanc despliega aromas y sabores minerales, carácter vegetal o — en climas más cálidos — un carácter frutal, como de melón maduro.

Hay dos regiones clásicas en Francia para la uva Sauvignon Blanc: Burdeos y el valle del Loira; el vino de Burdeos es el Burdeos Blanco; y los del valle del Loira son el Sancerre o el Pouilly-Fumé (ambos descritos en el capítulo 10). En Burdeos a veces se mezcla la Sauvignon Blanc con una uva llamada Sémillon (descrita en el cuadro 9-1); algunos vinos mezclados 50-50 de las dos uvas son tan magníficos, que nosotros los incluimos entre nuestros candidatos a la Inversión en vino que figuran en la lista del capítulo 15. La Sauvignon Blanc es importante también en regiones como California, el nordeste de Italia y Nueva Zelanda.

### Riesling

Los grandes vinos Riesling de Alemania han puesto esta uva en el mapa como una variedad indiscutiblemente noble. Pero la Riesling no muestra su clase verdadera sino en unos pocos lugares fuera de Alemania. La región de Alsacia, en Francia, el distrito de Finger Lakes de Nueva York, y en Washington, entre ellas.

Los vinos Riesling son tan populares hoy como los Chardonnay. Tal vez, porque la Riesling es la antítesis de la Chardonnay. Mientras el Chardonnay se refuerza con roble, el Riesling nunca; mientras el Chardonnay puede ser de cuerpo pleno, el Riesling con más frecuencia es ligero y refrescante. La personalidad ligera y vívida del Riesling puede, por comparación, hacer parecer torpes muchos Chardonnay.

La idea general que se tiene de los vinos Riesling es la de que son dulces, y varios lo son — pero muchos de ellos no lo son. Los Riesling de Alsacia normalmente son secos, muchos Riesling alemanes son secos, y hay un buen número de Riesling secos en los Estados Unidos. (La Riesling se puede vinificar de un modo o del otro, de acuerdo con el estilo de vino que quiera hacer el productor.) Busque la palabra *trocken* (seco) en las etiquetas alemanas y la palabra *dry* [seco] en las norteamericanas, si usted prefiere el Riesling seco.

Acidez alta, niveles de alcohol entre bajos y medios, y aromas y sabores que van de los frutales activos, a los florales y a los minerales son las marcas registradas de los vinos Riesling.

Sólo de Alemania, se pueden encontrar varios estilos diferentes de vinos Riesling. Cada uno varía en sequedad y en sus aromas y sabores. Algunos de los mejores vinos de postre que hay son Riesling (sobre todo de Alemania) hechos con uvas más que maduras que se han hecho pasas en la vid (lea "Qué es lo noble de podrirse", en el capítulo 11) son vinos ricos y espesos con sabores de albaricoque.

Los vinos Riesling a veces llevan en la etiqueta las palabras *White Riesling* o *Johannisberg Riesling* — ambas sinónimas de la noble uva Riesling. Sin embargo, cuando se trate de los vinos de los países del este de Europa, lea la letra menuda con cuidado: Olazrizling, Laskirizling y Welschriesling son vinos de una uva completamente distinta.

Si usted se considera una persona aparte que odia los caminos trillados, revise la sección Riesling de su tienda de vinos, en lugar de la Chardonnay.

### Pinot Gris/Pinot Grigio

La uva Pinot Gris es una variedad entre algunas que se llaman *Pinot:* Hay Pinot Blanc (blanca), Pinot Noir (negra), Pinot Meunier (molinero) y Pinot Gris. Hasta hace cerca de diez años, se incluía la Chardonnay en este grupo, la llamaban Pinot Chardonnay, pero ahora sabemos que la Chardonnay no tiene relación con las otras.

La Pinot Gris, según se cree, es una mutación de la uva Pinot Noir. Aunque se la considera uva blanca, su color es demasiado oscuro para una variedad blanca.

Los vinos hechos de la Pinot Gris pueden ser de color más profundo que la mayoría de los vinos blancos — sin embargo, los Pinot Grigio de Italia son muy pálidos. Los vinos Pinot Gris son de cuerpo entre medio y pleno, con acidez baja y aromas bastante neutros. A veces el sabor y el aroma pueden sugerir cáscaras de frutas como el durazno o la naranja.

La Pinot Gris es una uva importante a todo lo largo del nordeste de Italia y se encuentra también en Alemania, en donde se llama Ruländer. La

## En plan orgánico

Aunque casi todos quieren apoyar la salud del planeta, comprar vino orgánico es algo más fácil de decir que de hacer. El vino puede considerarse orgánico de varias maneras: puede estar hecho de uvas cultivadas orgánicamente, por ejemplo, o su producción misma puede ser orgánica en el sentido de que en ella no se usan productos químicos. Pero, ¿el bióxido de azufre — un derivado del azufre y el oxígeno — es un producto químico? Algunas de las organizaciones que acreditan los productos orgánicos permiten el uso del $SO_2$ en la producción del vino (vea en el capítulo 1 más sobre el dióxido de azufre), mientras otras no. Mientras todo el mundo no esté de acuerdo en una definición, el *vino orgánico* es un blanco movedizo.

única región de Francia en donde la Pinot Gris es importante es Alsacia, en donde realmente muestra su clase. Oregón ha tenido buen éxito con la Pinot Gris, y algunos productores de California la están ensayando.

### Gewürztraminer

En alemán, "uva picante de Tramin", una población situada, en realidad, en la parte germanoparlante de Italia del norte. Los italianos llaman Terlano a su ciudad pero todo el mundo llama Gewürztraminer a la uva.

La Gewürztraminer es una uva maravillosamente exótica. Con ella se hacen unos vinos de color blanco más bien profundo, aromáticos. Las rosas y la fruta china li-chi son las palabras que vienen mejor para describir el aroma de los vinos Gewürztraminer. Para experimentar el Gewürztraminer, ensaye una botella de Alsacia, Francia. Aunque el vino tiene un aroma floral y un sabor de flores y frutas exóticas, es en realidad, seco — fascinante, delicioso.

Como uva, la Gewürztraminer tiende a ser alta en azúcar, pero baja en ácido. Sus vinos, por tanto, son altos en alcohol y suaves. (Siendo bajos en acidez, estos vinos añejan pronto.) Los vinos Gewürztraminer tienen también alto *extracto,* lo cual compensa toda esa suavidad en el paladar. (*Extracto* es un término de vinos particularmente difícil de poner en palabras corrientes, es la materia sólida que quedaría si se hirviera el vino hasta sacarle toda el agua y todo lo que se evapora. En el paladar, el extracto alto se siente como una impresión de substancia y carácter.)

Un tipo del estilo del Gewürztraminer que se vende muy bien en los Estados Unidos es ligero y dulzón, con el aroma y el sabor a varios decibeles por debajo de las versiones de Alsacia. Gewürztraminer seco se hace también en California y Oregón.

### Otras uvas blancas

No tenemos espacio para describir más que unas pocas uvas en cierto detalle. El cuadro 9-1 describe otras uvas cuyos nombres se ven en las etiquetas de vino o cuyo vino se puede tomar como vino con nombre de lugar sin darse uno cuenta.

## Cuadro 9-1    Otras uvas blancas y sus características

| Tipo de uva | Características |
|---|---|
| Chenin Blanc | Una uva noble del valle del Loira en Francia, para el Vouvray y otros vinos. Los mejores vinos tienen acidez alta y una fascinante textura oleosa (se sienten levemente espesos o viscosos en la boca). Algún buen Chenin Blanc seco viene de California, pero también una tonelada de un vino no seco muy ordinario. |
| Muller-Thurgau | La variedad de uva que se planta más en Alemania, según reportes, un cruce entre Riesling y Silvaner. Como su fruto madura muy temprano, esta vid es útil en regiones de clima frío como Inglaterra, Nueva Zelanda, Italia del norte y Austria, pero a sus vinos puede faltarles carácter. |
| Muscat | Una uva aromática con la que se hace el Asti espumoso de Italia. Aromas florales muy agradables. En Alsacia se usa en vinos secos, y en muchos lugares (el sur de Francia y de Italia, Australia) se usa para deliciosos vinos de postre agregándole alcohol. |
| Pinot Blanc | Más bien neutro en cuanto a aroma y sabores, pero con mucho más carácter que, digamos, la Trebbiano. Su alta acidez y sus bajos niveles de azúcar se traducen en vinos secos, firmes, de medio cuerpo. Alsacia, Austria, Italia del norte y Alemania (donde se le llama Weissburgunder) son las zonas principales de producción, con California en segundo término. |
| Sémillon | La socia de la Sauvignon Blanc en las mezclas y una buena uva por su propio derecho, la Sémillon es relativamente baja en ácido (comparada con la Sauvignon Blanc, por lo menos) y tiene aromas atractivos pero sutiles — lanolina, a veces, aunque pueden ser algo herbáceos cuando el vino es joven. Una uva principal en Australia, Sudáfrica y el Suroeste de Francia, incluso Burdeos (en donde es el elemento importante en el Sauternes), está empezando a usarse en el estado de Washington. |
| Trebbiano | Llamada *Ugni Blanc* en Francia. Un tipo de uva que no tiene nada notable, excepto que con ella se hace mucho vino blanco italiano. Ácido alto, cuerpo ligero, aromas neutros, azúcar bajo. |
| Viognier | Una uva del valle del Ródano, en Francia, que se está volviendo popular en California, aunque en cantidades minúsculas. Aroma floral, delicadamente parecido al albaricoque, de cuerpo medio a pleno, con acidez baja. |

## Sobrenombres y nombres cambiados

La misma variedad de uva se llama de modo distinto en países diferentes o hasta en distritos distintos en el mismo país. Con frecuencia es sólo un caso de sinónimos locales tradicionales. Pero, algunas veces, los cultivadores llaman una variedad con el nombre de otra, porque piensan que ésa es la que están cultivando (hasta que llega un botánico especializado, llamado *ampelógrado,* examina las vides y les dice otra cosa). En California, por ejemplo, algunas de las llamadas Pinot Blanc son en realidad unas uvas completamente distintas: las Melon de Bourgogne, también conocidas como Muscadet. ¿No es como si vinieran los abogados a decirle a uno que a su encanto de tres años se lo cambiaron por otro al nacer?

Para encontrar más cuentos de intriga viticultural, lea el libro clásico de Jancis Robinson sobre variedades de uva, *Vides, uvas y vinos* (Alfred A. Knopf), una referencia indispensable y fascinante.

# Variedades de uva roja

Las uvas rojas se diferencian por sus niveles de tanino, lo mismo que por los aromas/sabores y la cantidad de alcohol que tienden a darles a los vinos producidos con ellas.

Las variedades de uva descritas más adelante se usan en vinos que llevan su nombre, lo mismo que en vinos llamados por el nombre de su lugar de origen, que no llevan designación de sus variedades de uva. Vea en el capítulo 7 un cuadro que muestra las variedades de uva de los principales vinos que llevan nombres de lugar.

### Cabernet Sauvignon

La Cabernet Sauvignon no es sólo una variedad de uva noble, sino adaptable, que se da bien en cualquier clima que no sea muy frío. Se volvió famosa por los vinos añejos tintos del distrito de Médoc en Burdeos (que también contienen usualmente Merlot y Cabernet Franc, una uva emparentada, en proporciones variables; vea el capítulo 10). Pero, hoy, California es una región igualmente importante para la Cabernet Sauvignon — para no mencionar el resto de los Estados Unidos y los viñedos del sur de Francia, Italia, Australia, Sudáfrica, Chile, etc.

Con la uva Cabernet Sauvignon se hacen vinos altos en tanino y de cuerpo entre medio y pleno. La descripción del libro de texto sobre el aroma y el sabor del Cabernet Sauvignon habla de *arándano* o *casis;* la uva puede darle también tonos vegetales a un vino, si la madurez de las uvas en un año o lugar determinado no es la ideal.

La Cabernet Sauvignon es como la Chardonnay en el sentido de que el nombre sólo es una poderosa arma de ventas. Como resultado, hay Cabernet Sauvignons de todos los precios y todas las calidades. Las versiones menos costosas son en general muy suaves — fingen el carácter tánico de la uva — y vagamente frutales (no los arándanos específicamente), con cuerpo medio en el mejor de los casos. Los mejores vinos son ricos y firmes, de gran profundidad y el clásico sabor de Cabernet. Los Cabernet Sauvignons *serios* pueden añejarse 15 o más años.

Como la Cabernet Sauvignon es bastante tánica (en razón del precedente de la mezcla en Burdeos), el vino se mezcla frecuentemente con los de otras uvas; usualmente Merlot — que es menos tánico — se considera el socio ideal. En Australia, existe la práctica poco usual de mezclar Cabernet Sauvignon con Syrah.

El Cabernet Sauvignon con frecuencia se llama por su primer nombre, Cabernet (aunque hay otros Cabernets) o hasta por su apodo, Cab.

## Merlot

Color profundo, cuerpo pleno, alto alcohol y bajo tanino son las características de los vinos hechos de la uva Merlot. Los aromas y sabores pueden ser como de ciruela y a veces de chocolate.

La Merlot — y no la Cabernet Sauvignon — es en realidad la variedad de uva que se cultiva más en Burdeos. Pero la historia de la Merlot en esa región es reciente. Los Burdeos legendarios del siglo XIX eran mezclas en las que dominaba la Cabernet. Sólo después de la Segunda Guerra Mundial ganaron prominencia los vinos de la *rivera derecha* de Burdeos (la parte este) — hechos con mezclas en las que domina la Merlot, y la variedad con ellos. (Más sobre Burdeos en el capítulo 10.)

Los Merlot gustan mucho más fácilmente que los Cabernet Sauvignon porque son menos tánicos. (Pero algunos productores piensan que la Merlot no es satisfactoria por sí sola y la mezclan frecuentemente con Cabernet Sauvignon, Cabernet Franc, o ambas.)

Fuera de Burdeos, la Merlot es importante en el estado de Washington, en California, el nordeste de Italia, y cada año más en Chile.

## Pinot Noir

El difunto Andre Tchelistcheff, el legendario productor de algunos de los mejores Cabernets de California, nos dijo una vez que, si él hubiera podido comenzar de nuevo, hubiera producido Pinot Noir y no Cab. Probablemente no se trata de él sólo. Al paso que el Cabernet es el vino sensato que se debe hacer — un buen vino, de confiar, estable, que no crea muchos problemas y puede alcanzar excelente calidad — el Pinot Noir es melindroso, problemático, enigmático y desafiante. Pero un gran Pinot Noir puede ser uno de los más grandes vinos de todos los tiempos.

El prototipo del Pinot Noir es un Borgoña tinto, de Francia, en donde los pequeños viñedos rinden raros tesoros de vino hechos con un ciento por ciento de Pinot Noir. Oregón y California también producen buen Pinot Noir. Pero la producción es bastante limitada porque la variedad es muy particular en cuanto a clima y suelo.

El vino de la Pinot Noir es más claro de color que el de la Cabernet o la Merlot. Tiene alcochol relativamente alto, acidez de media a alta, y tanino de medio a bajo (aunque los barriles de roble pueden contribuir con tanino adicional en el vino). Sus sabores y aromas pueden ser muy frutales — con frecuencia como una mezcla de fresas, moras y frambuesas — o terrosos y de madera, según como se cultive y como se vinifique.

### Syrah/Shiraz

La parte norte del valle del Ródano en Francia es el sitio clásico de la grandeza de la uva Syrah, y los vinos del Ródano como el Hermitage y el Côte-Rôtie son la inspiración para su propagación a Australia, California, Sudáfrica e Italia.

La Syrah produce unos vinos de color profundo con cuerpo pleno, tanino firme y aromas y sabores que sugieren carne ahumada, pimientos asados, alquitrán y hasta caucho quemado (aunque usted no lo crea). En Australia, sin embargo, la Syrah (llamada Shiraz) se elabora en una amplia gama de estilos — algunos de ellos, vinos suaves, de cuerpo medio con sabor como de fresa que son todo lo contrario de los majestuosos Syrahs del norte del Ródano. Vea en "Producción, uvas y terroir", capítulo 12, más sobre la Shiraz.

La Syrah no necesita mezclarse con ninguna otra uva para complementar sus sabores, aunque en Australia se la mezcla comúnmente con Cabernet.

### Zinfandel

El Zinfandel blanco es un vino tan popular — y tanto mejor que el tinto hecho con Zinfandel — que sus fanáticos podrían alegar que la Zinfandel no es una uva roja. Pero, ¡es roja!

La Zinfandel es una de las uvas más antiguas de California; por tanto, tiene cierta estatura allí. Su prestigio se fortalece en virtud de su origen misterioso: aunque la Zinfandel es claramente una uva vinífera y no es una variedad nativa americana, las autoridades no saben con certeza de dónde vino realmente. La teoría más común sugiere que la Zinfandel vino de la región dálmata de la antigua Yugoslavia.

El *Zin* — como los devotos del Zinfandel tinto lo llaman — es un vino gustoso, de color profundo, alto en alcohol y de tanino de medio a alto. Puede tener un sabor y aroma de mora o frambuesa, un carácter especiado o incluso un sabor como de jalea. Hay Zins para gozarse jóvenes y hay Zins serios hechos por el añejamiento (se puede decir cuál es cuál por el precio).

## Nebbiolo

Esta uva noble es poco adaptable. Fuera de algunos sitios desperdigados en el nordeste de Italia — principalmente en la región del Piamonte — la Nebbiolo no logró producir vino notable. Pero la extraordinaria calidad del Barolo y del Barbaresco, dos vinos del Piamonte, prueba qué grandeza puede alcanzar en las condiciones requeridas.

La uva Nebbiolo es alta tanto en tanino como en ácido, los cuales producen un vino recio. Por fortuna, la uva produce también suficiente alcohol para suavizar el conjunto. El color puede ser profundo cuando el vino es joven, pero puede desarrollar matices anaranjados en unos pocos años. Su aroma es frutal (fresa), terroso y a madera (brea, trufas), y herbáceo (menta, eucalipto).

Las versiones más ligeras de Nebbiolo se hacen para tomarlas cuando está muy joven (el vino, no usted) — vinos con etiquetas Nebbiolo d'Alba, Roero, o Nebbiolo delle Langhe, por ejemplo — mientras que el Barolo y el Barbaresco son vinos que realmente merecen un mínimo de seis años de añejamiento antes de tomarse (vea en el capítulo 20 cómo se añejan los vinos).

## Sangiovese

Esta uva italiana ha comprobado su calidad especialmente en los distritos de Montalcino y Chianti en la región de Toscana.

La Sangiovese produce vinos que son de medios a altos en acidez y medios en tanino; los vinos pueden ser ligeros o plenos de cuerpo, según dónde, exactamente, se cultivaron las uvas y cómo se hizo el vino. Los aromas y sabores de estos vinos son frutales — en especial de cereza — con matices florales de violetas y a veces un carácter ligeramente de nuez.

## Tempranillo

La Tempranillo es la candidata española a la grandeza. Les da a los vinos un color profundo, baja acidez y sólo moderado alcohol. Sin embargo, mucho del color puede perderse en el añejamiento largo en madera y en la mezcla con variedades, como la Grenache, a las que les falta color, como es de uso común en el distrito de la Rioja.

### Otras uvas rojas

El cuadro 9-2 describe variedades adicionales de uva roja que se encuentran lo mismo en vinos llamados por su variedad de uva, o como la base de vinos nombrados por su lugar de producción.

### Cuadro 9-2    Otras uvas rojas y sus características

| Tipo de uva | Características |
|---|---|
| Aglianico | Poco conocida fuera del sur de Italia, en donde con ella se produce el Taurasi y otros vinos poderosos y añejos. |
| Barbera | Uva italiana que, insólitamente, tiene poco tanino pero muy alta acidez. Cuando está plenamente madura puede dar vinos de gran cuerpo, frutales y con una firmeza refrescante. Últimamente los productores están añejando el vino en roble nuevo para aumentarle el nivel de tanino. |
| Gamay | Sobresale en el distrito de Beaujolais de Francia. Produce vinos con sabor de uva que tienen un color profundo y un nivel de tanino relativamente bajo. Ni la uva llamada *Gamay Beaujolais* en California, ni la uva llamada *Napa Gamay,* son verdaderas Gamay. |
| Grenache | Esta uva de origen español, llamada Garnacha, se identifica más con el sur del valle del Ródano, en Francia, que con España, para la mayoría de los bebedores de vino. A veces, la Grenache produce vinos de color claro que son altos en alcohol pero poco más. En las circunstancias apropiadas, la Grenache puede producir vinos de color profundo, textura aterciopelada y aromas frutales que sugieren las frambuesas. |

# Capítulo 10

# Esto debe ser Francia

● ● ● ● ● ● ● ● ● ● ● ● ● ● ● ● ● ● ● ● ● ● ● ● ● ● ● ● ● ● ● ● ● ● ● ● ● ●

*En este capítulo*

▶ *Crus,* cultivos clasificados, *chateaux* y *domaines*

▶ Por qué son legendarios los vinos de Burdeos

▶ El asunto de la escasez en el mejor Borgoña

▶ Los robustos tintos del Ródano

▶ Joyas blancas del Loira y de Alsacia

● ● ● ● ● ● ● ● ● ● ● ● ● ● ● ● ● ● ● ● ● ● ● ● ● ● ● ● ● ● ● ● ● ● ● ● ● ●

*F*rancia. ¿Qué le viene a la mente cuando oye esa palabra? ¿Pasear por el famoso bulevar parisiense de los Campos Elíseos? ¿Amor? ¿Las bellas aguas marinas de la Costa Azul?

Cuando nosotros pensamos en Francia, pensamos en vino. Burdeos, Borgoña, Beaujolais, Chablis, Champaña y Sauternes no son solamente vinos famosos — son también lugares de Francia en donde la gente vive, trabaja, come y bebe (¡vino, por supuesto!). Francia tiene el más alto consumo de vino, per cápita, entre los países de todo el mundo. ¡Y la isla de Guadalupe en las Antillas menores tiene un consumo, per cápita, de vino aun más alto que el del resto de Francia!

# *Francia: La que marca la pauta en el mundo del vino*

¿Por qué se ha convertido Francia en el país más famoso del mundo en materia de vino? Para empezar, porque los franceses vienen haciéndolo desde hace mucho tiempo — haciendo vino, queremos decir. Siglos antes que los romanos conquistaran las Galias y plantaran viñedos, habían llegado los griegos con sus vides.

Igualmente importante es el *terroir* francés, esa combinación mágica de clima y suelo que, cuando resulta, puede producir las uvas de las cuales se hacen vinos asombrosos. ¡Y qué uvas! Francia es el hogar de casi todas las variedades renombradas en el mundo — Cabernet Sauvignon, Chardonnay, Merlot, Pinot Noir, Syrah y Sauvignon Blanc, para nombrar sólo unas cuantas.

Francia es el modelo, la que pone la pauta para todos los vinos del mundo: la mayoría de los países que producen vino, hoy, hacen sus propias versiones de Cabernet Sauvignon, Chardonnay, Merlot, Pinot Noir, etc., gracias al éxito de estas uvas en Francia. Si la imitación es la forma más sincera de la alabanza, los productores franceses de vino tienen razones para sonrojarse durante mucho tiempo.

## Cómo entender la ley francesa sobre el vino

Los legisladores franceses tienen razón para sonrojarse, también. El sistema francés de definir y reglamentar las regiones vinícolas — la *Appellation Chontrolée,* o AOC (que se traduce *Apelación de origen controlada),* sistema establecido en 1935 — ha sido el modelo legislativo para la mayor parte de los otros países europeos. El marco legal para el vino en la Unión Europea, dentro del cual opera el sistema AOC, también está hecho sobre el modelo de Francia.

Para entender los vinos franceses, se necesitan tres cosas:

✔ La mayoría de los vinos franceses se llaman por nombres de lugares. (Éstos no son lugares arbitrarios; son lugares registrados y definidos de acuerdo con la ley francesa.) Cuando hablamos de vinos franceses y de las regiones de donde provienen, en la mayoría de los casos, el vino y la región tienen el mismo nombre (como en el Borgoña que viene de Borgoña).

✔ El sistema francés del vino es jerárquico. Algunos vinos (o sea, los vinos de algunos lugares) oficialmente tienen un rango más alto que otros.

✔ Simplemente porque un vino tiene un rango más alto, no quiere decir que sea mejor que otro; sólo quiere decir que debería ser mejor. Las leyes no son infalibles.

Hay cuatro rangos posibles para un vino francés, de acuerdo con la ley francesa. Se pueden determinar de una ojeada al ver cuál de las siguientes frases aparece en la etiqueta. (Los vinos del rango más alto, en general, cuestan más.) Del más alto, al más bajo, los rangos son:

✔ **Appellation Controlée,** o AOC (o AC), el rango más alto. En la etiqueta, el nombre del lugar aparece entre las dos palabras francesas, como en Appellation Bordeaux Controlée.

✔ **Vins Délimités de Qualité Supérieure,** o VDQS (que se traduce *Vinos delimitados de calidad superior*).

✔ **Vins de pays,** que quiere decir *vinos campesinos:* En la etiqueta siempre sigue, a esta frase, un nombre de lugar, tal como Jardin de France; los lugares son usualmente más grandes que los lugares mencionados en los dos rangos más altos.

✔ **Vins de table,** vinos franceses de mesa corrientes que no llevan más indicación geográfica, que Francia. (Por ley no llevan tampoco ni variedad de uva, ni cosecha.)

Así es como estos cuatro rangos se adaptan al sistema de la Unión Europea de dos categorías, descrito en el capítulo 8:

✔ Todos los vinos AOC y VDQS están en la categoría más alta de la Unión Europea, QWPSR (Quality Wine Produced in a Specific Region, o simplemente *quality wine*).

✔ Todos los *vins de pays* y los *vins de table* están en la categoría más baja de la Unión Europea, vinos de mesa.

## Distinciones sutiles en los rangos

Sin embargo, el sistema francés de darles nombres a los vinos por lugares, en realidad, es más complejo que lo que implican los cuatro rangos. Aunque todos los vinos de lugares AOC tienen exactamente la misma categoría legal — hay generales en el ejército del vino francés, digamos — el mercado les otorga una estima más alta a algunos AOC (y precios más altos) que otros, sobre la base de su *terroir* específico. Algunos generales tienen estrella de plata.

Imagínese tres círculos concéntricos. Cualquier vino, hecho de uvas cultivadas dentro del área de los tres círculos, puede llevar un nombre de lugar, tal como Bordeaux (suponiendo que se usen las variedades de uva correctas y el vino se ajuste a la ley en todos los otros aspectos); pero los vinos cuyas uvas provienen de un territorio situado en los dos círculos más pequeños tienen derecho a un AOC diferente y más específico, tal como Haut-Médoc. Y los vinos cuya área de producción se limite al círculo más pequeño pueden usar todavía otro nombre AOC, como Pauillac. (Hay generales que tienen mejores credenciales que otros.)

Mientras más específicamente se mencione el lugar en el nombre del vino, éste se considera mejor a los ojos del mercado, y el productor puede pedir por él un precio más alto. Naturalmente, todo productor usa el nombre más específico a que tenga derecho.

En orden ascendente o de especificidad, un nombre AOC puede ser el nombre de:

✔ Una región (Borgoña, Burdeos)

✔ Un distrito (Haut-Médoc, Côte de Beaune)

✔ Un subdistrito (Pauillac, Meursault)

✔ Un viñedo específico (Le Montrachet)

Infortunadamente, no siempre se distingue uno de otro al mirar la etiqueta. A veces se puede medir qué tan específica es una apelación sabiendo el precio del vino, y hay que memorizar de todos modos algunos nombres.

## Regiones vinícolas de Francia

Escogeremos cinco de las diez regiones vinícolas de Francia para hablar aquí de ellas: Burdeos, Borgoña, el Ródano, El Loira y Alsacia. Cada una de estas regiones se especializa en ciertas variedades de uva para sus vinos, con base en el clima, el suelo y la tradición local. El cuadro 10-1 da una referencia rápida de las uvas y los vinos en estas cinco regiones.

Otras dos regiones vinícolas principales de Francia son la Provenza y el Languedoc-Rosellon. La soleada Provenza, al sudeste de Francia, es el hogar de muchos vinos rosados, tintos y blancos, en su mayoría descomplicados y fáciles de tomar, son vinos que acompañan deliciosamente el pescado a la parrilla y los mariscos de la región. Se conoce a Provenza en especial por sus vinos rosados secos, que son excelentes para el goce sencillo del clima cálido (otros vinos rosados y secos pueden encontrarse en las regiones del Ródano y del Loira).

El Languedoc-Rosellon, igualmente soleado, es en el sur de Francia, de lejos, la región más grande del país en cuanto a producción de vino. Muchos vinos con nombre de variedad de uva — como Cabernet Sauvignon, Chardonnay, Syrah y Merlot — vienen de allí, usualmente con la apelación vino de mesa, *Vin de Pays d'Oc*. Los vinos son de calidad decente y, a un precio entre 6 y 10 dólares, una muy buena compra. Dos marcas bien conocidas son Réserve St. Martin y Fortant de France.

## Cuadro 10-1  Regiones de Francia y sus vinos

| Vinos tintos | Vinos blancos | Variedades de uva |
|---|---|---|
| **Burdeos** | | |
| Burdeos | | Cabernet Sauvignon, Merlot, Cabernet Franc, Petite Verdot, Malbec* |
| | Burdeos blanco | Sauvignon Blanc, Sémillon, Muscadelle* |
| **Borgoña** | | |
| Borgoña | | Pinot Noir |
| | Borgoña blanco | Chardonnay |
| Beaujolais | | Gamay |
| | Chablis | Chardonnay |
| **Ródano** | | |
| Hermitage | | Syrah |
| Côte Rôtie | | Syrah, Viognier* |
| Châteauneuf-du-Pape | | Grenache, Mourvèdre, Syrah, (muchos otros)* |
| | Condrieu | Viognier |
| **Loira** | | |
| | Sancerre; Pouilly Fumé | Sauvignon Blanc |
| | Vouvray | Chenin Blanc |
| | Muscadet | Muscadet |
| **Alsacia** | | |
| | Riesling | Riesling |
| | Gewürztraminer | Gewürztraminer |
| | Tokay-Pinot Gris | Pinot Gris |
| | **Pinot Blanc** | **Pinot Blanc** |

*vinos de mezcla de distintas variedades de uva*

# Burdeos, el incomparable

Para conocer el vino hay que conocer el vino francés — hasta ese punto son importantes los vinos franceses en el mundo del vino. En ese orden de ideas, hay que conocer el vino de Burdeos para conocer el vino francés.

Burdeos, una región del vino, al occidente de Francia, llamada así por la cuarta ciudad francesa, en orden de tamaño (vea la figura 10-1), produce el 10 por ciento de todo el vino francés y el 26 por ciento de todo el vino AOC. La mayoría de los vinos de Burdeos son tintos secos; el quince por ciento de la producción regional es blanco seco, sin embargo, y el dos por ciento es vino blanco dulce como el Sauternes.

Burdeos produce vinos de muchos niveles de precio y calidad. Los precios, por ejemplo, van de 5 dólares la botella por un simple Burdeos hasta más de 300 dólares la botella por el Château Pétrus, el Burdeos tinto más costoso (¡las vendimias *más antiguas* del Château Pétrus cues-

**Figura 10-1**:
Las regiones
del vino en
Francia.

## Burdeos realmente grande

os tinto tiene n aromas de los primeros pueden ser tanino que on el tiem-igeramente granates, desarrollar un buqué y un sabor extraordinariamente complejos y suavizarse en el tanino. Los mejores de todos los burdeos tintos se demoran 20 años o más antes de alcanzar la madurez; algunos han durado bastante más de 100 años (vea el capítulo 20).

mayor parte de los mejores Burdeos blancos y tintos se venden a precios que empiezan en 15 dólares la botella, cuando son jóvenes.

La reputación de Burdeos, como una de las más grandes regiones del vino en el mundo, gira al rededor de sus legendarios vinos tintos —grands vins (grandes vinos) hechos por los históricos *châteaux* (establecimientos productores) y capaces de mejorar durante decenios (vea el capítulo 20). Estos vinos ocupan los rangos más altos de Burdeos, pero como tal cantidad, son apenas una pequeña faceta de los tintos de la región. Muchos tintos de categoría intermedia de Burdeos están hechos para consumirse de 10 a 15 años después de la cosecha, y muchos otros Burdeos medianos se hacen para tomarse jóvenes, entre dos y cinco años después del año de la vendimia.

## Las subregiones del Burdeos tinto

El río Gironda y su tributario el Dordoña dividen en dos la región de Burdeos, creando dos zonas distintas de producción de vinos. Estas dos áreas han venido a llamarse las riberas izquierda y derecha — como en París — mientras que muchos de los tintos menos costosos de Burdeos son mezclas de uvas cultivadas en toda la región — y, por tanto, llevan el AOC amplio de la región, Burdeos — los mejores vinos provienen de distritos específicos o de *comunas* AOC de la ribera izquierda o de la ribera derecha.

Para el vino tinto, los más importantes son cuatro distritos:

**Ribera izquierda (el área occidental)** — **Ribera derecha (el área oriental)**

Medoc — St-Emilion

Graves/Pessac-Léognan — Pomerol

La ribera izquierda y la ribera derecha difieren principalmente en cuanto a la composición del suelo: en la izquierda predomina la grava, mientras que en la derecha prevalece la greda. Como resultado, la Cabernet Sauvignon, que tiene afinidad por la grava, es la variedad principal de uva en el Médoc y en el Graves, mientras que la Merlot, que se da mejor en greda, domina en los vinos de St-Emilion y Pomerol. (En ambas áreas se cultivan Cabernet Sauvignon y Merlot, tanto como Cabernet Franc y dos uvas menos significativas.)

Se puede, pues, concluir acertadamente que los Burdeos de la ribera izquierda y de la ribera derecha son marcadamente diferentes unos de otros. Pero los vinos del Médoc y el Graves o Pessac-Léognan (se pronuncia *pessac leoñán* y es la parte norte del Graves, *grav*) son muy similares entre sí; del mismo modo, puede ser difícil notar la diferencia entre un Pomerol y un St-Emilion.

## Ribera izquierda versus ribera derecha

Cada ribera — de hecho, cada uno de los cuatro distritos — tiene sus fanáticos ávidos. La más antigua y más establecida ribera izquierda produce, en general, vinos más tánicos y austeros con un sabor más pronunciado de arándano. Los vinos de la ribera izquierda usualmente necesitan muchos años para madurar y pueden añejarse durante largo tiempo, a menudo decenios — lo típico de un vino de la Cabernet Sauvignon.

Los Burdeos de la ribera derecha son mejores para el bebedor novicio, porque están hechos sobre todo de Merlot y son más accesibles; se pueden disfrutar mucho antes que sus primos de la ribera izquierda, con frecuencia entre cinco y ocho años después de la vendimia. Son menos tánicos, más plenos y más frutales de sabor (ciruelas) y contienen un poco más de alcohol que los de la ribera izquierda.

## El mosaico del Médoc

Las subdivisiones de Burdeos no terminan aquí. El Médoc comprende dos subdistritos: el Médoc norte y el alto Médoc, de lejos el distrito más importante por su vino, en el sur. El alto Médoc (Haut-Médoc), en sí mismo, comprende cuatro comunas famosas: St. Estèphe *(santestef),* Pauillac *(poyac),* St-Julien *(san yulián)* y Margaux *(margó).* El cuadro 10-2 da una descripción general de los vinos de cada comuna.

Otras dos comunas en el alto Médoc (cuyos vinos son menos conocidos) son Listrac y Moulis. Todos los châteaux del alto Médoc situados fuera

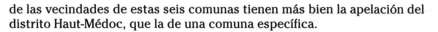

de las vecindades de estas seis comunas tienen más bien la apelación del distrito Haut-Médoc, que la de una comuna específica.

Los nombres de estos distritos y comunas son parte del nombre oficial de los vinos hechos en ellas y aparecen en la etiqueta.

| Cuadro 10-2 | Las cuatro comunas principales del alto Médoc |
|---|---|
| *Comuna* | *Características del vino* |
| St-Estèphe | Vinos duros, tánicos, de cuerpo pleno, terrosos, ácidos, robustos, lentos para madurar; vino típico — Château Montrose |
| Pauillac | Vinos gustosos, poderosos, firmes, tánicos, de cuerpo pleno; aromas de casis y cedro; muy duraderos; es el hogar de tres de los vinos más famosos de Burdeos — Lafite-Rothschild, Mouton-Rothschild y Latour |
| St-Julien | Gustosos, de sabor pleno, de cuerpo medio a pleno, buqué como de cedro; vinos de elegancia y finura; vino típico — Château Beychevelle |
| Margaux | Perfumados, de buqué fragante; de cuerpo medio, suaves, complejos; vino típico — Château Palmer |

# *Información clasificada*

¿Se ha preguntado de qué hablaba un experto en vino cuando decía con afectación que un Burdeos particular era de un *segundo cultivo?* No se lo pregunte más. Hablaba de un château (así se llama a las granjas productoras de vinos en Burdeos) que tuvo suerte hace 140 años.

En 1855, cuando tuvo lugar en París la Feria Exposición Mundial, los organizadores le pidieron a la Cámara de Comercio de Burdeos que hiciera una clasificación de los vinos de la región, para la Feria. La Cámara de Comercio delegó la tarea en los comerciantes en vinos de Burdeos quienes compraban y vendían las categorías de vinos conocidas como *crus* (en Burdeos un *cru* o cultivo equivale a una propiedad productora de vino). La lista se conoce como la clasificación de 1855; hasta hoy estos *cultivos clasificados* gozan de un prestigio especial entre los amantes del vino. La lista que sigue muestra las cinco categorías e incluye los primeros cultivos (60 cultivos de Médoc; 1 cultivo de Graves); la clasificación de 1855 completa está en el apéndice A.

✔ **Primeros cultivos (5 châteaux)**

Château Lafite-Rothschild

Château Latour

Château Margaux

Château Haut-Brion

Château Mouton-Rothschild (ascendido de los segundos cultivos en 1973)

✔ **Segundos cultivos (14 Châteaux)**

✔ **Terceros cultivos (14 Châteaux)**

✔ **Cuartos cultivos (10 Châteaux)**

✔ **Quintos cultivos (18 Châteaux)**

Los 61 vinos clasificados se conocen como grandes cultivos o *Grands Crus Classés*. ¡Para darse cuenta del honor inherente al hecho de ser uno de los grandes cultivos, hay que recordar que hay cerca de 8 000 châteaux (y más de 13 000 productores de vino) en Burdeos!

*Los dos únicos distritos de Burdeos que se clasificaron en 1855 fueron el Médoc y el Sauternes* (un área de vino dulce en el sur de Graves; vea el capítulo 14). La clasificación se basaba en los precios de los vinos en la época y en el prestigio de cada château en los 100 años anteriores — y en 1855, los vinos del Médoc y de Sauternes gozaban de la mejor reputación. El único Burdeos tinto que no era de Médoc, en la clasificación, era el Château Haut-Brion, un vino del distrito de Graves cuyo prestigio en 1855 llevó a los comerciantes a incluirlo dentro de la clasificación de los de Médoc — y, de hecho, a situarlo como un primer cultivo.

La clasificación de 1855 se ha sostenido notablemente bien en los últimos 140 años. En verdad, algunas de las 61 fincas no se comportan a la altura de su rango en la clasificación, hoy día, mientras que otros châteaux, no clasificados, posiblemente merezcan ser incluidos ahora. Pero, a causa de implicaciones políticas, no se han hecho cambios en las categorías de la clasificación, con una gran excepción (vea "la excepción Mouton") ni se preven cambios en el futuro cercano.

# *Grandes vinos para ensayar cuando se sienta rico*

Si tiene la curiosidad de ensayar un Burdeos tinto de prestigio, esta lista le servirá de guía. Además de los primeros cinco cultivos incluidos en la sección "Información clasificada", le recomendamos los siguientes cultivos clasificados del Médoc (del segundo al quinto cultivo), lo mismo que algunos vinos de otras tres subregiones principales. Consulte "Consejo práctico para tomar Burdeos tinto", sección que está más adelante, antes de tomar el vino.

## *Médoc wines*

| | | |
|---|---|---|
| Château Léoville-Las-Cases | Château Clerc-Milon | Château Lynch-Bages |
| Château Léoville-Barton | Château Gruaud-Larose | Château Montrose |
| Château Rausan-Ségla | Château Pichon-Lalande | Château Ducru-Beaucaillou |
| Château Palmer | Château Lagrange | Château Grand-Puy-Lacoste |
| Château Cos D'Estournel | Château Pichon-Baron | Château La Lagune |
| | Château Lascombes | |

## *Pessac-Léognan wines*

| | | |
|---|---|---|
| Château La Mission Haut-Brion | Château Haut-Bailly | Château de Fieuzal |
| Château Pape-Clément | Domaine de Chevalier | Château La Louvière |

## *Pomerol wines*

| | | |
|---|---|---|
| Château Pétrus* | Château Trotanoy | Château L'Evangile |
| Château Lafleur* | Château Clinet | Château La Fleur de Gay |
| Château La Conseillante | Château Latour à Pomerol | Vieux-Château-Certan |
| | Château Certan de May | |

* muy costoso

## *St-Emilion wines*

| | | |
|---|---|---|
| Château Cheval Blanc | Château La Dominique | Château Pavie |
| Château Figeac | Château Grand Mayne | Château L'Arrosée |
| Château Troplong Mondot | Château Ausone | Château Pavie-Macquin |
| | Château Canon | |

## La excepción Mouton

La única gran excepción a la regla de no cambiar la clasificación de 1855 ocurrió en 1973, cuando el difunto Barón Philippe de Rothschild, después de haber librado una batalla de 50 años con el gobierno francés para que se promoviera su amado Château Mouton-Rothschild del segundo cultivo al primero, finalmente y en justicia, triunfó. El ministro de agricultura decretó que el Château Mouton-Rothschild era en verdad un primer cultivo (lo cual siempre consideraron los amantes del vino de Burdeos, si no en posición, sí en calidad). El lema del escudo de armas de la familia del barón tuvo que cambiar. Antes de 1973, decía:

> Primero, no puedo ser; segundo, no me digno ser; Mouton soy.

El barón cambió el lema en su Château Mouton-Rothschild para que dijera:

> Primero, soy; segundo, fui; el Mouton no cambia.

Una postdata a esta estupenda historia: Nosotros adquirimos un adorable gatito, un siamés Punto Azul, en 1973. Como el Mouton-Rothschild era uno de nuestros vinos favoritos, y como el gatito mostraba las mismas cualidades de firmeza y tenacidad, lo bautizamos Mouton. Estuvo con nosotros 20 años, probando así que tenía la misma longevidad del vino por el cual lo bautizamos. Está enterrado en nuestro jardín en una caja de madera de Mouton-Rothschild de 1973.

# Las mejores compras en el Burdeos

Como podría esperarse, las mejores compras en los vinos de Burdeos no se encuentran entre los cultivos clasificados. Para compras ventajosas (y para Burdeos que usted pueda tomar algunos años después de la vendimia) busque vinos no incluidos en la clasificación de 1855. En el Médoc, cerca de 400 vinos tintos figuran ahora en la clasificación, *cru bourgeois*. Estos vinos se venden, en general, por un precio entre 8 y 18 dólares; algunos son tan buenos como los de las categorías más bajas de los cultivos clasificados. Recomendamos los siguientes vinos *cru bourgeois*:

| | | |
|---|---|---|
| Château Monbrison | Château Phélan-Ségur | Château d'Angludet |
| Château Sociando Mallet | Château Meyney | Château Coufran |
| Château Poujeaux | Château Chasse-Spleen | Château Fourcas-Hosten |
| Château de Pez | Château Gloria | Château Lanessan |
| Château Les Ormes-de-Pez | Château Haut-Marbuzet | |

Todavía menos costoso es el amplio grupo de Burdeos, tanto blancos como tintos, que nunca han sido clasificados; se llama informalmente a estos vinos *petits Châteaux*. Estos vinos se venden al por menor entre 6 y 10 dólares, son usualmente ligeros de cuerpo, y están listos para tomar cuando salen al mercado. Los *petits Châteaux* son los vinos de Burdeos que deben escogerse cuando se busca un Burdeos poco costoso, joven y accesible para tomar con la comida. Por supuesto, estos vinos no dicen *petits Châteaux* en la etiqueta (nunca dijimos que el Burdeos fuera fácil). Se conocen por el precio.

## Consejo práctico para tomar Burdeos tinto

Como los mejores vinos tintos de Burdeos tardan varios años en desarrollarse, no son, en general, buenas escogencias en un restaurante en donde predominen las vendimias recientes. Además, cuando los Burdeos maduros aparecen en las cartas de vinos de los restaurantes, son, usualmente, muy costosos. Ordene usted un Burdeos menor cuando cene por fuera y reserve los mejores para tomarlos en casa.

Los vinos tintos de Burdeos van bien con el cordero, el venado, los cortes corrientes de carne, y los quesos duros como el cheddar. Si usted planea servir un buen Burdeos tinto, de una vendimia buena pero reciente (vea el apéndice B), debe decantarlo por lo menos una hora antes de la cena y dejarlo airearse (vea el capítulo 6); sírvalo a unos 66º F (18 a 19º C). Mejor aún, si tiene buenas condiciones de almacenaje (vea el capítulo 15) guarde su Burdeos joven unos cuantos años — no hará más que mejorar.

Las grandes vendimias recientes de Burdeos han sido 1982, 1985, 1986, 1988, 1989 y 1990. La de 1994 parece prometedora, de acuerdo con nuestras degustaciones preliminares.

## El Burdeos también viene en blanco

El distrito de Graves en Burdeos es el hogar de los vinos blancos más finos de la región tanto secos como dulces, incluyendo el gran vino de postre Sauternes (del que hablaremos en el capítulo 14), del sur de Graves. Del otro lado del río Garona, otro afluente del Gironda, queda Entre-Deux-Mers, otro distrito conocido por sus vinos blancos secos y dulces. Pero es en el norte de Graves, específicamente el distrito de Pessac-Léognan, donde se encuentran los más grandes vinos blancos secos del mundo.

La Sauvignon Blanc y la Sémillon, en varias combinaciones, son las dos variedades de uva que predominan en la producción del Burdeos blanco. Es una mezcla afortunada, porque la uva Sauvignon Blanc ofrece un encanto inmediato, mientras que la Sémillon, que se desarrolla lentamente, agrega una calidad viscosa y mayor profundidad al vino.

Los mejores vinos blancos secos de Graves son firmes y vivaces, cuando jóvenes, pero desarrollan una riqueza de cuerpo pleno y un buqué de miel con la edad. En las buenas vendimias (vea el apéndice B) los mejores Graves necesitan, por lo menos diez años para desarrollarse y pueden vivir varios más. (Vea el capítulo 20 sobre Burdeos añejos.)

El cuadro 10-3 muestra los diez mejores Burdeos blancos del distrito de Graves y sus mezclas de uvas. Hemos separado los vinos en los grupos A y B porque los tres vinos del primer grupo literalmente son de por sí una clase aparte, desde el punto de vista de la calidad. Sus precios reflejan el hecho — los vinos del grupo A van de 50 a 75 dólares la botella, mientras que los del grupo B tienen precios entre 18 y 30 dólares.

## Cuadro 10-3 Los diez mejores Burdeos blancos

| Vino | Variedad de uva |
|---|---|
| **Grupo A** | |
| Château Haut-Brion Blanc | Sémillon, 50 a 55%; Sauvignon Blanc, 45 a 50% |
| Château Laville-Haut-Brion | Sémillon, 60%; Sauvignon Blanc, 40% |
| Domaine de Chevalier | Sauvignon Blanc, 70%; Sémillon, 30% |
| **Grupo B** | |
| Château de Fieuzal | Sauvignon Blanc, 50 a 60%; Sémillon, 40 a 50% |
| Château Pape-Clément | Sémillon, 45%; Muscadelle, 10%; Sauvignon Blanc, 45% |
| Château La Louviere | Sauvignon Blanc, 70%; Sémillon, 30% |
| Château Couhins-Lurton | Sauvignon Blanc, 100% |
| Clos Floridene | Sémillon, 70%; Sauvignon Blanc, 30% |
| Château La Tour-Martillac | Sémillon, 60%; Sauvignon Blanc, 30%; otro, 10% |
| Château Smith-Haut-Lafitte | Sauvignon Blanc, 100% |

# *Borgoña: el otro gran vino francés*

Borgoña, una región del vino en el oriente de Francia, al sudeste de París (vea la figura 10-1), está en la misma categoría que Burdeos. Son las dos más importantes regiones por sus vinos ligeros (de mesa). A diferencia de Burdeos, Borgoña es famosa igualmente por sus vinos blancos que por sus tintos — y los mejores Borgoñas blancos son aun más costosos que sus rivales tintos.

También a diferencia del Burdeos, el buen Borgoña a menudo es escaso. La razón es simple: sin contar el Beaujolais (técnicamente un Borgoña, pero en realidad un tipo de vino aparte) ¡la Borgoña produce sólo el 25 por ciento del volumen que produce Burdeos!

Los viñedos de Borgoña son más pequeños y más fragmentados que los de Burdeos. La Revolución Francesa de 1789 tiene parte de la culpa. Antes de la Revolución, la nobleza francesa y la Iglesia Católica eran los mayores propietarios de los viñedos de Borgoña. Pero, después de la Revolución, los viñedos se distribuyeron entre el populacho. (El de Burdeos, que estuvo en poder de los ingleses, se consideraba un vino británico y no resultó afectado por la Revolución.) El código francés de Napoleón, que ordena dividir la tierra en partes iguales entre los herederos, fragmentó todavía más las propiedades familiares dedicadas a los viñedos.

Hoy día, la Borgoña es una región de viñedos en pequeñas parcelas. Los viñedos grandes tienen propietarios múltiples, familias que no son dueños sino de dos o tres filas de vides en un determinado viñedo. (¡Un viñedo famoso de Borgoña, el Clos de Vougeot, tiene cerca de 82 propietarios!) El volumen típico de un productor de Borgoña va de 50 a 1 000 cajas al año — muy lejos de satisfacer a los amantes del vino de todo el mundo. Comparemos esto con Burdeos en donde el Château promedio produce de 15 000 a 20 000 cajas anualmente.

En Borgoña, el productor llama *domaine* (dominio) su propiedad, ciertamente un nombre más modesto que el de *château* (castillo), y una reflexión justa sobre el tamaño de su empresa productora.

## *Chardonnay, Pinot Noir, Gamay*

La Borgoña tiene un clima *continental* (veranos calientes, inviernos fríos) sujeto a granizadas localizadas, en el verano, que pueden dañar las uvas y hacer que se pudran. El suelo es caliza y greda principalmente.

El *terroir* de la Borgoña se presta particularmente para las dos principales variedades de uva de la región, la Pinot Noir (para el Borgoña tinto) y la Chardonnay (para el blanco). De hecho, en ningún otro lugar del mundo la muy caprichosa y difícil uva Pinot Noir se da mejor que en la Borgoña.

Según se avanza hacia el sur, hasta el distrito de Beaujolais en la Borgoña, el suelo se vuelve principalmente granítico, lo cual le va muy bien a la uva Gamay de esa zona.

## Cinco Borgoñas y un impostor

La Borgoña tiene cinco distritos, cada uno de los cuales produce vinos distintos. Estos distritos son: Chablis, la Côte d'Or, la Côte Châlonnaise, el Mâconnais, y Beaujolais. El corazón de la Borgoña, la *Côte d'Or* (que literalmente quiere decir ladera de oro), se divide en dos partes: Côte de Nuits y Côte de Beaune.

El cuadro 10-4 menciona los distritos de norte a sur, con las variedades de uva usadas en cada región. Una mirada rápida al cuadro 10-4 muestra que, aunque Beaujolais es parte de la Borgoña, el Beaujolais es un vino enteramente diferente. Lo mismo pasa con el Mâcon Rouge — ni siquiera la pequeña cantidad que se hace con la Pinot Noir se parece al verdadero Borgoña. (De hecho, se exporta muy poco Mâcon tinto; el mundo conoce más que todo el Mâcon blanco.)

Así, la locución *Borgoña tinto* se refiere en primer lugar a los vinos tintos de la Côte d'Or y luego a los menos conocidos — y menos costosos — vinos tintos de la Côte Chalonnaise. Del mismo modo, cuando los amantes del vino hablan del *Borgoña blanco,* se refieren usualmente a los vinos blancos de la Côte d'Or y la Côte Chalonnaise. Usarán nombres más precisos, Chablis y Mâcon, para referirse a los vinos blancos de esas partes de la Borgoña. Por otra parte, cuando los amantes del vino hablan de la región, la Borgoña, pueden muy bien estar refiriéndose a todo el territorio, incluyendo Beaujolais, o a toda la Borgoña *excepto* Beaujolais. Es un lenguaje impreciso.

Nunca confunda el vino tinto poco costoso de California que se llama a sí mismo *Borgoña* — o el poco costoso vino de California que se autodenomina *Chablis* con los verdaderos vinos franceses. Los falsos Borgoña y Chablis son producto de varias uvas ordinarias cultivadas en grandes viñedos industriales, a 6 000 millas de la Côte d'Or. Nos sorprendería que cualquiera de ellos tuviera una gota siquiera de las verdaderas uvas de Borgoña — Pinot Noir o Chardonnay. Ambos son vinos semisecos mezclados para atraer a la masa, y se venden bastante bien. Pero usted debe

## Cuadro 10-4 Los distritos de Borgoña

| Vino tinto | Vino blanco | Variedad de uva |
|---|---|---|
| **Chablis** | | |
| | Chablis | Chardonnay |
| **Côte d'Or: Côte de Nuits** | | |
| Borgoña tinto | | Pinot Noir |
| **Côte d'Or: Côte de Beaune** | | |
| Borgoña tinto | | Pinot Noir |
| | Borgoña blanco | Chardonnay |
| **Côte Chalonnaise** | | |
| Borgoña tinto | | Pinot Noir |
| | Borgoña blanco | Chardonnay |
| **Mâconnais** | | |
| Mâcon Rouge | | Gamay; Pinot Noir |
| | Mâcon Blanc | Chardonnay |
| **Beaujolais** | | |
| Beaujolais | | Gamay |

saber que no tienen ninguna semejanza con el verdadero (100 por ciento Pinot Noir) Borgoña tinto de Borgoña, Francia — ni con el Chablis verdadero (100 por ciento Chardonnay) de Chablis, Francia.

## De lo regional a lo sublime

Por la naturaleza de los orígenes de la Borgoña, los suelos de la región varían de ladera a ladera, y hasta del medio al fondo de cada ladera. ¡Se puede encontrar dos viñedos distintos, en los que se cultiva la misma uva, pero que hacen vinos claramente diferentes, apenas a dos metros el uno del otro, de ambos lados de un camino de tierra!

En una región con tan variados *terroirs,* la especificidad del sitio se torna extremadamente relevante. Un vino hecho por un pequeño viñedo, con sus propias características distintivas, es más único, precioso y raro que un vino mezclado de varios viñedos o que un vino de un sitio menos favorecido.

La estructura de las AOC para los vinos de Borgoña reconoce la importancia del sitio. Aunque haya AOCs regionales, distritales o comunales, como en Burdeos, *hay también nombres AOC que se refieren a los sitios individuales de los viñedos.* De hecho, algunos de estos viñedos tienen fama de ser mejores que los otros: algunos son *premier cru,* es decir primer cultivo, mientras que los mejores son *grand cru,* o sea gran cultivo.

Las locuciones *premier cru* y *grand cru* se usan también en Burdeos, pero allí representan, en general, categorías concedidas a los cultivos por una clasificación distinta de la ley de AOC. En la Borgoña, *premier cru* y *grand cru* son distinciones oficiales de la ley de AOC. Su significado es extremadamente preciso.

El cuadro 10-5 da ejemplos de nombres AOC en la Borgoña, mencionados en orden creciente de especificidad. Las dos categorías más amplias —nombres de región y de distrito— corresponden al 65 por ciento de todos los vinos de la Borgoña. Estos vinos se venden al por menor de 10 a 15 dólares por botella. *(Se puede* comprar Borgoñas costeables de ese nivel.) Los vinos de Commune (también llamados de *Village),* como el Nuits-St. Georges, representan el 23 por ciento de los Borgoñas y están en el rango de 20 a 30 dólares la botella. Cincuenta y tres communes en la Borgoña tienen sus propias apelaciones.

*Premier crus,* tales como el Meursault Les Perrières, representan el 11 por ciento de los vinos de Borgoña; son 561 viñedos con derecho a la apelación *premier cru.* Esos vinos pueden tener precios de 30 a 75 dólares por botella. Los 32 *grand cru,* tales como el Chambertin, representan sólo el 1 por ciento de los vinos de Borgoña. Los precios de los *grand cru* de Borgoña —tanto blancos como tintos— empiezan en el rango de 60 a 70 dólares y pueden subir a más de 500 dólares por una botella de Romanée-Conti, el vino más costoso de la Borgoña.

## Cuadro 10-5   Estructura de los nombres AOC de Borgoña

| Especificidad del sitio | Ejemplos |
| --- | --- |
| Región | Bourgogne Rouge |
| Distrito | Côte de Beaune-Villages; Mâcon-Villages |
| Pueblo o comuna | Pommard; Gevrey-Chambertin; Volnay |
| *(Las dos clasificaciones siguientes se refieren a sitios específicos de viñedos)* | |
| Premier cru | Nuits-St. Georges Les Vaucrains; Beaune Grèves; Vosne-Romanée Les Suchots |
| Grand cru | Musigny; La Tâche; Montrachet |

## Las AOCs de Borgoña (otra vez, con sentimiento)

Los Borgoñas con AOCs regionales son fáciles de reconocer — siempre empiezan con la palabra *Bourgogne.* En la lista que sigue, lea los nombres AOC bajo cada columna para ver cómo cambian, volviéndose más específicos desde distrito a *grand cru.*

|  | Borgoña tinto | Borgoña blanco |
|---|---|---|
| Distrito: | Côte de Nuits-Villages | Côte de Beaune (también tinto) |
| Comuna: | Chambolle-Musigny | Puligny-Montrachet |
| Premier cru: | Chambolle-Musigny Les Amoureuses | Puligny-Montrachet Les Pucelles |
| Grand cru: | Musigny | Bâtard-Montrachet; Montrachet |

Por fortuna, se puede saber la diferencia entre un Borgoña *premier cru* y uno *grand cru* al mirar la etiqueta. Los vinos *premier cru* llevan el nombre de su comuna más el nombre del viñedo — en el mismo tamaño de letra — en la etiqueta. Si el nombre del viñedo va en letra más pequeña que el nombre de la comuna, el vino no es un *premier cru* (primer cultivo) sino un vino de un solo lugar de viñedos en esa comuna. Los Borgoñas *grand cru* llevan sólo el nombre del viñedo en la etiqueta.

Si un vino se hace de una mezcla de uvas de dos o más *premier cru* de la misma comuna, puede llamarse *premier cru,* pero no llevar el nombre de un viñedo *premier cru* específico. La etiqueta llevará un nombre de comuna y las palabras *premier cru,* a veces escrito *1er cru.*

## El gusto del buen Borgoña tinto

La uva Pinot Noir tiene bastante menos color que la Cabernet Sauvignon o la Merlot. El Borgoña tinto, en consecuencia, es más pálido que el Burdeos y va del color granate al cereza o al rubí. Va del medio cuerpo al cuerpo pleno en cuestión de alcohol y es relativamente bajo en tanino. Su aroma característico es de frutas rojas y pequeñas — cerezas y frambuesas— con esencias de madera o tierra húmeda. Cuando se añeja, el Borgoña tinto a menudo desarrolla una textura sedosa y una dulzura natural de sabores de fruta; a veces, aparece un buqué de cuero o carne curada.

Con algunas excepciones (por ejemplo, un vino poderoso de una gran cosecha, como la de 1990), el Borgoña tinto sólo debe consumirse dentro de los diez años posteriores a la vendimia — y aun antes en una cosecha más débil (vea el apéndice B).

## Consejos prácticos para comprar y tomar Borgoña

¿Amable de los borgoñones el hacer todo tan estratificado y tan claro, verdad? Los Borgoñas *premier cru* son siempre mejores que los de comuna, y los *grand cru* son los mejores de todos, ¿no es cierto? *Bueno, ¡no es así necesariamente!* En orden de importancia, éstos son los criterios que deben seguirse cuando se está comprando Borgoña:

- ✔ **La reputación del productor**: Basada en los vinos que ha hecho en los años recientes

- ✔ **El año de la vendimia:** Hay grandes fluctuaciones de calidad de un año a otro

- ✔ **La apelación:** El nombre de la comuna o el viñedo y su especificidad

El productor y la cosecha (o vendimia) son *considerablemente* más importantes que la apelación en Borgoña. 1990, 1989 y 1988 fueron buenas vendimias para el Borgoña tinto (especialmente la de 1990). Para Borgoña blanco, 1992 y 1989 son muy buenas.

El Borgoña tinto es un vino particularmente bueno para escogerse en los restaurantes. A diferencia del Burdeos y otros vinos basados en la Cabernet Sauvignon, es usualmente accesible cuando es joven por su suavidad, junto con sus seductores y desarrollados sabores y aromas de frutas rojas.

Más aún, el Borgoña tinto, como todos los de la Pinot Noir, es un compañero versátil para la comida. Es el único vino tinto que puede complementar el pescado o los mariscos; es ideal con el salmón, por ejemplo. El pollo, el pavo o el jamón también pueden ser buenos complementos para el Borgoña. Con los Borgoñas tintos de estilo completo, la carne y la cacería (tal como, pato, faisán, conejo o venado) todo va bien.

---

# El gusto del buen Borgoña blanco

En el Borgoña blanco se combinan una plenitud de sabor — duraznos, avellanas y miel en el Mersault; flores y caramelo en un Puligny o un Chassagne-Montrachet — con una acidez vivaz y un toque de roble. Con la edad, se desarrolla una complejidad mayor de sabores.

El vino termina en el paladar con una morosa memoria de todos sus sabores. Los vinos Chardonnay de otras regiones y países pueden ser buenos, pero no hay nada como un gran Borgoña blanco.

El Borgoña tinto está mejor cuando se sirve a las temperaturas de 60º F a 62º F (17º C). No debe decantarse (hasta los Borgoñas añejos raramente desarrollan mucho sedimento), sino servirse directamente de la botella. La excesiva aireación podría hacerle perder el maravilloso aroma del Borgoña que es uno de los mayores encantos de este vino.

# La Côte d'Or

El corazón de la Borgoña es la Côte d'Or, una franja delgada de tierra de 40 millas de largo con algunos de los bienes raíces más caros del mundo. Ésta es la región en donde se originan todos los famosos Borgoñas blancos y tintos.

La parte norte de la Côte d'Or se llama Côte de Nuits, por su ciudad más importante (comercial), Nuits-Saint-Georges. Los Borgoñas tintos, casi exclusivamente, se hacen allí (aunque también existe un soberbio Borgoña blanco, el Musigny Blanc).

Las siguiente comunas, de sur a norte, están en la Côte de Nuits:

- ✔ **Marsannay:** Conocida principalmente por sus vinos rosados

- ✔ **Fixin:** Vinos tintos recios, terrosos y rústicos

- ✔ **Gevrey-Chambertin:** Vinos tintos plenos de cuerpo, gustosos; ocho *grand crus,* tales como el Chambertin y el Chambertin Clos de Bèze

- ✔ **Morey-Saint Denis:** Vinos tintos plenos y recios; los *grand crus* incluyen Bonnes Mares (en parte), Clos de la Roche, Clos Saint-Denis, Clos de Tart, Clos des Lambrays

- ✔ **Chambolle-Musigny:** Vinos tintos suaves y elegantes; los *grand crus* incluyen el Musigny y el Bonnes Mares (en parte)

- ✔ **Vougeot:** Vinos tintos de medio cuerpo; el *grand cru* es el Clos de Vougeot

- ✔ **Vosne-Romanée:** Vinos tintos elegantes, gustosos, aterciopelados; los *grand crus* incluyen el Romanée-Conti, La Tache, Richebourg, Romanée-Saint-Vivant, La Romanée y La Grand Rue

- ✔ **Flagey-Échezeaux:** Aldea de Vosne-Romanée; los *grand crus* son Grands-Échezeaux y Échezeaux

- ✔ **Nuits-Saint-Georges:** Vinos tintos robustos y terrosos; no hay *grand crus;* buenos *premier crus*

Todos estos vinos se hacen enteramente de la uva Pinot Noir. Las características distintas de cada vino se deben a cada *terroir.*

La parte sur de la Côte d'Or se llama la Côte de Beaune por su cuidad más importante, Beaune (el centro comercial y turístico de la Côte d'Or). Se hacen lo mismo vinos tintos que blancos en la Côte de Beaune, pero los blancos tienen más renombre. Las siguientes comunas, de norte a sur, constituyen la Côte de Beaune:

✔ **Pernand-Vergelesses:** Vinos tintos y blancos poco conocidos; buenas compras

✔ **Aloxe-Corton:** Vinos plenos y robustos; un tinto *grand cru* (Corton), y un *grand cru* blanco magnífico (Corton-Charlemagne)

✔ **Chorey-lès-Beaune:** Algunas buenas compras en vinos tintos

✔ **Savigny-lès-Beaune:** Más que todo vinos tintos; buenas compras aquí también

✔ **Beaune:** Vinos tintos suaves de medio cuerpo; algunos blancos; buenos *premier crus* aquí

✔ **Pommard:** Vinos tintos robustos y plenos; algunos buenos *premier crus* (Rugiens y Epenots)

✔ **Volnay:** Vinos tintos suaves, elegantes; buenos *premier crus* (Caillerets y Clos des Ducs)

✔ **Auxey-Duresses, Monthélie, Saint-Romain, Saint-Aubin:** Cuatro aldeas poco conocidas que producen sobre todo vino tinto, pero también algunos blancos; buenas compras

✔ **Meursault:** La primera de las comunas por su Borgoña blanco; vinos de cuerpo pleno y sabor de nueces; algunos excelentes *premier crus* (Les Perrières y Les Genevrières)

✔ **Puligny-Montrachet:** El hogar de los Borgoñas blancos elegantes; los *grand crus* incluyen el Montrachet (en parte), el Chevalier-Montrachet y el Bâtard-Montrachet (en parte)

✔ **Chassagne-Montrachet:** Un poco más robusto que el Puligny; el resto de los *grand crus* Montrachet y Bâtard-Montrachet, y también algunos tintos terrosos y rústicos

✔ **Santenay:** Vinos tintos ligeros de cuerpo y poco costosos

En los cuadros 10-6 y 10-7 se encuentran los mejores productores de la Borgoña y sus más grandes vinos.

### Cuadro 10-6  Los mejores productores de la Borgoña y sus más grandes vinos

| Productor | Vinos recomendados |
|---|---|
| Domaine Leroy* | Musigny, Richebourg, Chambertin *(todos* los *grand crus* y los *premier crus* del Leroy recomendados) |
| Domaine de la Romanée-Conti* | Romanée-Conti; La Tâche; Richebourg; Grands Echézeaux |
| Georges Roumier | Musigny; Bonnes Mares; Chambolle-Musigny Les Amoureuses |
| Ponsot | Clos de la Roche (Vieilles Vignes); Chambertin; Clos St-Denis (Vieilles Vignes) |
| Armand Rousseau | Chambertin *(todos* sus *grand crus)*; Gevrey-Chambertin Clos St-Jacques |
| Méo-Camuzet | Vosne-Romanée *premier crus* (cualquiera de los tres); Clos de Vougeot; Richebourg; Corton |
| Hubert Lignier | Clos de la Roche; Charmes-Chambertin |
| Jean Gros | Richebourg; Vosne-Romanée Clos des Réas |
| Joseph Roty | Cualquiera de sus Chambertins *grand crus* |
| Domaine Comte de Vogüé | Musigny (Vieilles Vignes); Bonnes Mares |
| Mongeard-Mugneret | Richebourg; Grand Échézeaux |
| Louis Jadot | Romanée-St-Vivant; Chambertin Clos de Beze |
| Chopin-Groffier | Clos de Vougeot |
| Domaine Maume | Mazis-Chambertin |
| Michel Lafarge | Cualquiera de sus Volnay *premier crus* |
| Domaine Comte Armand | Pommard Clos des Epeneaux |

*estos vinos son muy costosos*

# Gangas en Borgoñas: La Côte Chalonnaise

El hecho triste sobre el Borgoña es que la mayoría de los buenos vinos es costosa. Pero uno de los secretos mejor guardados de la Borgoña son los vinos de la Côte Chalonnaise (el distrito que queda directamente al sur de la Côte d'Or). Cinco pueblos de allí son los hogares de Borgoñas muy decentes. Es verdad que los Borgoñas de la Côte Chalonnaise no

## Cuadro 10-7   Los mejores productores de Borgoña blanco y sus mejores vinos

| Productor | Vinos recomendados |
| --- | --- |
| Domaine Ramonet* | Montrachet; Bâtard-Montrachet; Bienvenue-Bâtard-Montrachet; cualquiera de sus Chassagne-Montrachet *premier crus* |
| Coche-Dury* | Corton-Charlemagne; Meursault *premier cru* (cualquiera) |
| Domaine des Comtes Lafon | Meursault *premier crus* (cualquiera) |
| Domaine Leflaive | Chevalier-Montrachet; Bâtard-Montrachet; Poligny-Montrachet *premier cru* (cualquiera) |
| Michel Niellon | Bâtard-Montrachet; Chevalier-Montrachet; Chassagne-Montrachet Les Vergers |
| Louis Latour | Corton-Charlemagne |
| Domaine Étienne Sauzet | Bâtard-Montrachet; Bienvenue-Bâtard-Montrachet; Puligny-Montrachet Les Combettes |
| Verget | Bâtard-Montrachet; Chevalier-Montrachet; Meursault *premier crus* (cualquiera) |

*estos vinos son muy costosos*

son tan buenos como los de la Côte d'Or (son un poco más terrosos y ásperos) pero estamos hablando de 10 a 20 dólares por botella aquí. Las cinco apelaciones que hay que buscar son las siguientes:

✔ **Mercurey:** Sobre todo tinto; una pequeña cantidad de blanco; los mejores vinos de la Châlonnaise vienen de aquí, también los más costosos (de 15 a 20 dólares)

✔ **Rully:** Más o menos, mitad tintos y mitad blancos; aunque un poco terrosos, los blancos son significativamente mejores que los tintos; busque los vinos del productor Antonin Rodet

✔ **Givry:** Más que todo tintos; una pequeña cantidad de blancos; los tintos son mejores que los blancos (pero muy terrosos)

✔ **Montagny:** Todos vinos blancos (Chardonnay); busque los Montagny de Antonin Rodet y Louis Latour

✔ **Bouzeron:** Aubert de Villaine es aquí el productor de calidad; ensaye sus Bourgogne Rouge, Bourgogne Blanc o su Bourgogne Aligoté (una segunda uva blanca, permitida en la Borgoña, que se da bien allí)

## Chablis: un vino blanco único

El pueblo de Chablis, al noroeste de la Côte d'Or, es la comuna borgo-
ñesa más cercana de París (un par de horas en auto). Aunque los vinos
de Chablis son 100 por ciento Chardonnay — como lo son los Borgoñas
blancos de la Côte d'Or — de un estilo enteramente diferente de los blancos de la Côte d'Or. Mientras que para los Borgoñas blancos de la Côte
d'Or se usan barriles de roble, tanto en la fermentación como en el añejamiento, la mayoría de los productores de Chablis usan ahora sólo acero inoxidable. También, el clima de Chablis es más fresco que el de Côte
d'Or, y produce vinos que son intrínsecamente de cuerpo más ligero,
austeros y de mayor acidez. El Chablis es muy seco y a veces duro, sin
los ricos sabores maduros de los Borgoñas blancos de la Côte d'Or.

El Chablis es un compañero ideal para los mariscos, especialmente las
ostras. Como todos los otros Borgoñas blancos, debe servirse fresco (de
58º a 60º F, 15º C), no frío.

### El Chablis que vale la pena ensayar

El Chablis está en su mejor forma en los niveles del *grand cru* y el *premier
cru*. El Chablis de los pueblos corrientes está en una escala de precios
entre 10 y 18 dólares, pero, francamente, a esos precios se puede encontrar mejores vinos blancos en Mâcon, en la Chalonnaise o en la Côte d'Or
(Borgoña blanco).

Los siete *grand cru* de Chablis son:

| | | |
|---|---|---|
| Les Clos | Valmur | Les Preuses |
| Vaudésir | Grenouilles | Bougros |
| | Blanchot | |

Otro, La Moutonne, es en realidad parte de Vaudésir y Grenouilles pero
tiene derecho a su propia apelación. El Chablis *grand cru* tiene precios
que van de 25 a 65 dólares, según el productor. Los Chablis de buenas
vendimias (vea el apéndice B) pueden añejarse y mejorar durante 15
años.

Hay 22 apelaciones de Chablis *grand cru*. Pero las siete más conocidas (y
probablemente las mejores) son:

| | | |
|---|---|---|
| Fourchaume | Montée de Tonnerre | Vaillons |
| Mont de Milieu | Montmains | Butteaux |
| | Les Forêts | |

Los Chablis *premier cru* van de 18 a 45 dólares, según el productor, y
pueden añejarse hasta diez años en buenas vendimias.

### Tres productores sobresalientes de Chablis

Tres productores realmente sobresalen en Chablis. Usted debe tratar de comprar sus Chablis *grand cru* o *premier cru,* para entender verdaderamente este vino subestimado. *Ensayar* es la palabra operante aquí: éstos son pequeños productores cuyos vinos no se consiguen sino en las mejores tiendas. Los dos primeros usan roble para fermentar y añejar su vino (lo cual es insólito para el Chablis); el tercero usa acero inoxidable:

Francois Raveneau

René et Vincent Dauvissat

Louis Michel

# Mâcon: blancos costeables

Si usted piensa que 20 dólares o más suena demasiado para gastarlos en una botella de Borgoña blanco o de Chablis para una ocasión corriente, le tenemos una alternativa de vino blanco: los vinos blancos de Mâcon. Muchas de las mejores compras de vino blanco — no sólo en Francia sino también del mundo — vienen del distrito del Mâconnais, que queda directamente al sur de la Châlonnaise y al norte de Beaujolais.

El Mâconnais tiene un clima suave y soleado. La producción de vino se centra alrededor de la bella ciudad de Mâcon, la puerta hacia la Provenza y la Riviera. Al norte de Mâcon se encuentra un pueblo llamado Chardonnay por el cual, quizá, se llamó la uva famosa. Las colinas del Mâconnais contienen la misma caliza con yeso que ama la Chardonnay y que puede encontrarse en los distritos de la Borgoña hacia el norte.

Los vinos blancos de Mâcon, de hecho, son 100 por ciento Chardonnay. La mayoría se llama simplemente *Mâcon* o *Mâcon-Villages* (ligeramente mejores que los Mâcon, porque vienen de pueblos específicos); los vinos se venden al detal de 6 a 10 dólares la botella. Mejores aún son los Mâcon que provienen de un solo pueblo. El nombre del pueblo se agrega al de su apelación (tal como Mâcon-Lugny o Mâcon-Viré).

Los Mâcon blancos son una buena compra. Son de medio cuerpo, firmes, sin roble, frescos y vivaces. Deberían tomarse mientras están jóvenes, en general, dentro de los tres años posteriores a la vendimia.

Los mejores Mâcon blancos son los del extremo sur del distrito y llevan sus propias apelaciones — Pouilly-Fuissé y Saint-Véran. El Pouilly-Fuissé es un vino más gustoso y de cuerpo más pleno que el simple Mâcon; con frecuencia sabe a roble, y es un poco más costoso (alrededor de 15 a 17 dólares). Para ensayar un ejemplo sobresaliente del Pouilly-Fuissé, com-

pre Château Fuissé, que, en las buenas vendimias, se compara favorable-
mente con Borgoñas blancos más costosos, de la Côte d'Or. El Saint-
Véran es posiblemente la mejor compra de vino de todo el Mâcon a sus
precios de 10 a 14 dólares. Especialmente bueno es el Saint-Véran de
Verget, quien es uno de los mejores productores de vinos del Mâconnais.

## *Beaujolais: tan delicioso como costeable*

¿Le sorprende que el Beaujolais esté en la región de Borgoña? El
Beaujolais es tan famoso, que sobresale por sí mismo. Hasta tiene su
propia uva roja: la Gamay.

El *Beaujolais* y el *Beaujolais Supérieur* (uno por ciento más alto en alcohol) son AOCs distritales, pero en realidad provienen de la parte sur del
Beaujolais, donde el suelo es principalmente de arcilla. Son vinos frescos, frutosos, descomplicados, de cuerpo ligero que se venden de 6 a 8
dólares y están en su mejor forma en un año o dos después de la vendimia. Son vinos excelentes para el clima cálido, cuando un vino tinto más
pesado y más tánico no sería apropiado.

Si usted es un bebedor de vino blanco, Zinfandel blanco o rosado (¡o
hasta un no bebedor de vino!), el Beaujolais es el primer vino tinto *ideal*
que debe tomar — un puente, digamos, hacia vinos tintos más serios. Es
delicioso y no requiere contemplaciones serias. El Beaujolais es de verdad un vino para divertirse.

El Beaujolais tiene su lado serio, también. Los mejores Beaujolais se
hacen en la parte norte del distrito en donde el suelo es de base gra-
nítica. El *Beaujolais-Villages* es un vino mezclado de (algunos de los) 39
pueblos designados que producen un vino más pleno y sustancial que el
simple Beaujolais. Cuesta un dólar o más pero vale bien la diferencia.

Beaujolais de calidad aun más alta son los que vienen de diez pueblos
específicos del norte. Los vinos de estos pueblos se conocen como
Beaujolais *cru,* y tienen más profundidad, y, de hecho, necesitan algún
tiempo para madurar; algunos *crus* pueden añejarse y mejorar durante
cuatro, cinco o más años. Están en una escala de precios que va, más o
menos, de 8 a 14 dólares. El cuadro 10-8 menciona los diez Beaujolais *cru*
según su situación geográfica, de sur a norte, junto con una breve descripción de cada *cru.*

Casi todo el Beaujolais se vende a través de grandes *négociants* — firmas
que les compran uvas y vino a los cultivadores, y lo mezclan, embotellan
y venden con sus propias etiquetas. Dos de los mejores comerciantes de
Beaujolais y los de mayor confianza son Georges Duboeuf y Louis Jadot.

## Tiempo de celebración: el Beaujolais Nouveau

Todos los años, el tercer jueves de noviembre, la nueva vendimia de Beaujolais — el Beaujolais Nouveau — se lanza al mundo con gran fanfarria. Este jovencito, de apenas seis semanas de edad, es un vino con mucho sabor de uva, fácil de tomar, prácticamente sin tanino, pero muy frutal. El Beaujolais Nouveau es muy popular en los Estados Unidos, en donde se sirve con muchas cenas del día de Acción de Gracias porque la fiesta coincide con su debut anual. Se vende entre 5 y 7 dólares y está en su mejor punto dentro de los seis meses posteriores de la vendimia.

### Cuadro 10-8    Los diez Beaujolais *cru*

| Cru | Descripción |
| --- | --- |
| Brouilly | El de producción mayor y el más variable en calidad; ligero y frutal; tomarlo dentro de los tres años |
| Côte de Brouilly | Nítidamente mejor que el Brouilly, más pleno y más concentrado; los viñedos están a mayor altitud; tomarlo dentro de los tres años |
| Regnie | El último pueblo en ser reconocido como *cru,* muy similar al Brouilly y ni de cerca tan bueno como el Côte de Brouilly |
| Morgon | Cuando está mejor, pleno y terroso; puede añejarse durante cinco o siete años; busque el Morgon *(Domaine Jean Descombes)* |
| Chiroubles | Uno de nuestros favoritos; el Beaujolais quintaesencial, delicado, delicioso y fragante; sabe a frutos rojos frescos; muy bonito; tómelo dentro de los dos años posteriores a la vendimia |
| Fleurie | De medio cuerpo, gustoso, con una frutalidad aterciopelada; el *cru* más popular (y, junto con el Moulin-á-Vent, el más costoso, de 12 a 14 dólares); totalmente de confiar; puede añejarse durante cuatro años |
| Moulin-á-Vent | Claramente, el *cru* más poderoso y concentrado y el que puede añejarse más (diez años o más); éste es un Beaujolais que necesita realmente tres o cuatro años para desarrollarse |
| Chénas | En los linderos del Moulin-á-Vent (de hecho mucho de él puede venderse legalmente como el más famoso Moulin-á-Vent); el que se vende como Chénas es usualmente de buen precio; tomarlo dentro de los cuatro años |
| Juliénas | El Beaujolais del que sabe; a menudo el más consistente y el mejor de los *crus;* de cuerpo pleno y gustoso, puede durar cinco años o más; raramente decepciona |
| Saint-Amour | El *cru* más norteño de Beaujolais; perfectamente llamado para los amantes en su día o en cualquier otro; suave, de cuerpo medio o ligero, frutal, delicioso; tomarlo dentro de los 2 o 3 años |

## El Beaujolais en acción

Beaujolais está situado en el corazón de uno de los mayores centros gastronómicos del mundo; los buenos restaurantes abundan en el área, lo mismo que en la vecina ciudad de Lyon. Para tener de verdad el sentimiento de estar en Francia, visite un bistro en París o en Lyon y ordene una jarra de Beaujolais joven con un plato de salchichas, paté o pollo frío. ¡Ningún vino resbala por la garganta con tanta facilidad!

El Beaujolais joven y descomplicado *debe* servirse fresco, a más o menos 55° F (13° C), para capturar su frutal exuberancia. El Beaujolais *cru* más pleno, por otra parte, está mejor a más o menos la misma temperatura que el Borgoña tinto (de 60° a 62° F; 17° C).

# Los robustos ródanos del valle

Para encontrar un vino tinto seguro que cueste de 6 a 18 dólares, más o menos, no busque usted más allá del valle del Ródano *(Rhône)* y su vino de todos los días, el Côtes du Rhône. El valle del Ródano hace vinos más serios — sobre todo tintos, algunos blancos secos, algún rosé también — pero el Côtes du Rhône es uno de los mejores vinos poco costosos del mundo.

El valle del Ródano está al sureste de Francia, al sur de Beaujolais, entre la ciudad de Lyon y la región de Provenza, en donde la estación del crecimiento es soleada y caliente. Los vinos reflejan el clima: los tintos son plenos, robustos y altos en alcohol. Hasta algunos de los vinos blancos tienden a ser plenos, terrosos y de larga vida. Pero los vinos de la parte sur del Ródano son nítidamente diferentes de los del norte del valle del Ródano.

## Vinos generosos del sur

La mayoría (de hecho, el 95 por ciento) de los vinos del Ródano viene de la parte sur. Son, en general, poco costosos y descomplicados. La variedad de uva dominante en el Ródano sur es la prolífica Grenache, de la cual se hacen vinos altos de alcohol.

Además de Côtes du Rhône, otras apelaciones del Ródano sur que se pueden buscar son:

✔ Côtes du Ventoux, similar pero un poco más ligero que el Côtes du Rhône

✔ Côtes du Rhône-Villages (17 pueblos que hacen vino más pleno y un poco más caro)

✔ Los vinos de pueblos particulares, Gigondas y Vacqueyras

Los dos últimos vinos son antiguos Côtes du Rhône-Villages que se graduaron y ahora tienen derecho a sus propias apelaciones. El Gigondas, que se vende entre 12 y 15 dólares, es particularmente gustoso y robusto y puede vivir diez años o más en buenas cosechas. 1989 y 1990 fueron excelentes vendimias en el Ródano sur.

Dos vinos rosé secos de interés en el Ródano sur son el Tavel y el Lirac; el segundo es menos conocido y menos costoso. Ambos se hacen de las uvas Grenache y Cinsault; pueden ser deliciosos en los días calientes del verano o en los *picnics*. Como la mayoría de los mejores rosados, son mejores cuando jóvenes.

Pero el Châteauneuf-du-Pape es el rey del Ródano sur. Su nombre recuerda el siglo XIV, cuando la vecina Avignon, y no Roma, era la sede de los Papas. Casi todo el Châteauneuf-du-Pape es un vino tinto mezclado: se pueden usar hasta 13 variedades, pero predominan la Grenache, la Mourvèdre y la Syrah. En su mejor punto, el Châteauneuf-du-Pape es pleno de cuerpo, gustoso, redondo y más bien alto de alcohol. En buenas vendimias, puede añejarse bien de 15 a 20 años. Los dos mejores son sin duda el *Château Rayas* (100 por ciento Grenache, vides muy antiguas) y el *Château Beaucastel* (puede añejarse 20 años o más).

## *Vinos nobles del norte*

Los dos mejores vinos tintos de todo el Ródano, el Côte Rôtie y el Hermitage, se producen en el norte del valle. Ambos se hacen de la noble uva Syrah (a veces se usa un poco del vino Viognier tinto en el Côte Rôtie).

Aunque ambos son vinos gustosos y de cuerpo pleno, el Côte Rôtie es el más sutil de los dos. Tiene sabores suaves y frutales, y en buenas vendimias, puede añejarse 20 años o más (1991 fue particularmente bueno para el Côte Rôtie). El productor más famoso es Guigal; su viñedo produce los vinos *La Mouline, La Landonne y La Turque* — muy buenos pero muy costosos. La mayoría de los Côte Rôtie están entre los 20 y los 45 dólares.

El Hermitage tinto es sin duda el vino del Ródano de cuerpo más pleno y de más larga vida. Es un vino complejo, gustoso y tánico que necesita varios años antes de empezar a desarrollarse, y que se añejará fácilmente 30 años o más en buenas vendimias (1988, 1989, 1990 y 1991 fueron vendimias excelentes en el norte del Ródano; 1989 lo fue en especial para el Hermitage). Los tres mejores productores son Jean Louis Chave, Chapoutier y Paul Jaboulet Ainé (por su mejor Hermitage, *La Chapelle*). Los mejores Hermitages se venden hoy entre 35 y 60 dólares, aunque los menos buenos pueden bajar a 20 y 25 dólares la botella.

Jaboulet hace también un hermano menor menos costoso, un *Crozes-Hermitage* (otra apelación), llamado *Domaine de Thalabert*. Es tan bueno, si no mejor que muchos Hermitages, y puede añejarse y mejorar durante 10 o 15 años en buenas vendimias. Su precio es razonable, de 17 a 18 dólares. Un vino de comprar.

Se produce una pequeña cantidad de Hermitage blanco en las variedades Marsanne y Rousanne. El Hermitage blanco es, tradicionalmente, un vino pleno, pesado y terroso que necesita de ocho a diez años para desarrollarse. El muy buen Hermitage blanco de Chapoutier, el *Chante-Alouette,* sin embargo se hace en un estilo más accesible. El otro gran Hermitage es el Chave. Es complejo y casi tan longevo como el Hermitage tinto.

El Condrieu, hecho en un 100 por ciento de la Viognier, es el otro blanco que debe ensayarse en el Ródano norte. Es uno de los vinos florales que se encuentran. Sus sabores son delicados pero plenos, con semitonos de albaricoque y durazno; es un magnífico acompañamiento para el pescado fresco. El Condrieu, que se vende de 20 a 25 dólares, debe consumirse joven, sin embargo.

# El valle del Loira: paraíso del vino blanco

Si usted busca un vino blanco en reemplazo del Chardonnay, descubra la región de la Loire (Loira). ¡Muchos vinos blancos vienen de allá, pero ninguno es Chardonnay! Para anotar, se puede encontrar vinos tintos y algunos rosados secos también en el Loira, pero la región se conoce realmente por sus vinos blancos.

El valle del Loira se extiende a lo largo del noroeste de Francia, siguiendo el cauce del río Loira, desde el centro de Francia por el este, hasta el Océano Atlántico por el oeste. El clima fresco, especialmente al oeste, produce vinos blancos de cuerpo relativamente ligero.

En el extremo oriental del valle, un poco al sur de París, están las poblaciones de Sancerre y Pouilly-sur-Loire, situadas en orillas opuestas del río. Allí, abunda la uva Sauvignon Blanc y produce vinos blancos vivaces que tienen sabores picantes de pasto verde.

De los dos vinos blancos principales de esa zona, el Sancerre es el más ligero, seco y vivaz. Es perfecto para tomarlo en verano, especialmente acompañado de moluscos o de un pescado fresco ligero como la trucha. El vino hecho en los alrededores de la población de Pouilly-sur-Loire se llama Pouilly-Fumé. Es levemente más pleno y menos especiado que el Sancerre y puede tener sabores atractivos de pedernal y minerales. El Pouilly-Fumé puede ser todo un buen vino cuando lo hace un buen productor, tal como Ladoucette. Como es más pleno, va bien con pescado muy gustoso, como el salmón, con pollo o con ternera. Ambos vinos se venden por precios de 10 a 15 dólares. Como están mejor es jóvenes y frescos; tómelos tres o cuatro años después de la vendimia.

Se pueden conseguir dos vinos *Pouilly,* el Pouilly-Fuissé y el Pouilly-Fumé; se confunden, pero son muy diferentes. El Pouilly-Fuissé de uva Chardonnay, de Mâcon, en la Borgoña, es un vino de cuerpo más pleno. El Pouilly-Fumé, hecho de Sauvignon Blanc, es más ligero y más ácido.

En el valle central del Loira, cerca de la ciudad de Tours (en donde se encuentran hermosos castillos de la antigua realeza francesa) queda la población de Vouvray. La uva Chenin Blanc produce allí mejores vinos que en cualquier otra parte del mundo. Los vinos de Vouvray vienen en tres estilos: seco, semiseco y dulce (llamado *moelleux),* pero los vinos dulces no pueden hacerse sino en vendimias de madurez desacostumbrada, lo cual no es frecuente. Hay también un Vouvray espumoso.

Los mejores vinos de Vouvray necesitan varios años para desarrollarse y pueden vivir casi para siempre, gracias a su notable acidez. Los mejores Vouvray se venden de 15 a 17 dólares en adelante. Los dos productores más respetados son Gaston Huet y Philippe Foreau de Clos Naudain.

Los Vouvray menos costosos, de precio entre 6 y 10 dólares, son agradables cuando jóvenes. Hasta las versiones más secas no lo son demasiado y son buena opción para el que no gusta de vinos muy secos. Van bien con pollo o ternera en una salsa de crema, o con fruta y queso después de comer.

El tercer distrito del valle del Loira se llama el Pays Nantais, por la ciudad de Nantes, situada en la desembocadura del Loira en el Atlántico. El área de viñedos alrededor de Nantes es el hogar de la uva Muscadet (también conocida como la Melon). El vino, también llamado Muscadet, es ligero y muy seco — un acompañamiento perfecto para los mejillones, las ostras y el pescado de río (y para tomar en verano).

El mejor Muscadet es el de la región de Sèvre-et-Maine, y esas palabras aparecen en la etiqueta. También se ven con frecuencia las palabras *sur lie,* que quieren decir que el vino fue fermentado sobre sus sedimentos y embotellado directamente del barril. Este procedimiento le da vivacidad y frescura al vino y a veces una leve piquiña de dióxido de carbono en la lengua.

La mejor noticia sobre el Muscadet es el precio. Se puede comprar uno bueno por 6 a 8 dólares. Compre usted el Muscadet más joven que encuentre porque está mejor a uno o dos años de la vendimia. No se añeja bien.

# Los vinos del Alsacia: franceses, no alemanes

Es comprensible que muchos bebedores de vino confundan los vinos de Alsacia con los alemanes. Alsace, en el nordeste de Francia, queda apenas pasando el Rin desde Alemania. Era originalmente parte de Alemania y se volvió francesa en el siglo XVII. Alemania recobró la región en 1871, sólo para perderla otra vez como resultado de la Primera Guerra Mundial (1914-1919). Para complicar más las cosas, tanto Alsacia como Alemania cultivan algunas de las mismas uvas (Riesling y Gewürztraminer). Pero ahí termina la similitud: los vinos de Alsacia son *secos,* mientras que muchos de los alemanes son medio secos o dulces.

La crisis de identidad de Alsacia le ha hecho daño a sus vinos en el mercado internacional. De ahí que los vinos de Alsacia sean muy buenas compras.

Los de Alsacia, son únicos entre los vinos franceses en dos aspectos. Todos los vinos de Alsacia vienen en botellas altas y delgadas, llamadas *flûtes.* Y casi todos llevan un nombre de variedad de uva *y* un nombre de lugar, que es simplemente Alsace.

Si se tiene en cuenta la latitud norte de Alsacia (vea el cuadro 10-1), se diría que el clima de la región es frío. Pero, gracias a la protección de las montañas de los Vosges, al oeste, el clima de Alsacia es muy soleado, templado y uno de los más secos de Francia — en suma, el clima perfecto para cultivar uvas.

Aunque se hace un poco de Pinot Noir de cuerpo ligero, el 93 por ciento de los vinos alsacianos son blancos. Cuatro son de particular importancia: Pinot blanc, Riesling, Pinot Gris y Gewürztraminer. Aunque cada uno refleja las características de la uva de que está hecho, todos comparten cierto aroma y sabor, a veces llamado *de especias,* que sólo puede describirse como el sabor de Alsacia.

El Pinot Blanc es el más ligero de los cuatro. En una ligera reinterpretación del estilo tradicional de Alsacia, algunos productores hacen su Pinot blanc semiseco, para atraer a los bebedores no familiarizados con los vinos de la región. Otros lo hacen seco del todo. De ambos modos, es mejor joven. El Pinot Blanc es muy poco costoso, de 6 a 10 dólares.

El Riesling es el rey de los vinos de Alsacia (acuérdese, aquí es un vino seco). El Riesling de Alsacia tiene un aroma floral, pero sabores secos, firmes, casi acerados. Aunque puede consumirse joven, como muchos vinos de Alsacia, un Riesling de buena vendimia es fácilmente capaz de añejarse y mejorar diez años o más. Los Rieslings están en la escala de 12 a 20 dólares.

El Tokay de la Pinot Gris es un vino de Alsacia, cuyo nombre recuerda un famoso vino húngaro de postre, el Tokaji — pero no hay relación. El Tokay-Pinot Gris se hace de la misma variedad de uva que se encuentra en Italia como Pinot Grigio. En Alsacia es un vino gustoso de cuerpo pleno con mucho carácter. Es relativamente bajo de acidez y alto de alcohol. El Pinot Gris de Alsacia se vende de 10 a 15 dólares; va bien con platos de carne con especias.

La uva Gewürztraminer tiene aroma y sabor tan especiados, intensos y picantes que su vino es de los que *se aman o se odian.* Pero tiene sus seguidores ciertamente. Y es sin duda el mejor de Alsacia. Si usted no ha probado aún un Gewürztraminer de Alsacia, no ha saboreado uno de los vinos más singulares del mundo. Es muy bajo de acidez y alto de alcohol, una combinación que da una impresión de plenitud y suavidad. Va mejor con *foie gras* y quesos fuertes, y a algunas personas les gusta con la especiada cocina asiática. El Gewürztraminer se vende más o menos a los mismos precios que el Riesling, pero no se añeja tan bien.

# Capítulo 11

# Pasear por Europa

● ● ● ● ● ● ● ● ● ● ● ● ● ● ● ● ● ● ● ● ● ● ● ● ● ● ● ● ● ● ● ● ● ● ● ● ● ● ● ● ● ● ●

### En este capítulo

▶ Viejo Mundo, Nuevo Mundo

▶ Las grandes Bs de Italia

▶ Nuevos hallazgos en Portugal

▶ La receta secreta de Alemania: uvas congeladas y noble podredumbre

▶ Vinos insólitos de los climas alpinos

● ● ● ● ● ● ● ● ● ● ● ● ● ● ● ● ● ● ● ● ● ● ● ● ● ● ● ● ● ● ● ● ● ● ● ● ● ● ● ● ● ● ●

*H*ace diez años, no usábamos la frase *vino europeo* para hablar en general de los que se producen en Francia, Italia, España, Portugal y Alemania. Esos vinos no tienen nada en común.

Pero, hoy, dos factores han cambiado nuestro criterio respecto de los vinos de esos países. Primero, Europa se ha unificado y los vinos de los países miembros de la Unión Europea se colocan ahora bajo la misma sombrilla legislativa. Segundo, los vinos no europeos — de California, Australia, y hasta cierto punto de Sudamérica — han inundado el mercado de los Estados Unidos, popularizando una nomenclatura (nombres derivados de variedades, como Chardonnay) y unos sabores (frutales) extraños al modelo europeo o del *Viejo Mundo.*

Comparados con los vinos no europeos o del *Nuevo Mundo,* los vinos de Europa tienen mucho en común, al fin y al cabo. Los vinos europeos derivan sus nombres de sus lugares de origen, en vez de su uva (vea el capítulo 7); la producción de vino europeo está atada a la tradición; los vinos reflejan el gusto local más que los patrones internacionales; y son relativamente de escaso sabor frutal; los vinos europeos encarnan la tradición de la gente que los hace y los sabores de la tierra en que crecen, comparados con los vinos del Nuevo Mundo, que encarnan una variedad de uva.

A pesar de las similitudes entre los vinos europeos, cada país de Europa hace vinos bien diferentes. La importancia de Francia le ha ganado un capítulo aparte, mientras el resto de Europa comparte el mismo.

# Italia: el viñedo de Europa

La pequeña Italia — el 60 por ciento del tamaño de Francia, tres cuartas partes de la superficie de California — en la mayoría de los años, hace más vino que cualquier otro país del mundo. El vino es la sangre de la vida para la gente italiana. Las vides crecen por todas partes, y no sería posible ninguna comida sin una botella de vino en la mesa.

La desventaja del vino en Italia es que se da por descontado. Italia se demoró 28 años más que Francia en desarrollar un sistema de clasificación de los vinos, por ejemplo; y todavía hoy, después de 30 años de creado el sistema, Italia no ha incorporado el reconocimiento de los sitios *(crus)* para sus mejores vinos. La actitud descuidada de Italia hacia el vino ha entorpecido la aceptación de sus vinos de más alta calidad en los mercados internacionales.

Otra razón para que los vinos italianos de más alta calidad no se hayan aceptado rápidamente en los mercados internacionales, es que la mayoría son hechos de variedades nativas de uva, tales como la Nebbiolo, la Sangiovese, la Aglianico, la Barbera, etc. Estas uvas pueden ser excelentes, pero como no existen en otros países (y se dan mucho menos bien que en Italia cuando las transplantan), sus nombres no son familiares para los amantes del vino.

La ventaja es que Italia tiene la bendición de tal variedad de suelos y climas — de las laderas de los Alpes, al norte, a las riberas del Mediterráneo, al sur, que la gama de sus vinos es casi infinita. (¡Un curioso del vino podría mantener ocupada toda su vida explorando los centenares de vinos de Italia!) El paisaje montañoso de Italia proporciona mucho alivio de altitud para las viñas hasta en el cálido sur, y muchas pendientes escarpadas de suelo pobre desafían a las vides a obrar pequeños milagros.

Los vinos italianos, tal como los conocemos fuera de Italia, pertenecen a dos grupos distintos: 1) Vinos poco costosos tintos y blancos que, a menudo, se venden en grandes envases económicos para el consumo diario con las comidas a la manera italiana, y 2) los mejores vinos que van de buenos a excelentes en su calidad.

Uno de los vinos italianos mejor conocidos es el Lambrusco, un espumoso, tinto, levemente dulce (y delicioso) que es el primero que prueban muchos bebedores de vino fuera de Italia. En la segunda categoría está el Lambrusco más seco que se bebe en el mercado italiano, los vinos italianos que describimos en este capítulo, y muchos otros que el espacio no nos permite mencionar aparte.

Se dice que Italia tiene 20 regiones vinícolas, que corresponden exactamente a sus regiones políticas (vea la figura 11-1). Lo que en Francia se llamaría una región del vino, tal como la Borgoña o Alsacia, se llama, en general, en Italia una *zona* del vino, para evitar confusiones con la región política. Seguiremos esa práctica.

Aunque en toda Italia se produce vino, muchos de los mejores provienen del norte: el Piamonte, al noroeste, la Toscana, al centro norte, y tres regiones (a veces llamadas familiarmente las tres Venecias, *Tre Venezie)* del nordeste de Italia. El cuadro 11-1 incluye los principales vinos de esas cinco regiones y sus variedades de uva.

**Figura 11-1:**
Las regiones
del vino de
Italia.

## Cuadro 11-1 Los vinos de las principales regiones de Italia

| Vino tinto | Vino blanco | Variedad de uva |
|---|---|---|
| **Piamonte** | | |
| Barolo | | Nebbiolo |
| Barbaresco | | Nebbiolo |
| Gattinara | | Nebbiolo, Bonarda* |
| Barbera d'Alba y DOCs similares | | Barbera |
| Dolcetto d'Alba y DOCs similares | | Dolcetto |
| | Gavi (Cortese di Gavi) | Cortese |
| | Roero Arneis | Arneis |
| **Toscana** | | |
| Chianti, Chianti Classico | | Sangiovese, Canaiolo y otras* |
| Brunello di Montalcino | | Sangiovese Grosso |
| | Vernaccia di San Gimignano | Vernaccia |
| Vino Nobile di Montepulciano | | Sangiovese, Canaiolo y otras* |
| Carmignano | | Sangiovese, Cabernet Sauvignon* |
| Super-toscanos** | | Cabernet Sauvignon, Sangiovese |
| **Véneto** | | |
| | Soave | Gargenaga, Trebbiano y otras* |
| Valpolicella | | Corvina, Rondinella, Molinara* |
| Amarone della Valpolicella | | (las mismas uvas; semisecas) |
| Bardolino | | Corvina, Rondinella, Molinara* |
| | Bianco di Custoza | Trebbiano, Gargenaga, Tocai* |
| | Lugana*** | Trebbiano |
| **Trentino-Alto Adige** | | |
| | Pinot Grigio (DOCs varios) | Pinot Gris |
| | Pinot Bianco (DOCs varios) | Pinot Blanc |
| | Chardonnay (DOCs varios) | Chardonnay |
| | Sauvignon (DOCs varios) | Sauvignon Blanc |

**Friuli-Venezia Giulia**

| | |
|---|---|
| Tocai Friulano (DOCs varios) | Tocai Friulano |
| Pinot Grigio (DOCs varios) | Pinot Gris |
| Chardonnay (DOCs varios) | Chardonnay |
| Pinot Bianco (DOCs varios) | Pinot Blanc |
| Sauvignon (DOCs varios) | Sauvignon Blanc |

\* *Vinos de mezcla de dos o más uvas.*

\*\* *Vinos no tradicionales producidos principalmente en el distrito de Chianti; vea lo que se dice bajo Toscana.*

\*\*\* *Buena parte de la zona de Lugana es realmente de la Lombardía.*

Como Italia es miembro de la Unión Europea, su sistema de apelación de los vinos debe estar conforme con las dos categorías de la Unión Europea: los vinos QWPSR *(Quality Wines Produced in a Specific Region)* en la categoría superior; y los vinos de mesa más abajo.

En el nivel QWPSR están:

✔ Los vinos DOCG *(Denominazione di Origine Controllata e Garantita)*, un pequeño grupo de vinos de elite, actualmente 13. La frase que corresponde a DOCG aparece en las etiquetas de esos vinos.

✔ Vinos DOC *(Denominazione di Origine Controllata)*, los vinos italianos básicos QWPSR. Más de 250 vinos con nombres de lugares han sido reconocidos por el gobierno italiano, hasta la fecha. La frase *Denominazione di Origine Controllata* aparece en las etiquetas de esos vinos.

En el nivel de vinos de mesa están:

✔ Vinos de mesa con designación geográfica; éstos se llaman solamente *vino da tavola* (seguido por la indicación geográfica).

✔ Vinos de mesa corrientes que no llevan más indicación geográfica que la palabra Italia.

Las frases DOC y DOCG se refieren tanto a las zonas como a los vinos de éstas. El Soave DOC, por ejemplo, es un lugar (una zona específica de producción, definida y regulada por la ley italiana, llamada por la población Soave) y el vino de ese lugar.

# El Barolo y los tintos reinan en esa región

El Piamonte, en las fronteras de Francia y Suiza, es una región, en parte, agrícola (produce arroz, kiwi, avellanas y trufas blancas, entre otros cultivos), en parte industrial (Turín es la sede de la Fiat), y en parte Alpina (vea la figura 11-1). Se hace vino en gran parte de la región, pero las zonas vinícolas más importantes están alrededor de las poblaciones de Asti, especialmente conocida por su vino espumoso (vea el capítulo 13), y Alba, conocida por sus vinos tintos.

El título a la fama del Piamonte es la uva Nebbiolo, una noble variedad roja que produce gran vino sólo en el noroeste de Italia. La prueba de la nobleza de la Nebbiolo es doble: el Barolo y el Barbaresco son dos de los mejores vinos tintos del mundo; ambos son vinos DOCG hechos enteramente de la Nebbiolo en las colinas de Langhe, alrededor de Alba, y cada uno lleva el nombre del pueblo en donde se produce.

Ambos son tintos robustos — muy secos, de cuerpo pleno y altos en tanino. Sus aromas sugieren el alquitrán, las violetas y las rosas, las fresas maduras y, a veces, las trufas. El Barolo tiene más cuerpo que el Barbaresco y, en general, requiere un poco más de añejamiento; por lo demás los dos vinos son muy similares. Como muchos vinos italianos, muestran lo mejor de sí con la comida. Los buenos Barolos y Barbarescos se venden al por menor entre 25 y 45 dólares la botella.

Cuando están hechos del modo tradicional, estos dos vinos requieren varios años de añejamiento para tomarlos — a veces, diez años o más — y definitivamente mejoran con la aireación de unas pocas horas antes de tomarlos (vea el capítulo 6). Sin embargo, algunos productores de vanguardia están haciendo estos vinos de modo que se puedan gozar antes, y hasta usan *barriques* francesas (barricas de roble) para añejarlos, dándoles un sabor más internacional.

El Barolo y el Barbaresco tienen en común algo con los vinos de la Borgoña en Francia: *hay que encontrar un buen productor para experimentar el vino como está mejor.* En la página siguiente damos la lista de los mejores productores, en el orden aproximado de nuestras preferencias y agrupados de acuerdo con su estilo — tradicional o moderno. (Nosotros preferimos los vinos hechos a la manera tradicional, pero se puede encontrar excelentes productores en ambos campos.) El Piamonte gozó recientemente de tres excelentes vendimias seguidas (como Burdeos): 1988, 1989 y 1990.

Otro buen vino de base Nebbiolo es el Gattinara DOCG que viene del norte del Piamonte, en donde la uva Nebbiolo se llama *Spanna*. Aunque el Gattinara rara vez recibe los elogios tributados a los dos grandes Bs (Barolo y Barbaresco), ofrece los mismos aromas y sabores tentadores de la Nebbiolo en un estilo de cuerpo menos pleno. A precios atractivos de 15 a 18 dólares la botella, un Gattinara de buen productor ha de ser uno de los vinos más subestimados del mundo. Busque los Gattinaras de Antoniolo y Travaglini.

| *Productor tradicional* | *Productor moderno* |
|---|---|
| **Barolo** | |
| Giacomo Conterno | Luciano Sandrone |
| Giuseppe Mascarello | Ceretto |
| Vietti | Renato Ratti |
| Bartolo Mascarello | Gaja |
| Giuseppe Rinaldi | Roberto Voerzio |
| Bruno Giacosa | Paolo Scavino |
| Aldo Conterno | Manzone |
| Caretta | Elio Altare |
| Francesco Rinaldi | Clerico |
| Marcarini | Parusso |
| Prunotto | Corino |
| Pio Cesare (se aproxima al estilo moderno) | Conterno Fantino |
| Fontanafredda | |
| Marchesi di Barolo | |
| | |
| **Barbaresco** | |
| Bruno Giacosa | Gaja |
| Marchesi di Gresy | Moccagatta |
| Cigliuti | Ceretto |
| Produttori del Barbaresco | |
| Castello di Neive | |

### Tintos para entresemana

Los piamonteses reservan los vinos serios como el Barolo y el Barbaresco para la cena del domingo o las ocasiones especiales. Lo que beben a diario son los vinos tintos Dolcetto y Barbera. El dolcetto es el más ligero de los dos y de costumbre el primer vino que se sirve en una comida piamontesa.

Si usted sabe bastante italiano para traducir la frase *la dolce vita,* creerá que el nombre *dolcetto* indica vino dulce. En realidad, la *uva* Dolcetto sabe dulce, pero el vino es definitivamente seco, un poco *uvoso,* con poca acidez pero muchos taninos. El Dolcetto se compara a menudo con el Beaujolais, pero es más seco y va mejor con la comida. Se vende de 10 a 12 dólares. Los mejores Dolcetto son los de la zona de Alba (Dolcetto d'Alba). Casi todos los productores de Barolo que recomendamos producen un Dolcetto d'Alba.

La variedad Barbera y la Sangiovese son las que más se plantan en Italia. Pero en donde el Barbera llega a la excelencia es en el Piamonte, específicamente en las zonas de Alba y de Asti. Es un vino gustoso de un rojo de cereza negra, con acidez alta y un carácter frutal generoso. El Barbera d'Alba es un poco más pleno, maduro y gustoso que el más delgado Barbera d'Asti. El Barbera es nuestro vino favorito para el diario, especialmente con pasta o pizza o cualquier cosa con tomate.

El Barbera es muy popular en los Estados Unidos. Se consiguen dos tipos: el tradicional añejado en cubos de roble (grandes contenedores que apenas si le dan sabor de roble al vino) que se vende entre 10 y 15 dólares y el más nuevo añejado en barricas de roble que se vende entre 20 y 40 dólares. Aunque los dos tipos son muy buenos, nosotros preferimos el más simple y menos costoso de estilo tradicional. (Francamente, estamos un poco cansados de todo ese sabor de roble en los vinos.)

Tres excelentes productores de Barbera d'Alba son Vietti, Giacomo Conterno y Giuseppe Mascarello. Un Barbera d'Alba especialmente bueno es el Scarrone Vigna Vecchia de las vides de 50 años del viñedo de Vietti Scarrone. Es un poco más caro, a 19 o 20 dólares la botella, pero vale la diferencia.

Un tercer tinto corriente del Piamonte es el Nebbiolo d'Alba, de viñedos cercanos a la zona del Barolo o el Barbaresco. Este vino es más ligero de cuerpo y más fácil de tomar que el Barolo o el Barbaresco, y se vende de 10 a 15 dólares la botella.

## Blancos en papeles secundarios

Casi todos los vinos del Piamonte son tintos, pero se hacen también dos blancos interesantes. El Gavi es un vino blanco muy seco, de pronunciada acidez, llamado así por una población del sur del Piamonte. La mayoría de los Gavis se venden entre 10 y 15 dólares (más bien caro para lo que es el vino, tal vez porque se ha vuelto un vino *in),* mientras que el Gavi Premium, el etiqueta negra de la Scolca, cuesta alrededor de 35 dólares. El Arneis se produce en la zona de Roero cerca de Alba de una uva olvidada hace tiempo que se llama Arneis, y que Vietti resucitó hace varios años. El Arneis va de seco a semiseco y tiene una rica textura. Es mejor dentro del año siguiente al de la vendimia; se vende de 15 a 18 dólares la botella.

# Toscana la bella

Florencia, Siena, el David de Miguel Ángel, la torre inclinada de Pisa… la bella región de la Toscana tiene más que su cuota de atracciones. Sólo un vino puede comparársele en fama, y ése también es de la Toscana: el Chianti.

## Aquí un Chianti, allá un Chianti

Chianti es una gran zona vinícola que se extiende por gran parte de la Toscana. La zona, toda de categoría DOCG, merecidamente o no, se divide en siete distritos. Los vinos de Chianti pueden usar el nombre de su distrito o la más simple apelación, Chianti, si su producción no tiene la calidad que exige el nombre de un distrito particular (si, por ejemplo, las uvas son mezcla de las de dos o más distritos). El distrito conocido como *Chianti Classico* es el del corazón de la zona, la mejor área y — afortunado para nosotros — el único distrito cuyos vinos se consiguen en muchas partes. El único otro distrito que rivaliza con el Chianti Classico, en calidad, es el Chianti Rufina.

Además de variar de acuerdo con el distrito en que se producen, los vinos del Chianti cambian de estilo de acuerdo con su añejamiento: los vinos *Riserva* a menudo se añejan en roble francés; se dan al mercado sólo cuando han estado tres años o más en la fábrica, y tienen potencial para vida más larga. Los vinos del Chianti pueden variar también de acuerdo con su mezcla de uvas — aunque, en la práctica, la mayoría se hace de la uva Sangiovese

El Chianti es un vino tinto muy seco (no hay tal animal como el Chianti *blanco)* que, como la mayoría de los vinos italianos, sabe mejor con la comida. A menudo tiene un aroma de cerezas y a veces de violetas, y su sabor recuerda las cerezas ácidas. Los mejores Chiantis contienen bastante ácido y usualmente saben mejor de cinco a ocho años después de la vendimia — aunque, en buenas cosechas, no tienen problema para añejarse diez años o más. Los mejores años recientes para el Chianti han sido los de 1985, 1988 y, en especial, la vendimia de 1990.

En estos días, el Chianti está mejor que nunca. Desde el Chianti simple de 6 dólares, el más sustancial Chianti Classico (en general, entre 10 y 15 dólares), el Chianti sigue siendo una de las grandes compras del mundo. Aun los Chianti Classico Riserva tienen un precio apenas 2 dólares más alto que el Classico.

El Chianti es más constante en calidad que el Barolo, especialmente el del distrito classico, pero sigue siendo bueno conocer a los buenos productores. Damos una lista de nuestros favoritos. (Si 28 favoritos le parecen demasiados, recuerde que Chianti es una zona bastante grande con varios miles de productores y cultivadores.)

| | | |
|---|---|---|
| Badia a Coltibuono | Dievole | Renzo Masi |
| Brolio (vendimias recientes) | Fattoria di Felsina | Ruffino |
| Castell'in Villa | Fontodi | San Felice |
| Castellare | Frescobaldi | San Giusto a Rentennano |
| Castello dei Rampolla | Isole e Olena | Selvapiana |
| Castello di Ama | Melini | Villa Antinori |
| Castello di Cacchiano | Monsanto | Villa Cafaggio |
| Castello di Fonterutoli | Monte Vertine | Villa Cerna |
| Castello di Gabbiano | Podere Il Palazzino | Viticcio |
| Castello di Volpaia | | |

### Brunello di Montalcino, celebridad de la noche a la mañana

Mientras que el Chianti ha sido famoso hace siglos, otro gran vino toscano, el Brunello di Montalcino, saltó a la escena apenas hace poco y se convirtió en un gran éxito con capacidad de permanencia.

Al sur de la zona del Chianti se levanta la ciudad fortaleza de Montalcino. El vino local, Brunello di Montalcino, se originó en el siglo pasado, pero poco se conocía fuera de la Toscana hasta 1970 cuando la familia Biondi-Santi, los productores líderes de Montalcino, les hizo conocer a los escritores algunos de sus vinos más añejos. ¡Las vendimias de 1888 y 1891todavía estaban en buena forma! El resto, como se dice, es historia. Hoy, el Brunello di Montalcino, un vino DOCG, se considera de los grandes vinos de larga vida en el mercado, con un precio a su altura (de 25 a 40 dólares y más).

Este vigoroso primo del Chianti es un vino intenso, concentrado y tánico que pide añejamiento (hasta 20 años) cuando está hecho del modo tradicional y mejora cuando se le airea varias horas antes de servirlo. Últimamente, algunos productores de Montalcino están haciendo una versión más accesible del Brunello.

El Rosso di Montalcino es un vino menos costoso (de 10 a 15 dólares) listo para tomar cuando está hecho de las mismas uvas que el Brunello di Montalcino en la misma área de producción. El Rosso di Montalcino de un buen productor de Brunello es una gran compra porque ofrece un vistazo del Brunello sin quebrar el banco.

Para apreciar realmente el Brunello di Montalcino, busque uno de los productores recomendados en esta lista (en orden aproximado de preferencia). Los Brunellos de los productores tradicionales necesitan, por lo menos, de 15 a 20 años de añejamiento en las buenas vendimias (1975,

1985, 1988 y 1990 son excelentes vendimias recientes para el Brunello).
Los Brunellos de los productores de estilo moderno pueden disfrutarse
después de 10 años. Más jóvenes que los de diez años, tome usted Rosso
di Montalcino.

| **Productores tradicionales** | **Productores modernos** |
|---|---|
| Soldera (muy costoso) | Il Poggione |
| Biondi-Santi (muy costoso) | Poggio Antico |
| Costanti | Altesino |
| Pertimali | Argiano |
| Fattoria dei Barbi | Caparzo (especialmente su La Casa) |
| Lisini | Cold d'Orcia |
| Camigliano | Castelgiocondo |
| Campogiovanni | Villa Banfi |

## Dos tintos y un blanco

Los otros tres vinos toscanos de nota son dos tintos, Vino Nobile di Montepulciano y Carmignano, y el mejor vino blanco de la Toscana, el Vernaccia di San Gimignano — los tres, vinos DOCG.

Montepulciano está situado al sudeste de la zona del Chianti. La uva
principal del Vino Nobile es la Prugnolo Gentile (también conocida como
*Sangiovese)*. El Vino Nobile di Montepulciano de un buen productor
puede rivalizar con los mejores Chianti Classicos. Tres productores que
recomendados son Avignonesi, Poliziano y Poderi Boscarelli. Los productores del Vino Nobile hacen ahora un vino más ligero listo para tomarlo, el Rosso di Montepulciano.

La región vinícola de Carmignano está al oeste de Florencia. Lo que distingue al Carmignano del Chianti es que en el primero se puede usar
hasta un diez por ciento de Cabernet Sauvignon. Como resultado, puede
decirse que el gusto del Carmignano es como el de un Chianti con el
toque fino de un Burdeos. El productor sobresaliente de Carmignano es
Villa di Capezzana.

El Vernaccia di San Gimignano fue llamado así por la población medieval
amurallada de San Gimignano, al oeste de la zona del Chianti Classico. El
Vernaccia es, en general, un vino blanco fresco con una textura levemente oleosa y un sabor almendrado, que debe beberse joven. Para hallar
una interpretación poco frecuente, ensaye la *riserva* en roble de Teruzzi
y Puthod, llamada Terre di Tufo, un Vernaccia algo costoso (de 18 a 20
dólares), pero muy bueno. La mayoría de los otros Vernaccia está en la
gama de 6 a 8 dólares. Los productores que deben buscarse son Falchini
y Montenidoli.

### Super-toscanos

Cuando el Chianti tuvo una caída económica, algunos productores como Piero Antinori llamaron la atención del mundo al crear nuevos vinos, como el Solaia y el Tignanello, que se conocen todavía hoy como los *super-toscanos*. Estos vinos no pueden llamarse Chianti porque su mezcla de uvas (en general, Sangiovese y Cabernet Sauvignon) no se ajusta a los requisitos de DOC para el Chianti.

La mezcla de uvas para los vinos super-toscanos varía de uno a otro. Algunos productores usan Merlot o aun Syrah con su Sangiovese; otros usan uvas toscanas nativas. Lo que tienen en común estos vinos es que son costosos, van de 30 o 40 dólares, hasta de 75 a 100 dólares la botella. Los super-toscanos más famosos, el Sassicaia y el Solaia, favorecidos por los coleccionistas de vinos, pueden costar 200 dólares en buenas vendimias como la de 1985.

Ahora que el Chianti se ha restablecido en el mercado mundial, estos nuevos vinos costosos se han vuelto menos prominentes, pero la mayoría de los productores de Chianti todavía hace un vino super-toscano. Dos de nuestros favoritos son Le Pergole Torte, hecho por Monte Vertine, y el Percarlo de San Giusto a Rentennano. Ambos se hacen de un 100 por ciento Sangiovese y están en la escala de 30 a 40 dólares. Para nosotros, estos dos están entre los mejores vinos de Italia. Las vendimias de buscar: 1985, 1988 y, especialmente, 1990. Deben decantarse los super-toscanos jóvenes (menos de diez años) varias horas antes de servirlos.

## Enorgullecer a Romeo y Julieta

Lo probable es que, si su primer vino italiano no fue un Chianti, fuera uno de los tres grandes de Verona: el Soave blanco, o los tintos Valpolicella y Bardolino. Estos vinos enormemente populares sacan la cara por el nordeste de Italia, la pintoresca ciudad de Verona — la cuna de Romeo y Julieta — y el bello lago Garda.

## Sangiovese en la mesa

Los Chiantis más ligeros van bien con la pasta, el prosciutto (jamón) y el pollo asado o el sqaub. Con los Chianti Classicos y riserva, el cordero, el pavo asado, la ternera, el steak y el roast beef son acompañamientos perfectos.

Para el robusto Brunello di Montalcino y los super-toscanos, ensaye el faisán, el steak, la cacería o trozos de queso parmesano fresco. Sirva estos vinos a la temperatura de un cuarto fresco, de 65° a 67° F (19° C).

De los dos veroneses tintos, el Valpolicella es el más pleno; el más ligero Bardolino es un vino de verano agradable cuando se sirve levemente fresco. (Bolla y Masi son dos de los mayores productores de ambos.) El Valpolicella, el Bardolino y el Soave tienen precios atractivos, de 6 a 8 dólares, como otros dos vinos blancos de la región, el Bianco di Custoza y el Lugana (Santi es uno de los productores líderes de estos dos). Los productores recomendados de los vinos veroneses son:

- ✔ **Soave:** Pieropan, Anselmi, Santa Sofía

- ✔ **Valpolicella:** Allegrini, Le Ragose, Guerrieri-Rizzardi, Alighieri, Tommasi, Masi

- ✔ **Bardolino:** Guerrieri-Rizzardi

El Amarone della Valpolicella, uno de los vinos italianos de cuerpo pleno más populares, se hace de las mismas uvas que el Valpolicella (vea el cuadro 11-1), pero las uvas maduras se secan en esteras de paja varios meses antes de la fermentación para concentrar sus azúcares y sus sabores. El resultado es un vino gustoso, potente (14 a 16 por ciento de alcohol), aterciopelado y de larga vida, perfecto para una fría noche de invierno y un plato de quesos duros y maduros. Algunos de los mejores productores de Amarone son Quintarelli, Bertani, Masi, Tommasi, Le Ragose, Allegrini y Bolla.

## La alianza austro-italiana

Si usted ha viajado mucho por Italia, probablemente se habrá dado cuenta de que no es éste un país de espíritu unificado, sino 20 o más países distintos ligados políticamente. Piense en el Trentino-Alto Adige, por ejemplo. No sólo esta región montañosa (al extremo norte de Italia; vea la figura 11-1) es completamente diferente del resto de la nación, sino que el Alto Adige (o Tirol del sur) en donde se habla sobre todo alemán, en el norte, es completamente diferente del Trentino, al sur, en donde se habla italiano. (Antes de la Primera Guerra Mundial, el Tirol del sur era parte del imperio austro-húngaro.) Los vinos de las dos áreas son también diferentes — ¡y, sin embargo, la región es una sola!

Aunque allí se hace vino tinto, la mayoría se va para Austria. El resto del mundo conoce los vinos blancos del Alto Adige: el Pinot Grigio, el Chardonnay y el Pinot Bianco de precios entre 8 y 15 dólares. Junto con la vecina Friuli, esta región produce los mejores vinos blancos de Italia. Un productor para buscar es Alois Lageder. Su Pinot Bianco de 1993, viñedo Haberlehof, es simplemente sensacional. Es el mejor Pinot Bianco que hemos probado desde el de 1961 hecho por el legendario productor del Alto Adige, Giorgio Grai.

Algunos Chardonnay excelentes vienen del Trentino, y uno de los mejores es el que hacen Pojer y Sandri (de hecho, recomendamos cualquier vino con esa etiqueta). Otro productor del Trentino especializado en vinos tintos de la variedad local, Teroldego Rotaliano, es Elisabetta Foradori. Ensaye su Granato tinto, un vino basado en la Teroldego.

## La esquina nordeste: Friuli-Venezia Giulia

Con justicia, se conoce a Italia, en el mundo del vino, por sus tintos. Pero, en los últimos 20 años, la región de Friuli-Venezia Giulia (vea la figura 11-1), con el productor pionero Mario Schiopetto a la cabeza, ha hecho que el mundo tenga consciencia también de los vinos blancos de Italia.

Cerca de la frontera este de la región, con Eslovenia, los distritos de Collio y Colli Oriental del Friuli producen el mejor vino del Friuli. Existen allí vinos tintos, pero son los blancos los que le han dado su renombre a la región. Además del Pinot Grigio, el Pinot Bianco, el Chardonnay y el Sauvignon, los dos favoritos locales son el Tocai Friulano y el Ribolla Gialla (ambos bastante gustosos, plenos y viscosos).

Un vino blanco admirable, hecho allí, es el Vintage Tunina, de Silvio Jermann, una mezcla de cinco variedades, que incluye Pinot Bianco, Sauvignon y Chardonnay. El Vintage Tunina es un vino blanco gustoso, de cuerpo pleno y larga vida, de clase mundial. Se vende alrededor de los 35 dólares y, francamente, vale su precio. Déle usted a este vino un añejamiento de ocho a diez años y ensáyelo con platos gustosos de aves o con pasta. Además de Jermann se recomienda a estos otros productores en Friuli:

- ✔ Livio Felluga
- ✔ Puiatti
- ✔ Gravner
- ✔ Doro Princic
- ✔ Borgo Conventi
- ✔ Franco Furlan
- ✔ Mario Schiopetto
- ✔ Walter Filiputti
- ✔ Pighin
- ✔ Mario Felluga

# Camafeos del resto de Italia

Los vinos italianos no son sólo los de las regiones que hemos descrito en sus rasgos importantes. Una ojeada rápida de algunas de las otras regiones de Italia prueba el punto. Vea la figura 11-1 para la localización de cada región.

✔ **Lombardía:** Al norte de esta región, cerca de la frontera suiza, el distrito vinícola del Valtellina produce cuatro vinos tintos ligeros de la uva Nebbiolo: el Sassella, el Inferno, el Grumello y el Valgella. Todos estos vinos son poco costosos (menos de 10 dólares) y, a diferencia del Barolo o el Barbaresco, pueden disfrutarse jóvenes.

✔ **Emilia-Romagna:** La cuna del Lambrusco, uno de los vinos italianos más exitosos en el mercado de exportación. Para experimentar un Lambrusco distinto, ensaye uno sin la tapa de rosca si lo puede encontrar. (Probablemente tendrá que ir hasta la Emilia-Romagna para eso, pero no es un viaje perdido. Bolonia y Parma, dos mecas gastronómicas, están en esta región.)

✔ **Marche:** El Verdicchio, un vino blanco seco poco costoso que va bien con el pescado, se consigue muy fácilmente y mejora con cada vendimia.

✔ **Umbría:** La región de Perugia y Asís produce algunos buenos vinos tintos y blancos. El Orvieto, un vino blanco, se consigue con facilidad por menos de 10 dólares, de productores toscanos como Antinori y Ruffino. Dos vinos tintos interesantes son el Torgiano, una mezcla parecida al Chianti (ensaye el Rubesco Riserva DOCG de Lungarotti), y el Sagrantino di Montefalco DOCG, un vino de cuerpo medio, elegante, hecho de la uva de la variedad local (Sagrantino) que ha sido un secreto bien guardado, fuera de Umbria.

✔ **El Lacio:** Esta región de Roma produce el ubicuo y poco costoso Frascati, un vino ligero y neutro de la uva Trebbiano; una marca popular es Fontana Candida.

✔ **Abruzzo:** El Montepulciano d'Abruzzo, un vino tinto muy poco costoso, fácil de tomar, bajo en tanino, bajo en ácido, viene de allí; es un vino estupendo para el diario, si a uno le gusta el estilo.

✔ **Campania:** Allí, cerca de Nápoles, se producen los vinos más serios del sur de Italia. El Taurasi, de cuerpo pleno y tánico, un vino DOCG de la uva Aglianico, es uno de los grandes tintos italianos de larga vida. El productor líder es Mastroberardino; su Taurasi de un solo viñedo, *Radici,* vale la pena de ensayarse. Mastroberardino produce también dos vinos blancos únicos, el Greco di Tufo y el Fiano di Avellino. El Greco es un vino de sabor pleno, viscoso y con una gran capacidad de añejar. Se vende de 15 a 18 dólares. El Fiano tiene una nariz delicada y floral con un sabor de avellanas. Necesita unos cuantos años para desarrollarse, pero puede añejarse 15 años o más. Se vende alrededor de los 35 dólares.

✔ **Basilicata:** La suela de la bota italiana, Basilicata tiene un vino tinto importante, el Aglianico del Vulture. Se parece al Taurasi, pero no es tan intenso y concentrado. D'Angelo es el productor líder.

✔ **Apulia:** Se hace más vino aquí que en cualquier otra región de Italia. Un vino importante es el Salice Salentino, un tinto poco costoso, de cuerpo pleno. Cosimo Taurino es el productor líder.

✔ **Sicilia:** Dos productores notables aquí son Corvo y Regaleali. Éste último hace vinos con uvas cultivadas a mayores altitudes para compensar el clima cálido de Sicilia. El mejor vino tinto de Regaleali se llama Rosso del Conte; también hace un *rosato* (rosé) seco que se vende alrededor de 8 dólares. Corvo es el nombre de marca para los vinos hechos por la fábrica Duca di Salaparuta. Sus vinos corrientes blancos y tintos se venden por menos de 10 dólares y son muy populares en los restaurantes italianos. Pero el Duca Enrico, un vino tinto gustoso, de cuerpo pleno, aterciopelado y concentrado, con un intenso buqué (hecho de la uva local Nero d'Avola) es la estrella de la fábrica. Introducido en 1989, el Duca Enrico ya se estableció internacionalmente como uno de los grandes vinos tintos de Italia. Se vende de 32 a 34 dólares.

# España: flamenco, paella y Rioja

España es un país caliente, seco y montañoso, con más superficie plantada de vides que cualquier otro del mundo. Es tercero en el mundo en producción de vino, después de Italia y Francia.

La imagen del vino de España ha sido la de los vinos poco costosos, pedestres y con sabor a roble — sobre todo tintos. Y esto es cierto en parte. Sin embargo, los vinos españoles han mejorado tremendamente en los años recientes y pueden competir ahora cómodamente en el mercado mundial.

La evolución en la calidad comenzó, en los últimos años del decenio de los cincuenta, en la más famosa región española de vino de mesa, la Rioja. La región de la Ribera del Duero, recientemente descubierta (por el resto del mundo, por lo menos), ha ayudado también a renovar el interés del mundo en vinos españoles distintos del Jerez (vea en el capítulo 14 la sección del Jerez). Y un interesante vino blanco nuevo, el Albariño, se está haciendo ahora en las Rías Baixas, una región de Galicia. Vea la figura 11-2.

**Figura 11-2:**
Las regiones
del vino en
España.

Como en Italia, las leyes españolas del vino establecen dos niveles de categoría QWPSR: *Denominaciones de origen* (DO) y una clasificación más alta, *Denominación de origen calificada* (DOCa), ésta última creada en 1991. Hasta ahora el único DOCa es el vino tinto clásico de España, el Rioja de la región de su nombre. Los vinos que no califican como DO están en la categoría de vinos de mesa, *Vino de la Tierra* (equivalente a la categoría francesa *Vins de Pays*).

# *Dónde crecen las viñas*

Dos regiones de España tienen renombre por sus vinos tintos (la Rioja y la Ribera del Duero), una por tintos y blancos (la región de Penedés), y dos están empezando a conocerse por su vino blanco (las regiones de Rías Baixas y de Rueda).

## *Rioja*

La Rioja, en el centro norte de España (vea la figura 11-2), ha sido históricamente la región vinícola más importante del país (la Ribera del Duero la está alcanzando). La uva principal es la Tempranillo, sin duda la mejor variedad roja de España; pero se permiten otras tres variedades para el Rioja tinto, y el vino es en general una mezcla. La región de la Rioja tiene tres distritos, los más frescos, Rioja Alta y Rioja Alavesa, y el más cálido, Rioja Baja. Los más de los mejores Riojas se hacen con las uvas de los dos distritos más frescos, pero algunos Riojas se hacen de una mezcla de uvas de los tres.

La producción tradicional del Rioja tinto implicaba varios años de añejamiento en pequeños barriles de roble americano, antes de darlo a la venta, lo cual producía vinos pálidos, gentiles, a veces cansados y pesadamente roblizos que carecían de fructuosidad. La tendencia ha sido realizar parte del añejamiento en botellas, y los vinos salen ahora mucho más frescos y mejores que nunca. Al roble americano, que le da al Rioja su sabor característico de vainilla, se agrega a veces roble francés en las bodegas de los productores más progresistas.

Los Riojas tintos tienen varias caras. A veces el vino no se añeja en roble y se da joven al mercado; a veces se añeja (en roble o en la botella) durante dos años en la fábrica y se rotula *crianza;* algunos vinos se añejan tres años y llevan la designación *reserva;* y los vinos más finos se añejan cinco años o más y se ganan la categoría de *gran reserva.*

Las tres cuartas partes del Rioja son tintos, un 15 por ciento, rosado, y un 10 por ciento blanco. Los precios empiezan cerca de los 10 dólares para los tintos de *crianza* y llegan a 25 dólares para algunos de los de *gran reserva.* 1982 y 1989, seguidas de 1981 y 1990, son las mejores vendimias (cosechas) del Rioja.

Los siguientes productores han sido particularmente consistentes en la calidad de sus vinos tintos:

✔ CVNE (Compañía Vinícola del Norte de España)

✔ La Rioja Alta

✔ Muga

✔ Marqués de Murrieta

✔ López de Heredia

La mayoría de los Riojas blancos de estos días son apenas vinos frescos, neutros e inofensivos, pero el Marqués de Murrieta todavía hace un Rioja blanco de color dorado y añejado en roble, de una mezcla de variedades de uvas locales, con predominio de la Viura. Nosotros encontramos el Murrieta blanco completamente fascinante: sabor por montones, voluptuoso, capaz de añejar, con rastros atractivos de oxidación. No le gusta a todo el mundo, ¡pero este vino de seguro tiene carácter! Tiene tanto cuerpo que puede ir con platos que normalmente se asocian con vino tinto, lo mismo que con la comida tradicional española, tal como la paellla o los mariscos. El Murrieta se vende de 14 a 16 dólares.

## Penedés

La región del Penedés está en Cataluña, al sur de Barcelona (vea la figura 11-2). Es la cuna de la mayoría de los espumosos españoles, de los que se habla en el capítulo 13.

Un productor que domina el negocio del vino ligero (vino de mesa) es Torres. La línea de Torres incluye varios vinos hechos de variedades de uvas francesas (Cabernet Sauvignon, Chardonnay y otras) lo mismo que de uvas locales, como la Tempranillo. Todos los vinos de Torres son limpios, bien hechos, de precios razonables y se consiguen fácilmente. Empiezan en 6 y 8 dólares (para los tintos Sangre de Toro y Coronas y para el blanco Viña Sol), mientras que el cabeza de línea, el Gran Coronas Black Label, un Cabernet Sauvignon, se vende de 25 a 30 dólares.

Jean León, dueño del restaurante La Scala en Los Ángeles, hace también un Cabernet Sauvignon y un Chardonnay en el Penedés. Son buenos vinos de larga vida que se venden de 12 a 14 dólares (la fábrica de Jean León fue comprada hace poco por Torres).

## Ribera del Duero

La Ribera del Duero, al norte de Madrid, es la región vinícola de España que crece más rápidamente. Durante muchos años la dominó un productor, el legendario Vega Sicilia. De hecho, el vino más famoso de España es el Unico, de Vega Sicilia (más que nada Tempranillo, con un 20 por ciento de Cabernet Sauvignon) — un vino tinto intenso, concentrado y tánico de enorme longevidad; se añeja diez años en barricas y aun a veces se añeja más en la botella.

El Unico de 1970 no se dio al mercado sino en 1995 (¡sí, se añejó 25 años!). Se vende por un precio de asombro de 150 dólares la botella, pero los coleccionistas se lo rapan aun a ese precio. Este vino oscuro, especiado y complejo necesita todavía algún tiempo para desarrollarse. Dos vinos más simples, más accesibles y menos costosos de Vega Sicilia son el Tinto Valbuena (añejado tres años) y el Valbuena (añejado cinco años).

El Pesquera de Alejandro Fernández, hecho en un 100 por ciento de Tempranillo, ha ido ganando nombre en los círculos del vino. El Pesquera es un vino grande, gustoso y tánico con sabor a roble, y con carácter frutal intenso. El Reserva se vende alrededor de los 25 dólares, y el más joven Pesquera a menos de 20 dólares. Otro productor de tener en cuenta en la

Ribera del Duero es Bodegas Mauro, el cual está haciendo un vino tinto que rivaliza con el Pesquera.

### El Verdejo de Rueda

La región de Rueda, al oeste de la Ribera del Duero, está produciendo uno de los mejores vinos blancos de España, de la uva Verdejo. El vino es limpio, elegante, tiene buen carácter frutal y se vende por módicos 6 a 8 dólares. El productor del Rioja Marqués de Riscal hace uno de los más vendidos y más fáciles de conseguir.

### El vino blanco de Galicia

Galicia, en el noroeste de España, en la costa del Atlántico y vecina de Portugal (vea la figura 11-2) no era una provincia conocida por su vino. Pero de la región de Rías Baixas ha surgido un vino blanco muy interesante, el Albariño. Es un vino de muy alta acidez (y por tanto no del gusto de todo el mundo), una nariz floral y un sabor delicado de albaricoque que se parece al del Condrieu (del valle del Ródano; vea el capítulo 10). Un muy buen ejemplo del Albariño es el que hacen Bodegas Morgadío; se vende alrededor de 17 dólares. Hay Albariños poco costosos, pero no se comparan con el de Morgadío.

# Portugal: más que sólo Oporto

Portugal goza de justa fama por su gran vino de postre, el Oporto (vea el capítulo 14). Y millones de bebedores han gozado los rosés portugueses, medio secos y levemente efervescentes, Mateus y Lancer's. Pero, últimamente, Portugal ha estado modernizando seriamente su producción de vino, y están apareciendo mejores vinos de mesa, en especial tintos. Podemos anticipar que los vinos de buenos precios de Portugal van a tener un papel más importante en los mercados mundiales, a comienzos del próximo siglo.

El más alto rango para los vinos en Portugal es la *Denominação de Origen Controlada* (DOC), que se ha concedido sólo a once regiones vinícolas. El que le sigue, similar al VDQS de Francia (un nivel secundario dentro de la categoría QWPSR), la *Indicação de Proveniência Regulamentada* (IPR), se les ha concedido a 32 regiones (que esperan la DOC). La categoría vino de mesa incluye el *Vinho de Mesa Regional,* equivalente al *Vin de Pays* de Francia. Todos los otros vinos se clasifican simplemente *Vinho de Mesa.*

# El blanco "verde" de Portugal

En muchas tardes cálidas de verano, lo único apropiado es una botella del blanco Vinho Verde frío, levemente efervescente. La alta acidez del Vinho Verde tiene un efecto tonificante y purificador en el paladar. Es un vino especialmente bueno para acompañar el pescado a la parrilla o los mariscos.

La región del Minho, en donde se hace el Vinho Verde, limita con la región española de Rías Baixas. (La región es particularmente verde a causa de la lluvia que viene del Atlántico — es una teoría sobre el nombre del vino.)

En el mercado hay dos niveles de Vinho Verde. Las marcas más comunes (Aveleda y Casal García) se venden de 6 a 7 dólares. Éstos son vinos semisecos de calidad promedio y son mejores fríos. Los Vinhos Verdes más costosos (de 15 a 20 dólares) se hacen de la uva Alvarinho (la misma Albariño de las Rías Baixas). Son una versión más compleja y más duradera del Vinho Verde y son los mejores vinos blancos de Portugal. Infortunadamente, los Vinhos Verdes más caros son más difíciles de encontrar que los baratos; búsquelos en las mejores tiendas de vinos o en las zonas en donde viven portugueses.

Hay también un Vinho Verde tinto — de hecho, la mayoría de los vinos de esa región DOC son tintos. Es un vino de *alta* acidez — se necesita tomarle gusto (lo cual no hemos hecho todavía).

# Vinos tintos portugueses dignos de mención

El mejor vino tinto de Portugal es el *Barca Velha,* que proviene de la región de Douro, donde se hace el Oporto. La casa Ferreira de Oporto hace este vino de las mismas uvas locales que se usan para el Oporto y sólo en los años de buenas vendimias. El Barca Velha es un vino de cuerpo pleno, intenso y concentrado que necesita tiempo para añejar — es la versión portuguesa del Único de Vega Sicilia, pero a un precio mucho más bajo (el de 1985 cuesta 35 dólares). Como el de Vega Sicilia, no se hace mucho, y en consecuencia el Barca Velha es difícil de encontrar.

La buena noticia es que la casa de Oporto Ramos Pinto (hace poco adquirida por Champagne Roederer) está haciendo ahora algunos vinos tintos poco costosos, de alta calidad, que se conseguirán más fácilmente. El *Duas Quintas* de 1992 tiene un sabor maduro y aterciopelado de ciruela; es un vino sorprendentemente gustoso, pero ligero, que puede tomarse inmediatamente y que se vende de 8 a 10 dólares. El *Duas Quintas Reserva* de 1991, de cuerpo pleno, intenso, necesita algunos años para madurar; es un vino sobresaliente a cualquier precio — de 18 a 19 dólares, es una compra maravillosa.

Otros buenos tintos portugueses dignos de buscarse son:

✔ **Quinta do Carmo:** Esta propiedad, situada en el Alentejo, en el sur de Portugal, fue comprada recientemente por los dueños del Château Lafite-Rothschild. Un vino gustoso, de cuerpo pleno, el de 1987 se vende de 15 a 18 dólares.

✔ **Quinta de Pancas:** Hecho de Cabernet Sauvignon y uvas locales, en la región de Alenquer, al norte de Lisboa, este vino bien hecho es como para robárselo a 6 y 7 dólares.

✔ **Quinta de Bacalhôa:** Un vino embotellado en la propiedad, hecho de Cabernet Sauvignon por el estimado productor portugués, Joào Pires, en Azeitão (al sur de Lisboa); el Bacalhôa tiene la elegancia de un Burdeos; el de 1990 se vende de 12 a 13 dólares.

✔ **Tapada do Chaves:** Este impresionante vino, gustoso, de cuerpo pleno, de la región de Portalegre en el oriente de Portugal (cerca del límite con España) es uno de los mejores que hemos probado en Portugal.

✔ **Los vinos tintos de J. M. da Fonseca** (ninguna relación con la casa de Oporto del mismo nombre): Esta firma está produciendo algunos de los mejores vinos tintos de Portugal. Busque el *Quinta da Camarote,* el *Morgado do Reguengo,* el *Garrafeira TE,* y el *Tinto Velho Rosado Fernandes.*

---

## Términos portugueses del vino

Los siguientes términos pueden aparecer en las etiquetas portuguesas de vino:

**Reserva:** Un vino de superior calidad de una vendimia

**Garrafeira:** Un reserva que se ha añejado por lo menos dos años en una barrica y uno en la botella, si es tinto; seis en la botella, si es blanco

**Quinta:** Propiedad o viñedo

**Colheita:** Año de vendimia

**Adega:** Productora de vino

**Vinho:** Vino

# Alemania: la individualista de Europa

Los vinos alemanes marchan al compás de otro tambor. Vienen sobre todo en un solo color: el blanco. Son de estilo frutal, con frecuencia semi-secos o dulces, bajos en alcohol, y raramente pasados por roble — la antítesis del gusto corriente. Sus etiquetas llevan nombres de uva, lo cual es anómalo en Europa. Y su sistema de clasificación no se basa en el AOC francés, como el de la mayoría de los otros vinos europeos.

Alemania es uno de los países productores de vino más nórdicos de Europa — lo que significa que su clima es fresco. Excepto en bolsas de clima más cálido en el sur de Alemania, las uvas rojas no maduran ade-cuadamente (de acuerdo con las normas del resto del mundo); por tanto, cerca del 85 por ciento de la producción alemana es vino blanco. El cli-ma es también incierto de un año a otro, lo cual quiere decir que las vendimias de veras son importantes para los vinos alemanes.

Los mejores terrenos de Alemania para viñedos están situados a la orilla de ríos, como el Rin y el Mosela, que atemperan los extremos del clima y ayudan a las uvas a madurar del todo.

## La Riesling y sus cohortes

En el clima fresco de Alemania la noble uva Riesling encuentra la verda-dera felicidad. Pero la Riesling no madura con éxito y prediciblemente año tras año, sino en los mejores viñedos alemanes. Así, la Riesling no representa sino el 21 por ciento de las plantaciones de vides en Alema-nia.

La variedad de uva que se planta más en toda Alemania es la Müller-Thurgau, un cruce, se dice, entre la Riesling y la Silvaner. La Müller-Thurgau madura pronto y así les calma bastante la ansiedad a sus culti-vadores en la época de cosecha. Sus vinos son más suaves que los Riesling, con menos carácter y poco potencial de grandeza.

Después de la Müller-Thurgau y la Riesling varias uvas contribuyen a las plantaciones alemanas para vinos blancos: Silvaner, Kerner, Scheurebe y Ruländer (Pinot Gris), ésta última la más importante. Entre las uvas rojas de Alemania, la Spätburgunder (Pinot Noir) es la que más se planta, so-bre todo en las partes más cálidas del país.

# Las leyes alemanas del vino: la madurez es la reina

Como la mayoría de los vinos europeos, los alemanes se llaman por su lugar de origen — a menudo una combinación de los nombres de un pueblo y un viñedo, tal como Piesporter (pueblo), Goldtröpfchen (viñedo). A diferencia de la mayoría de los vinos europeos, sin embargo, el nombre de la uva hace parte usualmente de los nombres de los vinos alemanes (como en el Piesporter Goldtröpfchen *Riesling)* y los vinos alemanes más finos tienen aun otro elemento en el nombre — una indicación de la madurez de las uvas, *prädikat* (como en Piesporter Goldtröpfchen Riesling *Spätlese).* Los vinos que llevan un *prädikat* son los de más alto rango en el sistema alemán.

El sistema alemán de asignar el rango más alto a las uvas más maduras está basado en un concepto completamente distinto del que rige en los otros sistemas europeos de denominación, el cual consiste en otorgar la más alta categoría a los mejores viñedos o distritos. El sistema de Alemania subraya las prioridades del cultivo de la uva propias del país: la madurez — no garantizada en un clima frío — es la meta más alta.

Hay seis niveles de *prädikat.* Desde la menor a la máxima madurez, éstas son:

- ✔ Kabinett
- ✔ Spätlese
- ✔ Auslese
- ✔ Beerenauslese
- ✔ Eiswein
- ✔ Trockenbeerenauslese

En los tres primeros niveles de *prädikat,* la cantidad de azúcar en las uvas muy maduras es tan alta, que los vinos son inevitablemente dulces. Mucha gente, por eso, cree erróneamente que el nivel de *prädikat* es una indicación de la dulzura de vino alemán. De hecho, el *prädikat* es una indicación de la cantidad de azúcar de las *uvas en la cosecha,* no de la cantidad de azúcar en el vino resultante. En los niveles más bajos de *prädikat,* el azúcar de las uvas puede fermentarse del todo hasta producir un vino seco y, en esos casos, no hay *correlación directa entre el nivel del prädikat y la dulzura del vino.*

Los vinos cuyas uvas tienen una madurez que les gana un *prädikat,* están en la categoría QmP *(Qualitätswein mit Prädikat),* que se traduce, vinos de calidad con atributos especiales (su madurez). Éstos son vinos QWPSR en los Estados Unidos (vea el capítulo 8). Cuando las uvas de un viñedo particular no llegan a la madurez necesaria para ganarle un *prädikat* al vino, éste puede clasificarse aun como un "vino de calidad", en Alemania el segundo renglón de la categoría QWPSR, llamado QbA *(Qualitätswein bestimmter Anbaugebiet),* que se traduce *vino de calidad de una región especial.* A menudo el término *Qualitätswein* sólo aparece en las etiquetas de los vinos QbA.

Menos del diez por ciento de la producción de vino alemana está en las categorías *Landwein* (vinos de mesa con indicación geográfica) o *Deutscher Tafelwein,* vino de mesa alemán.

# Engañando a la madre naturaleza

Infortunadamente para Alemania, el codificar los niveles de madurez en las leyes no hace nada por cambiar el clima frío de la madre naturaleza. En la realidad, hasta las uvas lo bastante maduras para clasificarse como *kabinett* tienen todavía tan altos niveles de acidez y tan bajos niveles de azúcar que el vino hecho con ellas está destinado a ser muy ligero de cuerpo y agrio — no necesariamente equilibrado o placentero para muchos bebedores de vino.

De algún modo, sin embargo, por el camino los productores alemanes encontraron un modo de reemplazar la madurez que la naturaleza les niega. Al hacer muchos de sus vinos en un estilo medio seco o dulce, cambian su balance y crean vinos que muchos bebedores consideran deliciosos.

En la boca, la acidez contrarresta — y es contrarrestada por — la dulzura y el alcohol. Si un vino blanco tiene mucho alcohol o es muy dulce, su acidez se percibe en grado menor, e incluso un vino con un nivel muy alto de acidez puede tener un gusto relativamente suave.

El modo que se ingeniaron los alemanes para conservar alguna dulzura en sus vinos se llama el método *süssreserve.* Mediante éste, el productor fermenta el vino hasta dejarlo bien seco, terminando con un vino bajo en alcohol y alto en acidez. Antes de la fermentación, sin embargo, guarda una pequeña cantidad de su mosto y no lo fermenta. Más tarde, mezcla este mosto con su vino seco. El mosto sin fermentar (la *süssreserve)* le proporciona al vino su dulzura natural y jugosa.

## El vino más famoso de Alemania

El estilo ligero, fresco de los vinos alemanes los hace particularmente apropiados para la gente que está apenas empezando a gozar del vino. De hecho, un vino alemán ha iniciado a millones de personas en los placeres del vino. Éste es el Liebfraumilch. Este nombre, que se traduce como *leche de la virgen,* viene de un viñedo de Worms, en la región de Rheinhessen, que rodea a una majestuosa iglesia dedicada a Nuestra Señora. El Liebfraumilch es hoy un vino de mezcla de varias variedades de uva, sobre todo Müller-Thurgau con algunas Riesling, Silvaner y/o Kerner. Puede producirse en cuatro regiones vinícolas de Alemania: el Rheinhessen, el Pfalz (en estas dos está la mayor parte de la producción), el Nahe y el Rheingau. Por definición, el Liebfraumilch es un vino semiseco de nivel QbA; usualmente es bajo de alcohol y debe gozarse tan joven como sea posible.

## ¿Seco, semiseco, o gentil?

La mayoría de los vinos alemanes de bajo costo, como el Liebfraumilch, se producen con *süssreserve.* Son de cuerpo ligero, frutales y de una agradable dulzura, y se disfrutan fácilmente sin comida. El término alemán para este estilo de vinos es *lieblich,* que se traduce, gentil — un término poético y exacto.

Mientras los vinos alemanes de estilo gentil se hacen populares en todo el mundo, los consumidores alemanes han empezado a gustar de los más secos, especialmente con las comidas. Los más secos se llaman *trocken.* Los intermedios *halbtrocken.* Estas palabras no siempre aparecen en las etiquetas.

## ¿Qué tiene de noble la podredumbre?

No importa hasta qué punto les guste la sequedad a los consumidores alemanes, sin duda admitirán que los mejores vinos de su país son los dulces. De hecho, los conocedores de todo el mundo reconocen que los vinos alemanes más dulces figuran entre los más grandes de la tierra.

Por raro que parezca, los grandes vinos dulces de Alemania no le deben su dulzura a la *süssreserve* sino más bien a la madre naturaleza que con tanta frecuencia les niega la madurez adecuada a los otros vinos alemanes. Aunque Alemania tiene un clima frío con veranos cortos, los otoños alemanes son largos y a menudo tibios. Cuando las uvas de los mejores lugares se dejan en la viña más tiempo de lo usual, pueden contagiarse del hongo, feo pero mágico, conocido como *botrytis cinerea,* llamado comúnmente *podredumbre noble.*

La podredumbre noble deshidrata los granos, concentrando, en el proceso, su azúcar y sus sabores. Cuando se usan estas uvas contagiadas para la producción de vino, el que producen es dulce, asombrosamente gustoso y de una complejidad indescriptible. Puede ser caro también: ¡100 dólares la botella o más!

Los vinos de los niveles de *prädikat beerenauslese* (abreviado BA) y *trockenbeerenauslese* (TBA) en general se hacen por completo con uvas contagiadas de podredumbre noble (llamadas uvas *botrytizadas)* y son usualmente de textura gustosa y dulces. Los vinos de nivel *auslese* se hacen a menudo con algunas uvas parcialmente botrytizadas y, cuando salen bien, pueden salir dulces aunque nunca al grado de un BA o un TBA.

Otra manera como la naturaleza puede contribuir a la insólita dulzura de los vinos alemanes, es congelando las uvas en la vid, al fin del otoño o a comienzos del invierno. Cuando el cultivador cosecha las uvas congeladas y las prensa, mucha parte del agua de los granos se separa en forma de hielo. El mosto que queda para fermentarse es más concentrado en azúcar y sabor y produce un suculento vino dulce que lleva *prädikat eiswein* (literalmente vino hielo). Los *eisweins* son diferentes de los BAs y los TBAs en que les falta cierto sabor derivado del botrytis, descrito, a veces, como carácter melífluo.

A los vinos botrytizados lo mismo que los *eisweins* se les llama *vinos de cosecha tardía,* no sólo en Alemania sino en todo el mundo, porque su carácter especial viene de condiciones que no se dan sino cuando las uvas se dejan en la viña más allá del término usual de la vendimia.

# *Regiones vinícolas de Alemania*

Con la reunificación de Alemania, el país tiene trece regiones del vino — once en el oeste y dos en el este (vea la figura 11-3).

Las más famosas son la de Mosel-Saar-Ruwer, llamada así por el río Mosela y dos de sus tributarios, a lo largo de los cuales están los viñedos, y la de Rheingau, a lo largo del Rin.

La de Mosel-Saar-Ruwer es una región de gran belleza, con viñedos que crecen en las empinadas laderas del serpenteante Mosela. Los vinos de esa región están entre los más ligeros de Alemania; son en general delicados y encantadores, con frecuencia contienen una pequeña cantidad de dióxido de carbono, lo cual acentúa su frescura y su vivacidad. La Riesling domina la región con el 55 por ciento de las plantaciones, mientras la uva Müller-Thurgau ocupa la mitad del área que la Riesling. Los

REGIONES DEL
VINO DE ALEMANIA

**Figura 11-3:**
Las regiones
del vino de
Alemania.

nombres de lugares de la región de Mosel-Saar-Ruwer que se encuentran más comúnmente en las etiquetas de vino son: *Zell*, *Piesport* y *Bernkastel*. Los vinos de esta región se reconocen inmediatamente porque vienen en botellas verdes y no en las carmelitas que se usan en otros vinos alemanes.

# Un código secreto de nombres alemanes de lugar

Si uno no habla alemán, ni conoce la geografía alemana, de seguro le resulta difícil descifrar los nombres de los vinos. Pero aquí le damos un poco de información que puede ayudar. En alemán, los posesivos se forman agregando el sufijo *er* al nombre. Cuando usted ve nombres como Zeller o Hochheimer — nombres termi-nados en *er* — en una etiqueta de vino, la palabra siguiente es usualmente un área de viñedos que *pertenece* a la comuna o el distri-to que lleva el *er* en su nombre (como Swartze Katz de Zell o Kirchenstück de Hochheim). Sin embargo, todavía usted tiene que aprender lo que significan los *prädikats*.

La de Rheingau es una de las regiones vinícolas más pequeñas de Alema-nia. También tiene viñedos espectacularmente inclinados a la orilla de un río, pero en este caso el río es el más grande de Alemania en cuanto al vino, es el Rin. La uva Riesling ocupa más del 80 por ciento de los viñe-dos y el Rheingau es, de hecho, el origen de los mejores Rieslings — gracias en parte a las laderas que dan al sur, las cuales le dan a la Ries-ling una ventaja extra de madurez. El vino del Rheingau tiende a dos extremos, vinos *trocken* por un lado, y por el otro vinos dulces de cose-cha tardía, *eisweins*.

Hay un grupo apasionado de productores, llamado la Asociación Charta, que lleva la bandera a favor de los Rieslings secos del Rheingau. Sus vinos *trocken* o *halbtrocken* llevan el símbolo de la Charta (un arco do-ble) en las cápsulas y en las etiquetas de atrás de las botellas. Algunos nombres de lugares del Rheingau que pueden encontrarse en las etique-tas son *Hochheim, Rüdesheim, Hattenheim* y *Erbach*.

El Rin le da su nombre a otras tres regiones vinícolas, Rheinhessen, el Pfalz (hasta hace poco llamado Rheinpfalz) y el Mittelrhein. El Rhein-hessen es la región vinícola más grande y produce grandes cantidades de vino simple para el consumo diario. El Liebfraumilch se originó allí, y es uno de los vinos más importantes de la región, hoy día — aunque puede producirse legalmente en otras tres regiones. En el Rheinhessen crecen muchas otras variedades de uvas, con la Müller-Thurgau y la Silvaner a la cabeza de la lista. Muchos de los viñedos de la región se extienden lejos del Rin, pero los vinos de calidad más alta provienen de la Rheinterrasse, un área de viñedos a lo largo del río. Entre los nombres de distrito o de comuna del Rheinhessen están: *Nierstein, Nackenheim* y *Oppenheim*.

Casi tan grande como el Rheinhessen, el Pfalz ha ganado algo más que respeto de los amantes del vino por sus sabrosísimos y generosos vinos blancos y sus muy buenos vinos tintos — todos los cuales deben su estilo al clima relativamente templado de la región. La Müller-Thurgau, Riesling, Silvaner y Kerner figuran entre las variedades de uva más plantadas en el Pfalz, pero la Scheurebe y la Blauburgunder (Pinot Noir) son más importantes en cuanto a calidad. *Wachenheim, Forst* y *Deidesheim* son algunos de los pueblos más conocidos en los mercados de exportación.

La del Mittelrhein es una de las más pequeñas regiones del vino en Alemania y produce más que todo vinos Riesling en las riveras del Rin del norte.

Otras dos regiones importantes son el Nahe (llamada así por el río Nahe, al oeste del Rheinhessen) y Baden, en el extremo sur de Alemania, que goza de un clima más cálido que cualquier otra región del país y produce vinos de cuerpo bastante pleno, como resultado.

# Suiza: vinos que se quedan en casa

Situada entre Alemania, Francia e Italia, Suiza tiene una localización perfectamente lógica para el cultivo de la vid y para hacer buen vino. De hecho, tiene una industria del vino pequeña pero orgullosa: los viñedos adornan las tres caras del país, que hablan francés, alemán e italiano. Pero pocos amantes del vino, fuera de Suiza, tienen muchas oportunidades de probar vinos suizos porque la producción es pequeña y los vinos son muy populares entre los mismos suizos.

Cerca de los dos tercios de los vinos de Suiza son blancos; la mayoría hecha de Chasselas, una uva cultivada con mucha menor distinción en Alemania, el este de Francia, y el Valle del Loira. En Suiza, los vinos Chasselas tienden a ser secos, de cuerpo bastante pleno, y sin roble, con sabores minerales y terrosos. Entre otras uvas blancas están la Pinot Gris, la Sylvaner, la Marsanne, la Petit Arvine y la Amigne — las dos últimas nativas de Suiza. La Merlot es una uva roja que tiene importancia (especialmente en el Ticino, la región de habla italiana) junto con la Gamay y la Pinot Noir.

Como conviene a un país de terreno variado (distintas altitudes, grandes lagos y valles abrigados), numerosos microclimas producen varios estilos de vinos, desde los blancos y tintos de cuerpo relativamente pleno, a los blancos más delicados y firmes.

Entre las principales regiones del vino en Suiza están el Vaud, alrededor del lago de Ginebra; el Valais, hacia el este, a lo largo del Ródano; Neuchatel, en el oeste del país, al norte del Vaud; el Ticino, en el sur, en la frontera con Italia; y el Thurgau, en el norte, en la frontera con Alemania.

Cuando sí se encuentra una botella de vino suizo, uno puede sorprenderse al descubrir que es costoso — de 15 dólares para arriba en los Estados Unidos, lo cual refleja los altos costos de producción. Si compra una botella de vino blanco suizo, en Suiza, también se puede sorprender con la tapa de rosca — una de las contribuciones de Suiza al arte de disfrutar del vino, si se tiene en cuenta la mala imagen de los vinos de tapa de rosca.

# Austria: una nueva dirección en calidad

Austria produce tres veces más vino que Suiza, pero ese vino no proviene de las regiones fronterizas con Suiza, Alemania o Italia. Sólo en el este de Austria, en donde los Alpes son apenas colinas, los viñedos decoran el paisaje.

En otra época proveedora de vinos baratos a granel para otros países, la industria del vino en Austria se ha transformado en los últimos diez años y muestra una cara nueva: jóvenes y dedicados productores de vino, propiedades privadas que embotellan su propio vino, y vinos secos de calidad para un mercado mundial consciente de ésta. La presencia austriaca relativamente pequeña en Norteamérica deberá crecer en consecuencia.

La relación de vinos blancos a tintos en Austria es de 80 a 20. Los tintos se producen sobre todo en la región de Burgenland en la frontera con Hungría, una de las partes más cálidas del país. Los vinos tintos son de cuerpo medio a pleno, a menudo gratamente especiados con tanino moderado y vivamente frutales. Muchos de los tintos se basan en variedades poco usuales de uvas, tales como la Blauer Zweigelt, que raramente se encuentra en otras partes.

Los vinos blancos austriacos son de dos clases: blancos secos y firmes que van de ligeros a plenos de cuerpo, y blancos lozanos de cosecha tardía, hechos de uvas botrytizadas o extremadamente maduras. Mientras que la excelencia de los vinos austriacos blancos y dulces se ha reconocido desde hace mucho tiempo, los blancos secos y los tintos apenas comienzan a tener nombre.

La variedad de uva más importante del país es la Gruner Veltliner blanca, que Austria puede reclamar como suya propia. Sus vinos son de cuerpo pleno pero firmes, con sabores vegetales y a veces especiados (especialmente a pimienta verde). La Müller-Thurgau y la Welschriesling están empatadas en el segundo lugar de los cultivos. La uva Welschriesling, muy popular en Europa del este para vinos poco costosos comerciales, alcanza su máxima calidad en Austria.

De las cuatro regiones vinícolas austriacas, la de la Baja Austria, en el norte, produce la mayor cantidad, sobre todo a lo largo de la planicie del Danubio. Burgenland, en el este, está en segundo lugar; Styria, una región sureña en la frontera con Eslovenia, y la pequeña región de Viena, son las otras dos.

Las leyes sobre vinos de Austria se basan en el sistema alemán, con el vino QWPSR dividido en dos categorías, *Qualitätswein* y *Prädikatwein*. Los niveles de *prädikat* son los mismos que en Alemania, excepto que los *Prädikatswein* empiezan con el *spätlese* (el vino *kabinett* queda entre el grupo *Qualitätswein*). La madurez mínima requerida para cada nivel es también más alta en Austria que en Alemania, y los vinos son más altos de alcohol.

En algunas partes de Austria, por ejemplo en el distrito de Wachau de la Baja Austria, los vinos se llaman por el sistema alemán — el nombre de un pueblo con la terminación *er* seguido del nombre de un viñedo y de una variedad de uva — mientras que en otras partes, como en Burgenland, los vinos, en general, reciben su nombre del de una uva seguido por el nombre de la región.

## Diez vinos blancos que se debieran probar al menos una vez

| Vino | Variedad de uva | País de origen | Precio aproximado |
| --- | --- | --- | --- |
| 1. Chablis'92/'93 (R. & V. Dauvissat) | Chardonnay | Francia (Chablis) | $15 a $16 Premier Cru, $20 a $25 |
| 2. Domaine de Pouy (importador, R. Kacher) (vendimia más reciente) | Ugni Blanc (Gascony) | Francia | $4 a $5 |
| 3. Chardonnay, '92/'93 (Kistler Vineyards) | Chardonnay | U.S. - California (Sonoma) | $25 a $35 (Dutton, McCrea, o Kistler) |
| Chardonnay, '92/'93 (Long Vineyards) | Chardonnay | U.S. California (Napa) | $25 a $30 |

| Vino | Variedad de uva | País de origen | Precio aproximado |
|---|---|---|---|
| 4. Sauvignon Blanc, '93 (Peter Michael) | Sauvignon Blanc | U.S. - California (Napa - Howell Mt.) | $16 a $18 |
| Fumé Blanc Reserve, '93 (Robert Mondavi) | Sauvignon Blanc Semillon | U.S. - California (Napa) | $16 a $18 |
| 5. Pinot Gris, '91/'92 (Eyrie Vineyards) | Pinot Gris | U.S. - Oregón | $14 a $15 |
| Pinot Gris, '94 (Rex Hill Winery) | Pinot Gris | U.S. - Oregón (Willamette Valley) | $12 a $14 |
| 6. Tocai Friulano, '93 (Livio Felluga) | Tocai Friulano | Italia (Friuli - Collio) | $15 a $16 |
| 7. Sauvignon Blanc (Cloudy Bay) | Sauvignon Blanc | Nueva Zelanda (Marlborough) | $16 a $18 |
| 8. Albariño, '94 (Bodegas Morgadío) | Albariño | España (Galicia - Rías Baixas) | $17 a $18 |
| 9. Chassagne-Montrachet, '92 (Niellon) | Chardonnay | Francia (Borgoña) | $25 a $27 Premier Cru $32 a $33 |
| 10. Meursault, '92 (Verget) | Chardonnay | Francia (Borgoña) | $25 a $35 varios Premier Cru |
| Saint Véran, '92/'93 (Verget) | Chardonnay | Francia (Borgoña) | $12 a $14 |
| Otros vinos: | | | |
| Viognier, '92/'93 (Calera) | Viognier | U.S. - California (San Benito - Mt. Harlan) | $23 a $24 |
| Viognier, '92/'93 (Alban Vineyards) | Viognier | U.S. - California San Luis Obispo - Edna Valley | $16 a $18 |

# Capítulo 12

# El valiente Nuevo Mundo del vino

• • • • • • • • • • • • • • • • • • • • • • • • • • • • • • • • • • • • • • • • • • • • •

## En este capítulo

▶ Viejo Mundo, Nuevo Mundo

▶ California llega a la mayoría de edad

▶ No es cerveza lo que están tomando Allá Abajo

▶ Buenas compras de Sudamérica

▶ Nuevos comienzos en Sudáfrica

• • • • • • • • • • • • • • • • • • • • • • • • • • • • • • • • • • • • • • • • • • • • • •

¿Qué tienen en común los vinos de Norteamérica, Sudamérica, África y Australia? Que no se producen en Europa. De hecho, puede decirse que son los vinos "No Europa".

El nombre que se usa más frecuentemente para No Europa es el *Nuevo Mundo*. Sin duda esta locución, con su eco de colonialismo, la acuñó un europeo. Europa, la cuna de todas las regiones clásicas del vino en el mundo, productora de más de la mitad del vino del mundo, es el Viejo Mundo. Todo lo demás es *nouveau riche*.

Cuando oímos por primera vez la expresión *Nuevo Mundo* aplicada a los vinos, pensamos que era absurda. ¿Cómo se puede atar en un paquete regiones vinícolas tan remotas como el valle de Napa, los lagos Finger, Coonawarra y Santiago? (Es como decir que Tailandia, los Estados Unidos y Liechtenstein son lo mismo porque son países.)

Pero luego empezamos a pensar sobre esto. En Europa han estado haciendo vinos durante cientos de años. En qué laderas se debe plantar, qué uvas deben cultivarse en qué lugares, qué tan seco o dulce debe ser un vino particular — estas decisiones las tomaron hace mucho tiempo, los abuelos y los tatara-tatarabuelos de los productores de vino actuales. En la No Europa el juego del cultivo de la uva y de la producción del vino está ampliamente abierto; todo productor llega a decidir por sí mismo dónde cultiva las uvas, qué variedad siembra, y qué estilo de vino hace. Los vinos del Nuevo Mundo tienen eso en común.

Mientras más lo pensamos, más similitudes encontramos entre las regiones del vino en el Nuevo Mundo, comparados con Europa. Finalmente, concluimos que el Nuevo Mundo es una entidad productora de vino cuya realidad legislativa, cuyo espíritu y estilo de producción son totalmente diferentes de los del Viejo Mundo, hasta donde lo permite la generalización.

Podríamos llenar fácilmente 400 páginas sobre los vinos de los Estados Unidos, Canadá, Sudamérica, Australia, Nueva Zelanda y Sudáfrica solamente, si tuviéramos espacio. Por fortuna, es fácil explorar los vinos del Nuevo Mundo sin necesidad de un mapa de caminos detallado: En el Nuevo Mundo, hay poca tradición codificada por descifrar, y muy poco fondo histórico contra el cual se necesite apreciar los vinos. Pensemos en los vinos del Nuevo Mundo como en el arte moderno; se puede así acercárseles y gozar de ellos por su valor en sí, sin haber estudiado jamás historia del arte. Así se entienden mejor.

# América, América

Aunque en el último siglo se ha producido algo de vino comercialmente, la industria del vino en los Estados Unidos no llegó a sus grandes proporciones sino en la generación pasada. La prohibición, de 1920 a 1933, la Gran Depresión y la Segunda Guerra Mundial fueron golpes muy serios para el negocio del vino, y la recuperación fue lenta.

Desde el decenio de 1930 hasta el de 1960, los vinos que se producían en los Estados Unidos eran más que todo vinos dulces, fortificados y *vinos de jarra* (vinos genéricos baratos; vea el capítulo 7), muchos del caliente valle central de California y de la gigantesca fábrica Gallo. Los vinos de jarra y sus parientes jóvenes, los bolsa en caja, son todavía una parte importante de las ventas de vino en los Estados Unidos, pero un cambio básico se ha producido en los últimos 25 o 30 años. Y una vez que uno supera los vinos de jarra, no hay marcha atrás.

En 1970 empezó la fiebre del vino en California. Antes de ese año, existían sólo unas pocas fábricas en el estado; hoy día, California tiene más de 800 fábricas de vino garantizadas (sobre todo, pequeñas operaciones de familia) — y las cifras crecen.

El crecimiento de California ha estimulado el interés en el vino en todo el

## Lo viejo y lo nuevo

En términos de vino, el Nuevo Mundo no es sólo una geografía sino una actitud. Algunos productores europeos miran el vino de la manera liberada del Nuevo Mundo, y algunos productores de California son, ciertamente, tradicionalistas dedicados al modo del Viejo Mundo. Recuerde esto mientras ojea la siguiente comparación entre lo viejo y lo nuevo. Y piense que estamos generalizando — y que las generalizaciones nunca son ciertas.

| Nuevo Mundo | Viejo Mundo |
|---|---|
| Innovación | Tradición |
| Vinos llamados por sus variedades de uva | Vinos llamados por su región de producción |
| La meta de la producción es la expresión de la fruta | La meta de la producción es la expresión del *terroir* |
| Se reverencia la tecnología | Se prefieren los viejos métodos |
| Vinos frutales llenos de sabor | Vinos sutiles, menos frutales |
| Las regiones para el cultivo de la uva son amplias y flexibles | Las regiones para el cultivo de la uva son pequeñas y fijas |
| Producción de vino como una ciencia | Producción de vino como un arte |
| Si un proceso productivo de vino puede controlarse, contrólelo | Intervenga lo menos posible |
| El productor recibe el crédito por el vino | El viñedo recibe el crédito |

país. Hoy existen fábricas de vino en 43 de los 50 estados de la Unión. Pero la producción del vino no es una industria importante sino en cuatro: California (el mayor productor, por mucho), Washington, Oregón y Nueva York. Los Estados Unidos ocupan ahora el cuarto lugar en la producción mundial de vino — aunque a buena distancia de Italia, Francia y España.

## Maneras desarrolladas en casa

Los vinos de los Estados Unidos — especialmente de California — son la esencia del pensamiento del Nuevo Mundo sobre vino. Los productores operan libremente, plantan la variedad de uva que desean en dondequiera que deseen. Mezclan, como quieren, vinos de distintas regiones. (Mezclar entre estados es más complicado a causa de las leyes federales.)

Los vinos de los Estados Unidos han elevado las variedades de uva al estrellato. Hasta el momento en que California empezó a denominar sus vinos por las uvas, Cabernet y Chardonnay eran apenas ingredientes de los grandes vinos detrás de bambalinas — pero hoy *son* el vino. Para que nadie piense que todos los vinos de una uva particular son lo mismo, sin embargo, los productores de vino han surgido como celebridades que ponen su toque personal en los mejores vinos. En el escenario de California, la tierra — el *terroir* — es secundaria.

Los productores norteamericanos han hecho una aliada de la tecnología en sus esfuerzos por crear vinos con sabor frutal. Las dos universidades importantes para la producción de vino en California — la de California (U.C.) y la de Fresno, y en especial la de U.C. Davis — se han convertido en líderes mundiales en el estudio científico del vino. Incluso los productores europeos de vino hacen su peregrinaje a California para estudiar en la U.C. Davis.

## *Jugar con sus propias reglas*

Sí existe un sistema de apelación de los vinos en los Estados Unidos, y como el modelo clásico francés, define las regiones de donde se hace el vino. Pero el sistema de las Áreas Viticulturales Americanas (AVAs) sólo establece los límites geográficos de las zonas del vino; no define qué variedades pueden plantarse, ni el rendimiento máximo de uvas por acre (vea en el capítulo 3 "Lenguaje del cultivo de la uva"), ni ninguna que vincule la geografía con un estilo de vino. Los nombres AVA, los de las regiones de producción, en consecuencia, tienen importancia secundaria después del nombre de la uva.

Los vinos que llevan en la etiqueta el nombre de una variedad de uva, en los Estados Unidos, deben estar hechos, por lo menos en un 75 por ciento, de esa variedad, de acuerdo con la ley federal. Los vinos con indicación AVA deben derivarse en un 85 por ciento de uvas de esa AVA. Los vinos con años de vendimia deben estar hechos por lo menos en un 95 por ciento con la vendimia mencionada.

## *California, USA*

Cuando se piensa en vino norteamericano, se piensa en California. No es de asombrarse — California produce el 96 por ciento del vino de los Estados Unidos.

La empresa Gallo de California es, con mucho, la mayor — produce una

## Un bufé de AVAs

Los productores a menudo se abstienen de usar una designación más reducida y específica de AVA para ampliar sus opciones al comprar uvas y vino. Una fábrica en Alexander Valley, en el condado de Sonoma, por ejemplo, puede usar, más bien, el AVA *Sonoma County,* que es más amplio, si compra uvas (o tiene viñedos) en otras áreas del condado. Podría usar el AVA *North Coast* mayor, si mezcla vinos de los condados vecinos, como Napa. Y si su meta es el precio bajo, puede usar el AVA *California,* todavía más amplio, para poder comprar las uvas menos caras de los viñedos industriales del valle de San Joaquín o de otras partes del estado. (Esta práctica no se da en áreas vitícolas más pequeñas, como el sur de Pensilvania, en donde hay pocas fuentes alternativas de uvas.) A tiempo que se admira la especificidad de lugar, hacer buen vino a buen precio mediante la mezcla de distintos lugares es algo que también se admira. Depende de los gustos.

El modo americano de hacer vino, tradicional o no, les cae bien a los bebedores de los Estados Unidos: los vinos del país son el 75 por ciento de las ventas totales en los Estados Unidos.

de cada cuatro botellas del vino que se venden en los Estados Unidos. Si Gallo fuera un país por separado, quedaría en el lugar 13 o 14 del mundo, con una producción más o menos equivalente a la de Chile, si no mayor.

Sin embargo, fue la fábrica de Robert Mondavi la que estimuló la producción de vino fino en los Estados Unidos. Cuando Robert Mondavi abandonó la empresa de su familia (Charles Krug Winery) en 1966, para iniciar su propia empresa dedicada a los vinos *premium,* su cambio fue el símbolo del comienzo de una época de atención a la mejor calidad de los vinos en los Estados Unidos. Estos vinos de mejor calidad llevarían nombres derivados de las variedades Cabernet Sauvignon, Chardonnay, etc. — una reacción contra los vinos innominados de jarra, con etiquetas prestadas de las regiones europeas del vino, tales como Borgoña y Chablis. Hoy, hasta Gallo está muy metido en el negocio del vino de variedades de uva.

# Las regiones del vino fino de California

En la soleada California no faltan regiones cálidas para cultivar vides. El reto para la producción de vino fino es encontrar áreas lo bastante frescas, con suelo lo bastante pobre, para que las uvas no maduren demasiado pronto, con demasiada facilidad, sin sabor plenamente desarrollado (vea "Lenguaje del cultivo de la uva" en el capítulo 3). La proximidad a la Costa Pacífica y/o la altitud son factores importantes del clima en California — más que la latitud. Los vinos *premium* se hacen, por tanto, casi a todo lo largo del estado.

Entre las regiones y distritos más importantes para el vino fino están las siguientes (vea la figura 12-1):

✔ **Región de la Costa Norte (AVA Costa Norte):**

>Valle de Napa
>
>Valle de Sonoma
>
>Condados de Mendocino y Lake

✔ **Región de la Costa Centro-norte:**

>Valles de Livermore y Santa Clara
>
>Montañas de Santa Cruz
>
>Condado de Monterrey

✔ **Región del piedemonte de Sierra**

✔ **Región Centro-sur de la Costa**

>Condado de San Luis Obispo
>
>Condado de Santa Bárbara

Los cambios de clima de un año a otro son mucho menos bruscos en California que en la mayoría de las regiones vinícolas europeas. Una razón importante es que no llueve en la época en que crecen las vides. (La lluvia a destiempo es la causa usual de las malas vendimias de Europa.) Mediante la irrigación, los cultivadores controlan la lluvia ellos mismos. Irónicamente, un factor que puede causar variaciones en las vendimias es la falta de agua para la irrigación, la sequía.

A los amantes del vino interesados en las distinciones sutiles de calidad, les encantaría saber que California ha gozado de una racha asombrosa de cinco vendimias excelentes, de 1990 a 1994 (1990 y 1991 las mejores para vinos tintos, 1990, 1992 y 1993 para vinos blancos). Así mismo, 1984, 1985 y 1987 fueron buenas vendimias para vino tinto, mientras que 1986 fue muy buena para vino blanco.

**Figura 12-1:**
Las regiones
del vino en
California.

# El valle de Napa: la región del vino más famosa de los Estados Unidos

El valle de Napa está a noventa minutos en auto de la bella ciudad de la bahía de San Francisco. Muchas de las fábricas más prestigiosas de California — y ciertamente las tierras de viñedos más caras — están en el pequeño valle de Napa, en donde más de 200 productores se las han arreglado para encontrar espacio. (En 1960, sólo había 10 productores de vino.) El tamaño de la región es mucho menor que su fama: Napa produce sólo el 5 por ciento de las uvas de California.

La parte sur del valle, afectada por las brisas del océano y las neblinas de la bahía de San Pablo, es el área más fría, especialmente en el distrito de Carneros. Carneros — que se extiende hacia el oeste hasta el condado de Sonoma — se ha convertido en el área preferida para las uvas a las que les conviene el clima fresco: Chardonnay, Pinot Noir, y las uvas para los vinos espumosos. Al norte, hacia Calistoga — lejos de la influencia de la bahía — el clima es bien caliente (pero siempre con noches frescas).

En el suelo del valle de Napa están muchas de las fábricas y los viñedos. Hay algunos también en las montañas hacia el oeste (montes Mayacamas), y algunos en las montañas hacia el este (montes Howell). Los cultivadores y los fabricantes de Napa han establecido ocho AVAs además del AVA amplio del valle de Napa y del AVA Carneros, que comparten Napa y Sonoma. Estos ocho son:

✔ Spring Mountain y Mt. Veeder (ambos en las montañas del oeste)

✔ Howell Mountain, Stags Leap District, Atlas Peak (todas áreas de colinas o montes), y Wild Horse Valley, todos en la parte este de Napa.

✔ Rutherford y Oakville, en el fondo del valle

# De 4 a 40 dólares

Se puede encontrar Chardonnays y Cabernets de California a precios tan bajos como 4 dólares la botella. Los vinos mejores valen de 12 a 20 dólares, sin embargo. Los *reservas, un solo viñedo* y *selección especial* cuestan, en general, de 20 a 40 dólares y más.

La mayoría de los Pinot Noirs y de los Merlots empiezan cerca de los $15 dólares y pueden llegar hasta los 30 dólares (algunos hasta más).

Los Sauvignon Blancs — algo menos demandados — son las mejores compras entre los vinos *premium* de California. Se puede encontrar muchos buenos por menos de 10 dólares, aunque algunos llegan a 15 dólares. Los Zinfandels tintos siguen siendo una ganga, pero sus precios se están trepando a medida que se vuelven populares. Se puede encontrar aun muchos Zinfandels de 10 a 15 dólares, aunque unos cuantos Zinfandels *premium* llegan hasta los 20 dólares. Si le gustan los Zinfandels blancos puede ahorrar un buen poco; están en la escala de 4 a 6 dólares.

Las palabras *reserve, selección especial, reserva del vinatero, clásico,* etc. no tienen definición legal en los Estados Unidos. Aunque muchos productores de vinos *premium* usan alguno de estos términos para indicar sus vinos especiales o sus mejores vinos, la mayoría de las firmas más grandes usan los mismos términos en vinos de bajo costo como arma de marketing (vea la sección "Reserve" en el capítulo 8).

# Las uvas de Napa

Casi todo el que hace vino de mesa, en Napa, hace un Cabernet Sauvignon y un Chardonnay, y varios están haciendo también Merlot. El Merlot, más suave, menos tánico, y más accesible que el Cabernet Sauvignon se ha vuelto el gran nuevo vino tinto en los Estados Unidos, especialmente para los consumidores que apenas se inician en el vino tinto.

Los seis vinos más importantes de Napa son los dos blancos, Chardonnay y Sauvignon Blanc (a menudo llamado Fumé Blanc), y los cuatro tintos, Cabernet Sauvignon, Merlot, Pinot Noir (principalmente de la fresca Carneros), y Zinfandel. Pero los vinos mezclados se han vuelto cada vez más importantes en los últimos diez años. Si son tintos, las mezclas se hacen usualmente con variedades rojas de Burdeos (Cabernet Sauvignon, Cabernet Franc, Merlot, y a veces hasta Malbec y Petit Verdot). Si son blancos, se hacen usualmente de uvas blancas de Burdeos (Sauvignon Blanc y Sémillon). Algunas de estas mezclas se llaman vinos Meritage — no sólo en Napa, sino en todos los Estados Unidos — aunque pocos llevan la palabra Meritage en la etiqueta.

# Quién es quién en Napa (y para qué)

¿Si casi toda fábrica hace un Chardonnay y un Cabernet, cómo se distinguen uno de otro? La respuesta no es fácil. La siguiente lista indica algunos de los mejores productores de vinos de mesa en el valle de Napa, lo mismo que sus mejores vinos, y puede orientarlo a usted en la dirección correcta. ¡Sabemos que la lista parece abrumadora, pero qué le hacemos, así es Napa!

Nuesta lista incluye clásicos de Napa lo mismo que algunos de nuestros favoritos personales. Los productores de vinos espumosos figuran en "California" en el capítulo 13.

- ✔ **Atlas Peak Vineyards:** Sangiovese
- ✔ **Beaulieu Vineyards:** Cabernet Sauvignon Private Reserve (Georges de Latour)
- ✔ **Beringer Vineyards:** Cabernet Sauvignon Private Reserve, Chardonnay Reserves
- ✔ **Burgess Cellars:** Zinfandel
- ✔ **Cain Cellars:** Cain Five (mezcla de cinco variedades de Burdeos)
- ✔ **Cakebread Cellars:** Cabernet Sauvignon, Sauvignon Blanc

✔ **Carneros Creek:** Pinot Noir (especialmente Signature Reserve)

✔ **Caymus Vineyard:** Cabernet Sauvignon (especialmente *Special Selection*)

✔ **Chappellet:** Chenin Blanc, Cabernet Sauvignon

✔ **Château Montelena:** Cabernet Sauvignon, Chardonnay, Zinfandel

✔ **Château Woltner:** Chardonnay

✔ **Clos du Val:** Cabernet Sauvignon, Merlot, Sémillon

✔ **Dalla Valle:** Cabernet Sauvignon, Maya (mezcla de Cabernet Franc/ Cab Sauvignon)

✔ **Dominus:** Dominus (principalmente Cabernet Sauvignon)

✔ **Duckhorn:** Merlot (especialmente Three Palms Vineyard), Cabernet Sauvignon, Sauvignon Blanc

✔ **Dunn Vineyards:** Cabernet Sauvignon (especialmente Howell Mountain)

✔ **Étude:** Pinot Noir, Cabernet Sauvignon

✔ **Far Niente:** Chardonnay, Cabernet Sauvignon

✔ **Flora Springs:** Soliloquy (Sauvignon Blanc), Trilogía (Cab Sauvignon, Merlot, Cab Franc)

✔ **Forman Vineyards:** Chardonnay, Cabernet Sauvignon

✔ **Franciscan Vineyards:** Chardonnay, Merlot, Cabernet Sauvignon

✔ **Freemark Abbey:** Cabernet Sauvignon (Bosché y Sycamore Vineyards), Chardonnay

✔ **Frog's Leap Winery:** Zinfandel, Sauvignon Blanc, Cabernet Sauvignon, Chardonnay

✔ **Grace Family Vineyards:** Cabernet Sauvignon (pequeña producción; sólo por correo; vea el capítulo 16)

✔ **Green and Red Vineyard:** Zinfandel

✔ **Grgich Hills Cellar:** Chardonnay, Cabernet Sauvignon, Zinfandel, Fumé Blanc

✔ **Groth Vineyards:** Cabernet Sauvignon, Chardonnay

✔ **Harrison Vineyards:** Cabernet Sauvignon, Chardonnay

✔ **Heitz Wine Cellars:** Cabernet Sauvignon (Martha's/Bella Oaks vineyards), Grignolino

✔ **Hess Collection Winery:** Cabernet Sauvignon, Chardonnay

✔ **La Jota Vineyard:** Cabernet Sauvignon, Viognier

✔ **Lamborn Family Vineyards:** Zinfandel

✔ **Long Vineyards:** Chardonnay

✔ **Markham Vineyards:** Chardonnay, Cabernet Sauvignon, Merlot

✔ **Mayacamas Vineyards:** Cabernet Sauvignon, Chardonnay

✔ **Merryvale Vineyards:** Cabernet Sauvignon, Merlot

✔ **Robert Mondavi:** Cabernet Sauvignon, Pinot Noir, Fumé Blanc (especialmente los Reserves)

✔ **Monticello Cellars:** Cabernet Sauvignon (Corley Reserve, Jefferson Cuvée)

✔ **Newton Vineyard:** Cabernet Sauvignon, Merlot

✔ **Niebaum-Coppola Estate:** Rubicon (principalmente Cabernet Sauvignon), Zinfandel

✔ **Opus One:** Opus One (principalmente Cabernet Sauvignon)

✔ **Pahlmeyer Winery:** Caldwell Vineyard (principalmente Cabernet Sauvignon)

✔ **Joseph Phelps Vineyards:** Cabernet Sauvignon Backus, (también el Insignia de base Cabernet)

✔ **Pine Ridge Winery:** Cabernet Sauvignon

✔ **Kent Rasmussen Winery:** Pinot Noir

✔ **Raymond Vineyard:** Cabernet Sauvignon

✔ **St. Clement Vineyards:** Chardonnay, Cabernet Sauvignon, Sauvignon Blanc

✔ **Saintsbury:** Pinot Noir (especialmente Carneros y Reserve), Chardonnay Reserve

✔ **Shafer Vineyards:** Cabernet Sauvignon (especialmente Hillside Select), Merlot

✔ **Silver Oak Cellars:** Cabernet Sauvignon

✔ **Silverado Vineyards:** Cabernet Sauvignon, Merlot

✔ **Robert Sinskey Vineyards:** Merlot, Carneros Claret (principalmente Merlot)

✔ **Smith-Madrone:** Riesling, Chardonnay

✔ **Spottswoode Winery:** Cabernet Sauvignon

✔ **Stag's Leap Wine Cellars:** Cask 23 (mezcla de Cabernet), Cabernet Sauvignon (SLV), Chardonnay, Riesling

✔ **Sterling Vineyards:** Cabernet Sauvignon (Diamond Mt.), Chardon-nay (Winery Lake)

✔ **Stony Hill Vineyard:** Chardonnay, Riesling

✔ **Storybook Mountain:** Zinfandel

✔ **Swanson Vineyards:** Cabernet Sauvignon, Chardonnay

✔ **Philip Togni Vineyard:** Cabernet Sauvignon, Sauvignon Blanc

✔ **Trefethen Vineyards:** Cabernet Sauvignon, Chardonnay, Riesling seco

✔ **Turnbull Vineyards** (antes Johnson Turnbull): Cabernet Sauvignon

✔ **Whitehall Lane Winery:** Cabernet Sauvignon (especialmente Single-Vineyard Reserve), Merlot

✔ **Z D Winery:** Chardonnay, Cabernet Sauvignon (propiedad)

## El diverso terreno de Sonoma

Si se sale de San Francisco por el hermoso puente Golden Gate, se llega a Sonoma en una hora. Las diferencias entre Napa y Sonoma son marca-das. Mientras que muchas de las productoras de Napa son ostentosas (y a las claras lujosas), la mayoría de las de Sonoma son rústicas y modes-tas. Los millonarios compraron en Napa; en Sonoma está la gente senci-lla.

Por otra parte, Sonoma *es* la cuna de las conocidas y exitosas fábricas de Sebastiani, Glen Ellen, Korbel, Jordan y Simi — ¡que no son nada peque-ñas! Y Gallo está entrando en Sonoma con una gran operación. Tenemos la sospecha de que si se visita Sonoma dentro de 15 o 20 años se parece-rá mucho a Napa. Pero ojalá no sea así; nos gusta como es.

Sonoma es mayor que Napa y más extendida. Su clima es similar al de Napa, excepto que algunas áreas cercanas a la costa son definitivamente más frescas. Aunque en Sonoma hay muchas Chardonnay, Cabernet Sauvignon y Merlot, los variados microclimas de la región y los terrenos han permitido que otras tres variedades sobresalgan — Pinot Noir, Zin-fandel y Sauvignon Blanc.

Las áreas viticultoras (AVAs) del condado de Sonoma y sus principales variedades de uvas (y vinos) son las siguientes:

✔ **Sonoma Valley:** Chardonnay (en menor grado, Pinot Noir, Cabernet Sauvignon, Zinfandel)

✔ **Sonoma Mountain:** Cabernet Sauvignon

✔ **Russian River Valley:** Pinot Noir, Chardonnay, vino espumoso, Zinfandel

✔ **Sonoma-Green Valley** (dentro de Russian River Valley): Vino espumoso, Chardonnay

✔ **Chalk Hill** (dentro de Russian River Valley): Chardonnay, Sauvignon Blanc

✔ **Dry Creek Valley:** Zinfandel, Cabernet Sauvignon

✔ **Alexander Valley:** Cabernet Sauvignon, Chardonnay, Sauvignon Blanc

✔ **Knights Valley:** Cabernet Sauvignon, Sauvignon Blanc

El condado de Sonoma tiene otras dos AVAs: Northern Sonoma, un área como una colcha de retazos que comprende Russian River Valley, Alexander Valley, Dry Creek Valley y Knight's Valley; y Sonoma Coast, un baturrillo de tierras, en el oeste de Sonoma a lo largo de la costa.

Los amantes de la Pinot Noir deberían buscar los vinos de productores de Russian River Valley, como Williams and Selyem, Rochioli, Gary Farrell y Dehlinger. Estamos de acuerdo con muchos críticos de vino que dicen que Russian River Valley es la fuente de algunos de los mejores Pinot Noir de todo el Nuevo Mundo.

## *Productores y vinos de Sonoma recomendados*

La siguiente es una lista de algunos de los mejores productores de Sonoma junto con sus vinos, en orden alfabético. Es *un poco* menos asombrosa que la lista de Napa.

✔ **Alexander Valley Vineyards:** Cabernet Sauvignon, Merlot

✔ **Arrowood Vineyards:** Chardonnay, Cabernet Sauvignon, Late Harvest Riesling

✔ **David Bynum Winery:** Pinot Noir, Zinfandel, Merlot

✔ **Carmenet Vineyard:** Meritage (principalmente Cabernet Sauvignon)

✔ **Chalk Hill Winery:** Sauvignon Blanc, Chardonnay

✔ **Château Souverain:** Cabernet Sauvignon, Merlot, Chardonnay, Zinfandel

✔ **Cline Cellars:** Oakley Cuvée (mezcla de Rhône), Zinfandel

✔ **Clos du Bois:** Chardonnay, Cabernet Sauvignon, Maristone (mezcla de base Cabernet)

✔ **Dehlinger Winery:** Pinot Noir, Chardonnay

✔ **De Loach Vineyards:** Chardonnay, Gewürztraminer, Zinfandel

✔ **Dry Creek Vineyards:** Fumé Blanc, Cabernet Sauvignon, Zinfandel

✔ **Gary Farrell Wines:** Pinot Noir, Chardonnay

✔ **Ferrari-Carano:** Chardonnay, Fumé Blanc, Merlot

✔ **Field Stone Winery:** Petite Sirah

✔ **Fisher Vineyards:** Chardonnay, Cabernet Sauvignon

✔ **Foppiano Vineyards:** Petite Sirah

✔ **Geyser Peak Winery:** Cabernet Sauvignon, Merlot, Semchard (75 por ciento Sémillon)

✔ **Gundlach-Bundschu Winery:** Zinfandel, Cabernet Sauvignon

✔ **Hanna Winery:** Chardonnay, Sauvignon Blanc, Cabernet Sauvignon

✔ **Hanzell Vineyards:** Chardonnay

✔ **Jordan Vineyard:** Cabernet Sauvignon

✔ **Kenwood Vineyards:** Cabernet Sauvignon, Zinfandel

✔ **Kistler Vineyards:** Chardonnay (considerado por muchos el mejor de los Estados Unidos), Pinot Noir

✔ **Landmark Vineyards:** Chardonnay (especialmente Two Williams)

✔ **Laurel Glen Vineyards:** Cabernet Sauvignon

✔ **Limerick Lane Cellars:** Zinfandel

✔ **Marcassin:** Chardonnay (pequeña producción; sólo por lista de correos)

✔ **Marietta Cellars:** Cabernet Sauvignon, Zinfandel, Old Vine Red Lot 12 (mezcla Zin)

✔ **Matanzas Creek Winery:** Chardonnay, Sauvignon Blanc, Merlot

✔ **Peter Michael Winery:** Chardonnay

✔ **Murphy-Goode Estate Winery:** Fumé Blanc

✔ **Nalle Winery:** Zinfandel

✔ **Preston Vineyards:** Sauvignon Blanc, Zinfandel, Barbera

✔ **Quivera Vineyards:** Zinfandel, Cabernet Cuvée (principalmente Cabernet Sauvignon)

✔ **A. Rafanelli Winery:** Zinfandel, Cabernet Sauvignon

# Hagan mi Zinfandel *rojo*

En muchas vinaterías, no pasa un día sin que se presente la siguiente escena:

Cliente: ¿Dónde está su Zinfandel?

Vendedor: ¿El tinto o el blanco?

Cliente (con aire confuso y vacilación): Pues, blanco, sabe, ¡el rosado! (pausa) ¿Quiere decir que también hay tinto?

Cuando Bob Trinchero, de la productora de Napa Sutter Home, decidió hacer un vino rosado de sus uvas Zinfandel rojas, en 1972 y llamarlo White Zinfandel [Zinfandel blanco], tomó una brillante decisión de marketing. Los Zins tintos no se estaban vendiendo bien en esos tiempos. Pocos norteamericanos habían desarrollado el gusto por el vino tinto seco — y los que *sí* tomaban tinto seco, tomaban Cabernet Sauvignon o tintos europeos. Pero millones de estadounidenses tomaban Coca-Cola, Pepsi, otras gaseosas dulces. El sabor levemente dulce y frutal del Zinfandel blanco les caía muy bien. El White Zinfandel se volvió el vino más popular en los Estados Unidos.

En la realidad, el Red Zinfandel [tinto] es *el* vino de California. La uva Zinfandel roja apenas existe fuera de California. El Red Zin es un maravilloso vino exuberante. Uno de nuestros favoritos. Huele y sabe a cereza, es gustoso, y tiene una textura aterciopelada. El Zinfandel tinto es mejor cuando está joven (en los primeros seis años), pero puede añejarse. Y no es caro. Los mejores ejemplos provienen de los valles de Dry Creek y Russian River, en Sonoma, en especial lo de las viejas viñas Zinfandel que plantaron los inmigrantes italianos hace 80 y 100 años (vea la lista de los productores recomendados).

✔ **Ravenswood:** Zinfandel (especialmente single-vineyards), Merlot, Pickberry (mezcla Burdeos)

✔ **Rochioli Vineyards:** Pinot Noir, Sauvignon Blanc

✔ **St. Francis Winery:** Chardonnay, Merlot

✔ **Sausal Winery:** Zinfandel, White Zinfandel

✔ **Seghesio Winery:** Zinfandel, Chianti Station (85 por ciento Sangiovese)

✔ **Simi Winery:** Chardonnay, Sauvignon Blanc, Cabernet Sauvignon

✔ **Sonoma-Cutrer Vineyards:** Chardonnay

✔ **Joseph Swan Vineyards:** Zinfandel

✔ **Trentadue Winery:** Zinfandel, Petite Sirah, Old Patch Red (mezcla Carignane)

✔ **Williams & Selyem Winery:** Pinot Noir, Zinfandel

✔ **Z. Moore Winery:** Gewürztraminer (seco)

# Los condados de Mendocino y Lake

Si usted tiene oportunidad, vale la pena que conduzca por la bella ribera de San Francisco, por la Route 1, hasta la antigua y pintoresca población de Mendocino — tal vez con una variante para ver los magníficos pinares gigantes de la costa Pacífica. No hay tantos turistas como en Napa y Sonoma, pero eso mejora el paseo: será genuinamente bienvenido en las productoras de vinos.

El condado de Lake, dominado por el lago Clear, es el vecino de Napa hacia el norte, mientras que Mendocino queda directamente al norte de Sonoma. La prohibición golpeó duramente a los condados de Lake y Mendocino. Todavía en 1967, la única fábrica activa en Mendocino era Parducci; no quedaba ninguna en el condado de Lake. Pero el año siguiente Fetzer abrió sus puertas en Mendocino, y comenzó el auge del vino. Fetzer avanzó hasta convertirse en la productora dominante del condado de Mendocino, y Kendall-Jackson, que empezó a vender vinos en los primeros años 80, llegó a dominar en el condado de Lake (aunque la mayoría de las uvas son de otras partes).

El fresco valle de Anderson es ideal para la producción de Chardonnay, Pinot Noir, Gewürztraminer, Riesling y vino espumoso. Los sagaces productores del Champaña Roederer dejaron de lado a Napa y Sonoma para comenzar su producción de vino espumoso en este valle, y les ha ido muy bien en poco tiempo — como les ha pasado a Scharffenberger y Handley, otros productores exitosos de vino espumoso en Anderson Valley.

La siguiente lista incluye a algunos de los productores recomendados y sus mejores vinos. Los productores se mencionan en orden alfabético por condados (los vinos espumosos figuran en la sección California del capítulo 13).

## Condado Mendocino

- ✔ **Fetzer Vineyards:** Cabernet Sauvignon Reserve, Chardonnay Reserve
- ✔ **Greenwood Ridge Vineyards:** Riesling, Merlot, Zinfandel
- ✔ **Handley Cellars:** Chardonnay, Gewürztraminer, Sauvignon Blanc
- ✔ **Hidden Cellars:** Zinfandel, Alchemy (mezcla de Sémillon-Sauvignon Blanc)
- ✔ **Husch Vineyards:** Gewürztraminer, Pinot Noir
- ✔ **Lazy Creek Vineyards:** Gewürztraminer

✔ **Lolonis Winery:** Chardonnay, Fumé Blanc (especialmente el Reserve)

✔ **McDowell Valley Vineyards:** Syrah

✔ **Navarro Vineyards:** Gewürztraminer (regular y cosecha tardía)

✔ **Parducci Wine Cellars:** Zinfandel, Petite Sirah

✔ **Whaler Vineyard:** Zinfandel

### Condado Lake

✔ **Guenoc Winery:** Zinfandel, Cabernet Sauvignon, Petite Sirah, Chardonnay

✔ **Kendall-Jackson Vineyards:** Chardonnay, Zinfandel

✔ **Konocti Cellars:** Fumé Blanc, White Meritage (mezcla de Sauvignon Blanc-Sémillon)

✔ **Steele Wines:** Chardonnay, Zinfandel

# Área de la bahía de San Francisco

La expansión urbana, de Palo Alto a San José (Silicon Valley) y su extensión hacia el este le ha costado espacio a los viñedos en los valles de Livermore y Santa Clara. Livermore, directamente al este de San Francisco, es bien cálido, con algunas brisas del océano. La Sauvignon Blanc y la Sémillon siempre se han dado bien allí. El valle de Santa Clara, al sur de San Francisco, con las montañas de Santa Cruz en su extremo oeste, se refresca con las brisas de la bahía de San Francisco. La Chardonnay, la Cabernet Sauvignon y la Merlot son las uvas (y los vinos) más importantes allí.

En la lista siguiente de productores recomendados, hemos incluido uno que realmente está en el condado Marin — Kalin Cellars. El productor Terry Leighton, adquiere uvas de diversas áreas, incluso Livermore. Hemos incluido también una fábrica situada cerca de San Francisco — Rosenblum Cellars. (Trataremos, por separado, de las fábricas de las montañas de Santa Cruz en la próxima sección.)

La lista siguiente incluye algunos productores recomendados de los valles de Livermore y Santa Clara (ordenados alfabéticamente, por región):

✔ **Condado Marin**

Kalin Cellars: Sauvignon Blanc, Sémillon, Chardonnay

✔ **Alameda**

Rosenblum Cellars: Zinfandel (especialmente los de un solo viñedo)

✔ **Livermore Valley**

Concannon Vineyard: Sauvignon Blanc, Petite Sirah

Wente Bros.: Chardonnay, Riesling de cosecha tardía

✔ **Santa Clara Valley**

J. Lohr Winery: Cabernet Sauvignon (Paso Robles)

Jory Winery: Red Zeppelin (Zinfandel, Carignane, Cabernet Franc), Merlot

Mirassou Vineyards: White Burgundy (Pinot Blanc)

# Montañas de Santa Cruz

De pie, en la cima de una de las aisladas montañas de Santa Cruz, uno se olvida de que está apenas a una hora en auto de San Francisco. La belleza agreste de esta área ha generado un buen número de productoras de vino, incluso algunas de las mejores del estado. El clima es básicamente fresco, especialmente del lado del océano, en donde prospera la Pinot Noir. En el lado de la bahía de San Francisco, la Cabernet Sauvignon es la variedad roja importante. Pero la Chardonnay es la uva dominante en ambos lados. Hay también algunos productores importantes en esta región — Paul Draper de Ridge Vineyards, y Randall Grahm de Bonny Doon, entre ellos.

La siguiente es una lista de productores recomendados de las montañas de Santa Cruz, junto con sus mejores vinos (en orden alfabético):

✔ **Ahlgren Vineyard:** Chardonnay, Cabernet Sauvignon

✔ **Bargetto:** Chardonnay, Cabernet Sauvignon

✔ **Bonny Doon Vineyard:** Le Sophiste, Le Cigare Volant (tipos Rhône blancos y tintos)

✔ **David Bruce Winery:** Pinot Noir

✔ **Cinnabar Vineyards:** Chardonnay, Cabernet Sauvignon

✔ **Thomas Fogarty Winery:** Chardonnay, Pinot Noir, Gewürztraminer

✔ **Kathryn Kennedy Winery:** Cabernet Sauvignon

✔ **Mount Eden Vineyards:** Chardonnay (embotellado en la propiedad), Cabernet Sauvignon

✔ **Page Mill Winery:** Chardonnay (Santa Clara), Pinot Noir, Sauvignon Blanc

✔ **Ridge Vineyards:** Cabernet Sauvignon (especialmente Monte Bello), Geyserville (mezcla de Zin), Zinfandel, Chardonnay

✔ **Santa Cruz Mountain Vineyard:** Pinot Noir, Cabernet Sauvignon

✔ **Storrs Winery:** Chardonnay, White Riesling

✔ **Sunrise Winery:** Zinfandel, Pinot Noir

✔ **Woodside Vineyards:** Cabernet Sauvignon, Chardonnay

# Allá en el viejo Monterrey

El condado de Monterrey tiene un poco de todo — una bella costa, la elegante población de Carmel, algunos distritos muy frescos para viñedos, algunas áreas muy cálidas, las fábricas de vinos de la montaña y del valle de Salinas, unas cuantas compañías gigantes de vinos y montones de compañías pequeñas. Las productoras han tenido sus problemas de crecimiento, tales como aprender a evitar los sabores vegetales en sus vinos, en los lugares mejores para las distintas variedades de uvas, y, en el presente, aprender a combatir el piojo de la filoxera (vea la sección "Géneros y especies", en el capítulo 9).

La Chardonnay va a la cabeza aquí, como en la mayor parte del estado. Pero las partes más frescas de Monterrey son también fuentes importantes de la Riesling y la Gewürztraminer. La Cabernet Sauvignon y la Pinot Noir (en las montañas) son las variedades rojas líderes.

La siguiente es una lista de productores recomendados en el condado de Monterrey (y un productor del vecino condado de San Benito), junto con sus mejores vinos (en orden alfabético):

✔ **Bernardus:** Chardonnay

✔ **Calera (San Benito):** Pinot Noir, Viognier

✔ **Chalone Vineyard:** Chardonnay, Pinot Blanc

- ✔ **Durney Vineyard:** Cabernet Sauvignon

- ✔ **Estancia:** Chardonnay

- ✔ **Jekel Vineyard:** Riesling

- ✔ **Lockwood:** Riesling, Chardonnay Reserve, Cabernet Sauvignon, Pinot Blanc

- ✔ **Morgan Winery:** Cabernet Sauvignon

- ✔ **Smith & Hook Winery:** Merlot

- ✔ **Robert Talbott Vineyard:** Chardonnay

- ✔ **Ventana Vineyards:** Riesling, Sauvignon Blanc

## Allá en esas colinas hay vino

Ninguna región del vino en los Estados Unidos tiene un pasado más romántico que las colinas de Sierra *(Sierra Foothills)*. La Fiebre del Oro de 1849 les labró a las colinas un lugar en la historia. También trajo al área viñedos, para darles vino a los mineros sedientos. Ese vino era sin duda Zinfandel — todavía el vino más famoso de la región. De hecho, muy poco ha cambiado en las colinas de Sierra a lo largo de los años. Ésta es, a las claras, la región del vino más rústica de la Costa Oeste — y tal vez del país. En eso reside su encanto: una visita a las colinas es como un viaje al pasado, cuando la vida era sencilla.

La de las colinas de Sierra es una región vinícola que se extiende al este de Sacramento, centrada en los condados de Amador y El Dorado, pero con prolongaciones al norte y al sur de ambos. Dos de sus áreas vinícolas mejor conocidas son el valle de Shenendoah y Fiddletown. Los veranos pueden ser calientes, pero muchos viñedos se han plantado en lugares de mayor altitud como los de los alrededores de Placerville en El Dorado. El suelo a lo largo de la región es principalmente de origen volcánico.

La siguiente es una lista de productores recomendados en las colinas de Sierra junto con sus mejores vinos (en orden alfabético):

- ✔ **Amador Foothill Winery:** Zinfandel

- ✔ **Boeger Winery:** Merlot, Zinfandel, Barbera

- ✔ **Granite Springs Winery:** Zinfandel, Petite Sirah

- ✔ **Karly:** Zinfandel, Sauvignon Blanc

- ✔ **Madrona Vineyards:** Riesling, Gewürztraminer, Zinfandel

✔ **Nevada City Winery:** Zinfandel

✔ **Renaissance Vineyard:** Riesling (seco y cosecha tardía), Sauvignon Blanc

✔ **Santino Winery:** Zinfandel, Barbera, Riesling cosecha tardía

✔ **Sierra Vista Winery:** Zinfandel, Cabernet Sauvignon

✔ **Sobon Estate:** Syrah

✔ **Stevenot Winery:** Zinfandel, Chardonnay (Grand Reserves)

# San Luis Obispo: la montaña encuentra el mar

El condado de San Luis Obispo es otra región hecha de muy diversas áreas vinícolas que van, de las cálidas colinas de Paso Robles (al norte de San Luis Obispo) en donde reinan la Zinfandel y la Cabernet Sauvignon, a las frescas y marítimas de Edna Valley y Arroyo Grande (al sur de la población), hogar de algunos muy buenos Pinot Noir y Chardonnay. Las áreas son tan diferentes, que hemos agrupado a los productores por separado.

Los siguientes productores, junto con sus mejores vinos, se recomiendan en San Luis Obispo (en orden alfabético):

✔ **Paso Robles**

    Creston Vineyards: Pinot Noir, Zinfandel
    Eberle Winery: Cabernet Sauvignon, Zinfandel
    Justin Winery: Cabernet Sauvignon, Chardonnay
    Mastantuono: Zinfandel
    Meridian Vineyards: Chardonnay, Syrah
    Peachy Canyon Winery: Zinfandel
    Wild Horse Winery: Pinot Noir, Chardonnay, Merlot

✔ **Edna Valley y Arroyo Grande**

    Alban Vineyards: Viognier
    Corbett Canyon Vineyards: Pinot Noir Reserve (y otras buenas compras)
    Edna Valley Vineyards: Chardonnay
    Saucelito Canyon Vineyard: Zinfandel
    Talley Vineyards: Pinot Noir, Chardonnay

# Santa Bárbara, el paraíso en California del sur

A las claras, las nuevas áreas vinícolas más interesantes de California — si no de todo el país — están en el condado de Santa Bárbara. Decimos *nuevas,* aunque nos damos cuenta de que los misioneros españoles habían plantado viñedos allí hace 200 años. Pero en los tiempos modernos, sólo en 1975 una fábrica importante (Firestone Vineyards) fue la primera en iniciar sus negocios. Hasta donde sabemos, sobre las buenas condiciones de Santa Bárbara para la producción de vino, 1975 parece un comienzo tardío.

Los frescos valles de Santa María, Santa Ynez y Los Álamos, situados al norte de la ciudad de Santa Bárbara, van de este a oeste, abriéndose hacia el Pacífico y canalizando el fresco aire oceánico. El clima es ideal para la Pinot Noir y la Chardonnay. En el valle de Santa María, una de las fuentes principales de estas variedades, la temperatura promedio durante la temporada de crecimiento es apenas de 75º F. Más al sur, en el valle de Santa Ynez, también la Riesling se da bien.

La uva Pinot Noir le ha ganado a Santa Bárbara mucho de su fama como región del vino. Se reconoce generalmente a Santa Bárbara como una de las cuatro grandes regiones vinícolas norteamericanas para la Pinot Noir de difícil cultivo — las otra tres son Carneros, el valle de Russian River y el valle de Willamette (en Oregón). En Santa Bárbara, las Pinot Noirs parecen brotar con sabores deliciosos de fresa y tonos herbales. La

## Minitendencias en el vino de California

La experimentación es una constante en California. Aunque la Chardonnay y la Cabernet son las variedades consagradas en el momento, los productores no saben si los está dejando el tren de alguna otra uva importante — a menos que la cultiven.

Algunos productores están encantados con las variedades de las uvas del valle del Ródano, en Francia — las uvas rojas Syrah, Grenache, Mourvèdre, Cinsault y la blanca Viognier. Se llama colectivamente a estos productores los Rhône Rangers, de manera no oficial. Otros productores están cultivando uvas italianas como la Sangiovese y la Nebbiolo. (Algunas uvas italianas como la Barbera, se han cultivado en California desde los días de los inmigrantes italianos en el siglo pasado.) Y el año próximo — ¿quién sabe? — la nueva uva puede ser la Tempranillo de España. Manténgase en sintonía.

Pinot Noir tiende a ser precoz, es deliciosa en sus primeros cuatro o cinco años — no las de mayor desarrollo que parecen ser las más robustas, y de sabor más salvaje de Russian River. ¿Pero para qué demorarlas, cuando saben tan bien?

La siguiente es la lista de algunos productore recomendados en Santa Bárbara junto con sus mejores vinos (en orden alfabético):

- ✔ **Au Bon Climat:** Pinot Noir, Chardonnay (especialmente un solo viñedo)

- ✔ **Babcock Vineyards:** Chardonnay (Grand Cuvée), Sauvignon Blanc

- ✔ **Byron Vineyard:** Chardonnay, Sauvignon Blanc

- ✔ **Cambria Winery:** Chardonnay, Pinot Noir

- ✔ **J. Carey Cellars:** Cabernet Sauvignon, Merlot, Sauvignon Blanc

- ✔ **Cottonwood Canyon:** Pinot Noir, Chardonnay

- ✔ **Fiddlehead Cellars:** Pinot Noir

- ✔ **Firestone Vineyard:** Riesling, Cabernet Sauvignon Reserve

- ✔ **Foxen Vineyard:** Pinot Noir, Chardonnay

- ✔ **Gainey Vineyard:** Riesling, Sauvignon Blanc (propiedad), Pinot Noir (Sanford & Benedict Vineyard)

- ✔ **Fess Parker Winery:** Riesling, Syrah

- ✔ **Qupé Cellars:** Syrah, Chardonnay Reserve, Los Olivos Cuvée (Syrah, Mourvèdre)

- ✔ **Sanford Winery:** Pinot Noir (especialmente Sanford & Benedict Vineyard), Chardonnay, Sauvignon Blanc

- ✔ **Santa Bárbara Winery:** Pinot Noir Reserve, Chardonnay Reserve

- ✔ **Lane Turner:** Pinot Noir (Sanford & Benedict Vineyard)

# Oregón, un cuento de dos Pinots

Como Oregón está al norte de California, mucha gente cree con razón que sus regiones vinícolas son frías. La *verdadera* razón del clima fresco de Oregón, sin embargo, es que no hay montañas que se interpongan entre el océano Pacífico y los viñedos. Junto con las temperaturas frescas, la influencia del océano trae lluvias. El cultivo de la uva y la producción del vino, por esas razones, son completamente diferentes en Oregón que en California.

Oregón comenzó a ser reconocido en los círculos del vino por su Pinot Noir, una uva que necesita el clima fresco para darse en su mejor forma (vea "Variedades de uva roja" en el capítulo 9). Aunque los Eyrie Vineyards dieron a la venta su primer Pinot Noir en 1970, Oregón no llamó la atención nacional por sus vinos sino después de la excelente vendimia de 1983. Hoy día, todavía el Pinot Noir es el buque insignia de los vinos de Oregón. El estado ha tenido una serie de buenas vendimias, desde 1988 (especialmente 1990) hasta 1993. ¡Y 1994 promete ser uno de los mejores hasta hoy!

Ni la Chardonnay ni la Riesling — las dos variedades de uva blanca que dominan en Oregón en función de área plantada — han sido tan aclamadas como la Pinot Noir. Pero, como la Chardonnay es la uva compañera de la Pinot Noir en la región de Borgoña, esta variedad, muy popular en los Estados Unidos, se considera importante en Oregón.

## La otra Pinot de Oregón

Ahora surge otra variedad que desafía la dominación de la Chardonnay — la Pinot Gris, la otra Pinot de Oregón. Es demasiado pronto para decir si la Pinot Gris (una descendiente mutada de la Pinot Noir) llegue a convertirse en un cultivo permanente en Oregón, pero se ha vendido bien en los últimos cinco años.

David Lett, fundador y productor de vinos de The Eyrie Vineyards, es el hombre que hizo el primer Pinot Gris de Oregón en los primeros años 70, seguido por Ponzi Vineyards y Adelsheim Vineyards. Hoy, más de 30 fábricas de Oregón están haciendo Pinot Gris. Aunque hay algunas fábricas de California y Washington que producen esta variedad, la Pinot Gris ha sido particular de Oregón en los Estados Unidos.

La Pinot Gris tiene muchas ventajas. Como no necesita particularmente añejamiento en roble para darle complejidad (pero lo acepta bien cuando el productor prefiere usarlo), el vino puede estar listo para tomarlo seis meses después de la cosecha. El Pinot Gris es de medio cuerpo; su color va de un dorado claro a un rosado cobrizo, sus aromas recuerdan las peras y las manzanas, a veces el melón, y tiene una profundidad y una complejidad sorprendentes. Es un vino excelente con la comida, especialmente con los mariscos y el salmón, justamente la clase de comida con que se lo acompaña en Oregón. Y la mejor noticia es el precio. La mayor parte de los Pinot Gris de Oregón están entre 11 y 13 dólares.

# Quién es quién en el valle Willamette

El hogar principal del Pinot Noir y el Pinot Gris en Oregón es el valle Willamette. Situado directamente al sur de Portland en el noroeste del estado, el fresco valle Willamette se ha establecido en los últimos 25 años como la región vinícola más importante de Oregón.

La región del valle Willamette es grata de visitar por la proximidad de Portland que, con sus muy buenos restaurantes, hoteles y tiendas, está a sólo 20 minutos.

El inmenso valle Willamette abarca varios condados. El de Yamhill, al suroeste de Portland, tiene la mayor concentración de fábricas de vino, todas las cuales producen Pinot Noir (la mayoría tiene ahora también Pinot Gris). Pero muchas productoras están situadas en el condado de Washington, al oeste de Portland, y en el condado de Polk, al sur de Yamhill. De hecho, una de las productoras pioneras de Oregón, Tualatin, está situada en el condado de Washington. Esta firma se ha convertido en una especialista en vino blanco, con Riesling, Gewürztraminer y Chardonnay como sus abanderados.

A continuación, damos una lista de los productores más importantes del valle Willamette, principalmente de Pinot Noir y Pinot Gris (pero a veces de Chardonnay o Riesling) en orden alfabético:

Acme Wineworks (John Thomas)
Adelsheim Vineyard
Amity Vineyards
Archery Summit
Argyle (para vinos espumosos)
Beaux Frères
Bethel Heights Vineyard
Broadley Vineyards
Cameron Winery
Chehalem Vineyards
Cooper Mountain Vineyards
Cristom Vineyards
Domaine Drouhin (de propiedad del famoso negociante de Borgoña, Joseph Drouhin)
Domaine Serene
Elk Cove Vineyards
Eola Hills Wine Cellars
Evesham Wood Vineyard

The Eyrie Vineyards
Hinman Vineyards (Silvan Ridge)
King Estate Winery (situada al sur de Willamette)
Knudsen-Erath (Erath Winery)
Kramer Vineyards
Lange Winery
Laurel Ridge Winery
Montinore Vineyards
Oak Knoll Winery
Panther Creek Cellars
Ponzi Vineyards
Redhawk Vineyard
Rex Hill Vineyards
St. Innocent Winery
Sokol Blosser Winery
Tualatin Vineyards
Willamette Valley Vineyards
Yamhill Valley Vineyards

## Rey de Oregón

Las productoras de Oregón han sido más que todo pequeñas empresas familiares. Pero King Estate, que se abrió en 1992, es una importante excepción. De propiedad del multimillonario Ed King, la empresa está situada al suroeste de Eugene — a unas tres horas en auto de Portland. King ha construido una productora que es una obra de arte; se ha convertido ya en el mayor productor de Oregón, en primer lugar de Pinot Noir y Pinot Gris, pero con algún

Chardonnay. Además, la calidad de los vinos ha sido muy buena en sus dos primeras vendimias, 1992 y 1993. Todo el mundo en la industria del vino de Oregón desea que los esfuerzos bien financiados de marketing, hechos por King Estate, ayuden a llamar la atención sobre los vinos del estado — lo mismo que Château Ste. Michelle ha hecho por los vinos de Washington.

## Otras dos regiones del vino en Oregón

Otras dos regiones vinícolas importantes están ambas situadas en la parte suroeste del estado: la del valle de Umqua (alrededor de la población de Roseburg) y más al sur, pegado a la frontera norte de California, el valle del río Rogue.

Considerablemente más cálido que el de Willamette, el valle de Umqua es la sede de la primera productora de vinos de Oregón, Hillcrest Vineyards, fundada en 1962. Las principales variedades de uva en Umqua son Pinot Noir, Chardonnay, Riesling y Cabernet Sauvignon. Además de Hillcrest Vineyards, conocida sobre todo por su Riesling, las otras empresas principales son Henry Estate y Girardet Wine Cellars, conocidas por su Pinot Noir y su Chardonnay.

El valle de Rogue River es aun más cálido; por tanto, con frecuencia la Cabernet Sauvignon y la Merlot se dan mejor que la Pinot Noir. El Chardonnay es el vino blanco líder, pero el Pinot Gris se está haciendo popular. Bridgeview Vineyards, la mayor productora de la región, está haciendo un trabajo admirable con Pinot Gris y con Pinot Noir. Otros tres viñedos para tener en cuenta son Ashland Vineyards, Valley View Vineyard y Foris Vineyards — éste último, especialista en Merlot y Cabernet Sauvignon.

# Vino en el desierto: el estado de Washington

Aunque Washington y Oregón son estados vecinos, sus regiones vinícolas tienen climas muy diferentes debido a las montañas Cascade, que atraviesan a los dos estados de norte a sur.

En la parte oeste de Washington, el clima puede describirse como marítimo fresco, con mucha lluvia, y mucha vegetación. (En Oregón casi todos los viñedos están situados del lado de la costa.) Al este de las montañas el clima de Washington es continental, con veranos calientes muy secos y condiciones rudas, casi desérticas. La mayoría de los viñedos del estado están en esta área.

Los productores de Washington se han dado cuenta de que muchas uvas, pero no ciertamente la Pinot Noir, se dan bien en este entorno. Aquí, en el "desierto" de Washington, las variedades de Burdeos — Merlot, Cabernet Sauvignon, Sauvignon Blanc y Sémillon — son el nombre del juego, junto con la omnipresente Chardonnay. Washington se ha hecho muy conocido por la calidad de sus Merlots. Una marca, Columbia Crest, es la más vendida en Merlot en los Estados Unidos.

Washington también tiene unos cuantos viñedos al oeste de las Cascades, alrededor de Puget Sound, en donde la Riesling se da bien. Y, de hecho, muchas de las grandes empresas, como Château Ste. Michelle y Columbia Winery, están situadas en el área de Puget Sound, cerca de la próspera ciudad de Seattle. ¡Vender vino en Seattle es un poco más fácil que en el desierto! Château Ste. Michelle (junto con subsidiaria, Columbia Crest) es el gigante del estado; cuenta con el 50 por ciento de todos los vinos de Washington en el presente.

Como Oregón, Washington partió de un comienzo tardío en el negocio del vino. Sólo en los primeros años 80, al reconocer el potencial para el cultivo de variedades viníferas, empezaron a desarrollarse realmente. (Vea el capítulo 9.)

Respecto de las vendimias, los dos grandes años de Washington han sido 1983 y 1989 (los Cabernet Sauvignon, de hecho, podrían añejarse más). En las vendimias recientes, 1992 ha sido muy buena tanto para los vinos blancos como para los tintos.

## Regiones vinícolas de Washington

Washington tiene tres áreas vitícolas principales y una pequeña (que apenas comienza pero con un enorme potencial). Las tres regiones son:

✔ **Columbia Valley:** La mayor en cuanto a área, esta región cuenta con el 58 por ciento de las variedades *viníferas* del estado. En ella están situadas once productoras, y muchas fábricas de Puget Sound usan uvas de esta área.

✔ **Yakima Valley:** La segunda en extensión (cerca del 40 por ciento de las viníferas del estado), pero con el mayor número de fábricas (22).

✔ **Walla Walla Valley:** Menos del uno por ciento de las uvas viníferas, y sólo seis fábricas, pero esta región incluye dos de los nombres *premium* del estado, Leonetti y Woodward Canyon.

## Quién es quién en Washington

Los siguientes son los productores de Washington que recomendamos, agrupados de acuerdo con su localización (en orden alfabético dentro de cada grupo):

### Columbia Valley y Yakima Valley

| | |
|---|---|
| Blackwood Canyon Vintners | The Hogue Cellars |
| Gordon Brother Cellars | Hyatt Vineyards |
| Chinook Wines | Preston Wine Cellars |
| Columbia Crest Winery | Quarry Lake Winery |
| Covery Run Vintners | Staton Hills Winery |
| Barnard Griffin Winery | Stewart Vineyards |

---

## Una rareza de Washington

¿Cuándo fue la última vez que pidió un Lemberger? ¡No, no es un queso!, Lemberger es una variedad de uva de Alemania, poco conocida, que también se cultiva en Austria, donde se llama Blaufrankish. No se sienta mal si no ha oído de ella, porque poca gente, fuera de Washington, la ha probado.

La Lemberger es una resistente variedad roja que se da bien en el valle de Yakima; produce un vino frutal pero seco, poco costoso, por el estilo del Beaujolais o el Dolcetto, pero muy propio de ella. Hoodsport Winery, Covey Run y Hogue Cellars son tres buenos productores del vino Lemberger.

### Walla Walla Valley

L'Ecole #41

Leonetti Cellar (sobresaliente
Cabernet Sauvignon; el de
venta por correo es el mejor)

Seven Hills (tecnicamente en
Oregón, pero un productor de
Walla Walla Valley)

Waterbrook Winery

Wodward Canyon (la otra estrella
de Walla Walla; Cabernet y
Chardonnay)

### Productores de Puget Sound

Château Ste. Michelle

Columbia Winery

Hedges Cellars

Hoodsport Winery

McCrea Cellars

Mount Baker Vineyards

Quilceda Creek Vintners (pequeño
pero excelente productor de
Cabernet Sauvignon)

Snoqualmie Winery

Paul Thomas Winery

Se pueden comprar algunos vinos (usualmente de productores cuyos
vinos son buscados — como Leonetti Cellar) sólo directamente de la
fábrica. En la sección "Directamente de la fuente", del capítulo 16, le
damos la información necesaria para que usted se incluya en la lista de
correo directo de estas fábricas.

# El estado imperio

La ciudad de Nueva York puede ser la capital del mundo en muchos
sentidos, pero los vinos de su estado no reciben el reconocimiento que
merecen, tal vez a causa de la abrumadora presencia de California en el
mercado de los Estados Unidos. La más antigua productora de vinos que
haya estado operando continuamente en los Estados Unidos, Brotherhood Winery, abrió sus puertas en Nueva York, en el valle del Hudson,
en 1839. Y la segunda en tamaño, en los Estados Unidos, Canandaigua
Wine Company, tiene su casa principal en Finger Lakes. De hecho, Nueva
York es el segundo mayor productor de vino en el país.

Al oeste del estado está la región vinícola más importante, Finger Lakes,
en la cual cuatro grandes lagos atemperan el clima. Esta AVA produce
cerca del 85 por ciento de los vinos de Nueva York. Las otras dos regiones importantes son el valle del Hudson, a lo largo del río Hudson al
norte de la ciudad de Nueva York, Long Island, que tiene dos AVAs —
North Fork of Long Island (la más importante) y los Hamptons, en la
bifurcación sur de la isla.

En los primeros tiempos (antes de 1960), la mayoría de los vinos de Nueva York se hacía de variedades de la *Vitis labrusca* local (vea el capítulo 9), tales como las Concord, Catawba, Delaware y Niagara. El piojo de la filoxera no llegó nunca a gustar de estas vides. Por desgracia, tampoco la mayoría de los bebedores llegó a gustar de los vinos (son más bien bebidas dulzonas). Un paso en la dirección correcta para los cultivadores de Nueva York fue la introducción en los años 30 de uvas híbridas francoamericanas (vea el capítulo 9) como las Seyval Blanc, Baco Noir y Marechal Foch por el productor pionero Charles Fournier. Los híbridos pueden resistir los difíciles inviernos de Nueva York, en la región de Finger Lakes, como las especies de la *labrusca,* pero sus vinos están más en la corriente principal de los gustos.

La sabiduría común sostenía que las variedades de *Vitis vinífera* no resistían el clima de Nueva York. Pero un inmigrante ruso, el difunto gran Dr. Konstantin Frank, probó que los pesimistas estaban equivocados cuando tuvo éxito en el cultivo de la Riesling (segunda de otras muchas variedades de vinífera) en 1953, en Hammondsport, parte de la región de Finger Lakes. (Los primeros vinos de uvas vinífera se hicieron, de hecho, en 1961 en su fábrica, Dr. Frank's Vinífera Wine Cellars.) Hoy, su hijo Willy Frank maneja una de las fábricas más exitosas del estado, con una línea completa de muy buenos vinos vinífera y un vino espumoso excelente.

## La historia de Long Island

El más reciente éxito de Nueva York es Long Island. En 1973, Alec y Louisa Hargrave tuvieron la idea de que North Fork en Long Island tenía el clima y el suelo ideales para las uvas viníferas (cerca de dos horas en auto al este de la ciudad de Nueva York). ¡Hoy, Lond Island tiene la fuerza de 17 fábricas y está creciendo. Como el estado de Washington, Lond Island parece particularmente buena para la Merlot, pero la Chardonnay, la Riesling, la Cabernet Sauvignon y la Sauvignon Blanc también se cultivan. Una vendimia excelente de Long Island fue la de 1991, que lo fue en realidad en todo el estado.

## Quién es quién en Nueva York

La industria del vino en Nueva York ha crecido, de 19 fábricas en 1976, a más de 100 hoy — la mitad de ellas en la región de Finger Lakes y la mayoría pequeñas empresas familiares. La siguiente es una lista de productores recomendados en las tres regiones principales del vino.

### La región de Finger Lakes

Casa Larga Vineyards
Fox Run Vineyards
Glenora Wine Cellars
 (especialmente para
 vinos espumosos)
Heron Hill Vineyards
Hunt Country Vineyards
Knapp Vineyards
Lamoreaux Landing Wine
Lucas Vineyards

McGregor Vineyard Winery
Prejean Winery
Standing Stone Vineyards
Swedish Hill Vineyard
Vinífera Wine Cellars (y su afiliado,
 Chateau Frank, para vinos
 espumosos)
Wagner Vineyards
Cellars Widmer's Wine Cellars
Hermann J. Wiemer Vineyard

### Región Hudson River Valley

Adair Vineyards
Baldwin Vineyards
Benmarl Vineyard
Brotherhood América's
Oldest Winery, Ltd.

Cascade Mountain Vineyards
Clinton Vineyard
Magnanini Winery
Millbrook Vineyard & Winery
Walker Valley Vineyards

### Región de Long Island

Bedell Cellars
Gristina Vineyards
Hargrave Vineyard
Lenz Winery
Palmer Vineyards
Paumanok Vineyards, Ltd.

Peconic Bay Vineyards
Pelligrini Vineyards
Pindar Vineyards
Sagpon Sagpond Vineyards
 (South Fork)

# Oh, Canadá

Pregúntele a casi cualquier amante del vino en los Estados Unidos por los vinos canadienses, y probablemente recibirá una mirada vacía como respuesta. Los vinos del Canadá son conocidos sobre todo por los canadienses, quienes consumen el grueso de la producción de su país.

Se hace vino en cuatro de las provincias del Canadá, pero Ontario puede ufanarse de ser de lejos la mayor productora, con el 80 por ciento del total nacional. British Columbia es la segunda. Quebec y Nova Scotia también producen vino.

Por un camino igual al de otros países del Nuevo Mundo, Canadá ha pasado de los vinos dulces fortificados a los vinos secos (aunque los vinos naturalmente dulces tales como el Icewine son su especialidad).

Canadá ha pasado también de las variedades de uvas nativas — sobre todo *Vitis labrusca* — a las híbridas (vea el capítulo 9) y ahora a las uvas *Vitis vinífera.*

Para identificar y promover los vinos hechos enteramente con uvas locales (algunos productores canadienses importan vinos de otros países para mezclarlos con la producción local), las provincias de Ontario y British Columbia han establecido un sistema de apelación llamado VQA, *Vintners' Quality Alliance* [Alianza de Calidad de los Vinateros]. Este sistema regula el uso de los nombres provinciales en las etiquetas de vino, establece qué variedades de uva pueden usarse (variedades de vinífera y ciertos híbridos), reglamente el uso de los términos *Icewine, Late Harvest* y *Botrytised,* y requiere que los vinos pasen un examen de degustación.

# Ontario

Los viñedos de Ontario están en zonas de clima fresco, a pesar de que quedan en el mismo paralelo que la Rioja o el Chianti Classico, regiones europeas más cálidas descritas en el capítulo 11. El 60 por ciento de la producción es vino blanco, de las variedades Chardonnay, Riesling, Gewürztraminer, Pinot Blanc, Auxerrois y de los híbridos Seyval Blanc y Vidal. Los vinos tintos vienen de las variedades Pinot Noir, Gamay, Cabernet Sauvignon, Cabernet Franc, Merlot, y las híbridas Marechal Foch y Baco Noir.

Las reglas de VQA de Ontario permiten el uso de la apelación Ontario y reconocen también tres áreas vitícolas designadas (DVAs):

✔ **Niagara Peninsula:** A lo largo de la costa sur del lago Ontario

✔ **Pelee Island:** Once millas al sur de la tierra firme canadiense, en el lago Erie, los viñedos más al sur del Canadá

✔ **Lake Erie North Shore:** La más soleada de las áreas vitícolas canadienses

Como las temperaturas del invierno por lo regular bajan más allá de la congelación, el Icewine es una especialidad de Ontario que le está ganando a la industria del vino canadiense una módica atención internacional.

## British Columbia

La industria del vino de British Columbia, pequeña pero rápidamente creciente, se ufana ahora de 33 productores. La producción es en un 84 por ciento blanco — de las variedades Auxerrois, Bacchus, Chardonnay, Ehrenfelser, Gewürztraminer, Pinot Gris y Riesling — y 15 por ciento tinto, de Pinot Noir y Merlot. La Bacchus y la Ehrenfelser son cruces de vinífera desarrollados en Alemania.

El valle de Okanagan en el sudeste de British Columbia, en donde el clima está influenciado por el lago Okanagan, es el centro de la producción de vino. Las reglas VQA reconocen cuatro Áreas Vitícolas Designadas:

✔ **Okanagan Valley**

✔ **Similkameen Valley**

✔ **Fraser Valley**

✔ **Vancouver Island**

# Historia y cambio en Chile

La industria del vino en Chile se acomoda mal a la designación de *Nuevo Mundo*. Los viñedos se establecieron por primera vez en Chile a mediados del siglo XVI, por los españoles, y el país ha mantenido una industria vinícola próspera durante varios siglos, produciendo vinos tradicionales para el mercado interno de la uva roja común País. Lo que es nuevo de Chile, sin embargo, es el crecimiento de su industria vinícola desde mediados del decenio de 1980; lo que es "mundano" es el súbito desarrollo de un fuerte mercado de exportación, y el vigoroso cambio de su viticultura hacia variedades de uvas francesas como Cabernet Sauvignon, Sauvignon Blanc y Chardonnay.

## Bendito aislamiento

Con el océano Pacífico a un lado y los Andes al otro, Chile es un país aislado. Para su viticultura, este aislamiento tiene sus ventajas: la filoxera no existe en Chile, y las viñas de vinífera pueden, por tanto, crecer en sus propias raíces. Las otras bendiciones vitícolas de Chile incluyen una cadena montañosa que impide el paso del aire húmedo del océano y las lluvias hacia la mayoría de los viñedos, y la influencia general refrescante del océano que modera lo que podría ser un clima caliente (si se considera la latitud de Chile bastante al norte en el hemisferio sur).

La mayoría de los viñedos chilenos están en el valle central, situado entre la Cadena de la Costa y los Andes. Los viñedos se especializan de acuerdo con la latitud. En el norte más cálido crecen uvas de mesa (no para vino), lo mismo que las uvas para el licor chileno, el *Pisco*. En el área intermedia — desde unas 50 millas al norte de Santiago, hasta 50 millas al sur de la ciudad — crecen las mejores uvas. Y en la parte sur, más húmeda, crecen las uvas para el mercado interno, sobre todo País y Moscatel. Las condiciones para el cultivo varían de oriente a occidente en el área intermedia del valle central; el área oriental, cercana a los Andes, es más soleada y más seca, y el área occidental más húmeda.

De sur a norte, dentro del valle central, las regiones del vino son:

✔ **Aconcagua:** Al norte de Santiago, el área más cálida para uvas finas

✔ **Maipo:** Una pequeña región en donde están situadas varias de las principales productoras

✔ **Rapel:** En donde está el distrito de Colchagua, región más fresca que Maipo

✔ **Maule:** En donde está el distrito de Curicó, más fresca y menos seca que Rapel; en partes de la región crece la País

En la región sureña de Bió Bió se planta principalmente País y Moscatel.

Otra región del vino en Chile, Casablanca, está un poco al norte de Santiago, cerca de la costa y fuera del valle central. Esta fresca región tiene viñedos nuevos de uvas blancas, sobre todo Chardonnay.

## Sabor extranjero

En Chile, la mitad del área plantada con uvas para vino todavía conserva la uva País, y la Moscatel también es significativa. Pero los recursos naturales de Chile y la popularidad de sus vinos en los mercados de exportación, han estimulado la inversión extranjera en nuevos viñedos. Éstos son, más que todo, de Cabernet Sauvignon, Merlot y Chardonnay. Algunas de estas variedades se han dado en Chile durante más de 100 años, pero su plantación ha aumentado espectacularmente en el decenio último. Dos variedades blancas, mal llamadas Sauvignon y Sémillon, están también bien establecidas en los viñedos chilenos, pero su verdadera identidad es incierta.

Los vinos de Chile reciben sus nombres de sus variedades de uva y en general llevan una indicación regional (o a veces la de un distrito), así mismo. Como estilo, los vinos chilenos carecen de la frutosidad exuberante de los californianos y los australianos. Los blancos pueden ser muy diluidos y acuosos — probablemente como resultado del alto rendimiento de las viñas o tal vez de un "pedigree" dudoso. Los tintos son mejores y ofrecen excelentes compras a precios que van de 4 a 12 dólares. Pero los tintos chilenos tienen aún que probar su calidad en la parte más alta del espectro, con la posible excepción del Cabernet Sauvignon de Concha y Toro, Don Melchor. Si se considera el rápido crecimiento de la industria del vino en Chile, sin embargo, el estilo y la calidad de sus productos pueden cambiar en el curso de pocos años.

Empresas y productores de Francia, España y los Estados Unidos se han hecho parte de la acción en Chile. Château Lafite-Rothschild, por ejemplo, es uno de los dueños de la empresa Los Vascos. Otros dos productores prominentes de Burdeos, Bruno Prats y Château Cos d'Estournel, con Paul Pontallier, el brillante productor de Château Margaux, han colaborado en la firma chilena llamada Viña Aquitania. La empresa Miguel Torres, en Curicó, es de dueños españoles. Y Augustin Huneeus de los Franciscan Vineyards de California está desarrollando una propiedad en la región de Casablanca.

Entre los productores chilenos más importantes en el mercado de exportación, además de los mencionados, están Concha y Toro, Santa Rita, Santa Carolina, Cousiño Macul, Undurraga, Carmen y Casa Lapostolle.

# Argentina, un jugador importante

Argentina produce cerca de cuatro veces más vino que Chile, lo cual es más o menos lo mismo que los Estados Unidos. Se ufana de la mayor producción de vino en Sudamérica, la quinta del mundo, y uno de los más altos niveles de consumo per cápita del planeta. Si se piensa en el jugador importante que estas estadísticas hacen de la Argentina, en la escena mundial, su industria del vino parece anticuada, y sus vinos poco conocidos en los mercados de exportación.

Los viñedos han crecido en la Argentina desde mediados del siglo XVI, como en Chile. Pero la fuente de viñas de la Argentina ha sido más variada. Por ejemplo, los inmigrantes italianos trajeron varias vides.

La producción argentina se centra en la uva Criolla, una versión de cáscara rosada de la País de Chile, y en otra uva rosada llamada Cereza. Entre las dos suman la mitad de las plantaciones del país. La mayor parte del vino hecho de estas uvas es una bebida sencilla para el mercado interno.

Entre las uvas blancas están una llamada Pedro Giminez, la Moscatel, la española Torrontés, la Chenin Blanc, la Sémillon, la Riesling, la Chardonnay y otras. La uva roja más importante ha sido tradicionalmente la Malbec, una variedad francesa acreditada por hacer los mejores tintos argentinos, pero la Bonarda italiana ahora es un poco más común. Entre otras uvas rojas están la Tempranillo, la Barbera, la Lambrusco, la Cabernet Sauvignon, la Pinot Noir, la Syrah y otras.

Las regiones vinícolas argentinas están sobre todo en el interior del país, en donde los Andes separan a la Argentina de Chile. La altitud atempera el clima, pero los viñedos se calientan todavía mucho durante el día, se enfrían de noche, y se resecan. Los ríos que nacen en los Andes atraviesan el área y suministran agua para la irrigación.

La gran mayoría de los viñedos argentinos está en el estado de Mendoza, más o menos a la misma latitud de Santiago de Chile. (Uno de los distritos vinícolas de Mendoza es Maipú, que no debe confundirse con Maipo en Chile.) San Juan, un estado más caliente y más seco, al norte, es el que sigue en importancia como área de viñedos, con un área aproximada a un tercio de la de Mendoza. Al norte de San Juan, está la Rioja.

La enorme productora Peñaflor — una de las mayores del mundo — domina la producción de vino en el país y lidera el movimiento argentino hacia la modernización de la industria. Peñaflor maneja ahora la productora más pequeña, Trapiche, cuyos vinos se ven corrientemente en el extranjero. Otras empresas exportadoras son Santa Ana, Winert, Catena, Etchart, Finca Flichman, Pasquale Toso, Navarro Correas, Bianchi y Canale. Los vinos argentinos son, por lo general, más baratos incluso que los chilenos.

## Producción de vino a toda marcha

No hay que equivocarse: Australia es uno de los poderes mundiales en el vino. En el curso de unos pocos decenios, la industria del vino de Australia se ha catapultado de ser un proveedor, sobre todo de vinos dulces y fortificados, a convertirse tal vez en la nación más avanzada, en cuanto a pensamiento y tecnología, de la tierra.

Las viñas viníferas llegaron a Australia del Cabo de Buena Esperanza y de Europa a fines del siglo XVIII y comienzos del XIX (el país no tiene viñas nativas). Hasta hace tan poco como el año de 1960, los vinos de Australia eran vinos dulces y generosos, muchos de ellos fortificados (estilos típicos del clima cálido) — algo muy distinto de los frescos vinos tintos y blancos de mesa, de hoy. En 1980, la producción de Chardonnay era insignificante; ahora, la Chardonnay es la uva blanca más importante para el vino fino. Los vinos frutales y de buen precio que Australia ha logrado en los dos pasados decenios han ganado fanáticos rápidamente en lugares tan distantes como los Estados Unidos, el Reino Unido y Suecia.

Australia, un país más o menos del tamaño de los Estados Unidos continentales, tiene unas 700 fábricas pero produce menos del 30 por ciento del vino que produce California. (Sin embargo, el consumo de vino per cápita en Australia es el doble del de los Estados Unidos.) Las regiones vinícolas australianas están, en su mayor parte, en la mitad más fresca del país en el sur, muchas de ellas en el estado de Victoria, en el extremo de Australia del Sur, y en las partes más frescas de Nueva Gales del Sur (tres estados a menudo agrupados como Australia del Sudeste).

## *Producción, uvas y terroir*

La uva número uno para vino fino, en Australia, es la Syrah, llamada localmente *Shiraz,* seguida de la Cabernet Sauvignon, la Chardonnay, la Riesling y la Semillon. Los vinos en general llevan el nombre de la variedad de uva en la etiqueta, la cual debe constituir, por lo menos, el 85 por ciento del vino. Una peculiaridad australiana es la de mezclar dos uvas y llamar el vino por ambas, con la variedad dominante primero, como Shiraz/Cabernet Sauvignon o viceversa.

Los Shiraz son muy interesantes porque pueden hacerse en varios estilos, desde vinos muy ligeros muy fáciles de tomar con un sabor inmediato de fresa fresca (delicioso pero simple), hasta vinos serios y complejos que necesitan tiempo para evolucionar. Otra variedad muy interesante es la Sémillon (que se pronuncia *Semilón* en Australia, por oposición a la *Semiyón* francesa en el resto del mundo), especialmente la de Hunter Valley. Algunos se añejan en roble, como se hace con el Chardonnay, mientras que unos pocos Sémillons, no pasados por roble, que son simples cuando jóvenes, con la edad toman un sabor fascinante de nueces y miel.

El éxito de los vinos de Australia proviene de su cálido y seco clima (que suministra excelente materia prima a los productores) y de la adopción de tecnología para lograr vinos que conservan los intensos sabores de las uvas y resultan suaves y placenteros desde una edad temprana. Los vinos de Australia son compendios de la amistad con el usuario.

El concepto europeo de que un vino debe reflejar su *terroir* (vea el capítulo 7) parece tener poca importancia en Australia en esta etapa. El país hasta ahora está definiendo los límites de todas sus regiones del vino. Mientras tanto, los productores mezclan libremente las uvas de las distintas regiones — a menudo regiones tan distantes como las que están a 900 millas una de otra — como si sugirieran que el sabor regional es algo secundario para la fruta.

Los que están cerca del vino australiano pueden describir las regiones vinícolas del país en gran detalle, y diferenciar matices de estilo de un área a la otra como lo hacen los francófilos entre los pueblos de la Côte de Nuits. Pero, para los bebedores de vino, fuera de Australia, toda la cuestión de las regiones vinícolas australianas es académica. La gran mayoría de los vinos australianos llevan en la etiqueta simplemente: *South Eastern Australia,* lo que significa que las uvas pudieron provenir de cualquiera de los tres estados, un territorio enorme. Es el gusto lo que uno bebe, no el lugar, compañero.

Más adelante mencionamos algunas de las regiones más famosas de Australia, estado por estado. Si usted está interesado en aprender sobre esas regiones — y las muchas otras que no mencionamos — en mayor detalle, lea el excelente *Wine Atlas of Australlia and New Zeland,* de James Halliday (Angus & Robertson, 1991).

## Las regiones vinícolas de Australia

El estado más importante del país por su producción de vino es South Australia, cuya capital es Adelaide (vea la figura 12-2). Este estado hace el 58 por ciento del vino del país, y sus viñedos en la región de las Riverlands producen vinos poco costosos para el sediento mercado interno (mucho se vende en cajas de 4 litros y medio), mientras que los viñedos cercanos de Adelaide hacen vinos que se consideran entre los más finos del país. Entre estas regiones de vino fino están:

---

### Parejas singulares

Aunque los productores de todo el mundo hacen vinos mezclados, de más de una variedad de uva, en general, las combinaciones de uvas siguen los modelos clásico franceses: Cabernet Sauvignon con Merlot y Cabernet Franc, por ejemplo, o Sémillon con Sauvignon Blanc. Desembarazada de la tradición extranjera, Australia ha inventado fórmulas completamente originales:

✔ Shiraz con Cabernet Sauvignon

✔ Sémillon con Chardonnay

En general, la uva se indica primero en la etiqueta del vino, lo mismo que los porcentajes de cada uva.

✔ **Barossa Valley:** Al norte de Adelaide, una de las regiones más antiguas de Australia para vino fino; es un área cálida, especialmente famosa por su Shiraz y su Cabernet Sauvignon.

✔ **Clare Valley:** Más al norte, un área de clima distinto que hace de todo, de Rieslings firmes a vinos tintos de cuerpo pleno.

✔ **McLaren Vale:** Al sur de Adelaide, un clima fresco influenciado por el mar, y admirado en particular por sus Chardonnay y Sauvignon Blanc.

✔ **Coonawarra:** 300 millas al sudeste de Adelaide, una región fresca famosa por su suelo rojo y su Cabernet Sauvignon.

✔ **Padthaway:** Al norte de Coonawarra, un área fresca conocida por sus vinos blancos.

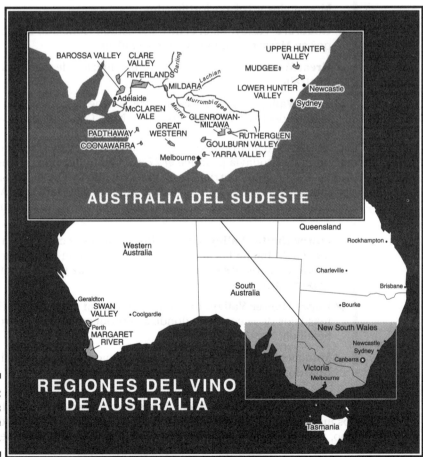

**Figura 12-2:** Las regiones del vino de Australia.

Adyacente a Australia del Sur está Victoria, un estado más pequeño, pero importante como área vitícola, que hace el 14 por ciento de los vinos de Australia. Mientras que en Australia del Sur están los productores más grandes, en Victoria hay *más* fábricas; la mayor parte son pequeñas. No obstante, Victoria hace su cuota de vinos corrientes, sobre todo en el área noroeste a lo largo del río Murray. La producción de vinos finos de Victoria va de vinos de postre generosos y fortificados a delicados Pinot Noirs.

Entre las principales regiones están:

✔ **Rutherglen, Glenrowan y Milawa:** En el nordeste; zonas de clima cálido, establecidas hace mucho tiempo, son las avanzadas de la vinificación tradicional y la cuna de una especialidad australiana: Moscateles y Tokays fortificados.

✔ **Goulburn Valley:** En el centro del estado, conocido especialmente por su Marsanne lo mismo que su Shiraz.

✔ **Great Western:** Sede de la mayor producción de vino espumoso de Australia.

✔ **Yarra Valley:** Región cercana a Melbourne, la capital, con un clima fresco adecuado para buenos Pinot Noir, Chardonnay y Cabernet.

El primer estado australiano en que se cultivaron vides fue Nueva Gales del Sur, el cual todavía produce el 27 por ciento del vino de Australia. La producción de vinos corrientes en gran volumen viene de un área interior llamada la Riverina (preferimos el nombre alternativo, el Área de Irrigación de Murrumbidgee). El vino fino viene de otras tres áreas:

✔ **Lower Hunter Valley:** Un área históricamente cultivadora de uvas a menos de 100 millas al norte de Sydney, con un clima húmedo muy cálido y suelos pesados; la Sémillon, la Shiraz y la Chardonnay son importantes.

✔ **Upper Hunter Valley:** Un clima más seco al norte del río Hunter y más lejos de la costa, en donde se producen buenos Chardonnay y Sémillon.

✔ **Mudgee:** Un área interior cerca de las montañas, especializada en Chardonnay, Merlot y Cabernet Sauvignon.

El oeste de Australia hace poco vino, en comparación con los tres estados mencionados. Swan Valley es el centro histórico de la producción de vino, pero las regiones de clima fresco como Margaret River se están volviendo cada vez más importantes. La región de Australia de clima *verdaderamente* fresco es Tasmania, una isla al sur de Victoria, en donde unos cuantos productores han empezado a probar qué potencial hay para las delicadas Pinot Noirs y las Chardonnay.

# Nueva Zelanda

Los vinos de Nueva Zelanda están entrando a los mercados de exportación a la grupa de los más exitosos vinos de Australia. Pero los vinos de los dos países son, realmente, muy diferentes.

Nueva Zelanda, situada más al sur que Australia, es un área vinícola más fresca, cuyo clima tiene gran influencia del océano. De las dos grandes islas que comprenden el país, la isla del norte es la más cálida y produce vinos tintos alrededor de Auckland y la bahía de Hawkes (especialmente conocida por su Cabernet Sauvignon), lo mismo que vinos de bajo costo de la uva Muller-Thurgau. En la isla del sur, Marlborough se ha convertido en la mayor región vinícola del país. Esta región es una importante productora de Chardonnay y, en especial, de Sauvignon Blanc.

Los blancos de Nueva Zelanda son en general vinos no pasados por roble, con sabor grande y generoso y alta acidez. El Sauvignon Blanc de ese país es tan distintivo — picante e intenso, con un sabor como de espárragos — que se ha convertido casi de la noche a la mañana en un reconocido prototipo nuevo de Sauvignon Blanc.

# Nueva esperanza en Sudáfrica

Con la elección democrática del presidente Nelson Mandela en 1994, y con la abolición del *apartheid* pocos años antes, Sudáfrica está surgiendo con nueva energía y una imagen positiva. El futuro de su industria del vino, en particular, nunca se ha visto mejor, especialmente para los vinos de mesa.

Las viñas llegaron a Sudáfrica al final del decenio de 1650, con los holandeses, los primeros pobladores europeos. Menos de cuarenta años después, los hugonotes franceses, expulsados de su patria, llegaron a Sudáfrica con un conocimiento de la producción de vino que hacía mucha falta. Para el fin del siglo XVIII, Sudáfrica estaba produciendo un sabroso vino de postre, famoso en el mundo, llamado Constantia, buscado en Europa por las cortes reales.

Pero, en el siglo XIX, la política, las guerras y la filoxera le hicieron pagar su tributo a Sudáfrica. En 1918 la calidad del vino era tan pobre (debido al exceso de producción y la general falta de reglamentación) que el gobierno aprobó la formación de una entidad reguladora, la KWV — en realidad una gigantesca cooperativa seminacional del vino — que hasta hoy controla la industria vinícola de Sudáfrica. Muchas personas en los negocios del vino han acusado a la KWV de exceso de regulación. Sólo recientemente, en 1992, la KWV suspendió su estricto sistema de cuotas, permitiéndoles a las productoras independientes hacer más vino (en Sudáfrica existen más de 80 propiedades vinícolas de esa clase).

Sólo recientemente, Sudáfrica ha empezado a enfocar la producción de vinos de mesa. Tradicionalmente, la mayoría de los 5 000 cultivadores del país llevaba sus uvas a una de las 70 cooperativas manejadas por la KWV, en las cuales la mitad de la cosecha se convertiría en alcohol destilado o en concentrado de uva (todavía es así hoy); las uvas restantes se usaban sobre todo para Jerez u Oporto. Hoy, en respuesta a una demanda mundial de vinos de mesa, más de esas uvas se usan para hacer vino seco no fortificado.

La industria vinícola sudafricana continúa bajo el dominio de las grandes firmas. Además de la KWV, el Stellenbosch Farmers' Winery Group (SFW) es un conglomerado que lidera la producción de vinos de mesa en el país. El muy apreciado Nederburg Estate hace parte del SFW. Otra firma importante en vino de mesa es el Bergkelder Group; dieciocho productoras de vino, incluso algunas de las mejores de Sudáfrica, están afiliadas a este grupo.

Hoy, Sudáfrica es el octavo productor de vino del mundo. Exporta cerca del 20 por ciento, sobre todo al Reino Unido.

# Las principales regiones vinícolas de Sudáfrica

Aunque hay algunos microclimas más frescos, especialmente alrededor de la costa sur (cerca del Cabo de la Buena Esperanza) y en mayores altitudes, el clima en la mayoría de las regiones del vino en Sudáfrica es cálido y seco. A menudo se necesita irrigación.

La legislación del Vino de Origen, de 1973, creó diez distritos vinícolas (y algunos subdistritos). Casi todos los viñedos están cerca de la costa suroeste, la Provincia del Cabo (a menos de 90 millas de Ciudad del Cabo, la ciudad más fascinante y pintoresca del país). Se habla de estos viñedos como los del Coastal District.

Los cinco distritos principales — incluyendo un subdistrito — son:

- ✔ **Constantia**: El área productora de vino más antigua del país (situada al sur de Ciudad del Cabo).

- ✔ **Durbanville:** Conocida por sus suaves colinas y sus suelos bien drenados; al norte de Ciudad del Cabo.

- ✔ **Stellenbosch:** Al este de Ciudad del Cabo; el distrito más importante en cantidad y calidad.

- ✔ **Paarl:** Al norte de Stellenbosch; sede de la KWV y de la bella Nederburg Estate.

- ✔ **Franschhoeck Valley:** (Subdistrito de Paarl); tiene muchos productores innovadores.

Cerca del diez por ciento de los vinos de Sudáfrica tienen la calidad de Wine of Origin (WO) [Vino de Origen]. Las normas del Wine of Origin se basan en las leyes francesas de la *Appellation Contrôlée*. Estas leyes determinan estrictamente los viñedos, las variedades de uva permitidas, los años de vendimia, etc. Los vinos varietales (con nombre por la variedad de uva) deben contener por lo menos un 75 por ciento de la variedad nombrada; los de exportación (en cumplimiento de las normas más estrictas de la Unión Europea) deben contener un 85 por ciento de la variedad nombrada.

## Steen, Pinotage y compañía

La variedad de uva dominante en Sudáfrica es la Chenin Blanc. A menudo llamada *Steen,* esta uva responde por cerca de un tercio de las plantaciones totales. La Chenin Blanc es muy versátil. Usada sobre todo para hacer vinos que van de semisecos a semidulces, también hace vinos secos, vinos espumosos, de cosecha tardía botrytizados y rosados. La Cinsaut (la misma Cinsault, variedad del Ródano), antiguamente llamada el Hermitage en Sudáfrica, es todavía la variedad líder.

Pero las cosas empiezan a cambiar. La Cabernet Sauvignon y la Merlot (y, en menor grado, la Pinot Noir y la Shiraz) están ganando importancia entre las variedades rojas, mientras que la Sauvignon Blanc y la Chardonnay se están volviendo las variedades blancas populares. La Cabernet Sauvignon y la Sauvignon Blanc se dan particularmente bien en el clima de Sudáfrica. (Una muy positiva versión de la Sauvignon Blanc se produce allí.)

Y también se encuentra la Pinotage. Exclusivamente sudafricana, la Pinotage es una uva híbrida que nació del cruce de la Pinot Noir con la

Cinsaut, en 1925. Sin embargo, la Pinotage no apareció como vino sino en 1959. El Pinotage combina la cereza de un Pinot Noir con la terrosidad de un vino del Ródano. Puede ser un vino tinto verdaderamente delicioso, de cuerpo ligero a medio que se presta para la bebida fácil (especialmente adecuado como vino tinto para clima cálido). Se encuentran buenos ejemplos de Pinotage en la escala de 8 a 11 dólares.

# Las mejores apuestas de Sudáfrica

Mientras el Pinotage es un vino placentero, ciertamente digno de ensayarse, nosotros creemos que el futuro de Sudáfrica está en el Cabernet Sauvignon y el Merlot (y mezclas de estas dos uvas) para sus vinos tintos, y el Sauvignon Blanc y el Chardonnay para sus blancos. Algunos de los productores que recomendamos, junto con sus vinos y sus distritos, son los siguientes (de acuerdo con nuestras preferencias):

### Vinos tintos

- ✔ **Meerlust (Stellenbosch):** Especialmente el Rubicon (sobre todo la mezcla con Cabernet Sauvignon); pero también el Cabernet Sauvignon y el Merlot

- ✔ **Rust En Vrede (Stellenbosch):** Cabernet Sauvignon, Estate (mezcla con Cabernet), Shiraz

- ✔ **Zonnebloem (Stellenbosch):** Lauréat (mezcla con el tipo Burdeos), Merlot

- ✔ **Rozendal (Stellenbosch):** Principalmente mezcla con Merlot

- ✔ **Klein Constantia (Constantia):** Marlbrook (mezcla con el tipo Burdeos), Cabernet Sauvignon

- ✔ **Villera Estate (Paarl):** Cru Monro (mezcla 60/40 de Cabernet Sauvignon y Merlot)

- ✔ **La Motte (Franschhoeck Valley):** Mezcla de Cabernet Sauvignon y Merlot

- ✔ **Groot Constantia (Constantia):** Cabernet Sauvignon

- ✔ **Middelvlei (Stellenbosch):** Pinotage

### Vinos blancos

- ✔ **Klein Constantia (Constantia):** Especialmente Sauvignon Blanc; también el Chardonnay

- ✔ **Louisvale (Stellenbosch):** Chardonnay

- ✔ **Boschendal (Paarl):** Sauvignon Blanc

✔ **Thelema (Stellenbosch):** Sauvignon Blanc, Chardonnay

✔ **Neil Ellis (Stellenbosch):** Sauvignon Blanc, Chardonnay

✔ **Mulderbosch (Stellenbosch):** Sauvignon Blanc

✔ **Backsberg (Paarl):** Chardonnay

✔ **Nederburg (Paarl):** Sauvignon Blanc (Private Bin D235); Prelude (una mezcla 70/30 de Sauvignon Blanc y Chardonnay que es poco usual pero funciona)

✔ **L'Ormarins (Franschhoek Valley):** Chardonnay

Los vinos tintos mencionados arriba están en la escala de 10 a 20 dólares; los blancos en la de 8 a 20 dólares. Los Sauvignon Blancs y los Pinotages son mejores compras.

## Vendimias recientes en Sudáfrica

Como en otras regiones de clima predominantemente cálido, las vendimias son consistentemente buenas en Sudáfrica. Sí se encuentran variaciones en los distritos costeros, sin embargo. Las mejores vendimias para vinos tintos han sido las de 1992, 1991, 1989, 1987 y 1986. Para vinos blancos, 1993, 1992 y 1991 todas han sido muy buenas.

*Los mejores vinos de Sudáfrica se han hecho de la cosecha de 1986 en adelante.*

# Diez vinos tintos que usted debe probar siquiera una vez

| Vino | Variedad de uva | País de origen | Precio aproximado |
|---|---|---|---|
| 1. Chianti, Cetamura,'90 (Badia a Coltibuono) | Sangiovese | Italia (Toscana) | $7 to $8 |
| 2. Barolo, '89/'90 (Le Terre del Barolo) | Nebbiolo | Italia (Piamonte) | $11 to $12 |
| 3. Barbera d'Alba, '93 (Vietti) | Barbera | Italia (Piamonte) | $11 a $13 |
| 4. Zinfandel, '92/'93 (Ridge Vineyards) (cualquier Zin de Ridge) | Zinfandel Carignane; Petite Sirah | USA-California (Sonoma) | $15 a $16 |
| Zinfandel, '92/'93 (Ravenswood) (cualquier Zin Ravenswood) | Zinfandel | USA-California (Sonoma) | $15 a $20 |
| 5. Burdeos, '88-'91 (Ch. Léoville Las-Cases) | Cabernet Sauvignon; Merlot; Cab Franc | Francia (Burdeos - St. Julien) | $22 a $45 (según la vendimia) |
| 6. Borgoña, '90/'91 (Dom. Leroy, Bourgogne) | Pinot Noir | Francia | $15 a $17 (Borgoña) |
| 7. Pinot Noir, '91/'94 (Williams-Selyem) | Pinot Noir | USA-California (Sonoma-Russian River) | $25 a $45 |
| 8. Cabernet Sauvignon, '90/'91 (Hess Collection) | Cabernet Sauvignon; Merlot; Cab. Franc | USA-California (Napa-Mt. Veeder) | $15 a $20 (Reserve $32) |
| Cabernet Sauvignon, '89-'92 (Cakebread Cellars) | Cabernet Sauvignon; Merlot | USA-California | $23 (Napa) |
| 9. Pinot Noir, '92 (Ponzi Vineyards) | Pinot Noir | USA-Oregón (Willamette Valley) | $17 a $18 (Reserve $28) |
| 10. Rubicon, '87 (Meerlust) también, otras vendimias | Cabernet Sauvignon; Merlot; Cab France | Sudáfrica (Stellenbosch) | $16 |

# Capítulo 13
# Bellezas burbujeantes

**E**n el universo del vino, los vinos espumosos son un sistema solar en sí mismos. En casi todo país que hace vino, se producen vinos espumosos, y éstos vienen en una amplia gama de sabores, calidades y precios. El Champaña, el vino espumoso de la región francesa de Champaña, es la estrella más brillante del cielo, pero de ningún modo la única.

Los vinos espumosos se distinguen de los otros porque tienen burbujas — *dióxido de carbono*. A los ojos de la mayoría de los gobiernos, estas burbujas deben ser un resultado natural de la fermentación, para que el vino pueda considerarse oficialmente vino espumoso. Si un vino tiene burbujas gracias a la adición de dióxido de carbono, como las tienen las bebidas suaves espumosas — entonces se le llama *carbonated wine* (USA) o *aerated wine* (países de la Unión Europea) en lugar de vino espumoso.

## Dónde crecen los vinos espumosos

Por todo el mundo del vino se hacen vinos espumosos, en dondequiera que exista mercado para ellos y se sepa cómo hacerlos. En la mayoría de las regiones en donde se hacen, los vinos espumosos son apenas un adjunto a la producción de vinos de mesa o vinos ligeros, una diversificación de los estilos de vino locales.

Pero, en unos pocos lugares, los vinos espumosos *crecen* — es decir, son una expresión integral de la realidad agrícola de la región. En esos lugares, si el vino espumoso no existiera, los vinificadores tendrían que inventarlo, porque las uvas son el ideal de las que se prestan para el vino espumoso.

A la cabeza de la lista está la región francesa de Champaña (en donde por muchos conceptos *se inventó* el vino espumoso). La zona del vino en Asti, Italia, es otra de esas regiones, como el valle del Loira en Francia, el nordeste de España y algunas partes de California.

Muchas de las regiones en donde crece el vino espumoso son áreas muy frescas, en donde las uvas no maduran lo suficiente para la producción de vino no espumoso. Las uvas de esas regiones, en la vinificación normal, producirían vinos extremadamente ácidos, desagradablemente ásperos, y muy delgados; a los tintos les faltaría color. Pero el elaborado proceso de la producción del vino espumoso (el *método tradicional,* descrito más adelante, tal como se practica en la región de Champaña) convierte los defectos de esas uvas en virtudes.

## No todo lo que brilla es Champaña

En otras partes en donde se hace vino espumoso, los vinos sólo representan una aplicación de la tecnología nacida de la necesidad en las regiones en donde nacen los vinos espumosos.

Aunque la tecnología pueda crear vinos que imitan el estilo general de las regiones vinícolas clásicas, no puede recrear lo que las uvas le dan al vino. Así, en su mayor parte, los vinos espumosos son sombras de los modelos clásicos a los que aspiran a parecerse.

El Champaña, el vino espumoso de Champaña, Francia, es el modelo clásico para la mayoría de los vinos espumosos, por varias razones:

✔ El Champaña es el vino espumoso más famoso del mundo; no sólo los bebedores de vino, sino el público en general, reconocen su nombre.

✔ En la región de Champaña se inventó una técnica particular para hacer vino espumoso.

✔ Los vinos de Champaña no sólo se consideran los espumosos más finos del mundo sino que están entre los vinos más finos del mundo de cualquier tipo.

Por esas razones el nombre *champaña* se le ha aplicado a toda suerte de vinos que no provienen de la región de Champaña. Los vinificadores que quieren hacer más vendibles sus productos llaman champaña a su vino;

los bebedores mismos usan la palabra champaña para referirse a cualquier vino que tenga burbujas.

Irónicamente, la mayor parte del vino espumoso vendido en los Estados Unidos con el nombre de champaña, ni siquiera se hace mediante la misma tecnología del verdadero Champaña. La mayoría de los champañas de imitación se hace mediante una técnica que necesita apenas unos pocos meses de principio a fin (comparada con los años necesarios para hacer el vino de Champaña), les cuesta menos a los productores y es más eficaz a escala industrial.

Dentro de la Unión Europea, sólo los vinos de Champaña, la región de Francia, pueden usar el nombre Champaña.

Cuandoquiera que usemos la palabra Champaña nos estaremos refiriendo al verdadero, al de la región del mismo nombre; usaremos las palabras genéricas *vino espumoso* para referirnos colectivamente a los vinos con burbujas, lo mismo que a los espumosos distintos del Champaña.

## Estilos de vino espumoso

Todos los vinos espumosos tienen burbujas, y casi todos son, si no blancos, rosados (que son mucho menos comunes que los blancos). Ésta es más o menos la generalización más amplia a que llegaremos para describir los espumosos.

Algunos vinos espumosos son dulces del todo, algunos del todo secos, y muchos están en la mitad, de medio secos a medio dulces. Algunos tienen sabor tostado, como de nueces, y algunos son frutales; entre los frutales, hay algunos de un sabor de uva indescriptible, mientras otros tienen delicados matices de limón, manzana, cerezas, arándano, durazno, etc.

Los vinos espumosos de todo el mundo se dividen en dos tipos amplios, de acuerdo con la forma en que están hechos:

✔ Vinos que expresan el carácter de sus uvas; estos vinos tienden a ser frutosos y directos, sin capas de complejidad.

✔ Vinos que expresan la complejidad y los sabores (de levadura, galleta, caramelo, miel) derivados de la vinificación y el añejamiento, más que la frutosidad directa.

Cada estilo corresponde a un método particular de hacer vinos espumosos, descrito más adelante, en la sección "Cómo se hace el vino espumoso".

### ¿Hasta qué punto es dulce?

Casi todos los vinos espumosos son dulces en el sentido de que contienen cantidades mensurables de azúcar residual, usualmente como resultado del endulzador agregado en la última etapa de la producción. Pero no todos los vinos espumosos *saben* dulce, necesariamente. La percepción de la dulzura depende de dos factores: la cantidad dada de dulzura en el vino (que varía de acuerdo con su estilo) y el balance del vino entre acidez y dulzura.

Así es como opera el factor equilibrio. Los vinos espumosos son, en general, muy altos en acidez. El dióxido de carbono atempera el sabor ácido en la boca. Pero la dulzura del vino contrarresta su acidez y viceversa. Según el particular equilibrio ácido/azúcar que alcanza un vino espumoso, puede éste saber seco, muy ligeramente dulce, medio dulce o dulce del todo.

El Champaña se hace en una gama de niveles de dulzura, el más común de los cuales es un estilo seco llamado *brut* (vea "Categorías de dulzura" más adelante en este capítulo). Los vinos espumosos hechos por el *método tradicional* usado en la Champaña (vea "Cómo se hace el vino espumoso" más adelante en este capítulo) se hacen en la misma gama de estilos que el Champaña.

Los vinos espumosos de bajo costo tienden a ser medio dulces para atraer a un mercado masivo al cual le gusta la dulzura. Los vinos que llevan en la etiqueta la palabra italiana *spumante* tienden a ser dulces. (Vea la sección sobre el Spumante italiano, más adelante en este capítulo.)

### ¿Hasta qué punto es bueno?

Cuando usted prueba un vino espumoso, lo más importante es saber si le gusta — lo mismo que si es un vino quieto (no espumoso). Si quiere evaluar un vino espumoso de la manera como lo hacen los profesionales, sin embargo, debe aplicar algunos criterios que no se aplican a los vinos quietos o que son menos importantes en éstos que en los espumosos. Algunos de estos criterios son:

✔ **La apariencia visual de las burbujas.** En los mejores vinos espumosos, las burbujas son pequeñitas y flotan hacia arriba en una corriente continua desde el fondo de la copa. Si las burbujas son grandes y desperdigadas, usted tiene una clave de que el vino es un espumoso de menor calidad. Si casi no hay burbujas, puede tener una botella defectuosa o un vino demasiado viejo.

Ligeras variaciones en la clase de copa pueden afectar de modo drástico al flujo de burbujas. Si su copa parece casi quieta, pero otra copa con vino de la misma botella se ve animada con las burbujas, culpe a su copa y no al vino. (En este caso, se debe poder *sentir* las burbujas aunque no se *vean* muchas.)

✔ **La sensación de las burbujas en la boca.** Mientras más fino sea el vino, menos agresivas se sentirán las burbujas. (Si las burbujas se sienten como las de una gaseosa, ojalá no haya pagado usted más de 5 dólares por el vino.)

✔ **El balance entre dulzura y acidez.** Incluso si un vino le parece demasiado dulce o demasiado seco para su gusto, usted debe considerar su relación entre dulzura y acidez y decidir si estos dos elementos están razonablemente equilibrados.

✔ **La textura.** Los vinos espumosos hechos por el método tradicional deben tener una textura algo cremosa, como resultado de su prolongado añejamiento en cubas cerradas (vea en la sección "Cómo se hace el vino espumoso" una explicación sobre el *método tradicional* y la cuba cerrada y los sedimentos).

✔ **El final.** Cualquier sabor amargo al final de un vino espumoso es señal de baja calidad.

✔ **Qué estilo de vino se trata de hacer.** Sobre todo, considere este factor. Si está probando un vino espumoso hecho para que sea abiertamente frutoso, ¡no lo critique porque le faltan los sabores tostados que se logran a expensas de la fruta!

# Cómo se hace el vino espumoso

El vino se vuelve espumoso cuando se fermenta en un contenedor cerrado y el dióxido de carbono creado por las levaduras no puede escaparse. Sin poder salir, el dióxido de carbono ($CO_2$) queda preso en el vino y toma la forma de burbujas.

Cuando las levaduras convierten el azúcar en alcohol, el dióxido de carbono es un subproducto natural.

La mayoría de los vinos espumosos de hecho pasan por *dos* fermentaciones: una para convertir el mosto en vino quieto (sin burbujas) y la siguiente para convertir el vino quieto en vino con burbujas (que se llama, lógicamente, *segunda fermentación*). El vinificador tiene que provocar la segunda fermentación agregando levaduras y azúcar al vino de base. Las levaduras agregadas convierten el azúcar agregado en alcohol y en burbujas de $CO_2$.

Los métodos de encerrar el $CO_2$ varían — y con ellos, el estilo y la calidad del vino. Básicamente, mientras más largo y lento sea el proceso, más complejo y costoso será el vino espumoso. Algunos vinos espumosos se hacen en diez años; otros en unos pocos meses. Los primeros pueden costar más de 100 dólares por botella, mientras que los burbujeantes del otro lado del espectro pueden venderse por 3 dólares no más.

Aunque se encuentran muchas variaciones sobre el tema, la mayoría de los vinos espumosos se producen de una de dos maneras: mediante *segunda fermentación en un tanque,* o mediante *segunda fermentación en la botella.* La gente del vino usa las palabras *fermentado en tanque* y *fermentado en botella* para estos dos procesos, sin especificar que se refieren a la *segunda* fermentación, no a la primera.

## Economía de escala

La forma más rápida y eficiente de hacer un vino espumoso implica realizar la segunda fermentación en grandes tanques cerrados y presurizados. Este método se llama el *método a granel,* el *método en tanque, cuve close* (tanque cerrado, en francés), o el *método charmat,* por el inventor del proceso, un francés llamado Eugene Charmat.

Los vinos espumosos hechos por el método charmat son, en general, los menos costosos porque están listos para la venta poco después de la cosecha y se hacen de costumbre en grandes cantidades.

En el método charmat ocurre lo siguiente:

✔ A un vino de base se le *siembran* azúcar, levadura y fermentos.

El dióxido de carbono creado por la fermentación queda atrapado en el vino, gracias al tanque cerrado, la presión dentro del tanque y la baja temperatura.

✔ El vino — ahora un espumoso seco con más alcohol que el de base — se filtra (a presión) para quitarle los depósitos sólidos de la segunda fermentación (los *sedimentos).*

✔ Antes de embotellarlo, se agrega alguna dulzura para ajustar el sabor del vino de acuerdo con el estilo final que se desea.

Todo el proceso puede tomar apenas unas pocas semanas. En casos excepcionales, puede extenderse a algunos meses, para permitirle al vino descansar entre la fermentación y la filtración.

# Pequeño es hermoso

El método charmat es un método relativamente nuevo de producir vinos espumosos, que data de hace menos de 100 años. El método más tradicional es el de producir la segunda fermentación en las botellas en que se venderá el vino después.

El Champaña se ha hecho de este modo desde hace cerca de 300 años y, de acuerdo con la ley francesa, no puede hacerse de otra manera. Muchos otros vinos espumosos franceses se hacen del mismo modo, al igual que los mejores vinos espumosos de España, California y otros lugares.

La técnica de inducir la segunda fermentación en la botella se llama el método *clásico* o *tradicional,* en Europa; en los Estados Unidos, se llama el *método champagne* o *método champenoise.*

La fermentación en botella (o más correctamente, la segunda fermentación en botella) es un laborioso proceso en el cual cada botella se convierte en un tanque individual de fermentación, por así decirlo. Este proceso requiere un mínimo de un año y usualmente toma tres o más. Invariablemente, los vinos espumosos, hechos así, son más costosos que los fermentados en tanque.

Los elementos de la fermentación en botella son:

✔ Cada botella se llena con una mezcla de vino de base y una solución de azúcar y levadura, se tapa seguramente, y se deja tendida a reposar en una bodega fresca y oscura.

✔ Dentro de cada botella se produce la fermentación que genera dióxido de carbono y deja sedimentos.

✔ Con el tiempo — entre nueve meses y varios años después de la segunda fermentación — las botellas pasan por un proceso de sacudidas y vueltas para que los sedimentos sólidos caigan en el cuello de cada una, parada en la cabeza.

✔ Los sedimentos se congelan de modo instantáneo en el cuello de la botella y se expulsan de ésta como un tapón congelado, dejando claro y limpio el vino espumoso.

✔ Se agrega una solución endulzante (llamada *dosage)* para ajustar el sabor del vino, y se corchan y etiquetean las botellas para la venta.

## La belleza de mezclar

En realidad, el método clásico, tal como se practica en la Champaña, implica varios pasos que se dan mucho antes de la segunda fermentación. Por ejemplo, al exprimir las uvas y extraer el mosto para la primera fermentación, el procedimiento debe llevarse a cabo con meticuloso cuidado para impedir que los sabores amargos de la cáscara — y su color, en el caso de las uvas negras — pasen al mosto. Otro paso de importancia crucial para la calidad del vino espumoso, es la producción del vino de base para la segunda fermentación.

Después de la primera fermentación, los vinos de diferentes variedades de uva y de diferentes viñedos se mantienen separados. Para crear su vino de base, o *cuvée,* el productor mezcla estos distintos vinos en proporciones variables, agregando, a menudo, algún *vino de reserve* (vino más viejo, guardado de vendimias anteriores, a propósito). Entre 100 y 200 vinos distintos pueden mezclarse en un solo vino de base, y cada cual le da su carácter especial o la mezcla. Lo que es particularmente complicado, al hacer la mezcla del vino de base — además del puro volumen de sus componentes — es que el vinificador tiene que mirar hacia el futuro para crear una mezcla, *no* para su sabor hoy, sino para el que tendrá varios años después, cuando se haya transformado en un vino espumoso. Los hombres y las mujeres que mezclan vinos espumosos están entre los artistas del mundo del vino.

## Gusto: la prueba de la torta

Los espumosos fermentados en tanque tienden a ser más frutosos que los hechos por el método tradicional. Esta diferencia se debe a que, en la fermentación en tanque, la ruta de la uva al vino es más corta y más directa que la de la fermentación en la botella. Algunos vinificadores usan el método *charmat* o de tanque porque su meta es un espumoso fresco y frutal. El Asti (antes llamado Asti Spumante), el vino espumoso más famoso de Italia, es un ejemplo perfecto. Los espumosos del método charmat deben consumirse jóvenes, cuando su frutosidad está en el máximo.

Los espumosos producidos mediante la segunda fermentación en la botella tienden a ser menos abiertamente frutosos que los del método charmat. Los cambios químicos, que tienen lugar mientras el vino se desarrolla en la fermentación de sus sedimentos, disminuyen la frutosidad y producen aromas y sabores como de algo tostado o de nueces, de caramelo o de levadura. La textura del vino también puede cambiar a causa del añejamiento prolongado sobre los sedimentos, y éste se vuelve terso y cremoso. Las burbujas mismas tienden a ser más diminutas, y se sienten menos agresivas en la boca que las de los espumosos fermentados en tanque. Aunque los vinos espumosos del método clásico pueden disfrutarse cuando se compran, pueden también usualmente añejarse bien, siempre que se guarden en un lugar fresco (vea el capítulo 15).

El término técnico para la descomposición de las células de la levadura, después de la segunda fermentación, y los cambios químicos resultantes, es *autólysis*. Los sabores y aromas agregados por la autólysis se denominan aromas *autolyzados*. La presencia del carácter autolyzado es una de las diferencias importantes entre los vinos espumosos fermentados en la botella y los fermentados en tanque. El *grado* del carácter autolyzado es también una diferencia clave entre los espumosos fermentados en botella — que pasan mucho tiempo de añejamiento sobre los sedimentos (como un Champaña *prestige cuvée,* descrito más adelante en este capítulo) — y los que pasan menos tiempo en los sedimentos (como un Champaña sin cosecha), porque los aromas autolyzados se hacen más y más intensos mientras más largo es el añejamiento sobre los sedimentos.

# *Champaña y sus vinos mágicos*

Champaña. ¿Hay otra palabra que tenga un significado igual de celebración? Piénselo: en cualquier momento en que alguien en cualquier país del mundo quiere celebrar algo, dice: "¡Esto es para Champaña!"

El Champaña, el de verdad, viene sólo de la región de Champaña en el nordeste de Francia. Dom Pérignon, el famoso monje que era el Maestro de Bodega de la Abadía de Hautvillers, no inventó el Champaña, pero sí logró varias soluciones claves para hacer el Champaña que conocemos. Por ejemplo, perfeccionó el método de hacer vinos blancos de uvas negras y, lo más importante, dominó el arte de mezclar vinos de distintas uvas y diferentes aldeas para lograr un vino de base complejo.

La Champaña es el área de viñedos que está más al norte de Francia. Las *casas* más importantes de Champaña (como se llama allí a las productoras) están situadas en la ciudad catedralicia de Rheims — en donde una Juana de Arco de 17 años logró que se coronara al príncipe Carlos como rey de Francia, en 1429 — y en la población de Epernay, al sur de Rheims. Alrededor de estas dos ciudades están las principales áreas de viñedos en donde se dan las tres variedades de uvas permitidas para el Champaña (dos blancas y una negra):

✔ La Montagne de Rheims (al sur de Rheims), en donde crece la mejor Pinot Noir

✔ La Côte des Blancs (al sur de Epernay), hogar de la mejor Chardonnay

✔ La Vallée de la Marne (al oeste de Epernay), la más favorable a la Pinot Meunier (una uva negra), aunque las tres variedades de uvas crecen allí

La mayor parte del Champaña se hace de las tres variedades. La Pinot Noir contribuye a la mezcla con el cuerpo, la estructura y la longevidad; la Chardonnay ofrece delicadeza, frescura y elegancia; y la Pinot Meunier suministra precocidad, aromas frutales y frutosidad.

## Qué hace especial el Champaña

En Champaña, el clima para el cultivo de la uva es marginal. Con inviernos fríos y veranos tibios (pero no calientes), en algunos años, las uvas luchan por madurar lo suficiente. Incluso en años más cálidos, el clima impone que las uvas sean siempre altas de acidez (vea "Los peores casos de madurez" en el capítulo 9), lo cual es malo para los vinos de mesa, pero perfecto para los espumosos. El clima fresco, combinado con el suelo de yeso y caliza, es el factor principal de la excelencia del Champaña.

Otros tres factores ayudan a distinguir el Champaña de todos los otros vinos espumosos:

1. El número y la diversidad de los viñedos (cerca de 300 *crus)* ofrece una gama inmensa de vinos distintos para mezclar.

2. Las bodegas frías, profundas y yesosas (muchas construidas en tiempos romanos) en las cuales se añeja el Champaña durante mucho tiempo.

3. Los 300 años de experiencia en hacer vino espumoso que tienen los *champenois.*

El resultado es un vino espumoso elegante, con miríadas de burbujas diminutas y gentiles, complejidad de sabores, y un final largo. *¡Voilá! ¡Champagne!*

## Champaña sin año de vendimia

El Champaña non-vintage (NV) — cualquier Champaña sin año de vendimia — representa el 85 por ciento de todo el Champaña que se produce.

La mezcla típica es de dos tercios de uvas negras (Pinot Noir y Pinot Meunier) y uno de blancas (Chardonnay). En la mezcla van vinos de tres o más cosechas. Y recuerde, pueden ir también los vinos de hasta 30 o 40 aldeas distintas en cada año. El productor de Champaña es por necesidad un maestro mezclador.

Cada casa de Champaña controla su propia mezcla, creando así su *estilo de la casa* para su Champaña non-vintage. (Por ejemplo, una casa puede buscar elegancia y *finesse* en su vino; otra puede optar por la frutosidad, y una tercera puede valorar el cuerpo, la fuerza y la longevidad.) Mantener un estilo consistente de la casa es vital para los productores de Champaña, porque los bebedores de vino se acostumbran al estilo de su Champaña favorito y esperan encontrarlo en ese vino sin cosecha, año tras año.

La mayoría de las casas de Champaña añejan su espumoso sin cosecha de dos años y medio a tres, aunque el mínimo legal es sólo un año. El añejamiento extra prolonga el tiempo *de matrimonio* de la mezcla y aumenta el sabor y la complejidad del vino. Si usted tiene buenas condiciones de almacenamiento (vea el capítulo 15), el añejar su Champaña sin cosecha durante un año o dos puede mejorarle el sabor, usualmente.

¡No deje su Champaña — o cualquier buen vino espumoso — más de unos pocos días en el refrigerador! El sabor se volverá simple y flojo por la temperatura excesivamente baja; tampoco son buenas para ningún vino — pero en especial para el espumoso — las vibraciones del motor del refrigerador que se apaga y se enciende (vea el capítulo 15).

La mayoría de los Champañas sin cosecha se venden entre 15 y 30 dólares la botella. A menudo, un detallista grande compra enormes cantidades de unas cuantas marcas principales y obtiene un buen descuento que les pasa a sus clientes. Vale la pena buscar las tiendas que hacen gran volumen con el negocio del Champaña.

## Champaña de vendimia

En cuatro de cada diez, el clima de Champaña es lo bastante bueno para hacer un Champaña de cosecha — o sea, que las uvas maduran hasta el punto de que se puede hacer con ellas un vino sin mezcla de vinos de reserva de años anteriores. (El decenio de los 80 tuvo un tiempo excepcional, y permitió que la mayoría de las casas hicieran Champaña de vendimia todos los años, de 1981 a 1990, con la excepción de 1984 y 1987.)

Los Champañas de vendimia son de dos categorías:

✔ Vendimia regular, con una gama de precios de 25 a 50 dólares la botella; estos vinos simplemente llevan un año de vendimia además del nombre de la casa; vea "Productores de Champaña recomendados" más adelante en este capítulo.

✔ Vendimia premium (también conocida como p*restige cuvée* o *tête de cuvée),* como el Dom Pérignon de Moët & Chandon, el Cristal de Roederer, la Grand Dame de la Veuve Clicquot; el precio típico de las prestige cuvées va de 50 a 100 dólares la botella.

El Champaña de vendimia es invariablemente mejor que el sin vendimia por las siguientes razones:

1. En el Champaña de vendimia se usan las mejores uvas de los viñedos más selectos *(en especial* para los prestige cuvées).

2. Usualmente, sólo las variedades más finas (Pinot Noir y Chardonnay) se usan en el Champaña de vendimia. La Pinot Meunier se guarda para el Champaña NV.

3. La mayoría de las casas de Champaña añejan los Champañas de vendimia por lo menos dos años más que los otros. El añejamiento extra asegura sabores más complejos.

4. Todas las uvas son del mismo año — un año superior al promedio, por lo menos, un año soberbio en el mejor de los casos.

El Champaña de vendimia es de sabor más intenso que el que no lo es. Es de cuerpo más pleno, más complejo, y dura más en el paladar. Como son más plenos y más gustosos, estos Champañas son inmejorables para tomar con la comida. Los otros, que son más frescos y ligeros y menos complicados, son buenos aperitivos; y son buenas compras. Si un Champaña de vendimia vale su costo extra o no, es algo que usted mismo debe juzgar.

La vendimia de 1990 en Champaña  fue superior  (como en la mayoría de las regiones vinícolas de Europa), y la de 1989 casi tan buena como ella. La de 1988 también fue buena, pero no tanto las del 89 y el 90 (pero el Cristal de Roederer está magnífico). La de 1986 es inconsistente, pero el Pol Roger, el Roederer y el Billecart-Salmon están muy bien. La de 1985 es muy buena, especialmente para Bollinger, Dom Pérignon y Laurent-Perrier. La de 1982 es una supervendimia, si usted aún puede encontrarla; a Krug y a Dom Pérignon les fue especialmente bien.

# Blanco de blancos

Unos pocos Champañas se hacen de una sola de las tres variedades permitidas. Ésta es la Chardonnay y ese tipo de Champaña se llama *blanc de blancs* (literalmente blanco de blancos). Un *blanc de blancs* puede ser de vendimia o no. Usualmente cuesta unos dólares más que otros de su categoría. Como es más ligero y más delicado que otros Champañas, es ideal como aperitivo. No todas las casas de Champaña hacen *blanc de blancs*. Dos de los mejores son el Comte de Champagne y el Billecart-Salmon.

El Champaña *Blanc de noirs* (hecho de un 100 por ciento de uvas negras, a menudo, sólo Pinot Noir) es raro pero sí existe. El Blanc de Noirs *Vieilles Vignes Francaises* (viejas viñas), de Bollinger, es absolutamente el mejor, pero es muy caro (de 185 a 200 dólares). El Blanc de Noirs de Bollinger 1985 fue uno de los mejores Champañas que hemos tomado; el otro fue el Krug de 1928.

# Champagne Rosé

Los Champañas rosados pueden ser también de vendimia, o sin año. Usualmente sólo se usan la Pinot Noir y la Chardonnay en proporciones que varían de una a otra casa.

Los rosados se hacen sobre todo poniendo algún vino tinto Pinot Noir en el vino base de la mezcla, aunque unas pocas casas más bien vinifican algunas uvas rojas como vinos rosados para el Champaña rosé. Los colores van de cáscara de cebolla pálido a salmón y a rosado (los de color más claro usualmente son los de mejor calidad). Los rosados son más plenos y más redondos que otros Champañas y como van mejor es con la cena. (Como se han asociado con el romance, son populares para los aniversarios de matrimonio y el Día de los Novios.)

## Quién está tomando Champaña

Francia encabeza el mundo en consumo de Champaña, puesto que toma casi el doble que el resto del mundo junto. El Reino Unido y Alemania son los mejores mercados para el Champaña de exportación, cada uno con ventas de cerca de 15 millones de botellas al año.

Los Estados Unidos son el tercero (cerca de 11 millones de botellas), seguido por Suiza, Bélgica e Italia. Pero los Estados Unidos son el mayor comprador de Champaña *prestige cuvée*, especialmente Dom Pérignon.

Como los *blanc de blancs,* los Champañas rosados cuestan uno poco más que los corrientes y no todas las casas los hacen. Algunos de los mejores son los hechos por Roederer, Billecart-Salmon, Gosset y Moët & Chandon.

Algunas personas tienen mala idea del Champaña rosé porque lo asocian con las toneladas que se venden de vinos rosados dulces e insípidos (baratos), espumosos o no. Pero el Champaña rosé es tan seco como el blanco y tiene la misma alta calidad.

## Categorías de dulzura

Los Champañas siempre llevan en la etiqueta una indicación de su dulzura, pero las palabras usadas para ello son crípticas: "extra dry" no es realmente seco, por ejemplo. En orden ascendente de dulzura, los Champañas llevan en la etiqueta:

✔ **Extra Brut, Brut Nature o Brut Sauvage:** Totalmente seco

✔ **Brut:** Seco

✔ **Extra Dry:** Medio seco

✔ **Sec:** Ligeramente dulce

✔ **Demi-Sec:** Moderadamente dulce

✔ **Doux:** Dulce

El estilo más común de Champaña y de otros espumosos serios es el brut. Sin embargo, el Champaña más vendido en el mundo, el White Star de Moët & Chandon, es de la categoría extra dry. El primer estilo y el último de la lista son muy raros ahora.

Los productores de espumosos del método clásico, en otras áreas, usan las mismas palabras para describir sus vinos. Pero, así como los términos están definidos legalmente en Champaña, no lo están necesariamente en los otros lugares.

## Productores de Champaña recomendados

El negocio del Champaña — en especial el de exportación — lo dominan 25 o 30 grandes casas, la mayoría de las cuales compra la mayor parte de las uvas necesarias para su Champaña a cultivadores independientes. De las casas principales, sólo Roederer y Bollinger son dueñas de la mayoría de los viñedos de donde traen las uvas — una ventaja definitiva para ellas, en cuanto a economía y control de calidad.

# El consejo de Madame Lily Bollinger para tomar Champaña

Cuando murió Jacques Bollinger, en 1941, su viuda, Lily Bollinger, llevó su famosa casa de Champaña a través de los difíciles años de la ocupación de Francia por Alemania. La manejó hasta su muerte, en 1977. Bollinger prosperó bajo su liderazgo hasta doblar su tamaño. Lily era una figura amada en Champaña, en donde se podía verla todos los días recorriendo los viñedos en su bicicleta. En 1961, cuando un reportero le preguntó cuándo tomaba Champa-ña, le contestó: "Sólo tomo champaña cuando estoy feliz o cuando estoy triste. A veces tomo cuando estoy sola. Cuando tengo visita lo considero obligatorio. Juego con él si no tengo hambre y lo tomo si la tengo. En otras ocasiones nunca lo pruebo, a menos que tenga sed".

Madame Lily Bollinger murió a los 78 años, aparentemente sin que todo ese Champaña le hubiera hecho daño.

Moët & Chandon es por mucho la mayor casa de Champaña en cuanto a ventas mundiales. La siguen Mumm, Veuve Clicquot, Laurent-Perrier, Pommery y Lanson. La lista siguiente indica algunos de nuestros productores favoritos en orden aproximado de preferencias, y agrupados de acuerdo con el estilo de su Champaña, de cuerpo ligero, medio, o pleno:

✔ **Estilos ligeros, elegantes**

| | |
|---|---|
| Laurent-Perrier | Perrier-Jouët |
| Billecart-Salmon | Delamotte* |
| Taittinger | de Castellane |
| Ruinart | Jacques Selosse* |
| Philipponnat | Charles de Cazanove |
| Jacquesson | Batiste-Pertois* |
| Bruno Paillard | J. Lassalle* |

✔ **Estilos de cuerpo medio**

| | |
|---|---|
| Charles Heidsieck | Heidsieck Monopole |
| Pol Roger | Pommery |
| Moët & Chandon | Deutz |
| Mumm | Joseph Perrier |

✔ **Estilos de cuerpo pleno**

| | |
|---|---|
| Krug | Veuve Clicquot |
| Louis Roederer | Alfred Gratien* |
| Bollinger | Henriot |
| Salon* | Paul Bara* |
| Gosset | |

*Pequeño productor; puede ser difícil encontrarlo*

La siguiente lista menciona, en orden aproximado de preferencias, las casas cuyos Champañas de vendimia y prestige cuvées han estado en la mejor forma últimamente. (¡Si se va a gastar su buena plata en los mejores Champañas, pues que sean de veras los mejores!)

✔ **Krug:** Vintage (1982, 1985, 1973 Collection)

✔ **Louis Roederer:** Cristal (1988, 1986, 1985)

✔ **Bollinger:** Vintage (1988, 1985); Blanc de Noirs Vielles Vignes (1985)

✔ **Moët & Chandon:** Dom Pérignon (1988, 1985, 1982)

✔ **Veuve Clicquot:** La Grande Dame (1988, 1985, 1983)

✔ **Mumm:** René Lalou (1985, 1982); Grand Cordon blanco y rosé (1985)

✔ **Pommery:** Cuvée Louise Pommery (1988, 1987, 1985)

✔ **Gosset:** Grand Millesime y Rosé (1985)

✔ **Heidsieck Monopole:** Diamant Bleu y Rosé (1985, 1982)

✔ **Philipponnat:** Clos des Goisses (1986, 1985, 1982)

✔ **Pol Roger:** Cuvée Sir Winston Churchill (1986, 1985)

✔ **Salon:** Vintage (1983, 1982, 1979)

✔ **Taittinger**: Comtes de Champagne blanco y rosé (1988, 1985)

✔ **Billecart-Salmon:** Blanc de Blancs (1986, 1985)

✔ **Laurent-Perrier:** Grand Siècle (1988, 1985)

✔ **Cattier:** Clos du Moulin (uno sin vendimia)

✔ **Jacquesson:** Signature (1985)

✔ **Ruinart:** Dom Ruinart Blanc de Blancs (1988, 1986)

✔ **Charles de Cazanove:** Stradivarius (1989)

✔ **Charbaut:** Certificate Blanc de Blancs (1985)

✔ **Charles Heidsieck:** Blanc des Millenaires (1983)

## *Otros vinos espumosos*

Francia hace muchos otros vinos espumosos, además del Champaña, especialmente en el valle del Loira, en los alrededores de Saumur, y en las regiones de Alsacia y la Borgoña. Cuando el espumoso se hace por el método tradicional (segunda fermentación en la botella), a menudo se le llama *Cremant,* como el Cremant d'Alsace, Cremant de Bourgogne, etc.

Las variedades de uva son las típicas de cada región. La mayor parte se vende entre 10 y 15 dólares y es de calidad decente (pero, por unos dólares más, se puede comprar un buen Champaña NV, como el Charles Heidsieck).

## Vino espumoso estadounidense

En los Estados Unidos se hace vino espumoso en casi todos los Estados en los que se hace vino quieto, pero los dos estados más famosos por él son California y Nueva York. Dos muy buenos ejemplos de los vinos espumosos del estado de Nueva York, hechos por el método tradicional, son el Château Frank y el Glenora; ambos se venden entre 12 y 14 dólares.

Como no les queda espacio para viñedos en su región, los productores de Champaña han establecido empresas en todo el mundo — en California (Moët & Chandon empezó allí la invasión francesa en 1973), y en Nueva York, Australia, Nueva Zelanda, Brasil, India y Corea. Los vinos espumosos hechos por casas de Champaña han sido particularmente exitosos en California.

El burbujeante de California es definitivamente un vino diferente del de Champaña, incluso cuando lo hace una casa de Champaña por el método de Champaña y con las mismas variedades de uvas (sabe más frutoso). Se puede comprar buen vino espumoso de California por tan poco como de 9 a 10 dólares, hasta 25 dólares o más.

La mayoría de los vinos espumosos más finos de California no se llaman a sí mismos *Champagne,* mientras que los menos costosos, los que mejor se venden, sí lo hacen. Entre los más vendidos de los espumosos que en los Estados Unidos usan el nombre Champagne, el Korbel, de cerca de 9 dólares, es el único *fermentado en botella.*

Recomendamos los siguientes vinos espumosos de California:

### De propiedad estadounidense

✔ **J:** No contento con hacer algunos de los más populares Cabernet Sauvignon y Chardonnay, la empresa Jordan de Sonoma está haciendo ahora uno de los mejores vinos espumosos del país. Y sigue mejorando año tras año. Muy frutal y bastante delicado, el vino viene en una botella sensacional, y cuesta de 20 a 25 dólares.

✔ **Iron Horse:** En Green Valley, la parte más fresca de Sonoma, Iron Horse está haciendo sin duda uno de los mejores vinos espumosos de California. Especialmente buenos son los de sus mejores cuvées, tales como el Wedding Cuvée y el Vrai Amis, que cuestan de 20 a 25 dólares.

✔ **Schramsberg:** El más antiguo productor de espumoso de calidad en California y todavía uno de los mejores, tiene una línea diversificada de vinos a precios que van de 22 a 25 dólares. Hace ahora el espumoso más costoso de California, el J. Schram Tête de Cuvée (de 45 a 50 dólares).

✔ **Handley Cellars:** En Anderson Valley, cerca de Mendocino, Milla Handley está haciendo un vino espumoso excelente muy seco; su Rosé Brut es una belleza de 14 a 16 dólares.

### De propiedad francesa o española

✔ **Domaine Chandon:** Esta firma, en el valle de Napa, es lugar obligado sólo por su restaurante. La vinificadora Dawnine Dyer sigue haciendo vinos espumosos firmes y consistentes a precios razonables (de 12 a 14 dólares). Su espumoso premium, Etoile (de 23 a 25 dólares) merece ser mejor conocido: es uno de los vinos espumosos más elegantes de los Estados Unidos.

✔ **Mumm Cuvée Napa:** Mumm se ha establecido como una de las mejores casas de vino espumoso de California. Gran parte de su producción proviene del fresco distrito de Carneros. Sus precios van de 15 a 18 dólares y su nuevo premium cuvée, llamado DVX, es especialmente bueno.

✔ **Domaine Carneros:** La productora de Taittinger en California hace elegantes espumosos de calidad en el fresco Carneros, a precios que van de 18 a 20 dólares.

✔ **Roederer Estate:** Este productor de Anderson Valley es un relativo recién llegado, pero algunos críticos piensan que es el mejor de California. Entre sus vinos hay un Brut de 14 dólares, buena compra, un rosé delicado que vale la pena buscar, y un sobresaliente premium cuvée, L'Ermitage (de 33 a 35 dólares).

✔ **Maison Deutz:** Allá en la fresca Santa Bárbara, la Maison Deutz ha estado a la altura del nombre Deutz Champagne. Produce algunos espumosos de buen precio entre 14 y 18 dólares.

✔ **Scharffenberger:** Hace parte ahora de LVMH (el grupo corporativo de Moët & Chandon). Sigue haciendo algunos de los mejores vinos espumosos de California, que se venden entre 15 y 20 dólares.

✔ **Piper-Sonoma:** Estos vinos son muy secos, de estilo ligero y buenas compras entre 12 y 14 dólares.

✔ **Codorniu Napa:** Esta productora de propiedad española, situada en Carneros, ha hecho varios espumosos llamativos, que son buenas compras (de 12 a 14 dólares) bajo la dirección de la vinificadora Janet Pagano.

✔ **Gloria Ferrer:** La compañía española Freixenet ha construido una bella planta en el ventoso Carneros. Sus vinos tienen buenos precios (de 12 a 16 dólares) y se consiguen con facilidad.

## *Vinos espumosos españoles (Cava)*

¿Qué hacer si usted quiere pagar menos de 10 dólares por un vino espumoso? La respuesta es el vino espumoso español, Cava, que se produce casi todo en el Penedés, cerca de Barcelona. Muchos de ellos se venden de 6 a 8 dólares la botella.

El Cava se hace por el método tradicional, fermentado en la botella. En la mayoría de los Cavas se usan uvas locales. Como resultado, su sabor es muy distinto del de los espumosos de California y el Champaña, aunque algunos de los cuvées más costosos sí contienen la Chardonnay. Dos empresas gigantescas dominan la producción de Cava: Freixenet y Codorniu. La botella negra esmerilada del *Cordón Negro* de Freixenet tiene que ser una de las más reconocidas del mundo. Dos de nuestros Cavas favoritos son el Marqués de Monistrol, una gran compra de 7 a 8 dólares, y el Juvé y Camps, un Cava con año de vendimia de 12 a 13 dólares.

## *Vinos espumosos alemanes (Sekt)*

Alemania hace una cantidad enorme de vino espumoso (llamado *Sekt),* la mayor parte del cual se consume en el país. El método charmat (tanque) es el que se usa; el estilo del vino es fresco y frutoso. Las uvas son la Riesling (para los mejores vinos) y la Muller-Thurgau. Dos de las mejores marcas, muy fáciles de conseguir, son el Henkell, a precios de 12 a 14 dólares, y el Dienhard Brut, de 8 a 9 dólares.

## *Spumante italiano: seco y dulce*

*Spumante* es simplemente la palabra italiana para espumoso, pero ha venido a referirse a las imitaciones dulces y frutosas del clásico Asti Spumante, que se hace en Italia y otros países.

El verdadero Asti (los productores han abandonado la segunda palabra) es un vino espumoso exuberante y frutal hecho en el Piamonte de uvas

Moscato, por el método del tanque. Es un espumoso que se puede tomar con el postre. En vista de que la frescura es esencial en el Asti, es mejor comprar una marca que se venda mucho. (El Asti es un vino sin año de vendimia.) Recomendamos el Cinzano, el Gancia y el Martini & Rossi (todos de precios entre 10 y 12 dólares más o menos). También se encuentra un Fontanafredda Asti realmente bueno de 12 a 14 dólares.

Si se quiere el sabor Asti con menos burbujas, el Moscato d'Asti es un vino medio seco, delicioso. Vietti hace uno bueno por cerca de 12 dólares. También aquí la frescura es esencial. Déjese guiar por la vendimia del Moscato d'Asti. Compre la más reciente que pueda.

Por el método tradicional, Italia produce un buen número de espumoso seco en las zonas de Oltrepó-Pavese y Franciacorta, de Lombardía. Los vinos espumosos secos de Italia son muy secos con poco o ningún *dosage* endulzante. Vienen en muchos precios, desde el módico Castello Gancia de cerca de 10 dólares más o menos, al Ferrari Brut de precio medio (de 17 a 20 dólares), y hasta los tres de más costo (y muy buenos) Bruts: Bellavista (de 20 a 30 dólares), Ca' del bosco (35 dólares) y Bruno Giacosa Brut (38 a 40 dólares). Giacosa, bien conocido por sus sobresalientes Barbaresco y Barolo, hace su Brut 100 por ciento Pinot Noir en su tiempo libre, por gusto. Como todo lo demás que hace, es soberbio.

# Cómo servir Champaña y vinos espumosos

El vino espumoso es mejor frío, cerca de 45º F (de 7º a 8 º C), aunque algunos lo prefieren menos frío (52º F, 11º C). Nosotros lo preferimos a la temperatura más baja porque el vino conserva mejor su efervescencia cuando está frío, y se calienta muy rápidamente en la copa. El Champaña añejo y el de vendimia, como son más complejos, pueden enfriarse menos que los Champañas u otros vinos espumosos sin año de cosecha.

Nunca deje una botella destapada de vino espumoso en la mesa a menos que esté entre un balde de hielo (medio, agua helada y medio, hielo) porque se calienta rápidamente. Use un tapón de vino espumoso para guardar lo que le quede del vino espumoso fresco durante un par de días (en el refrigerador, por supuesto).

Si usted tiene invitados, debe saber que el tamaño ideal de botella es el magnum, el equivalente de dos botellas. El vino se añeja más gentilmente en la botella más grande.

Las magnums son las botellas más grandes en que, usualmente, se fermenta Champaña. En todas las otras botellas más grandes, se echa el Champaña adentro, y el vino no es tan fresco como en una botella magnum o normal.

Evite las medias botellas (345 ml) y los benjamines (187 ml); en esas botellas pequeñas, el Champaña a menudo no está muy fresco. (¡Si le regalan una botella pequeña de Champaña o de cualquier otro vino espumoso, en una boda elegante, por ejemplo, destápela con cualquier excusa; no la guarde un año esperando la ocasión propicia!)

El Champaña y otros buenos vinos espumosos secos son muy versátiles con la comida — y esenciales para ciertas clases de comidas. Por ejemplo, ningún vino va mejor que el Champaña con platos hechos con huevos. Permítaselo la próxima vez que tome un brunch. Y la próxima vez que vaya a comer los platos especiados de la comida asiática, ensaye el vino espumoso seco. ¡No hay vino que vaya mejor con la comida china o hindú!

El pavo es excelente con vino espumoso. Si va a comer cordero (rosado, no hecho del todo) o jamón, ensaye el Champaña rosado con ellos. Con el Champaña añejo, van muy bien trocitos de Asiago curado, Gouda curado o Parmesano.

No sirva un Brut seco (o extra seco) con el postre. Estos estilos son demasiado secos y no saben bien con el postre. Con la fruta fresca, ensaye un Champaña demi-sec. ¡Con los postres más dulces (o la torta de bodas), recomendamos el Asti!

## Diez excusas para tomar Champaña (u otro buen vino espumoso)

1. Tiene una botella a mano
2. El jefe se acaba de ir de vacaciones
3. Los vecinos ruidosos al fin se mudaron
4. Terminó de hacer la declaración de renta
5. Es sábado
6. Los niños están en un campo de verano
7. Se ganó una camiseta y un jarro de café en la radio
8. Hoy nadie lo llamó a venderle nada por teléfono
9. Con el alambre que refuerza el corcho se puede hacer un gran juguete para el gato
10. ¡Usted acaba de escribir un libro sobre vinos!

# Capítulo 14

# Los caminos menos trillados del vino: Aperitivos, vinos de postre y fortificados

*L*os vinos que agrupamos como *aperitivos, de postre* y *fortificados* no son bebidas del común que uno quiere tomar todos los días. Algunos son mucho más altos en alcohol que los corrientes, y algunos son extremadamente dulces (¡y escasos y costosos!). Son el equivalente en vino a un bombón verdaderamente bueno — tan deliciosos, que usted se deja llevar si se lo permite diariamente. De modo que se tratan como un deleite, una copita antes o después de comida, una botella cuando viene visita, una osadía para celebrar el comienzo de la dieta — mañana.

Además del placer, usted debe ensayar estos vinos desde un punto de vista puramente académico. En serio. Aprender sobre vino es trabajo duro, pero alguien tiene que hacerlo.

## La oportunidad es el todo

Muchos vinos que se disfrutan antes de la comida, como aperitivos, o después de ella como vinos de postre, están en la categoría de los *vinos fortificados* (llamados *vinos liqueur* en los Estados Unidos). A todos estos vinos se les agrega alcohol en algún punto de su producción, lo cual eleva el contenido de éste hasta una gradación que va de 16 a 24 por ciento.

El punto en el que se agrega el alcohol determina si el vino es dulce o amargo. Cuando se fortifican con alcohol *durante* la fermentación, los vinos resultan dulces. El alcohol adicional interrumpe la fermentación dejando en el vino azúcar natural sin fermentar (vea el capítulo 1). Cuando se fortifican *después* de la fermentación, *(después* que todo el azúcar de la uva se ha convertido en alcohol), los vinos resultan secos (a menos que los endulcen después).

Algunos de los vinos dulces a los que llamamos vinos de postre no tienen alcohol adicional. Su dulzura se produce porque las uvas están en el lugar justo al momento justo — en que la podredumbre noble ataca (vea la descripción de los vinos alemanes en el capítulo 11). En ocasiones los vinificadores cosechan las uvas muy maduras (pero no podridas) y las secan antes de la fermentación para concentrar su jugo, lo cual es otro método de convertir el mosto (jugo de uvas) en néctar de los dioses.

# *Jerez: el vino más confundido del mundo*

El cómico Rodney Dangerfield hizo carrera a base de la frase "No me tienen respeto". Su vino predilecto debería ser el Jerez, porque está en el mismo caso. Nosotros evitábamos el Jerez como la peste — hasta cuando supimos qué bueno puede ser. Creíamos que no era sino un vino dulce y barato que les gustaba a nuestras viejas tías y a los británicos. Ahora nos damos cuenta de que los británicos (y nuestras tías mayores) estaban en algo: el Jerez es un vino de verdadera calidad y diversidad; pero no ha sido descubierto por la mayor parte del mundo. De cierto modo, no lo lamentamos, porque el precio del buen Jerez es gratamente bajo.

## *El triángulo del Jerez*

El Jerez se produce en Andalucía, la región tostada por el sol del suroeste de España. El vino se llama así por Jerez de la Frontera, una antigua ciudad de origen morisco en donde están muchas de las bodegas de Jerez. (Bodega puede ser el lugar en donde madura el Jerez, o la firma que lo produce.)

## El paraíso encontrado

Si alguna vez mira ponerse el sol en el océano Atlántico desde la terraza de un restaurante de Sanlúcar, tomando a breves sorbos una manzanilla con *tapas* (trocitos de queso, jamón y tortilla española con gambas y aceitunas) podrá sentir que está cerca del cielo.

En realidad, Jerez es sólo una esquina del triángulo que forma la región del Jerez. El puerto de Santa María, una bella población al suroeste de Jerez, tiene varias grandes bodegas. El aire de mar, según se piensa, ayuda a la producción del *fino* seco (se describe en la sección siguiente). La tercera esquina del triángulo, Sanlúcar de Barrameda (también en la costa, pero al noroeste de Jerez), es tan famosa por sus brisas marinas, que sólo allí puede hacerse legalmente el más ligero y seco de los Jereces, la manzanilla. Los aficionados al Jerez juran que pueden detectar el salado regusto del océano en la manzanilla.

Yendo de Sanlúcar a Jerez, se pasa por viñedos de un suelo blanco deslumbrante. Este suelo es la *albariza,* la famosa tierra yesosa de la región, rica en caliza de conchas fosilizadas. Los veranos son calientes y secos, pero las brisas balsámicas del mar atemperan el calor.

La uva Palomino — la variedad principal usada en el Jerez — no se da sino en esta caliente región de Jerez en el suelo de *albariza.* La Palomino es un completo fracaso para vinos de mesa o vinos ligeros, porque hace un vino neutro de baja acidez, pero es perfecta para la producción de Jerez. Otras dos variedades autorizadas, la Pedro Ximénez y la Moscatel, se usan para los Jereces tipo postre.

## El fenómeno de la flor

Todo Jerez se fortifica con alcohol, pero desde ese momento comienza a ser distinto. El Jerez se hace en dos tipos básicos: el *fino* (ligero, muy seco) y el *oloroso* (generoso y pleno, pero también seco). Los Jereces dulces se hacen endulzando uno u otro tipo.

Después de la fermentación, el productor decide qué Jereces se convertirán en *finos* y cuáles en *olorosos,* a juzgar por la apariencia, el aroma y el sabor de los vinos jóvenes no fortificados. Si un vino va a ser *fino,* el vinificador lo fortifica ligeramente (hasta que el nivel de alcohol alcance cerca del 15.5 por ciento). Los futuros *olorosos* se fortifican hasta un 18 por ciento de alcohol.

En ese punto empieza la magia del Jerez: una levadura, llamada la *flor,* crece espontáneamente en la superficie de los vinos destinados a convertirse en *finos.* La flor llega a cubrir la superficie del vino, impidiéndole oxidarse. La flor se alimenta del oxígeno del aire y del alcohol y la glicerina del vino. Mientras vive, sobre el vino, la flor le cambia el carácter, agregándole un aroma y sabor distintivos y haciéndolo más delgado y delicado.

La flor no crece en los vinos destinados a ser *olorosos,* a causa del más alto contenido de alcohol. Sin la protección de la flor (y porque los barriles no se llenan nunca hasta el borde) estos vinos están expuestos al oxígeno mientras maduran.

## Añejamiento comunal

Tanto el *fino* como el *oloroso,* se añejan de un modo especial exclusivo de la producción de Jerez.

El vino joven no se deja añejar en su propio barril, sino que se echa en cubas en las que un vino anterior ya está madurando. Para hacerle campo al vino joven, parte del vino anterior se saca de las cubas y se agrega a otras que contienen uno todavía más maduro, y así sucesivamente. Al final de esta cadena, cuatro a cinco generaciones después del vino joven, el Jerez se saca de las cubas más antiguas y se embotella para venderlo.

Este sistema de mezclar los vinos se llama el sistema de la *solera.* Toma su nombre de la palabra suelo. También se usa la palabra para identificar las cubas más antiguas de vino. Las generaciones más tempranas se llaman también *criaderas,* lo que sugiere que el vino está todavía en la infancia.

Mientras se van mezclando los vinos — más joven con más maduro, con aun más maduro, y finalmente con el más maduro de todos — se les va sacando a las cubas menos de la mitad para hacerle campo al vino más joven. En teoría, pues, cada cuba contiene pequeñas (y siempre decrecientes) cantidades de vino muy añejo. Según se mezcla cada vino con uno más maduro, toma las características de éste; en el curso de pocos meses, el vino de cada generación ya es totalmente distinto de lo que era antes de que lo refrescaran con un vino más joven. De este modo, el sistema de la solera mantiene la infinita consistencia del estilo y la calidad del Jerez.

Desde luego, se puede hacer jereces sin año de cosecha por el sistema de la solera. Un Jerez que lleva en la etiqueta "solera 1890",* por ejemplo,

---

* El diccionario de la Real Academia da, entre las acepciones de *solera,* la de madre o lía del vino *(N. del T.).*

solamente indica el año en que empezó esa solera en particular. Algunas firmas hacen una pequeña cantidad de Jerez de vendimia — vinos que maduran hasta treinta o cuarenta años sin mezclarse. Estos vinos se llaman Jereces de *añada*.

Como las cubas de Jerez maduran en bodegas aireadas sobre el piso (y no en bodegas subterráneas y húmedas como casi todos los otros vinos), parte del agua del vino se evapora, y su fuerza alcohólica aumenta. Algunos olorosos guardados durante más de diez años pueden tener hasta 24 por ciento de alcohol.

## *Dos igual doce*

Hasta aquí vamos bien: dos tipos de Jerez — el *fino* delicado, madurado bajo su flor protectora, y el más pleno *oloroso,* añejado por oxidación — y sin vendimias. Pero ahora el Jerez comienza a ponerse confuso. Esos dos tipos están para ramificarse, por lo menos, hasta doce. A veces el curso natural del añejamiento cambia el carácter de un Jerez de manera que su gusto ya no está de acuerdo con una de las dos categorías. El endulzamiento deliberado de ese vino puede crear también estilos diferentes.

Entre los Jereces secos, éstos son los principales estilos:

- ✔ **Fino:** Jerez pálido de color pajizo, ligero de cuerpo, seco y delicado. Los finos siempre maduran debajo de la flor, lo mismo en Jerez que en el puerto de Santa María. Tienen de 15.5 a 17 por ciento de alcohol. Apenas pierden la protección de la flor (al embotellarlos), los fino*s* se vuelven muy susceptibles de dañarse por oxidación y, por tanto, deben guardarse en un lugar fresco, beberse jóvenes y refrigerarse antes de destaparlos. Son mejores si se sirven después de enfriarlos.

- ✔ **Manzanilla:** Jerez del estilo del *fino,* pálido, delicado, ligero y con su regusto, que se hace sólo en Sanlúcar de Barrameda. (Aunque se producen varios estilos de manzanilla, la manzanilla fina, estilo *fino,* es, con mucho, la más común.) El clima templado del mar hace que la flor se vuelva más gruesa en esa población y, por eso, la manzanilla es el más seco y el más punzante de los Jereces. Manéjela como el Jerez fino.

- ✔ **Manzanilla pasada:** Una manzanilla que ha madurado cerca de siete años y ha perdido su flor. Es más de color ámbar que la *manzanilla fina* y de más cuerpo. En estilo, se acerca al amontillado seco (ver el aparte siguiente), pero siempre firme y punzante. Sírvala fresca.

✔ **Amontillado:** Un fino añejo que ha perdido su flor. Es de un color ámbar más profundo y es más gustoso que los estilos mencionados y tiene un sabor a nueces más acentuado. El amontillado es seco, pero conserva algo del regusto punzante de su flor perdida. El verdadero *amontillado* es más bien raro, mientras que los Jereces más baratos, marcados *amontillado,* son comunes, de modo que hay que desconfiar si cuestan menos de 6 dólares la botella. Sírvalo levemente fresco.

✔ **Oloroso:** De dorado oscuro a castaño profundo (según la edad), de cuerpo pleno con rico aroma y sabor de pasas, pero seco al final. Los *olorosos* no son tan punzantes como el fino. Están usualmente entre 18 y 20 por ciento de alcohol y pueden añejarse indefinidamente porque ya se han oxidado en el añejamiento. Sírvalos a la temperatura de la habitación.

✔ **Palo Cortado:** El más escaso de los Jereces. Empieza como un *fino*, con flor, y se desarrolla como un *amontillado,* perdiéndola. Pero entonces, por alguna razón desconocida, empieza a parecerse al estilo más gustoso y fragante del *oloroso,* mientras conserva todo el tiempo la elegancia de un *amontillado.* Como en el caso del Jerez amontillado, cuídese de las imitaciones. Sírvalo a la temperatura de la habitación.

El buqué o el oroma del *fino* se comparan a menudo con los de las almendras. Se dice que los amontillados huelen a avellanas y los olorosos a nueces.

El Jerez dulce se hace agregando endulzador al Jerez seco. El endulzador puede ser de varias formas, tales como el jugo de las uvas Pedro Ximénez ya convertidas en pasas. Todos los estilos siguientes de Jerez dulce deben servirse a la temperatura de la habitación.

✔ **Jerez medio:** Amontillados y olorosos ligeros, levemente endulzados. Son de color castaño claro.

✔ **Pale Cream (crema pálida):** Hecha de una mezcla de *fino* y de *amontillado* ligero endulzada levemente. Tiene un color muy pálido. El Pale Cream es un estilo más bien nuevo, pero tan popular que ahora representa el 25 por ciento de todo el Jerez vendido en el mundo.

✔ **Cream Sherry (Jerez crema):** El crema y el más claro "leche" son los llamados *amorosos* (término equivalente a olorosos endulzados). Varían en calidad, según el *oloroso* que se use, y pueden mejorar con la edad en la botella. Son muy populares hoy día.

✔ **Brown Sherry (Jerez oscuro):** Muy oscuro, gustoso y dulce, es un Jerez para el postre que, usualmente, contiene un estilo más barato de oloroso.

✔ **East India Sherry (Jerez India oriental):** Es un tipo de Brown Sherry que se ha endulzado y colorizado fuertemente.

✔ **Pedro Ximérez y Moscatel:** Jereces de postre muy dulces, castaños oscuros, como jarabes. Bajos de alcohol, se hacen de uvas pasas de estas dos variedades. Son hoy tan raros como los Jereces sin mezcla. Deliciosos sobre el helado de vainilla (¡realmente!)

Hay vinos del resto del mundo, en especial los Estados Unidos y Australia, que se autodenominan Jerez "Sherry". Muchos de ellos son vinos baratos en botellas grandes. Ocasionalmente, se puede encontrar uno decente, pero en general son dulces y no muy buenos. El Jerez auténtico no se hace sino en la región de Jerez en España y lleva el nombre oficial, *Jerez-Xérès-Sherry* (los nombres español, francés e inglés de la población) en la etiqueta (en el frente o atrás).[*]

## Cómo servir y guardar el Jerez

Los jereces secos y ligeros — *fino* y *manzanilla* — deben estar frescos. Cómprelos en tiendas que vendan y repongan rápidamente las existencias; un *fino* o una *manzanilla* que hayan estado varios meses languideciendo en los estantes no le darán la experiencia verdadera de estos vinos. Creemos que las medias botellas son el tamaño práctico que evita el problema de que el vino se oxide en la botella destapada.

Aunque el fino y la manzanilla pueden ser excelentes aperitivos, tenga cuidado al ordenar una copa en un bar o un restaurante. No acepte una copa de una botella destapada antes, a menos que esté refrigerada. Aun así, pregunte cuánto lleva destapada; más de dos días es demasiado. Una vez que destape una botella en casa, refrigérela y consúmala en un par de días.

Al contrario de los vinos de mesa, que deben guardarse siempre con la botella acostada, los Jereces deben guardarse de pie. Sin embargo, trate de no conservar botellas de *fino* o de *manzanilla* más de tres meses. El alcohol más alto y el añejamiento oxidante de otros Jereces permiten guardarlos casi indefinidamente.

La manzanilla y el fino van mejor con almendras, aceitunas, camarones, gambas, langostinos, toda clase de mariscos, y esas maravillosas tapas de los bares y los restaurantes españoles. Los amontillados pueden ir muy bien con las tapas antes de cenar, pero pueden estar también muy ricos en la mesa con sopas livianas, queso, jamón o embutidos (especial-

---

[*] Conservamos los nombres de los estilos de Jerez, en inglés, porque así se encuentran en las etiquetas *(N. del T.).*

mente los chorizos de tipo español). Los *olorosos* secos y los *palos cortados* van mejor con nueces (almendras o avellanas), aceitunas y quesos duros (como ese excelente español de leche de oveja, el manchego). Todos los Jereces dulces pueden servirse con los postres después de comer, o gozarse por ellos mismos.

# Productores de Jerez recomendados*

Los Jereces están entre las mejores compras en el mundo del vino; se pueden comprar Jereces auténticos decentes de todos los tipos por cinco o seis dólares. Pero si quiere ensayar los mejores, tendrá que gastar de 10 a 12 dólares. Los siguientes son algunos de nuestros productores favoritos, de acuerdo con el tipo.

### Manzanilla

✔ Vinícola Hidalgo's **La Gitana** (una gran compra de 7 a 8 dólares), o su **Manzanilla Pasada**

### Fino

✔ González Byass's **Tío Pepé**

✔ Pedro Domecq's **La Ina**

✔ Emilio Lustau's **Jarana**

✔ Osborne's **Fino Quinta**

### Amontillado

Usted encontrará muchas imitaciones baratas en esta categoría. Para verdaderos amontillados, aténgase a una de las marcas siguientes:

✔ González Byass's **Del Duque** (*el de verdad* a unos razonables 17 a 18 dólares)

✔ Emilio Lustau (cualquiera de sus amontillados de la marca **Almacenista)**

✔ Vinícola Hidalgo

✔ Osborne's **Old, Rare Amontillado** (se encuentra en las versiones de 10 años o 30 años; un Jerez costoso de 20 dólares o más, y difícil de conseguir)

---

* Dejamos los nombres en inglés porque así figuran en las etiquetas (*N. del T.*).

### Oloroso

✔ González Byass's **Apóstoles**

✔ Emilio Lustau (cualquiera de sus olorosos de la marca **Almacenista)**

✔ Osborne's **Old, Rare Oloroso** (de una solera, realmente añeja, de 40 años; alrededor de 30 dólares)

✔ Sandeman's **Royal Corregidor** e **Imperial Corregidor** (gustoso, pero un poco dulce)

### Palo cortado

Se encuentran también muchas imitaciones en esta categoría. Los verdaderos *palos cortados* son muy escasos.

✔ Emilio Lustau (cualquiera de sus palos cortados de la marca **Almacenista)**

✔ Sandeman's **Royal Ambrosante** (un poco endulzado)

✔ Vinícola Hidalgo's **Jerez Cortado**

✔ Osborne's **Old, Rare** (de 30 años y cuesta más o menos 30 dólares)

### Cream

✔ González Byass's **San Domingo** (un crema pálido — delicado, no demasiado dulce)

✔ Sandeman's **Armada Cream**

✔ Pedro Domecq's **Celebration Cream**

✔ Emilio Lustau's **Rare Cream Reserva** o **Vendimia Cream**

### East India, Pedro Ximénez, Moscatel

✔ Emilio Lustau (una marca de calidad en todos estos Jereces)

✔ González Byass's **Pedro Ximénez "Noe"**

✔ Osborne's Pedro Ximénez **Old, Rare** o **India Oloroso** (de 42 años)

## Montilla: uno parecido al Jerez

Al nordeste de la de Jerez, está la región de Montilla-Moriles (comúnmente llamada Montilla), en la cual los vinos son muy similares al Jerez y se hacen en los estilos *fino, amontillado* y *oloroso*. Las dos grandes diferencias entre el Montilla y el Jerez son:

✔ La variedad de uva predominante en Montilla es la Pedro Ximénez.

✔ Los Montillas alcanzan su alto nivel de alcohol naturalmente (sin fortificación)

Alvear es la marca líder. A precios razonables (de 8 a 9 dólares) este vino se consigue muy fácilmente.

# El Marsala y el Pandilla

Italia tiene varios vinos de postre y fortificados interesantes, de los cuales el más famoso es el Marsala. El Marsala (que debe su nombre a una población del oeste de Sicilia) ha pasado por tiempos duros que han reducido su imagen a la de un mero ingrediente de cocina. Sin embargo, los productores serios de la zona intentan revivir el Marsala como un vino fortificado importante.

El Marsala se hace en numerosos estilos, todos los cuales se fortifican después de la fermentación, como el Jerez, y se añejan en una forma del sistema de solera. Se encuentran versiones secas, semisecas o dulces y versiones color ámbar, dorado o rojo, pero los mejores Marsalas llevan la palabra *Superiore* o — todavía mejor — *Vergine,* en la etiqueta. El Marsala vergine no es endulzado, ni colorido y se añeja más que otros estilos. Marco De Bartoli es el productor más aclamado de Marsala. Su Vecchio Samperi de 20 años es un ejemplo excelente de un Marsala aperitivo seco. Pellegrino, Rallo y Florio son productores conocidos más grandes.

Dos vinos de postre sicilianos fascinantes se hacen de uvas pasas en algunas islas menores que hacen parte de Sicilia. El uno es el Malvasia delle Lipari Carlo Hauner. Este vino es de un bello color naranja-ámbar y un aroma increíble floral y de albaricoque y hierbas. El otro es el Moscato di Pantelleria, un vino de postre muy gustoso; De Bartoli es uno de los mejores productores de esta marca.

La Toscana está muy orgullosa de su Vin Santo, un vino dorado ámbar hecho de uvas pasas añejado en barriles durante varios años. El Vin Santo se hace en versiones seca, medio seca y dulce. Preferimos las dos primeras, el estilo seco como aperitivo, y el semiseco como acompañamiento de los maravillosos bizcochos de almendras italianos llamados *biscotti.* Dos productores destacados de Vin Santo (que se consigue en convenientes medias botellas lo mismo que en botellas enteras) son Avignonesi y Badia á Coltibuono.

# Oporto: el gran vino fortificado de Portugal

Gracias a una de la muchas guerras entre los británicos y los franceses, el Oporto fue descubierto por los británicos y luego por el resto del mundo.

A fines del siglo XVII, cuando los ingleses no podían conseguir vino francés, volvieron los ojos hacia Portugal. Para asegurarse de que esos vinos portugueses no perdieran la estabilidad en el embarque, se le echaba un poco de brandy al vino terminado. La primera casa inglesa de Oporto, Warre, se estableció en la ciudad de Oporto en 1670 y varias otras la siguieron.

Pero el Oporto, tal como lo conocemos, no se hizo sino en el siglo XIX. En ese momento, los productores en Portugal (más que todo británicos, entonces) comenzaron a fortificar su vino con brandy, durante la fermentación, en respuesta a las demandas de los consumidores ingleses por un vino más dulce. El aumento de alcohol interrumpía la fermentación, dejando el vino con un poco de azúcar residual. Se había creado el Oporto, tal como lo conocemos.

De hecho, hasta 1900, se continuaban haciendo estilos de Oporto medio seco, junto con el gustoso estilo dulce de hoy, pero sólo el estilo más dulce ha sobrevivido. El Oporto actual, hecho con una combinación de cuatro partes de vino y una de licor destilado, contiene cerca de un 20 por ciento de alcohol.

Es irónico que los franceses, que lanzaron a los británicos hacia Portugal, ¡hoy día, toman tres veces más Oporto que los británicos!

## En casa, en el Douro*

Aunque el Oporto toma su nombre de la ciudad de Oporto, situada en donde el río Douro desemboca en el Atlántico, sus viñedos están lejos, en el caliente y montañoso valle del Douro. (En 1756 esta región fue una de las primeras regiones vinícolas reconocidas oficialmente en el mundo.) En las laderas del alto Douro se encuentran algunos de los viñedos más bellos del mundo. Es un área tan escabrosa e intacta, que en gran parte no puede recorrerse sino en canoa o en mula.

La mayor parte del Oporto, después de hecho, viaja del valle del Douro

---

* Es el mismo río que se llama Duero en España *(N. del T.)*.

hasta la costa. El vino se madura y se termina en las bodegas de Oporto de Vila Nova de Gaia, un suburbio de Oporto. De allí, se embarca hacia todo el mundo.

Para cortarles el chorro a sus amigos sabidos sobre vino, pregúnteles los nombres de las 48 uvas autorizadas para hacer Oporto. La verdad es que la mayoría de los amantes del vino, incluso los amantes del Oporto, no pueden decir ni una variedad. Estas uvas son, las más, locales y desconocidas fuera de Portugal. Para el acto, las cinco variedades más importantes son *Touriga Nacional, Tinta Roriz (Tempranillo), Tinta Barroca, Tinto Cão y Touriga Francesca.*

## Muchos Portos (Oportos o puertos) para una tormenta

¿Le parece que el Jerez es complicado? De cierta manera, el Oporto es todavía más enredado. Aunque todo el Oporto es dulce, y la mayor parte tinto, existe una infinidad de estilos. Éstos varían de acuerdo con la calidad del vino de base (que va de ordinaria a excepcional), el tiempo en que se añeja el vino en madera antes de embotellarlo (de 2 a 40 o más años), y si el vino es de un solo año o mezcla de vinos de varios años.

La que sigue es una breve descripción de los estilos principales:

✔ **White Port (Oporto blanco):** Hecho de uvas blancas, este vino de color de oro puede ser casi seco (y tomarse como aperitivo) o dulce. No nos explicamos por qué existe. Los Jereces y los Madeiras Sercial (descritos adelante en este capítulo) son mucho mejores como aperitivos, y los Oportos tintos, muy superiores como vinos dulces.

✔ **Ruby Port (Oporto rubí):** Este estilo de vino joven, sin año de vendimia se añeja en madera cerca de tres años antes de venderlo. Frutal, simple y poco costoso (de 9 a 10 dólares), es el tipo de Oporto que más se vende. Si lleva en la etiqueta *Reserve o Special Reserve,* el vino se ha añejado cerca de seis años y cuesta unos pocos dólares más. El Oporto rubí ofrece una buena introducción al mundo del Oporto.

✔ **Tawny Port (Oporto moreno):** De color granate o rojo parduzco, los morenos simples son más ligeros, se añejan unos tres años antes de embotellarlos. (Algunos son incluso mezclas de Ruby Port y Oporto blanco.) Los mejores Oportos morenos son vinos de buena calidad que adquieren su color mediante el largo añejamiento. Cuestan cerca de 15 dólares, comparados con los 6 u 8 de los morenos más baratos. Los mejores de todos llevan en la etiqueta una indicación de su edad promedio (el promedio de las edades de los vinos con que se hizo la mezcla) — 10, 20, 30 o 40 años. Los morenos de 10 años de 20 a 25 dólares, más o menos, y los de 20 años se venden a 40 dólares. Nosotros consideramos que los de 20 años son los mejores; los más añejos no valen los dólares de más. Un Oporto moreno puede disfrutarse en clima cálido, cuando un Oporto de cosecha resultaría demasiado pesado y tánico.

✔ **Vintage Character Port (Oporto calidad vendimia):** A pesar de su nombre, este vino no es de una sola vendimia — trata apenas de saber como uno de ellos. El Oporto calidad vendimia es realmente un rubí premium, mezclado de vinos de más alta calidad de distintas cosechas, y madurado en madera durante más o menos cinco años. De cuerpo pleno, gustosos y listos para tomarlos cuando salen al mercado, estos vinos son una buena compra a 15 dólares, más o menos. Desde luego, las etiquetas no siempre dicen Vintage Character: tienen nombres de propietarios como Boardroom (hecho por Dow), Six Grapes (hecho por Graham), o Bin 27 (hecho por Fonseca). ¡Como si calidad vendimia no fuera suficientemente confuso!

✔ **Late Bottled Vintage Port (LBV) (Oporto de vendimia de embotellamiento tardío):** Este tipo *es* de una sola vendimia, pero usualmente no de un año muy bueno. El vino se madura en madera de cuatro a seis años antes de embotellarlo y está listo para tomarlo cuando sale — a diferencia del propio Oporto de vendimia (Vintage Port). De mucho cuerpo, se vende de 18 a 20 dólares, más o menos.

✔ **Colheita Port (Oporto de cosecha):** Se le confunde a menudo con el Vintage Port (Oporto de vendimia) porque lleva el año de la vendimia. El Colheita es en realidad un moreno de una sola vendimia. En otras palabras, ha madurado (y se ha suavizado y oscurecido) en madera durante muchos años. A diferencia de un moreno de 20 años, sin embargo, este vino es de un solo año.

✔ **Vintage Port (Oporto de vendimia):** El pináculo de la producción de Oporto, el Oporto de vendimia es un vino de un solo año y mezcla de varios de los mejores viñedos. Se embotella durante sus "Terribles Doses", antes de tener mucha oportunidad de desprenderse de sus fuertes taninos. Por tanto, requiere un tiempo enorme de añejamiento en la botella. El Oporto de vendimia no está, usualmente, listo para tomarse sino 20 años después de la cosecha.

Muy gustoso, muy tánico y longevo (70 años o más en las buenas vendimias), este vino suelta un sedimento pesado y *debe* decantarse, de preferencia varias horas antes de tomarlo (necesita la aireación). La mayor parte de los buenos Oportos de vendimia se venden de 35 a 45 dólares cuando están jóvenes (y a años de poderse tomar). La producción de un Oporto de vendimia equivale a una *declaración* de la vendimia por parte de una casa de Oporto determinada.

✔ **Single Quinta Vintage Port (Oporto de vendimia de una sola quinta):** Son los Oportos de una sola propiedad *(quinta)* que usualmente es la mejor de un propietario (tal como el Vargellas de Taylor y el Malvedos de Graham). Los hacen en buenos años, pero no en vendimias declaradas — cuando necesitan las uvas para mezcla del Oporto de vendimia. A precios de más o menos 25 a 35 dólares, tienen la ventaja de estar más listos para el consumo que los Oportos de vendimia declarada. Deben decantarse y airearse, sin embargo. (Algunas casas de Oporto, de paso sea dicho, son una sola propiedad, tal como Quinta do Noval y Quinta do Infantado. Cuando casas como éstas hacen un Oporto con año de vendimia, es un Oporto de vendimia lo mismo que un Oporto de una sola quinta.)

El término Oporto *(Port)* se ha extendido todavía más que el Jerez en el mundo. Muchos países fuera de los Estados Unidos hacen un vino tinto dulce del estilo del Oporto y etiquetado como Oporto. Alguno puede ser muy bueno, pero, por lo general, no es tan bueno como el producto genuino que se hace sólo en Portugal.

## *Cómo guardar y servir el Oporto*

Los Oportos de vendimia deben tratarse como otros buenos vinos tintos: guardarlos acostados en un lugar fresco. Otros Oportos pueden guardarse acostados o de pie porque ya no se están desarrollando. Todos los Oportos, excepto el blanco y el rubí, pueden guardarse varias semanas después de destaparlos.

Se puede encontrar Oporto de vendimia en medias botellas — un avance brillante para los amantes del Oporto. Destapar una botella de Oporto después de comer, es mucho más fácil de justificar cuando es sólo una media. El vino evoluciona levemente más pronto en las medias botellas, pero, considerando la longevidad del Oporto, ¡ésa puede ser una ventaja!

El Oporto debe servirse a la temperatura de un cuarto fresco, 64º a 66º F (18º C). Sin embargo, el Oporto moreno puede ser una ayuda vigorizante si se sirve refrigerado durante el tiempo cálido. Los complementos clásicos del Oporto son las nueces y los quesos fuertes como el Gorgonzola, el Roquefort, el Cheddar curado y el Gouda curado.

# Productores de Oporto recomendados

En términos de calidad, con la excepción de unos cuantos productores de pacotilla, el Oporto es uno de los vinos más consistentes. Hemos organizado a nuestros productores favoritos de Oporto en dos categorías — sobresalientes y muy buenos — cada cual en orden general de preferencia. Como puede esperarse, los productores del primer grupo tienden a ser un poco más caros. Nuestra escala está basada en el Oporto de vendimia, pero puede aplicarse en general a todos los varios estilos de la casa.

## Sobresalientes

✔ Taylor (también conocido como Taylor-Fladgate)

✔ Fonseca

✔ Graham

✔ Quinta do Noval "Nacional" (hecho de uvas no injertas de antes de la filoxera; vea el capítulo 9)

✔ Dow

✔ Cockburn *(COH burn)*

## Muy buenos

✔ Smith-Woodhouse

✔ Warre

✔ Ramos Pinto

✔ Quinta do Noval

✔ Croft

✔ Sandeman

✔ Niepoort

✔ Quarles Harris

✔ Quinta do Infantado

✔ Quinta do Vesuvio

✔ Ferreira

✔ Cálem

✔ Churchill

✔ Gould Campbell

✔ Martinez

✔ Offley Boa Vista

✔ Rebello Valente

## Declaraciones de calidad

En promedio, sólo tres o cuatro años de cada diez son lo bastante buenos para que se les declare *años de vendimia* por parte de las casas de Oporto. La siguiente es una lista de las mejores cosechas declaradas desde 1945:

✔ **1992:** Parece sobresaliente, pero sólo unas pocas casas de Oporto, tales como Taylor y Fonseca, la declararon.

✔ **1991:** Muy buena

✔ **1985:** De buena a excelente

✔ **1983:** Muy buena

✔ **1977:** De buena a excelente

✔ **1970:** Muy buena

✔ **1966:** De buena a excelente: subestimada; lista para tomar

✔ **1963:** Sobresaliente, especialmente Quinta do Noval Nacional

✔ **1955:** De buena a excelente; perfecta ahora

✔ **1948:** Sobresaliente, especialmente Taylor, Fonseca y Graham; se está añejando bien

✔ **1945:** Clásica; todavía necesita tiempo; especialmente Taylor y Graham

# Madeira

El vino legendario, llamado Madeira, se produce en la isla del mismo nombre, que queda más cerca de África que de Europa, en el océano Atlántico. Madeira es una isla subtropical cuyos precarios viñedos crecen directamente del Atlántico en las laderas. La isla es una provincia de Portugal, pero, tradicionalmente, son los ingleses los que hacen el comercio de su vino. Históricamente hasta podría considerarse el Madeira como un vino americano porque era el que tomaban los colonos de los Estados Unidos.

Aunque los vinos fortificados de Madeira hacían furor hace 200 años, los viñedos de la isla fueron devastados en el siglo pasado, primero por el tizón y luego por el piojo de la filoxera. La mayor parte de los viñedos se replantó con uvas inferiores. Madeira ha estado largo tiempo recobrándose de estas adversidades. Los mejores Madeiras son todavía los de los viejos tiempos, vinos con año de vendimia de 1920 hacia atrás, hasta 1795. Para su sorpresa, usted puede hallar todavía muchos Madeiras del siglo pasado. Los precios son razonables, también (de 100 a 200 dólares) si se considera la edad del vino. Busque en los capítulos 15 y 16 proveedores de Madeira añejo.

## Fuera del tiempo e indestructible

Nunca hay que preocuparse porque el Madeira envejezca demasiado. Es indestructible. Los enemigos del vino — el calor y el oxígeno — ya le han hecho lo que pueden durante los procesos de vinificación y maduración. Nada que uno pueda hacer cuando ya está embotellado puede hacerlo pestañear.

El Madeira viene en cuatro estilos, dos bastante secos, y dos dulces. A los Madeiras más dulces se les interrumpe la fermentación más bien temprano mediante la adición de un destilado alto en alcohol. A los más secos, se les agrega alcohol después de la fermentación. Una curiosidad del Madeira es un proceso de cocimiento llamado el *estufagem,* que sigue a la fermentación. El hecho de que el Madeira mejora con el calentamiento se descubrió allá por el siglo XVII. ¡Cuando los barcos mercantes cruzaban el Ecuador con barriles de Madeira como lastre en sus bodegas, el vino, de hecho, mejoraba con el viaje! Hoy es un poco más práctico cocer el vino en casa, en la isla, que mandarlo en un viaje alrededor del mundo en un barco lento.

El Madeira pasa un mínimo de tres meses, a menudo más, en tanques calentados en estufas (cuartos de calentamiento), o expuesto al sol (el clima permanece cálido todo el año). Cualesquiera azúcares del vino se caramelizan, y el vino queda cuidadosamente *madeirizado* (oxidado al calor) sin que desarrolle ningún sabor ni aroma desagradable.

## Final interminable

Técnicamente, un vino blanco, el Madeira tiene un color ámbar con un borde verde pálido, un aroma y un sabor que dejan un regusto y que son exclusivamente suyos, un final en el paladar tan duradero como se pueda encontrar en el planeta. Cuando se hace el Madeira de cualquiera de las cuatro uvas nobles de la isla (vea la lista siguiente), el nombre de la uva indica el estilo. Cuando no lleva el nombre de una uva — como la mayoría de los Madeiras más jóvenes — las palabras *seco, medio seco, medio dulce,* y *dulce* indican el estilo.

Algunos de los vinos más memorables que hayamos catado eran Madeiras añejos, de modo que tememos que nos dejemos llevar un poco, para empezar, ahora. Su aroma, no más, es divino, y uno queda con el gusto del vino en la boca mucho después de haberlo tomado. (De escupirlo, ni hablar.) Las palabras verdaderamente son inadecuadas para describir este vino.

Si puede permitirse comprar una vieja botella de Madeira con año de vendimia (el nombre del productor es de escasa importancia), entenderá nuestro entusiasmo. Y tal vez, algún día, cuando la producción de Madeira vuelva a levantarse, todo amante del vino podrá experimentar el Madeira de cosecha. Entre tanto, si quiere experimentar un Madeira menos costoso, busque vinos marcados *Special Reserve,* lo que quiere decir que son una mezcla de vinos de cerca de diez años. El Madeira *reserve* tiene la mitad de la edad en razón de que se abrevia un poco el proceso de su producción. No se moleste en buscar ningún otro tipo porque éste no será nada notable y entonces le pareceremos chiflados.

El Madeira de vendimia debe pasar por lo menos 20 años en el barril, pero para los vinos añejos, la maduración en madera fue aún más larga. El Madeira de vendimia se hace de una de las cuatro variedades nobles siguientes (solían ser seis), y lleva el nombre de ella en la etiqueta. Cada variedad de uva corresponde a un estilo específico de vino.

- ✔ **Sercial:** La uva Sercial crece a las mayores altitudes. Así, las uvas son las menos maduras y producen el Madeira más seco. El vino es de acidez alta, con mucho regusto y bastante seco. El Madeira Sercial es un muy buen aperitivo, con almendras, olivas o quesos ligeros. Infortunadamente, el verdadero Sercial es muy escaso hoy día.

- ✔ **Verdelho**: Estas uvas producen un estilo medio seco, con sabores de nueces y durazno y un regusto ácido. Bueno como aperitivo o con el consomé.

- ✔ **Bual (o Boal):** De color ámbar más oscuro, el Bual es un Madeira gustoso y medio dulce, con sabores especiados de almendras y pasas, y un final largo de regusto. Debe tomarse después de comer. Como el Sercial, es escaso hoy día.

- ✔ **Malmsey:** Hecho de la uva Malvasía, el Malmsey es ámbar oscuro, dulce, e intensamente concentrado, con un final muy largo. Tomarlo después de comer.

## Otro portugués clásico

Otro de los grandes vinos de postre producido de la uva Moscatel es el Setúbal. Se produce en Azaitão, al sur de Lisboa. Se hace de modo similar al Oporto, agregando destilado de uva para detener la fermentación. Como el Oporto, es un vino gustoso y duradero. El productor más importante es J. M. da Fonseca.

Dos variedades que están desapareciendo cuyos nombres pueden verse en botellas muy antiguas, son:

✔ **Terrantez:** Medio dulce, entre Verdelho y Bual en estilo, un Madeira poderoso y fragante con mucha acidez. Tomarlo después de comer.

✔ **Bastardo:** La única uva roja entre las variedades nobles. Los Bastardos añejos del siglo pasado son de color caoba y gustosos, pero no tanto como los Terrantez.

# El Sauternes y los vinos "noblemente podridos"

Los otoños tibios y nublados permiten el crecimiento de un hongo llamado *botrytis cinerea* en los viñedos. El botrytis, llamado la *podredumbre noble,* concentra el jugo y el azúcar en las uvas, dándole al vinificador un mosto asombrosamente gustoso para fermentarlo. Los mejores vinos hechos de uvas atacadas por el botrytis están entre los más grandes vinos de postre del mundo. Tienen sabores intensamente concentrados y suficiente acidez para impedir que se vuelvan excesivamente dulces.

Los más grandes vinos "noblemente podridos" se hacen en el distrito de Sauternes de Graves (Burdeos) y en Alemania (vea el capítulo 11), pero se producen también en Austria y California, entre otros lugares.

## Sauternes: oro líquido

El Sauternes es un vino muy laborioso de hacer. Las uvas deben cosecharse a mano; los trabajadores pasan varias veces a lo largo del viñedo — a veces durante semanas — seleccionando sólo las uvas atacadas de botrytis. Los rendimientos son bajos. Las cosechas se demoran a veces hasta noviembre, pero de vez en cuando, el mal tiempo en octubre borra toda esperanza de hacer vino con uvas atacadas por el botrytis (el decenio de los 80 fue excepcional).

En consecuencia, el buen Sauternes es costoso. Los precios van de 20 a 25 dólares y pueden llegar a 200 o 250 (según la vendimia) para el Château d'Yquem. Éste es el más grande Sauternes y el más laboriosamente producido, el d'Yquem siempre ha sido apreciado por los coleccionistas (vea los capítulos 15 y 20). Fue el único Sauternes al cual se le dio la categoría de *primer gran cultivo* en la clasificación de Burdeos de 1855 (explicada en el capítulo 10).

El Sauternes se consigue ahora muy fácilmente en medias botellas, lo cual baja el costo de algún modo. Una botella de 375 ml es un tamaño perfecto para después de la cena, y se puede comprar un Sauternes decente como el Château Doisy-Daëne, en ese tamaño, por 11 o 12 dólares.

## Cómo se extrae el oro

El distrito vinícola de Sauternes incluye cinco comunas en el extremo sur de Graves (una de ellas llamada Sauternes). Una de las cinco, Barsac, hace vinos algo más ligeros y menos dulces que los Sauternes y tiene derecho a su propia apelación. El río Garonne y su importante afluente el Ciron producen las neblinas que ayudan a la formación de la *botrytis cinerea* sobre las uvas.

Las tres variedades de uvas autorizadas son la Sémillon, la Sauvignon Blanc y la Muscadelle — aunque ésta última se usa sólo en unos pocos Châteaux y aun en ellos en pequeñas cantidades. La Sémillon es la reina. La mayoría de los productores hacen mezclas de 80 por ciento de Sémillon, cuando menos.

En California y otros lugares se produce un vino llamado *Sauterne* (sin *s* al final). Este vino semidulce, bastante insípido, se hace de uvas baratas, y se vende usualmente en botellas grandes. *Este vino no tiene ninguna semejanza con el Sauternes de uvas atacadas por el botrytis, de Sauternes, Francia.* California sí hace vinos de cosecha tardía y atacados por el botrytis, sobre todo Rieslings, y aunque son mucho mejores que el Sauterne (incluso merecen ser probados), no son, en general, tan finos como los vinos con botrytis de Sauternes o de Alemania.

# Sauternes recomendados

Todos los Sauternes mencionados más adelante van de sobresalientes a buenos. En Sauternes las vendimias son tan importantes como en el resto de Burdeos. Verifique nuestras recomendaciones de vendimias más adelante en este capítulo.

## Sobresalientes

✔ **Château d'Yquem:** Puede durar 100 años o más

✔ **Château de Fargues:** De propiedad de d'Yquem y casi tan bueno como éste, a un tercio del precio

✔ **Château Climens (Barsac):** Entre 45 y 55 dólares, una buena compra, cercano del nivel del d'Yquem

✔ **Château Coutet (Barsac):** Especialmente el escaso Cuvée Madame

## Excelentes

✔ **Château Suduiraut:** Sólo su inconsistencia de una vendimia a otra le niega una calificación sobresaliente

✔ **Château Rieussec:** Estilo suculento

✔ **Château Raymond-Lafon:** Situado cerca de d'Yquem y de propiedad del gerente de éste

## Muy buenos

✔ Château Lafaurie-Peyraguey

✔ Château Guiraud

✔ Château Rabaud-Promis

✔ Château Latour Blanche

✔ Château Doisy-Dubroca (Barsac)

✔ Château Doisy-Daëne (Barsac)

✔ Château Doisy-Védrines (Barsac)

✔ Château Sigalas-Rabaud

## Buenos

✔ Château Lamothe-Guignard

✔ Château Rayne Vigneau

✔ Château Clos Haut-Peyraguey

✔ Château Bastor-Lamontagne

✔ Château d'Arche

✔ Château Filhot

✔ Château de Malle

✔ Château Nairac (Barsac)

## Dejar crecer al bebé

El Sauternes tiene tal equilibrio de dulzura natural y acidez, que puede añejarse bien (en especial los mejores Sauternes mencionados aquí) durante un tiempo extraordinariamente largo. Infortunadamente, siendo tan delicioso, a menudo se consume en sus primeros años cuando es muy gustoso y dulce. Pero el Sauternes realmente está en su mejor forma cuando pierde su gordura de bebé y madura.

Cuando han pasado de diez a quince años, el color del Sauternes cambia de un dorado claro a un oro de vieja moneda, a veces con tonos naranja o ámbar. En ese punto, el vino pierde algo de su dulzura y desarrolla sabores que recuerdan los damascos, la cáscara de naranja, la miel y el caramelo. Éste es el mejor momento para tomar Sauternes. Cuanto mejor la vendimia, más se demora el Sauternes en llegar a esa etapa; pero una vez en ella, se queda en esa meseta durante muchos años — a veces decenios — y muy gradualmente se vuelve de color ámbar oscuro o pardo claro. Hasta en esas etapas finales el Sauternes retiene algunos de sus complejos sabores.

En buenas vendimias, el Sauternes puede madurar 50, 60 años o más. El Château d'Yquem y el Château Climens son particularmente longevos. (¡Hace poco nos tomamos media botella de Château d'Yquem 1893, que estaba gloriosa!)

El Sauternes es mejor cuando se sirve frío, pero no helado, a más o menos 52º o 53º F (11º C). Los Sauternes maduros pueden servirse un poco más tibios. Siendo un vino tan gustoso, el Sauternes es un compañero ideal para el *foie gras,* aunque, en general, este vino es mucho más satisfactorio después de cenar que como aperitivo. En cuanto a los postres, el Sauternes es excelente con frutas maduras, tortas con sabor a limón o ponqué.

## Los años que se deben comprar

El decenio de los 80 fue verdaderamente excepcional para el Sauternes. Los siguientes fueron las mejores vendimias de Sauternes desde 1959:

- ✔ **1990:** gran vendimia
- ✔ **1989:** de muy buena a gran vendimia
- ✔ **1988:** sobresaliente (la mejor desde 1959)
- ✔ **1986:** gran vendimia
- ✔ **1983:** de muy buena a gran vendimia
- ✔ **1976:** buena (lista para tomar)
- ✔ **1975:** gran cosecha
- ✔ **1971:** buena (lista para tomar)
- ✔ **1967:** de muy buena a gran cosecha
- ✔ **1962:** muy buena (lista para tomar)
- ✔ **1959:** sobresaliente

## Parecidos al Sauternes

Hay muchos vinos contagiados de botrytis parecidos al Sauternes que se venden por mucho menos que éste o el Barsac. Estos vinos no son tan intensos ni tan complejos de sabor, pero son muy buenas compras (entre 10 y 15 dólares).

Directamente al norte y adyacente a Barsac está la región vinícola de Cérons, a menudo inadvertida. Usted probablemente puede convencer a sus amigos de que un Cérons es un Sauternes o un Barsac, si se lo hace probar a ciegas. En el distrito de Entre-Deux-Mers de Burdeos, busque el Cadillac, el Loupiac o el Sainte-Croix-du-Mont que son versiones menos costosas del Sauternes.

# Parte III
# Cuando usted ha contraído el virus

## La 5ª ola
### por Rich Tennant

"MIREN NIÑOS, MAMÁ Y PAPÁ NECESITAN UN AMBIENTE TERMOSTÁTICAMENTE CONTROLADO PARA SU VINO, MIENTRAS TERMINAN LA BODEGA. ¡AQUÍ ESTAMOS PONIENDO LOS BURDEOS DE MÁS DE 60 AÑOS!"

## En esta parte...

El período de incubación del virus del vino es impredecible. Algunas personas apenas alcanzan a expresar interés en el vino, cuando ya están metidas de lleno en el tema. Otras presentan ligeros síntomas durante muchos años, antes de sucumbir a la pasión. (Montones y montones de personas nunca contraen el virus.)

Pero una vez que se ha contraído, se sabe. Uno se sorprende suscribiéndose a revistas de las cuales nunca han oído hablar sus amigos, haciendo nuevos amigos con quienes poco tiene en común, además del interés por el vino, boicoteando restaurantes con cartas de vinos mediocres, y planeando vacaciones en las regiones vinícolas.

No importa cuánto se demore en llegar a ese estado, los capítulos siguientes le darán combustible a su fuego.

# Capítulo 15

# Tener y guardar — o vender

Cuando comenzamos a comprar vino, actuábamos por impulso. Llevados del entusiasmo de una degustación, decidíamos comprar 4 o 6 y hasta 12 botellas de nuestro vino favorito de esa noche. A veces, después de revisar los estantes de las tiendas minoristas, comprábamos quizá 12 Zinfandels distintos (vea el capítulo 12) con la intención de establecer nuestra propia prueba comparativa, pero no siempre llegábamos a completarla. A veces comprábamos vinos sólo porque tenían muy altas calificaciones de los críticos — 4 botellas caras compradas con fe ciega (y una pequeña ayuda de la tarjeta de crédito).

Nuestro consumo de vino no le alcanzaba a seguir el paso a nuestra curiosidad de ensayar nuevos vinos, y a nuestra pasión de poseer vinos que habíamos probado y nos habían gustado. Antes de darnos cuenta, nos habíamos vuelto coleccionistas de vinos.

Por suerte para nosotros, no cometimos *demasiados* errores por el camino. No obstante, llegamos a apreciar la sabiduría de tener un plan para nuestras compras de vino. El vino, concluimos, tiene algo en común con los conejos: la población de botellas puede salirse de las manos fácilmente.

# Coleccionar vino es algo que ocurre

La mayor parte de los vinos se consume muy poco después de la compra — una o dos botellas para tomar el sábado cuando caen los vecinos, Champaña para el brindis del aniversario, algo tinto para la lasaña del domingo. Si tiene esa costumbre, tendrá un montón de visitas.

Pero muchas personas que gozan del vino actúan de otro modo. Sí, seguramente compran vino porque piensan *tomárselo;* no saben exactamente *cuándo* se lo tomarán. Y mientras no se lo tomen, gozarán del placer de saber que las botellas los están esperando.

Si usted se cuenta en ese segundo grupo, usted es un coleccionista de corazón. Cada paso de la caza es tan emocionante, para usted, como la consumación.

Si usted es un coleccionista de armario, un poco de previsión le ayudará a dirigirse hacia un inventario organizado de los vinos que quiere tener. Pero, incluso si no se propone tener una colección de vinos, vale la pena ponerle un poco de cabeza a sus compras de vinos. El desarrollo de una estrategia de compra puede evitarle encontrarse con una colección heterogénea de botellas sin interés o sin valor.

La formulación de una estrategia de compras de vino implica establecer:

- ✔ Cuánto vino toma usted
- ✔ Cuánto vino quiere tener
- ✔ Cuánto dinero está preparado a gastar en vino
- ✔ Qué tipos de vino le gusta tomar

¡A menos que encuentre equilibrio entre estos factores, puede terminar quebrado, aburrido, frustrado o dedicado al negocio del vinagre para ensaladas!

## El no coleccionista declarado

Usted siente entusiasmo por el vino y le gusta comprarlo. Pero no tiene intención de volverse coleccionista — no tiene espacio o tiene mejores cosas en que gastar su plata.

En sus circunstancias, el único modo de impedir que se le forme una colección es mantener una disciplina personal estricta. Determine cuántas botellas de vino consume en el mes (no olvide tener en cuenta a los invitados) y nunca tenga a mano más de ese número. Si usted toma vino en casa dos noches a la semana, por ejemplo, y recibe invitados una vez al mes, el número puede ser más o menos unas 12 botellas.

Cuando compre vino, evite comprar vinos tintos robustos que mejoran con la edad. Evite comprar más de dos botellas de un mismo vino, a menos que no le importe tomar el mismo con frecuencia. No compre ningún vino que sea tan extraordinario o tan costoso, que pueda hacerlo caer en la tentación de guardarlo para una ocasión especial.

Resista el impulso de suscribirse a las revistas de vinos; suspenda todas sus tarjetas de crédito, excepto la del cupo más bajo.

## El pequeño coleccionista

La moderación en la colección de vinos es tan desafiante como recomendable.

Digamos que usted decide que un inventario de seis meses es razonable para usted. (Esto es, probablemente, cerca de 75 botellas sobre la base de recibir invitados una vez al mes y tomar vino en casa dos noches a la semana.)

Esto ya es darse permiso de coleccionar porque, con 75 botellas, puede seguramente arreglárselas para dedicar una caja (12 botellas) o dos a vinos que requieren largo añejamiento. También puede racionalizar la compra de una caja entera de un vino que le gusta particularmente, haciendo la cuenta de que va a tomarlo dos veces al mes durante seis meses (pero, ¿sí se lo va a tomar?).

Su desafío es mantener el equilibrio entre los vinos que están madurando y los que están listos para tomarlos, y la diversidad suficiente, entre los vinos tomables, para no aburrirse con sus escogencias. Para alcanzar estas dos metas, probablemente tendrá que llevar registros de su inventario. También necesita pensar en las condiciones de almacenamiento de sus vinos — sobre todo, los que guarda a largo plazo.

## El coleccionista serio

¡Felicitaciones! La mayoría de los coleccionistas de vinos nunca *deciden realmente* convertirse en coleccionistas de vinos; lo único que hacen es comprar y comprar hasta que *son* coleccionistas de vinos. Al tomar la decisión calculada de ser dueño de unos cuantos centenares de botellas

---

## ¿El límite es el cielo?

¡Hay coleccionistas que tienen extensas bodegas de más de 10 000 botellas! Esto puede llamarse llevar la afición a los extremos. Creemos que una colección de 1 000 a 1 500 botellas es definitivamente suficiente para satisfacer bonitamente las necesidades de cualquiera. Pero, pensándolo, 100 botellas tampoco están mal!

---

de vino, usted tiene la oportunidad de formar una colección que verdaderamente convenga a su paladar y a sus metas, y de evitar las trampas en que se cae al coleccionar vinos.

Su desafío es definir claramente sus metas, diversificar apropiadamente su colección y ejercitar la paciencia al comprar vino. Necesita también estar seguro de que su vino está almacenado en condiciones óptimas, o muchas de sus compras nunca le darán el placer que usted espera de ellas.

# Los candidatos más probables

A menos que se proponga llenar su bodega de vinos que le produzcan la mayor utilidad cuando los venda más tarde (en otras palabras, a menos que no esté interesado realmente en beber los vinos que tiene), a usted debe gustarle un vino antes de comprarlo. (No hablamos de las botellas que se compran mientras se está conociendo el campo y experimentando con nuevos vinos, sino de aquéllas con las cuales piensa comprometerse y comprar en cantidad.)

Nos acordamos del cuento de la joven actriz de Hollywood que llenó su bodega nueva sólo con los vinos que tenían calificaciones de los críticos principales, entre 95 y 100 puntos. Quisiéramos estar allí el día en que se dé cuenta de que realmente no le *gustan* muchos de los vinos que tiene.

## Equilibrio en su inventario

Un inventario de vinos bien planeado muestra una gama de vinos: puede recargarse en uno o dos tipos de vinos que usted disfruta particularmente, pero tiene también otros tipos. Su inventario también debe estar equilibrado entre vinos listos para tomar y vinos que requieren añejamiento, vinos poco costosos para las ocasiones usuales, y vinos que sólo se toman en una ocasión especial.

Si a usted le gustan los Chardonnay o los Cabernet Sauvignon de California, por ejemplo, puede decidir especializarse en ellos. Pero piense que puede aburrirse de ellos, si no tiene otra cosa que tomar noche tras noche. Si compra otros vinos, también puede divertirse explorando distintos tipos de vino — un modo placentero de educar su paladar.

Los vinos de mesa (o los ligeros) constituyen, desde luego, el grueso de la mayoría de las colecciones. Pero es buena idea establecer cierta variedad con vinos aperitivos como el Champaña o el Jerez seco, y vinos de postre como el Oporto o los blancos dulces, de manera que usted esté preparado cuando se presente la ocasión. (Si usted es como nosotros, ¡inventará bastantes ocasiones de destapar una botella de Champaña!)

Al planear su inventario, sería prudente incluir algunos vinos, merecedores de añejarse, que usted compra jóvenes cuando sus precios son más bajos. Muchos de los mejores tintos, tales como el Burdeos, el Barolo y el Brunello di Montalcino, a menudo no están en su mejor momento sino por lo menos diez años después de la vendimia — y algunos son difíciles de conseguir una vez que están listos para tomarse (vea en el capítulo 20 más información sobre vinos que necesitan añejamiento). El añejamiento también es la regla para algunos muy buenos Borgoñas blancos (como el Corton-Charlemagne), Burdeos blancos, Sauternes, vinos alemanes de cosecha tardía, y el Oporto de vendimia (¡éste último requiere usualmente cerca de 20 años para madurar!).

Pero no se limite a vinos tan importantes que no se anime a destaparlos sólo cuando tiene ganas de una copa de vino. Su selección debe cubrir ambos extremos del espectro de la seriedad:

✔ Vinos de todos los días, que se gozan mejor en su juventud, y que no necesitan largo añejamiento — usualmente vinos bastante módicos, en la gama de precios de 4 a 15 dólares la botella.

✔ Vinos que merecen añejarse, más gustosos y complejos, para gozarlos cuando ellos (y usted) han madurado con gracia en un período de años — usualmente cuestan más de 15 dólares la botella.

## Vinos de todos los días

Entre nuestros candidatos en vinos blancos para todos los días están:

✔ Borgoñas blancos simples, como Mâcon-Villages, St. Veran, o Chablis

(Los Borgoñas blancos se hacen de la uva Chardonnay; para más información, vea "Borgoña, el otro gran vino francés", en el capítulo 10)

✔ Sauvignon blancs (de Francia, California, etc.)

✔ Chardonnays (de California, Australia, etc.)

✔ Pinot Gris (o el equivalente italiano Pinot Grigio)

✔ Los Pinot Blancs de Alsacia

Para vinos tintos de todos los días nos gustan:

✔ El Barbera (de Italia)

✔ El Zinfandel tinto (de California)

Estos dos vinos pueden disfrutarse jóvenes, y son lo bastante versátiles para ir bien con las comidas diarias de mucha gente (alimentos simples, buenos y sabrosos), y lo bastante robustos para madurar un par de años si uno les vuelve a poner atención (esto es, no se deterioran pronto).

Entre otros tintos que recomendamos están:

✔ Beaujolais

✔ Côtes du Rhône

✔ Pinot Noir

✔ Merlot

✔ Dolcetto (de Italia)

✔ Burdeos simples, de cuerpo ligero (de menos de 15 dólares)

## Vinos que merecen añejarse

Entre los blancos que recomendamos están:

✔ Sobre todo los Borgoñas blancos *grand cru* y *premier cru* — tales como Corton-Charlemagne, los Montrachets Batard y Chevalier, el Meursault y el Chablis *Grand Cru*

✔ También los mejores Burdeos blancos, algunos grandes Rieslings alsacianos o alemanes o los Gewürztraminers (vea en los capítulos 10 al 12 una explicación sobre esos vinos)

Entre los muchos vinos tintos de larga vida para guardar o añejar están:

✔ Los buenos Burdeos

✔ Los Borgoñas *Grand Cru* y *Premier Cru*

✔ Los grandes tintos italianos, tales como el Barolo, el Barbaresco, el Chianti Classico Riserva, el Brunello di Montalcino, el Taurasi y los de la mezcla de Super Toscana-Cabernet con Sangiovese

✔ De España, el Rioja y el Vega Sicilia

✔ De California, los mejores Cabernet Sauvignon (y las mezclas con Cabernet)

✔ Del Ródano, el Hermitage y el Côte Rôtie

✔ De Australia, el Grande Hermitage

Los Champañas mejores (usualmente Champañas de vendimia y *prestige cuvées;* vea el capítulo 14) y los Jereces olorosos merecen añejarse mucho. Lo mismo los vinos de postre más finos, como el Sauternes francés, los Rieslings alemanes de cosecha tardía, los Vouvrays dulces del valle del Loira, el Oporto de vendimia y el Madeira.

# *Dónde trazar la línea*

Una de las decisiones más difíciles que usted tendrá que tomar es la de *cuánto* debe comprar de un vino determinado. Cuando usted cree que cierto vino es excepcional (a usted le encanta, acaba de recibir altas calificaciones y/o su año de vendimia tiene fama de ser estupendo), probablemente tendrá la tendencia natural a comprar grandes cantidades.

¡Conocemos a un señor que hipotecó su casa para comprar 60 cajas de Château Mouton-Rothschild de 1982! En realidad, esa decisión no era tan alocada como suena porque un Burdeos del Primer Cultivo (vea el capítulo 10) de una gran cosecha como la de 1982 era una inversión sólida. Nuestro amigo, con toda probabilidad, puede hacer una muy buena utilidad (cuando venda el vino) porque el Mouton no debió de costarle más de 600 dólares por caja en 1985, incluso menos, ¡y su valor ahora es de 2 400 dólares la caja!

Si usted se dispone a comprar una gran cantidad de cierto vino — digamos, dos cajas o más — la primera pregunta que debe hacerse es: "¿Podré vender este vino en el futuro, si decido hacerlo?" (Verifique con nuestra lista de inversión en vino, más adelante en este capítulo, o consulte con algún amigo conocedor, si no está seguro del potencial de reventa de su vino.)

Si el vino que piensa comprar en gran cantidad no tiene antecedentes comprobados de reventa, le aconsejamos abstenerse. Hay varias razones:

✔ Usted puede cansarse del vino y quedarse con más de una caja (¡absurdo!).

✔ Sus gustos pueden cambiar o (a medida que su paladar gana en experiencia) usted puede darse cuenta de que el vino que le parecía tan bueno no está a la altura de sus expectativas.

✔ El vino puede envejecer más pronto de lo que usted esperaba (lo que pasa a menudo), dejándolo con varias botellas de un vino al que le pasaron sus mejores días.

Excepto en el caso de que quiera invertir, le aconsejamos no comprar nunca más de una caja de un vino determinado, ¡cuando mucho! Nosotros nos reservamos el "compremos por caja" sólo para muy pocos de nuestros vinos favoritos comprobados; por lo general, nos limitamos a unas tres o seis botellas de ciertos vinos que sabemos que nos gustan y que tienen potencial de larga vida. Si no hemos probado un vino (o si no estamos seguros de si debemos comprarlo) pero tenemos curiosidad sobre su potencial, compramos primero una botella, y la probamos.

Tenga cuidado de no comprar demasiado de un vino de mucha demanda, por temor de que se agote. ¡Siempre hay más vino que comprar! Puede ser que usted lamente no haber comprado más botellas de unos pocos vinos cuando tenía la oportunidad, pero la verdad es que se hace más vino bueno cada año. Puede permitirse dejar escapar un pez gordo de vez en cuando.

# El orden lleva a la paz de la mente

No importa si se proponía coleccionar vino algún día, o no, puede llegar un momento en que usted se dé cuenta de que no es un bebedor de vino solamente, sino un coleccionista de vinos. Tal vez se dará cuenta de que es coleccionista cuando haya acumulado sus primeras 90 o 100 botellas.

Con esta comprobación usted ya sabe que necesita llevarle la cuenta a todo su vino para que:

✔ Pueda encontrar rápidamente una botella cuando la busque.

✔ Sepa lo que tiene (¡más de una botella se ha perdido porque su dueño olvidó que la tenía).

✔ Pueda mostrar su colección a sus amigos (que es algo como mostrarles los retratos de los niños).

## Organización de su vino

Hay varias maneras de ordenar su vino. Una, es simplemente colocar sus vinos en un orden lógico dentro del espacio de almacenamiento — manteniendo juntos los vinos de cada país o cada región, por ejemplo. Verá que este tipo de organización le ahorra mucho tiempo cuando necesite localizar determinada botella. Con seguridad es más rápido que estar abriendo caja tras caja para encontrar la que busca cuando tiene prisa.

Si usted tiene todo su vino apretujado en un rinconcito oscuro del sótano, con poco espacio para maniobrar, por supuesto, el arreglo físico ordenado es imposible.

## Libro de bodega u otra papelería

Otra manera de llevarle la cuenta a su vino es llevar un registro de cada vino de su colección, con su número y localización.

Cuando empezamos a catalogar nuestros vinos, usábamos un libro grande de hojas sueltas (que llamábamos de modo cariñoso, aunque algo pomposo, nuestro libro de bodega). Cada vez que comprábamos un vino, escribíamos su nombre y su cosecha, a lápiz, en la respectiva página del libro (una página por país o región vinícola principal). Cada vez que consumíamos un vino usábamos el borrador para cambiar la cantidad que quedaba de ese vino o para eliminarlo por completo. Con el tiempo, el libro se estropeó bastante. (Las páginas en que estaban nuestros vinos favoritos se agujerearon literalmente de tanto borrarlas.) ¡Pensábamos que le habíamos dado gran categoría a nuestro libro de bodega cuando compramos forros plásticos para cada página!

Entonces uno de nosotros tuvo la brillante idea de usar el computador para llevarle las cuentas a nuestro vino.

## Registro en computador

Catalogar nuestra colección de vinos por computador resultó mucho más fácil de lo que pensábamos. Usamos un programa de base de datos (específicamente, el Filemaker) en nuestro Macintosh para crear el archivo. Establecimos un campo para cada uno de los siguientes items:

✔ Vendimia (cosecha)
✔ Productor

✔ Nombre del vino

✔ Apelación (denominación)

✔ Nombre del viñedo

✔ Región

✔ País

✔ Tipo (tinto, blanco, rosé, espumoso, aperitivo, o de postre)

✔ Cantidad

✔ Precio pagado (por botella)

✔ Valor (el último valor estimado, por botella)

✔ Tamaño de la botella (para indicar las magnums de 1.5 l)

Dos campos de resumen suministran el número total de botellas en nuestro inventario en cualquier momento (o el total de cualquier *segmento* dentro de éste, tal como el Burdeos tinto), lo mismo que el valor actual del inventario.

El trabajo de introducir todos nuestros vinos en la base de datos fue considerable. Pero, cumplida esa tarea, quedamos completamente satisfechos con los resultados. Descubrimos que podíamos sumar o restar botellas o vinos más fácilmente que en el inventario sobre papel, podíamos clasificar el inventario de la manera que quisiéramos, podíamos imprimir listas de cualquier modo que quisiéramos, y tendríamos registros al día cuando llegara el momento de renovar nuestro seguro.

Un día de éstos, nos proponemos hacer todavía más útil el archivo, agregándole unos cuantos campos, tales como:

✔ Mejor época para tomarlo

✔ Dónde se compró

✔ Cuándo de consumió

# Un ambiente saludable para sus vinos

Si usted es un no coleccionista declarado que nunca tiene más de uno o dos meses de provisión de vino a mano, y que tiene el cuidado de agotar su inventario sistemáticamente, no necesita preocuparse de cómo guardar sus vinos. Puede mantener sus botellas acostadas en un estante del sótano, la sala o el comedor, etc., mientras no estén cerca del calentador o a la luz directa del sol. Incluso si están paradas, sobrevivirán unos meses.

Si ha decidido coleccionar unas cuantas botellas, sin embargo — o si descubre que le está pasando que colecciona vinos — por favor ponga atención. Si sus vinos están mal almacenados, el resultado inevitable de sus esfuerzos será una desilusión tras otra.

Si planea guardar vinos indefinidamente, necesita solamente una instalación para almacenar vinos que le ofrezca temperatura y humedad controladas. Esto es especialmente importante si usted vive en un área en donde la temperatura pasa de 70º F (21º C) durante cualquier lapso.

El buen almacenamiento no sólo puede proteger sus vinos finos del deterioro prematuro, sino que le dará el valor de añejar los vinos jóvenes que lo necesitan. Sin almacenamiento apropiado, el buen vino, o bien se consume mucho antes de alcanzar su mejor época (lo que se conoce en los círculos del vino como *infanticidio),* o se malogra en algún clóset, garaje o sótano caliente.

## La bodega pasiva

Usted puede ser lo bastante afortunado para tener lo que se llama una bodega *pasiva* (si ha heredado hace poco un castillo en Escocia, por ejemplo).

Si el lugar en el cual guarda su vino es muy fresco (menos de 60º F, 15.5ºC) y muy húmedo (75 por ciento de humedad o más) usted es el afortunado dueño de una bodega pasiva (se llama *pasiva* porque no hay que hacerle nada como enfriarla o humidificarla). Usualmente, sólo las bodegas que están profundamente bajo el nivel de la tierra, aisladas por muros espesos de piedra, o algo comparable, pueden ser completamente pasivas en la mayoría de los climas templados.

Las bodegas pasivas son ciertamente el ideal para almacenar vinos. Y se ahorra mucho dinero en su mantenimiento, para aprovecharlo.

Si usted no tiene una bodega pasiva, puede descubrir que es capaz de construirla. Encontrará instrucciones valiosas en el autorizado libro de Richard M. Gold, *Cómo construir una bodega pasiva* (Sand Hill Publishing, 1983, Box 461, North Amherst, MA 01059).

## Si no puede ser pasivo, sea improvisador para almacenar el vino

La mayoría de nosotros no tiene la suerte de tener una bodega pasiva, ni la de poder crearla sin gastos y molestias extraordinarias (excavadoras, cuadrillas de demolición, etc.). Pero, como sustituto — un área enfriada y humidificada artificialmente — todavía es mucho mejor que nada.

Las siguientes son las características claves de una buena área de almacenamiento:

✔ Debe ser fresca: el ideal, entre 53º F y 59º F (12 a 16º C)

✔ La temperatura debe ser bastante constante: los cambios pronunciados de temperatura no le hacen bien al vino

✔ El área debe ser húmeda: con un mínimo de 95 por ciento (por encima del 95 por ciento se forma moho)

✔ Debe estar libre de vibraciones, que pasen a través del vino; tráfico pesado y motores que se encienden y se apagan: como los de las neveras, las lavadoras/secadoras; todos son perjuciales para el vino

✔ Debe estar libre de la luz, *especialmente la luz directa del sol;* los rayos ultravioleta del sol son especialmente dañinos para el vino

✔ Debe estar libre de olores químicos, como pinturas, disolventes, etc.

Compre un *higrómetro* (un instrumento que mide la humedad del aire) para su área de almacenamiento. Nuestro higrómetro nos da tanto el porcentaje de humedad, como una lectura digital de la temperatura — información tan valiosa, que la verificamos casi a diario. (Los higrómetros se anuncian en catálogos de accesorios para el vino.)

Evite los refrigeradores para almacenar vino. No deje buen vino o Champaña en el refrigerador más de unos pocos días. No sólo es dañino el motor del refrigerador, sino que la temperatura excesivamente baja (como 35º F, 1.6º C) tiende a opacar y adelgazar los sabores del vino.

En resumen, su área de almacenamiento debe ser fresca (sin grandes variaciones de temperatura), húmeda, oscura y libre de vibraciones.

## Cómo mantenerla fresca y húmeda

Se consiguen *unidades enfriadoras profesionales* (se encuentran los avisos en catálogos de accesorios para el vino o en revistas del vino). Estas unidades controlan el clima, y humedecen el aire mientras lo enfrían. Vienen en distintas capacidades para acomodarse al tamaño de distintos cuartos. Requieren instalación profesional y cuestan de 500 a 1 950 dólares, según su capacidad.

## La cuestión de la humedad

A algunos coleccionistas no les preocupan particularmente los niveles de humedad de sus bodegas. La alta humedad produce moho, argumentan, y desfigura las etiquetas. Pero el aire seco puede ser la causa de que su vino se evapore, o se rezuma a lo largo del corcho, causando una *merma.* Mientras más grande es la merma, mayor peligro hay de que su vino se oxide. En vista de que aconsejamos una humedad entre el 75 y el 95 por ciento, creemos que *el aire acondicionado, que deshumidifica el aire hasta cerca del 50 por ciento, no debe usarse* para enfriar el área de su bodega.

Según el lugar en donde viva usted, podría no necesitar durante todo el año su unidad enfriadora. Nosotros mantenemos funcionando la nuestra de fines de mayo a fines de septiembre. El gasto adicional en energía eléctrica sube a unos 15 dólares al mes (en nuestra área del nordeste de los Estados Unidos) durante cuatro meses — bien justificado si se considera el valor del vino que se protege. Durante los meses de invierno, cuando el aire se reseca, usamos un humidificador que es mucho más barato que poner a funcionar la unidad.

## *Estantes para vino*

Las estanterías varían desde las elaboradas de pino, hasta las de simple metal o plástico. La escogencia de la forma y el material es cosa de cuánto quiere gastar usted. Las estanterías grandes de forma de diamante, de madera (o sintéticas), son populares porque almacenan eficientemente hasta ocho botellas por sección y aprovechan el espacio al máximo. Estas estanterías también permiten sacar fácilmente las botellas (vea la figura 15-1).

Una configuración de estantes que permita darle a cada vino su propio cubículo es más costosa; si está examinando una de esas estanterías, verifique si le caben las botellas más grandes (como las de Champaña) o si las medias botellas quedan muy pequeñas.

Algunos coleccionistas prefieren almacenar su vino en las cajas de madera originales en que se vende el vino. (Muchos vinos clásicos como el Burdeos y el Oporto de vendimia vienen en esas cajas de madera; usualmente, se puede encontrar cajas de éstas vacías en la mayoría de las

**Figura 15-1:**
Estantería de
forma de
diamante.

tiendas de vinos.) Las cajas de madera son útiles para guardar vino porque éste permanece a oscuras entre la caja, y la temperatura cambia
muy lentamente, gracias a la masa de las botellas empacadas juntas en la
caja cerrada. Sin embargo, sacar una botella de la fila de abajo puede ser
una molestia.

Las cajas de cartón, en cambio, no son recomendables para guardar
vino. Los químicos que se usan en la manufactura del cartón pueden,
con el tiempo, afectar al vino. También puede dañarse el cartón con la
humedad, en el supuesto de que usted mantenga la humedad apropiada
en su bodega.

## Aislamiento

Mucho más importante que su elección de estantería es su elección de
aislamiento.

Definitivamente *no recomendamos* el aislamiento con fiberglass porque éste absorbe la humedad de su unidad enfriadora. Hemos oído de casos en que el peso de la humedad dentro del aislamiento de hecho produjo que se cayeran partes del cielo raso, causando un verdadero desastre.

El aislamiento ideal es una resina termoplástica de tres pulgadas de espesor, que se llama poliuretano. Es inodora, no absorbe la humedad, y sella muy bien. Incluso cuando la unidad enfriadora no está funcionando, las temperaturas cambian muy lentamente en la mayoría de las bodegas con esta clase de aislamiento.

## Las cavas de vino

Si usted vive en una casa que tiene una bodega o un área separada para su vino, considérese afortunado. Pero, qué hacer si no tiene espacio. ¿Si, por ejemplo, vive en un apartamento?

Como morador de apartamento tiene tres opciones:

✔ Deje su vino en casa de un pariente o un amigo (siempre que éste *sí* tenga condiciones adecuadas de almacenamiento — ¡y usted confíe en que no se le tomará el vino!).

✔ Alquile espacio en una bodega pública refrigerada.

✔ Compre una *wine cave* [cava de vino] — conocida también como bóveda de vino —, una unidad completa para guardar y refrigerar que se conecta con una toma eléctrica.

Encontramos las dos primeras opciones poco aceptables porque no le dan acceso inmediato a su vino. Es una verdadera molestia tener que hacer un viaje cada vez que uno quiere ponerle la mano a su vino. Ambas opciones lo privan del placer de tener los vinos a mano en casa, en donde puede mirarlos, acariciar las botellas o mostrárselas a los amigos.

Si viviéramos en un apartamento, definitivamente tendríamos una cava de vino. Vienen en todas las variedades — algunas son de madera, otras de metal, y otras de una combinación de ambos. Muchas de las más bonitas parecen muebles atractivos, alacenas horizontales o verticales. Algunas tienen puertas de cristal y todas tienen cerraduras con llave.

Las cavas de vino van de una capacidad de sólo 24 botellas a las realmente grandes, que pueden contener hasta 2 800, con muchos tamaños intermedios. Los precios van de 400 hasta unos 5 000 dólares. Las cavas de vinos se anuncian ampliamente en los catálogos de accesorios para vinos y en las últimas páginas de las revistas de vinos.

Si usted planea construir una bodega o comprar una cava de vino, deje espacio para la expansión de su colección. Las bodegas de vino crecen inevitablemente con el tiempo, como la mayoría de las cinturas.

# ¿Es usted un bebedor o un inversionista?

Si usted es como la mayoría de la gente, compra vino con un solo propósito: tomárselo inmediatamente o alguna próxima vez. ¡Bravo! Los que hacen vino no le ponen el corazón y el alma a sus creaciones sólo para que la gente admire el exterior de las botellas.

Pero algunos vinos sí se vuelven más escasos y más valiosos con la edad, y venderlos por negocio puede ser una tentación difícil de resistir hasta para el bebedor más dedicado. En muchos lugares, en estos tiempos, hay individuos que pueden vender sus vinos legalmente lo mismo a una tienda minorista que a una casa de subastas. En consecuencia, más y más personas están vendiendo vinos que no quieren guardar, o comprando vinos con la intención específica de revenderlos.

## Rasgos personales de las buenas inversiones en vinos

Es del todo cierto que (en un porcentaje muy pequeño) los vinos son grandes inversiones. Ciertos vinos son una inversión todavía más segura que las acciones o la propiedad raíz porque su valor no hace sino aumentar — no bajar de precio. Incluso cuando la economía vacila, algunas personas siempre tienen suficiente plata para comprar buen vino.

Los vinos *inversión* tienen ciertos atributos:

✔ Están universalmente reconocidos por la prensa del vino y el comercio como excelentes.

✔ Tienen potencial de longevidad.

✔ Son vendimias entre muy buenas y excelentes.

✔ Se vuelven más valiosas cada año que pasa.

Tienen también otro requisito importante: deben haber estado bien almacenados para estar en buenas condiciones.

Algunos vinos de inversión comparten también el *factor rareza* — no se hicieron muchas botellas, para empezar.

## Las mejores apuestas para invertir o guardar

Los vinos franceses ciertamente tienen el monopolio en el mercado de inversión en vino a escala mundial. Tienen una reputación bien establecida, especialmente con los británicos, quienes más o menos *inventaron* el mercado de inversión en vinos. Por tanto, mientras Portugal, España, los Estados Unidos y Australia sólo están representados en la lista siguiente por un vino (o categoría), Francia tiene cinco grandes categorías de vinos inversión.

**Muy buenos Burdeos tintos — con pedigrí y fama de longevidad:**

| | |
|---|---|
| Château Petrus | Château Cheval-Blanc |
| Château Lafite-Rothschild | Château Lafleur (Pomerol) |
| Château Mouton-Rothschild | Château Trotanoy |
| Château Latour | Château Palmer |
| Château Margaux | Château La Mission-Haut-Brion |
| Château Haut-Brion | Château Ausone |

(Los châteaux de la primera columna son inversiones *especialmente* buenas.)

**Muy buenos Burdeos blancos con pedigrí y fama de longevidad:**

Château Haut-Brion (Blanc)
Château Laville Haut Brion
Domaine de Chevalier

**Muy buenos Borgoñas tintos — los más altamente respetados:**

Vinos del Domaine de la Romanée-Conti (especialmente Romanée-Conti, La Tache, Richebourg)
Vinos del Domaine Leroy (especialmente los Grand Crus, como Musigny y Chambertin)
Vinos de Henri Jayer (especialmente los Grand Crus)

**Muy buenos Borgoñas blancos — los más buscados:**

Montrachet (Domaine de la Romanée-Conti; Ramonet)
Ramonet (los otros Borgoña blancos Grand Cru)

Domaine des Comtes Lafon (Meursaults Premier Cru)
Coche-Dury (Grand y Premier Crus)
Raveneau (Chablis Grand y Premier Cru)

**Sauternes — la crema de la crema:**

Château d'Yquem (claramente la estrella como inversión)
Château Climens
Château Coutet (únicamente, Cuvée Madame)
Château de Fargues

**Oporto de vendimia — los cuatro grandes de Portugal:**

Taylor-Fladgate
Graham
Fonseca
Quinta do Noval (sólo Nacional)

**El vino más preciado de España:**

Vega Sicilia Unico

**Ciertos Cabernet Sauvignons de California — el factor rareza:**

Grace Family Vineyards Cabernet Sauvignon (cualquier vendimia)
Beaulieu Vineyards Private Reserve Cabernets (vendimia de 1970 y anteriores)
Heitz Martha's Vineyard Cabernet Sauvignon (vendimia de 1974 y anteriores)

**El grande de más abajo:**

Grange Hermitage (especialmente las vendimias más antiguas)

## El factor de mortalidad

La inevitable cuestión de sus expectativas de vida deben entrar, por supuesto, cuando esté pensando cuánto vino comprar — a menos que no le importe dejarle su vino a sus herederos.

Si usted, en su ocaso, se da cuenta de que tiene demasiado vino, una opción es venderlo. Si ha comprado sabiamente, hará una utilidad espléndida. Incluso, puede vivir lo suficiente para gastársela toda.

Nuestro héroe es el difunto gran escritor sobre vinos, André Simon.

Cuando murió, a la edad de 94, André, según se dice, tenía solamente *dos* magnums de vino en su antes extensa bodega. *¡Eso* es planear bien!

# Cómo vender su vino

Como el vino es una bebida reglamentada, no necesariamente se puede venderlo sin complicaciones. Pero se está volviendo más fácil cada vez.

Vender vino de propiedad privada ahora es completamente legal en muchos estados de los Estados Unidos — inclusive California, Nueva York e Illinois. En otras partes sólo se permite vendérselo a una tienda, o mediante una subasta de caridad. Verifique con las autoridades locales de control de bebidas para saber qué normas se aplican en su área.

La mayoría de las tiendas minoristas (en los lugares donde está permitido) también le comprarán vino. Usualmente se encuentra un buen número de avisos clasificados, en las últimas páginas de las revistas, de compañías y tiendas que quieren comprar vinos.

Cuando vaya a vender su vino, tenga en cuenta unos cuantos factores acerca de la mayoría de las casas de subastas, compañías de vinos y tiendas minoristas:

✔ Están interesadas en vinos valiosos, prestigiosos o raros; no andan buscando algún hueso del cual quiere alguien salir.

✔ Lo que quieren realmente son vinos en buenas condiciones; en algunos lugares no le comprarán vinos que no estén en su mejor momento — pero en algunos sí.

✔ Todas, por supuesto, cobran una comisión por sus servicios, que va del 10 al 25 por ciento del precio de venta. Algunas casas de subastas le cargan la mayor parte de la comisión al comprador y no al vendedor.

✔ Algunas bocas de salida sólo pagan después de vender el vino; otras pagan antes. Busque en varias partes el mejor negocio.

# Cómo asegurar su preciosa inversión

Si su colección de vinos crece hasta el punto de volverse uno de sus activos más valiosos, definitivamente debe pensar en el cubrimiento del seguro. Las pólizas *normales* para dueños de casas, no cubren el vino en caso de incendio, robo, ruptura, etc. (algunas pólizas pueden cubrir hasta mil dólares). Sin embargo, usted puede comprar una *adición* a su póliza de dueño de casa que cubra items tales como vino o cristal, lo cual le dará tranquilidad.

Haga la cuenta de que el costo anual de su seguro de vino puede ser de 40 a 50 centavos de dólar por cada 100 dólares asegurados. Por ejemplo, si su inventario de vinos vale 75 000 dólares, su costo anual puede ser de unos 315 dólares.

Usted puede avaluar su colección — espe-cialmente los vinos más añejos — simplemente mirando los precios de subasta de los catálogos de las casas de subastas como Christie's y Sotheby's; los precios de los vinos más jóvenes se encuentran fácilmente en avisos de periódicos y revistas. O, si prefiere, revise los clasificados de las revistas de vinos y busque avaluadores de vinos, que le harán el trabajo cuando les envíe por correo una copia de su inventario.

La mayoría de las compañías de seguros tienen adiciones a sus pólizas de seguros de casa que cubren el vino y otras propiedades valiosas. El Chubb Group of Insurance Companies and Sedgwick James son dos firmas de ese ramo que están familiarizadas con el seguro de vinos.

# Capítulo 16

# Guía de conocedores para comprar vino

**U**sted lee sobre un vino que parece estupendo. Lo pica la curiosidad; quiere probarlo. Pero su tienda local de vinos no lo tiene. Tampoco la de la población vecina.

O usted decide completar su colección con varios vinos maduros. Los pocos vinos añejos que se pueden encontrar en las tiendas de vinos no son realmente lo que usted quiere — y además, ¡son tan caros!

¿Cómo hacen los otros amantes de los vinos para echarles mano a las botellas especiales cuando usted no puede?

## Vinos que se hacen los difíciles

Hay una trampa en la que caen los amantes de los vinos que realmente han contraído el virus: mientras más deseable es un vino, más difícil es conseguirlo. Y mientras más difícil es consegurlo, más deseable es.

Contra los consumidores que desean poner sus manos en las botellas especiales, conspiran varias fuerzas. Primero, de algunos de los mejores vinos, sólo se hacen cantidades ridículamente pequeñas. No diríamos que la cantidad y la calidad son necesariamente incompatibles en la producción de vino, pero en los escalones más altos de la calidad, no hay usualmente mucho que encontrar.

Una vez compramos seis botellas de un Borgoña grand cru tinto, producido por Hubert Lignier, un pequeño cultivador y vinificador. El importador nos dijo que Lignier hacía sólo 150 cajas de ese vino y que, de ésas, sólo 50 llegaban a los Estados Unidos. ¡Nos parecía increíble que pudiéramos comprar nosotros media caja de un vino tan escaso y dejar sólo 49 cajas y media para el resto del país! El momento oportuno en el lugar oportuno.

Esto nos trae al segundo factor que conspira contra la igualdad de oportunidades al comprar vino: comprar vino es un deporte competitivo. Si uno llega primero, consigue el vino, y el que llega después, no. (También hemos estado muchas veces en desventaja.)

En estos tiempos, comprar vinos altamente calificados es especialmente competitivo. Cuando un vino recibe calificaciones muy altas de los críticos, los amantes del vino tienen que comprarlo de todos modos. Lo que se produce es una pugna frenética que no deja campo para los que se demoran.

Por último, la mayoría de los vinos los vende el productor — o el importador, según el caso — sólo en una ocasión, cuando el vino es joven. La mayor parte de los productores no puede permitirse almacenar un capital en vinos finos para venderlos más tarde. Esto quiere decir que los vinos añejados apropiadamente son difíciles de conseguir.

# Jugar el juego difícil

Cuando el vino se pone difícil, usted tiene que jugarle lo mismo. Tiene que ir más allá de sus fuentes normales de aprovisionamiento. Sus aliados en este juego son las casas de subasta de vinos, las tiendas de vinos de otras ciudades y los productores mismos.

## Pros y contras de comprar vinos en subastas

La ventaja evidente de comprar vinos en las casas de subastas es la de encontrar vinos *más añejos* y *más escasos*. De hecho, las casas de subastas son la fuente principal de los vinos maduros — su especialidad. En las subastas se puede comprar vinos imposibles de obtener de otro modo. (¡Muchos de esos vinos han estado fuera del mercado años, a veces decenios!) En general, se puede conseguir vinos más jóvenes a mejores precios en cualquier otra parte.

La principal desventaja de comprar vino en casas de subasta es que uno no conoce la historia del almacenamiento del vino que piensa comprar. El vino puede haber estado años almacenado en la bodega caliente de alguien. Y cuando el vino *sí* viene de la bodega de temperatura controlada de un coleccionista muy conocido, y entonces tiene impecables credenciales, se venderá por un precio muy alto.

En las casas de subastas también hay que pagar una *comisión de comprador,* un recargo de 10 a 15 por ciento sobre su oferta. En general, los precios del vino en las subastas van de razonables (a veces, hasta se encuentran gangas) a exorbitantes.

No contraiga la fiebre de la subasta, si está presente en ella. El deseo de ganar puede inducirlo a pagar más de lo que vale el vino. Lo que debe hacer es pagar de manera planeada y juiciosa. Para planear su ataque, usted puede conseguir por anticipado un catálogo de la subasta, usualmente por una pequeña propina. En el catálogo encuentra los vinos que se venden por *lotes* (usualmente de tres, seis o doce botellas) con una oferta mínima sugerida por lote.

## *Pros y contras de comprar vino por catálogo*

Una ventaja real de repasar los catálogos de una tienda de vinos y ordenar vino desde su sillón es, por supuesto, la comodidad (para no mencionar el ahorro de tiempo). Entre otras ventajas de comprar vino a larga distancia, está la posibilidad de encontrar vinos escasos y (a veces) precios más bajos que en su mercado local.

A veces, la *única* manera de comprar ciertos vinos es por catálogo. Los vinos hechos en pequeñas cantidades y muy demandados, definitivamente no se encuentran en cualquier mercado. Si un vino que usted quiere se encuentra en el mercado local, pero usted vive en un lugar donde los precios no son de competencia, usted puede darse cuenta de que ahorra dinero pidiéndoselo a un minorista de otra ciudad — incluso agregados los costos de transporte.

## El riesgo posible

Muchos gobiernos locales tienen leyes que prohíben el despacho directo de vino al consumidor. Si los consumidores quieren un vino, los gobiernos locales se figuran que deben comprarlo simplemente en su propio estado; de ese modo, el gobierno local puede estar seguro de que se han pagado los impuestos sobre el vino (por parte del minorista con licencia del estado) — para no mencionar los impuestos locales. ¡Como si todo vino se consiguiera en todas partes!

Pero los entusiastas del vino saben que la mayoría de las tiendas de vinos o de las fábri-cas les despachan sin problemas de todos modos. Si una tienda (o una fábrica) quiere despacharle a usted, usualmente usted puede contar con la experiencia de la compañía y confiar en que el vino llegará sin complicaciones. (California, por ejemplo, tiene acuerdos con varios otros estados, que legalizan los despachos a los consumidores.) Pero, de vez en cuando, si los gobiernos locales sorprenden despachos ilegales, confiscan las cargas enteras de vino de los camiones. Es un riesgo. Trate el asunto con la tienda o la productora, si no está seguro.

Una desventaja menor de comprar vino por catálogo es que debe haber un adulto en casa para recibirlo. También, dado que el vino es perecedero, tiene que asegurarse de que no se lo entreguen en tiempo caliente o frío (más de 75º F/24º C, o menos de 28º F/2º C). La primavera y el otoño, en general, son las mejores épocas para recibir vino en la mayoría de los lugares del mundo.

Por último, una desventaja más importante es que el vino es una sustancia controlada por la ley cuyo libre comercio no está permitido en todas partes. El transporte de vino de un estado a otro, de una provincia a otra — para no hablar de atravesar fronteras nacionales — no siempre es legal. Si no está seguro de qué está permitido en donde usted vive, pregúntele a la tienda a la que le piensa comprar o verifique con las autoridades locales sobre licores (estatales o provinciales).

## *Algunas tiendas de los Estados Unidos que vale la pena conocer*

No podemos hacer la lista de *todas* las tiendas de vinos importantes que venden por catálogo o correo directo *(newsletter)*. Pero los siguientes proveedores son algunos de los mejores. Cada uno de ellos, o se especializa en ventas por catálogo o en ciertas clases de vinos de calidad que son muy difíciles de conseguir por otro medio.

✔ Bel-Air Wine Merchant, West Los Angeles, CA; 310-474-9518 — Burdeos (especialmente, escasos y añejos)

✔ Brookline Liquor Mart, Allston, MA; 617-734-7700 — Italianos, Borgoña, Ródano

✔ Burgundy Wine Company, New York, NY; 212-691-9092 — Borgoña, Ródano

✔ D & M Wines & Liquors, San Francisco, CA; 1-800-637-0292 — Champaña (buenos precios)

✔ John Hart Fine Wine, Chicago, Il; 312-944-5385 — Burdeos, Borgoña

✔ Kermit Lynch Wine Merchant, Berkeley, CA; 510-524-1524 — Vinos del campo franceses, Borgoña, Loira, Ródano

✔ MacArthur Liquors, Washington, D.C.; 202-338-1433 — California, Burdeos, Italia, Borgoña, Ródano, Alsacia

✔ Marin Wine Cellar, San Rafael, CA; 415-459-3823 — Burdeos (especialmente finos, raros, añejos)

✔ Mills Wine & Spirit Mart, Annapolis, MD; 410-263-2888 — Burdeos, alemanes, italianos

✔ Pop's Wines & Spirits, Island Park, NY; 516-431-0025 — Burdeos, italianos, alemanes

✔ Rosenthal Wines Merchant, New York, NY; 212-249-6650 — Borgoña

✔ Royal Wine Merchants, New York, NY; 212-689-4855 — Franceses (en especial Burdeos escasos)

✔ The Chicago Wine Company, Niles, Il; 708-647-8789 — Burdeos, Borgoña, California

✔ The Party Source, Bellevue, KY; 606-291-4007 — Alemania, Alsacia, Borgoña

✔ The Rare Wine Company, Sonoma, CA; 1-800-999-4342 — Italianos, franceses, Oporto, Madeira

✔ Twenty-Twenty Wine Co., West Los Angeles, CA; 310-447-2020 — Burdeos (especialmente escasos, añejos)

# Clubes del vino del mes

Un fenómeno más bien reciente es el de la proliferación de *clubes*. (En el verdadero sentido de la palabra; son simplemente personas que tratan de venderle vino a usted.) Parece que no pasa una semana sin que recibamos una solicitud de uno de esos grupos para que nos suscribamos.

La mayoría de los clubes de compra de vino trabajan como el Club del Libro del Mes. Excepto que la mercancía es vino. Estos clubes valen la pena si usted no quiere tomarse el trabajo de seleccionar sus propios vinos.

Pero hay un problema inherente a esas compañías: a usted tiene que gustarle el vino que le escogen. Es usual que los clubes esperen que usted compre 6 botellas (a veces 12) de un vino determinado — que, por supuesto, describen en términos brillantes. Si a usted no le gusta la selección, después de probar la primera botella, queda atascado con el resto. Pero los vinos usualmente tienen precios razonables. Es su decisión; conveniencia versus escogencia.

Uno de los mayores y más exitosos "servicios personales" de órdenes por correo (como les gusta llamarse) es Geerlings & Wade, situado en Massachusetts y fundado en 1987. Para más información sobre ellos, llame a 1-800-782 WINE (9463).

## Vino por catálogo electrónico

Se puede comprar vino por este medio, aunque el campo está todavía en la infancia. Por ejemplo, Northside Wine & Spirits, una tienda de vinos de Ithaca, Nueva York, se ha establecido en la America Online's Food and Drink Network para ofrecer un catálogo electrónico de los vinos que importa en exclusiva (NsideWine@aol.com). El Napa Valley Wine Exchange ofrece vinos de California de "microproducción" por medio del mismo servicio online (sistema de comunicación por computador) (Nvwex@aol.com). En Internet, operadores tales como Virtual Vineyards (http://www.virtualvin.com) ofrecen vinos para la venta en donde lo permita la ley; así lo hacen productores como Sterling Vineyards (http://www.napavalley.com/sterling.html).

## Directamente de la fuente

Se puede comprar directamente de los productores de dos modos:

✔ Visitando la planta

✔ Llamando y haciendo pedidos para que le despachen

Muchas productoras pequeñas venden un porcentaje bastante grande de sus vinos a los visitantes. En el estado de Nueva York, por ejemplo, algunas firmas venden hasta la mitad de su producción en la planta.

Es un error común el de creer que se ahorra dinero comprando en la planta. No se ahorra. Para no hacerles competencia desleal a sus distribuidores, las firmas les cobran a los visitantes los mismos precios que rigen en las tiendas al por menor. Pero usted obtiene dos bonificaciones: la emoción de comprar el vino en donde se hace, y la satisfacción de apoyar a la gente que se esfuerza por complacerlo.

La mayoría de los vinificadores se alegrarán de despacharle el vino, si pueden hacerlo legalmente. Si usted vive demasiado lejos para visitar determinada planta o si su producción es pequeña y de alta demanda, hacer un pedido por correo puede ser el único modo de conseguir un vino.

En California y en Washington, por ejemplo, unas empresas pequeñas producen vinos, tan elogiados por los críticos, que no están disponibles sino para las personas incluidas en las listas de correo directo de la firma. (En algunos casos, los vinos disponibles son tan escasos, que hay una lista de espera para la lista de correos, o se decide en una lotería quién recibe realmente el vino, entre los que figuran en la lista de correo directo.)

Entre los productores de vinos a cuyas listas de correo directo le sugerimos unirse (y los vinos que puede conseguir) están los siguientes:

**Williams & Selyem Winery, Healdsburg, CA; 707-433-6425:** En el Russian River Valley (Sonoma), Burt Williams y Ed Selyem están produciendo algunos de los mejores Pinot Noirs de Norteamérica — es prácticamente imposible conseguirlos, si no se está en su lista de correo; ¡están haciendo también algunos Zinfandels tintos muy buenos! Pero hay una lista de espera para la lista de correo.

**Ravenswood, Sonoma, CA; 707-938-1960:** El talento del vinificador y propietario Joel Peterson para hacer Zinfandels tintos sobresalientes de lugares de un solo viñedo es casi legendario; no se pueden conseguir si uno no está en la lista de correo directo.

**Ridge Vineyards, Cupertino, CA: 408-867-3233:** Situada en las montañas de Santa Cruz, a una hora de San Francisco, es hoy una de las productoras veteranas. Y el vinificador Paul Draper, uno de los tipos más amables del negocio, ha estado al timón la mayor parte del camino. Aunque a veces se puede encontrar los Cabernests y los Zinfandels de Ridge en las tiendas al por menor, se venden de veras pronto. Y la empresa tiene un "programa de entrega limitada" de algunos vinos que se consiguen sólo por correo.

**Grace Family Vineyards, St. Helena, CA; 707-963-0808:** Los Cabernet

Sauvignons de intenso sabor que hace Dick Grace son sin duda los vinos más difíciles de conseguir y los más buscados de Norteamérica (si no del mundo) ¡Después de todo no hace sino 200 cajas al año! Ingrese a su lista de correo directo... si es usted paciente. ¡Puede pasar un rato largo antes que usted reciba el vino!

**Rafanelli Winery, Healdsburg, CA; 707-433-1385:** Los Zinfandels tintos de Dave Rafanelli, en Dry Creek Valley (Sonoma), marcan la pauta para esta variedad. Ni aclarados, ni filtrados — y casi imposibles de conseguir, a menos que usted esté incluido en la lista de correo directo — estos vinos hechos naturalmente valen la pena el esfuerzo.

**Rosenblum Cellars, Alameda, CA; 510-865-7007:** ¡El veterinario Kent Rosenblum hace unos muy buenos Zinfandels tintos de un solo viñedo, cuando no está tratando perros, gatos y caballos enfermos! Aunque algunos vinos suyos se consiguen en las tiendas, los mejores Zins de Rosenblum sólo se consiguen por la lista de correo directo o visitando la planta.

**Leonetti Cellar, 1321 School Avenue, Walla Walla, WA 99362:** Definitivamente los Cabernet Sauvignons y los Merlots más buscados del estado de Washington. Es imposible conseguir estos vinos clásicos y bien equilibrados a menos que usted esté en la lista de correo directo. (La firma le pide escribir en vez de llamar por teléfono.)

**Quilceda Creek Vintners, Snohomish, WA; 206-568-2389:** Sólo se hacen unas 1 000 cajas de este gustoso Cabernet Sauvignon. ¡Meterse en la lista de correo directo es la mejor (si no la única) apuesta! Las 200 cajas del Cabernet Sauvignon Reserve de la firma ya casi son imposibles de conseguir en estos días.

**Woodward Canyon Winery, Lowden, WA; 509-525-4129:** Aunque los gustosos y roblizos Chardonnays y Cabernet Sauvignons del productor Rick Small se consiguen ocasionalmente en las tiendas, usted va mucho más seguro si está en la lista de correo directo de esta popular productora de Washington.

# Comprar tiempo

De vez en cuando se encuentran avisos, en los periódicos o en los catálogos de las tiendas, en que lo instan a uno a comprar *futuros* de determinado vino (usualmente de Burdeos pero también de California). Los avisos sugieren que, para conseguir un vino particular al precio más bajo, se debe comprar ahora para futura entrega. En otras palabras: "Dénos su plata ahora; a su debido tiempo, probablemente el año entrante, cuando la productora lo despache, usted recibirá su vino."

En general, le recomendamos no comprar futuros. A menudo, el mismo vino está al mismo precio o ligeramente más alto cuando llega al mercado. Para ahorrar poco o nada usted habrá amarrado su dinero durante un año o más, mientras la tienda gana intereses con él o lo gasta. Y hay tiendas que han quebrado. En la reciente recesión de la economía, de hecho algunas personas que compraron futuros de vino, en realidad pagaron más por él que si hubieran esperado, sin comprarlo, a que llegara al mercado.

La única ocasión en que vale la pena comprar futuros de vino es cuando se desea garantizar la obtención de cierto vino que se hace en cantidades pequeñas (digamos, 3 000 cajas al año, o menos), y usted está bastante seguro de que se agotará antes de llegar a las tiendas.

Por ejemplo, hay muchos pequeños châteaux en la sección de Pomerol de Borgoña — y unos pocos productores de California, el estado de Washington y el Piamonte, en Italia — cuyos vinos normalmente se agotan en los pedidos de preventa, especialmente en los buenos años de cosecha (subidos de lote). También, cuando un vino recibe calificaciones extraordinarias en la prensa especializada (como el altamente calificado Château Montrose de 1990), su precio puede doblarse y hasta triplicarse al llegar al mercado; en esos casos hay que actuar pronto para poder conseguir el vino — incluso en futuros.

La vendimia de 1982 de Burdeos, fue una clara excepción a nuestra regla de no comprar futuros de vino. A causa de la temprana, casi universal alabanza de la cosecha, los que compraron futuros de Burdeos 1982 hicieron economías considerables. Cuando estos vinos llegaron al mercado, en 1985, los precios eran de 30 a 50 por ciento más altos que los de las ofertas para futuros. Esta situación, sin embargo, no se ha repetido desde la vendimia de 1982.

Aquí está la conclusión: compre futuros sólo cuando quiera un vino particular y el único modo de obtenerlo sea comprar futuros. Para la mayoría de los vinos, sin embargo, quédese con la cartera en el bolsillo hasta el momento en que el vino se consiga realmente.

# Capítulo 17

# Usted nunca se gradúa de la escuela del vino

Aprender de vinos es como viajar por el espacio: cuando uno arranca no tiene el fin a la vista. Por fortuna para quienes deciden ser bebedores de vino bien educados, aprender de vino es una experiencia fascinante, llena de nuevos sabores, nuevos lugares y nuevos amigos.

Aunque nosotros les enseñamos a otros sobre vinos, somos estudiantes ávidos de la materia. No nos imaginamos que podamos llegar nunca a un punto en el que digamos: "Ahora sabemos lo suficiente sobre vino. Aquí podemos parar". De modo que allá vamos, a otro viñedo, a otra degustación de vino, o a embebernos en las páginas de otra revista de vinos. Cada paso trae, no sólo más conocimiento, sino mayor apreciación de esta asombrosa bebida.

## Déjeme contar las maneras...

La escuela virtual del vino no tiene paredes ni lugar fijo. Toma la forma del líquido, el papel y la gente. Existe dondequiera que uno esté.

La continuación de su propia educación en materia de vino depende de su presupuesto, su disposición y su tiempo libre. Usted puede volver literalmente a la escuela si toma lecciones; puede asistir a degustaciones de vino o a cenas con los vinificadores; puede hacer viajes de campo a las productoras; o puede convertirse en un estudiante de sillón, con la lectura sobre las regiones vinícolas del mundo.

## De vuelta al salón de clase

Para muchas personas, la mejor manera de aprender más sobre vino y mejorar sus habilidades de catadores es tomar un curso. Las clases sobre vino ofrecen una combinación ideal de instrucción autorizada y de retroalimentación inmediata de impresiones de degustación.

Si usted vive en una ciudad mediana o grande, con seguridad encontrará varios cursos sobre vino a su elección — ofrecidos por individuos particulares, por universidades, como parte de los programas de extensión para adultos de las facultades, o por tiendas de vinos locales o restaurantes. Si tiene la suerte de vivir cerca de una productora de vinos, puede encontrar un curso ofrecido por ésta.*

La mayoría de los cursos sobre vino se denominan *cursos de apreciación del vino* porque no enseñan cómo hacer vino, no se proponen, usualmente, expedir credenciales profesionales, y no están acreditadas oficialmente. (Los cursos de una verdadera universidad pueden ser una excepción.) El propósito de la mayoría de estos cursos es ofrecer tanto información sobre vino como práctica en la degustación de éste.

Los cursos sobre vino pueden cubrir una amplia gama de temas y de niveles de conocimiento. Las clases introductorias tratan sobre cómo catar el vino, mientras que las más avanzadas se ocupan en profundidad de las distintas regiones vinícolas del mundo o de los vinos de un distrito particular. Los instructores de las escuelas de vinos son, por lo general, profesionales experimentados que trabajan en el negocio del vino o que escriben sobre vino.

## Una escuela de vino en acción

El anuncio que sigue es una cuña descarada: nosotros manejamos una escuela de vino en la ciudad de Nueva York, llamada International Wine Center. Puesto que creemos que es la escuela de vino perfecta, estamos convencidos de que una descripción de sus programas puede darle a usted una idea exacta de todo lo que es una escuela de vinos.

---

* Estas posibilidades se refieren sobre todo a los Estados Unidos *(N. del T.)*.

El centro ofrece dos tipos de estudios:

- ✔ **Cursos de apreciación para consumidores:** Estas clases van del nivel de los principiantes hasta los avanzados, y de una sola tarde a tres sesiones. (Algunas escuelas de vinos ofrecen cursos de hasta doce sesiones.)

- ✔ **Cursos profesionales:** Estas clases comprenden más temas y la información que se cubre es más técnica. Los cursos profesionales son para miembros del negocio del vino (o consumidores muy seriamente interesados) que desean calificarse particularmente en su conocimiento del vino. Los cursos van de 7 a 28 sesiones, vienen con un libro de texto, y tienen un examen.

Una clase típica dura unas dos horas; los estudiantes escuchan una conferencia sobre un tema determinado, y prueban de seis a ocho vinos relacionados con el tema tratado. El instructor estimula las preguntas. Exhibiciones de filminas, referencias a los mapas de las regiones vinícolas o dibujos en el tablero puntualizan la discusión.

Cada estudiante se sienta delante de un juego de copas de vino. Se dispone de agua y galletitas *(crackers)* para ayudarles a los estudiantes a aclararse el paladar entre degustaciones. Cerca de cada estudiante hay un vaso plástico grande que puede usar para disponer del vino que le sobra. Cada estudiante recibe información impresa acerca del tema de la clase, y una lista de los vinos que se probaron esa tarde.

La mayoría de los programas sobre vinos siguen un formato similar. Para obtener información sobre escuelas de vinos o personas que ofrezcan programas en su área, póngase en contacto con la Sociedad de Educadores sobre Vino — Society of Wine Educators, East Longmeadow, MA (413-567-8272) — que tiene miembros en los Estados Unidos, Canadá y algunos otros países.

## Degustaciones de todas formas y tamaños

Las degustaciones de vino son eventos diseñados para darles a los entusiastas la oportunidad de tomar muestras de una gama de vinos. Estos eventos pueden parecerse mucho a una clase (gente sentada como en los seminarios y similares) o pueden ser como fiestas (los degustadores en plan informal). A diferencia de los de una clase sobre vino, los participantes en una degustación suelen tener distintos niveles de conocimiento. Las degustaciones no se dividen en niveles para principiantes, intermedios y avanzados — una talla les sirve a todos.

Las degustaciones son populares porque pasan por encima de las limitaciones de probar el vino uno solo, en casa. ¿Cuántos vinos puede usted probar por sí solo (a menos que no le importe desperdiciar nueve décimos de cada botella)? ¿Cuántos vinos está dispuesto a comprar por sí solo? ¿Y cuánto puede aprender catando vino en su aislamiento — o con un amigo cuyo saber no es mayor que el suyo?

En las degustaciones se puede aprender de los compañeros, lo mismo que hacer amigos que comparten su interés por el vino. Y lo más importante es que usted puede probar vinos en compañía de algunas personas cuyos paladares son más experimentados que el suyo, lo cual es una ventaja adicional en el entrenamiento del gusto.

Nosotros hemos guiado o participado en miles de degustaciones, literalmente, en nuestra vida — hasta el momento. Y es justo decir que *algo hemos aprendido en casi todas ellas.*

La curva de aprendizaje para el degustador (catador) novato es asombrosa. En nuestro club de vino (en el Centro Internacional) hemos visto a nuevos miembros, que muy poco sabían de vino, volverse catadores expertos y conocedores en unos dos años. ¡Experimentar con diez o quince vinos (muchos de los cuales prueba uno por primera vez) es una forma maravillosa de aprender sobre vino!

Naturalmente, algunas personas aprenden más rápidamente que otras. Unas cuantas variables pueden afectar la tasa de aprendizaje, entre ellas:

✔ El entusiasmo, o el deseo de aprender

✔ La memoria del paladar (un talento innato, bastante escaso, para recordar sabores específicos)

✔ La agudeza sensorial (gusto, olfato, vista)

Pero todo el que asiste a degustaciones de vino gana algo en conocimiento.

# A la tierra que fueres...

Si usted no ha estado nunca en una degustación de vino, debemos advertirle que en la mayoría de ellas se observan algunas reglas de etiqueta. Familiarizarse con ellas lo hará sentirse más cómodo. De otro modo, es probable que se aterre con lo que oiga o vea. ¿Por qué se está portando así esta gente?

### ¿Escupir o no escupir?

¿Se acuerda de que le dijimos que cada estudiante tiene un vaso plástico grande para disponer del vino sobrante? Bueno, le mentimos. (Queríamos facilitarle el camino hacia un concepto que, comprendíamos, podía resultarle desagradable.) El vaso sirve realmente para que los estudiantes escupan en él cada trago de vino después de probarlo.

Los catadores profesionales de vino descubrieron hace mucho tiempo que si se tragaban todos los vinos que probaban, a la altura del vino nueve o diez, ya serían catadores mucho menos reflexivos. De manera que se volvió aceptable escupir. En las productoras de vinos, los catadores profesionales escupen en el suelo de grava o en el desagüe. En entornos más elegantes lo hacen en una *escupidera,* usualmente una simple vasija grande de plástico (una por catador) o en un balde para dos o tres.

Al principio, algunos degustadores no están dispuestos a escupir el vino. Además de que les han enseñado que escupir es grosero, han pagado buena plata por la oportunidad de probar los vinos. ¿Por qué desperdiciarlos?

Bueno, pues si lo desea, puede tomarse todo su vino, desde luego. Y algunos lo hacen. Pero no le aconsejamos hacerlo por las siguientes razones:

✔ Evaluar los últimos vinos claramente es difícil si se tragan los primeros. El aumento de alcohol en el cuerpo obnubila el juicio.

✔ Tragar no es realmente necesario para degustar plenamente el vino. Si usted se deja el vino en la boca ocho a diez segundos (vea el capítulo 2), será capaz de saborearlo concienzudamente — sin tener que preocuparse por los efectos del alcohol.

✔ Si ha ido conduciendo a la degustación, está corriendo un riesgo al conducir de regreso a casa después de ingerir tanto alcohol — esto es, si se lo toma en vez de escupirlo. Las apuestas son altas — su vida y su salud, las de otros y su licencia de conducir. ¿Para qué arriesgarse?

La solución sencilla, escupa el vino. Casi todos los catadores experimentados lo hacen. Aunque usted no lo crea, después de un tiempo, escupir le va a parecer lo más normal que se puede hacer en las degustaciones. (Y mientras tanto, ¡es una forma segura de parecer más experimentado de lo que es!)

Si sabe que no puede persuadirse de escupir, asegúrese de comer algo antes de ir a la degustación de vinos. El alcohol se absorbe mucho más

## ¿Horizontal o vertical?

Dos de las expresiones más tontas del mundo del vino se aplican a las degustaciones. Según la naturaleza de los vinos que se prueben, las degustaciones pueden ser *verticales* u *horizontales*. No tiene nada que ver con la posición de los catadores mismos —usualmente están sentados, y *nunca* tendidos (eso pasó de moda después de los romanos).

Una degustación vertical es la que se hace de varias vendimias de un mismo vino — el

Château Latour en cada vendimia desde 1982 a 1990, por ejemplo. Una degustación horizontal examina los vinos de una misma vendimia que provienen de distintos productores, usualmente de un tipo similar, como los Cabernets del valle de Napa de 1991.

No hay un nombre particular para las degustaciones con temas menos disciplinados, pero nos gustaría sugerir el de *arabesco*.

lentamente con el estómago lleno — y las simples galletitas o el pan de la mayoría de las degustaciones no bastan.

### ¿Qué pasa con los efectos de sonido?

¿Uno tiene que hacer todos esos ruidos de sorber y gorgotear que les oye hacer a los catadores "serios" en las degustaciones?

Por supuesto que no. Pero tomar el aire por la boca realmente favorece la capacidad de degustar el vino (como se explica en el capítulo 2). Con un poco de práctica, se puede gorgotear sin hacer ruidos que llamen la atención.

## Degustación a ciegas

Una de las diversiones favoritas de los catadores de vino es la *degustación a ciegas*. Antes que empiece a imaginarse cuartos oscuros, catadores vendados u otras locuras, permítanos decirle que lo que se tapa son las botellas.

En las degustaciones a ciegas, los catadores no conocen la identidad de los vinos. La teoría detrás de este ejercicio es que el conocer las identidades puede inducir a los catadores a preferir alguno (o rechazarlo) por su reputación, más que por "lo que hay en la copa",

como se dice. A veces, catadores muy hábiles prueban vinos a ciegas y tratan de identificarlos (si pueden) en un esfuerzo por agudizar sus facultades todavía más.

Si usted no sabe lo suficiente sobre vinos para que las etiquetas lo impresionen, la prueba a ciegas tiene poco objeto. Sin embargo, hay algo en la prueba a ciegas que le ayuda a concentrarse en lo que está probando — y esto siempre es buena práctica.

## Cenando con el vinificador

En años recientes se ha hecho popular un evento llamado la *cena del vinificador,* una cena de muchos platos en la que un vinificador o el dueño de una firma es el invitado de honor. Los bebedores de vino pagan un precio fijo por la comida y reciben muestras de los vinos de la firma con cada plato.

En cuanto a aprendizaje, las cenas del vinificador están por debajo de las degustaciones estilo seminario, pero por encima de muchas degustaciones estilo recepción. Estas cenas ofrecen la oportunidad de degustar vinos en circunstancias ideales—con comida — pero pensamos que se difunde muy poca información de algún valor, y que hay poca oportunidad de hacer preguntas.

Si se considera su potencial de diversión, las cenas del vinificador están a la cabeza de la lista, incluso si a uno no le toca sentarse al lado del vinificador.

### *Más puntos clave de la etiqueta del vino*

Como el olor es un aspecto tan importante de la degustación del vino, los catadores corteses tratan de no obstaculizar el olfato de los otros catadores. Esto quiere decir:

✔ Fumar (cualquier cosa) es un completo no, en cualquier degustación de vino.

✔ Usar cualquier perfume (de señora, loción para después de afeitar, jabón perfumado, etc.) es indeseable. Estos olores *extraños* pueden realmente obstaculizar su capacidad de detectar el aroma del vino. ¡Muchachos, esto va con *ustedes* también!

Los catadores corteses no dan voluntariamente su opinión sino cuando ya los otros catadores han tenido ocasión de probar el vino. A los catadores serios les gusta formar sus opiniones de modo independiente y seguramente le lanzarán miradas fulminantes a cualquiera que interrumpa prematuramente su concentración.

Otras reglas de etiqueta son los simples buenos modales que se observan en cualquier reunión. Por ejemplo, no se debe hablar (más alto que un susurro) con el vecino, si alguien está dando una conferencia. Callarse se vuelve más difícil a medida que avanza la degustación porque el vino desata las inhibiciones. Por esta razón, los conferenciantes experimentados dicen la mayor parte de lo que se necesita al comienzo de la tarde.

La mayoría de estas reglas sobre la etiqueta de las degustaciones se aplica lo mismo a las clases sobre vino — son pertinentes también en las visitas a las productoras de vino en todo el mundo.

# La gente y los lugares detrás de las etiquetas

Uno de los mejores — y más divertidos modos de aprender sobre vino es ir verdaderamente a la región en donde se hace y, si es posible, hablar con los vinificadores y los productores sobre sus vinos. ¡No hay nada igual a aprender sobre algunos de sus vinos favoritos directamente en la fuente!

Usted descubrirá que hay algo especial en la gente que dedica su vida a hacer vino: puede ser su creatividad o su compromiso de llevar tanto placer al mundo mediante su trabajo. Sea lo que fuere, es gente excepcional. En las regiones del vino alrededor del mundo, hemos encontrado algunos de nuestros amigos más queridos.

Usted aprovechará múltiples impresiones sensoriales al visitar las regiones vinícolas — experimentar el clima directamente, ver el suelo y las colinas, tocar las uvas y todo lo demás. Puede pasear por los viñedos, si lo desea, visitar los pueblos vecinos, comer los platos regionales, y beber el vino del lugar.

Aquí están algunos ejemplos:

✔ Si camina por los caminos vecinales del fresco Russian River Valley, en Sonoma, California, si habla con los que hacen el vino — algunos de los cuales raramente salen del valle — usted sale con un gusto por los notables Pinot Noirs del Russian River y con una comprensión de ellos.

✔ Ver las laderas increíblemente empinadas a lo largo del río Mosela en Alemania — laderas demasiado empinadas para tractores o caballos — en donde crecen las uvas Riesling y el suelo debe trabajarse y las uvas recogerse a mano, es algo que le dará una nueva apreciación la próxima vez que tome una copa del delicioso Riesling del Mosela.

✔ Vagando por las colinas de Langhe alrededor de Alba, en el Piamonte, Italia, visitando a los productores cerradamente individualistas de la región de Barolo, se llega finalmente a comprender la naturaleza de la esquiva uva Nebbiolo de la cual se hace el Barolo.

✔ Visitar el viñedo de Romanée-Conti en Vosne-Romanée, Borgoña, ver las parcelas de poco más de hectárea y media, y darse cuenta del hecho de que el legendario Romanée-Conti no puede hacerse sino allí, le da a usted una apreciación visceral de lo que es el terroir (vea el capítulo 7).

# ¿No conoce el idioma? No hay problema

No permita que su limitada (o inexistente) facilidad para el idioma local le impida visitar las regiones del vino. En estos tiempos el inglés se está volviendo el idioma universal del mundo del vino. Incluso si la persona que usted visita no habla inglés, tendrá a la mano invariablemente a alguien que lo hable (la señora, el hijo o el perro), alguien. Además el mismo vino es un idioma universal. ¡Una sonrisa y un apretón de manos van muy lejos en la comunicación!

# Primer año en el extranjero

Cuando esté en las regiones del vino, a menudo tendrá la oportunidad de combinar algún aprendizaje formal con el viaje. Puede tomar clases sobre vino o comida o sobre ambos. Si la pasión de viajar lo lleva, por ejemplo, a la región del Chianti Clasico en la Toscana, puede tomar, o un curso de cinco días sobre vino, dado por el experto en vino italiano Nick Belfrage, MW, o un curso de una semana sobre cocina, dictado por la dueña de la magnífica propiedad Badia a Coltibuono, Lorenza de' Medici (de la histórica familia Medici). Ambos se dan en la Coltibuono Estate, e incluyen comidas y habitaciones. Comuníquese con: The Villa Table, Badia a Coltibuono, 53013 Gaiole in Chianti (SI), Italia, teléfono: 577-749498, fax: 577-749235; o con Judy Terrell Ebrey, P.O. Box 25228, Dallas, TX 75225, teléfono: 214-373-1161, fax: 214-373-1162; América Online: villatable@aol.com.

En Alemania, la Academia Alemana del Vino ofrece cursos de seis días o cursos de fin de semana de cuatro días, en distintas ocasiones a lo largo

## ¿Qué quieren decir las iniciales MW?

Pudo notar que Nick Belfrage (el experto en vino italiano que mencionamos) y uno de los coautores de este libro tienen MW después de sus nombres. MW vale por Master of Wine. Se recibe este título después de aprobar un examen exhaustivo escrito y de degustación. El título lo otorga el Institute of Masters of Wine [Instituto de los maestros del vino] en Londres; el instituto ofrece programas preparatorios en Australia, los Estados Unidos, el Reino Unido y Europa Continental. Se requiere un alto nivel de conocimientos preliminares.

Para más información, escriba a: Institute of Masters of Wine, Five Kings House, 1 Queen Street Place, London EC4R 1QS England. De paso, no hay sino 195 Masters of Wine en el mundo. La mayoría en el Reino Unido; sólo hay 13 MWs en los Estados Unidos.

del año. Los cursos incluyen viajes a las regiones vinícolas, visitas a las propiedades y castillos, degustaciones y un crucero por el Rin. Los cursos tienen su base en el histórico Kloster Eberbach, cerca de Frankfurt, y se dan en inglés. Se ofrecen comidas y habitaciones. Para más información comuníquese con la Oficina de Promoción del Comercio de Alemania en donde usted viva. En los Estados Unidos con el German Wine Information Bureau, 79 Madison Avenue, New York, N.Y. 10016, teléfono: 212-213-7028; fax: 212-213-7042.

En otras regiones vinícolas se ofrecen cursos similares sobre vino y comida. Sólo hay que consultar la oficina de turismo del país que piense visitar.

## Agencias de turismo útiles

Las agencias gubernamentales cuya función es promover el turismo hacia sus países pueden ser más o menos útiles en la planeación de su viaje, según la época y el grado en que las regiones vinícolas de cada país estén organizadas para recibir turismo. Comuníquese con ellas con buena anticipación, y pida mapas, folletos y cualquier material que tenga relación específica con los distritos vinícolas que usted quiera visitar. La mayoría de los gobiernos tienen también oficinas de promoción del vino, a menudo como parte de sus oficinas de promoción comercial en ciudades extranjeras. (En los Estados Unidos, la mayoría de estas oficinas están situadas en Nueva York.)

### Francia (Burdeos)

Burdeos, posiblemente la región vinícola más famosa del mundo, tiene varias oficinas de turismo que pueden suministrarle mapas e información local. Comuníquese con cualquiera de las siguientes organizaciones:

- ✔ **Conseil Interprofessionnel du Vin de Bordeaux:** Maison du Vin, 3, cours du XXX Juillet, 33075 Bordeaux. Teléfono: (33) 56 00 22 66; fax: (33) 56 00 22 77

- ✔ **Conseil des Vins du Médoc:** 1, cours du XXX Juillet, 33075 Bordeaux. Teléfono: (33) 56 48 18 62; fax: (33) 56791105

- ✔ **Comité Départemental du Tourisme de la Gironde:** 21, cours de L'Intendance, 33000 Bordeaux. Teléfono: (33) 56526140; fax: (33) 56810999

- ✔ **Office de Tourisme:** 12, cours du XXX Juillet, 33000 Bordeaux. Teléfono: (33) 56442841

- ✔ **Wine Tours of Burgundy:** Hixson Lefils, 6, Rue de Tamnes, 21700 Nuits-St. George. Teléfono: (33) 80614839

### Italia

Sólo recientemente, Italia ha comenzado a alentar las visitas a sus abundantes y ricas regiones vinícolas. El nuevo movimiento, llamado *agritourismo* [turismo agrario], atrae a los visitantes en vacaciones a las granjas y las productoras de vinos. Mucho del esfuerzo turístico se ha dirigido a la Toscana, pero el Piamonte, el Véneto, el Trentino-Alto Adige y la Umbría también participan del programa. Comuníquese con las tres organizaciones siguientes:

- ✔ **Movimento Del Turismo Del Vino:** c/o Fattoria dei Barbi, 53024 Montalcino (SI), Italia. Tel. 39 577 849421; fax: 39 577 849356. Esta organización está compuesta por más de 200 propietarios en toda Italia, con énfasis en la Toscana. Los programas incluyen herencia cultural y naturaleza, lo mismo que vino.

- ✔ **Stagioni Del Chianti:** Via di Campoli 142, 50024 Mercatali VdP (FI), Italia. Tel. 39 55 821481; fax: 39 55 821449. Esta organización suministra alojamientos en cualquiera de las cinco propiedades vinícolas de la Toscana: Castello di Brolio, Castello di Cacchiano, Castello di Fonterutoli, Rocca delle Macie y Villa Vistarenni.

- ✔ **Butterfield & Robinson:** 70 Bond Street, Toronto Ontario, Canada MB 1X3. Tel. 416 864 1354; fax: 416 864 0541. Esta organización se especializa en paseos a pie o en bicicleta por varias regiones vinícolas, con énfasis en Italia.

## Llamar con anticipación

Cuando se planea visitar una productora de vino, en general se debe llamar o escribir con anticipación para pedir una cita.

Las excepciones principales son muchos productores grandes del valle de Napa, California, en donde se ofrecen tures guiados o sin guía. Muchos productores de vinos de los Estados Unidos tienen salones de degustación abiertos todos los días durante los meses de turismo activo, y los fines de semana, en invierno. En esos salones de degustación, usted puede probar muestras (a veces por una pequeña suma), comprar vino y comprar recuerdos, como camisetas o suéteres con el logotipo de la firma.

Si usted visita empresas que no están preparadas formalmente para el turismo — lo cual ocurre en casi todo el resto del mundo del vino — puede probar muestras de los vinos, hablar con el vinificador, si está disponible (¿hizo su cita, verdad?), dar un paseo informal por la planta, y comprar vino, si lo desea (una buena idea, sobre todo si el vino no se consigue donde usted vive).

## California, aquí vamos

La guía anual que debe usar si planea un viaje a la California del vino es la Wine *Country Guide to California,* de The Wine Spectator. Se consigue por 6.95 dólares, más 2.25 dólares de portes (fuera de los Estados Unidos, 5.50 dólares de portes). Esta guía tiene un directorio de todas las productoras de vino de California con información sobre degustaciones y visitas, números de teléfono, horarios de cada firma e indicaciones sobre si es necesario hacer citas. Tiene también mapas de las regiones vinícolas de California. Llamar al 1-800-752-7799 para pedir información.

La guía incluye también una lista de restaurantes de las distintas regiones vinícolas de California, con reseñas de los restaurantes y una lista de alojamientos disponibles — posadas, cama y desayuno, hoteles y moteles. También da información sobre otras actividades y atracciones en el país del vino de California.

# Viajar desde su sillón

Viajar alrededor del mundo cuesta tiempo y dinero. Existe la alternativa de viajar por el mundo del vino en la comodidad de su sala de estar, dejando que la palabra escrita lo lleve a las regiones lejanas.

Muchas tiendas minoristas de vinos mantienen extensas bibliotecas de revistas y libros y otras publicaciones sobre vinos que tienen para la venta. Las tiendas de vinos son los mejores lugares para buscar. La mayoría de las librerías más importantes tienen secciones separadas de libros sobre comida y vinos.

## Lecturas recomendadas

Los siguientes libros lo llevarán a profundizar en aspectos particulares del vino.

### Conocimientos generales

*World Atlas of Wine*, de Hugh Johnson (cuarta edición), Nueva York, Simon & Schuster, 1994. Hugh Johnson, de Inglaterra, es probablemente el escritor sobre vino mejor conocido y más respetado del mundo. Éste es su libro fundamental complementado con detallados mapas de todas las regiones vinícolas del mundo. (*Modern Encyclopedia of Wine* and *Pocket Encyclopedia of Wine* son otros dos libros de Hugh Johnson que valen la pena.)

*Oz Clarke's Wine Advisor* de Oz Clarke (antes *Wine Handbook,* una nueva edición todos los años), Nueva York, Simon & Schuster, 1994. Oz Clarke, otro británico, es sin duda el más prolífico autor sobre vino del mundo — el Stephen King del reino del vino. Es difícil seguirles el paso a todos sus libros sobre el tema. Nos gusta su *Advisor* porque es fácil de usar. Referencias de la A a la Z de todos los lugares del vino, los términos, etc., en un libro de bolsillo cómodo.

Jancis Robinson, MW (editor), de *The Oxford Companion to Wine,* Oxford, Oxford University Press, 1994. Un libro enciclopédico de referencia que marca la pauta en el campo del vino. No esperábamos menos del inglés Jancis Robinson, uno de los escritores sobre vino verdaderamente brillantes que hay en el mundo. (También lea *Vines, Grapes, and Wines,* publicado por Alfred A. Knopf.)

## Burdeos

*Bordeaux,* de Robert M. Parker (segunda edición), Nueva York, Simon & Schuster, 1991. Robert Parker es ciertamente el escritor sobre vino más famoso de los Estados Unidos, si no del mundo. Estableció su fama con base en su conocimiento de Burdeos; fue, además, el primer escritor en usar el sistema de calificaciones de 100 puntos para los vinos. Su segunda edición cubre todos los principales vinos de Burdeos, de 1961 a 1990 — un libro esencial para cualquier amante del Burdeos. (Entre otros libros de Parker que vale la pena tener, están *Wine Buyer's Guide, The Wines of the Rhône Valley and Provence,* y *Burgundy.)*

*Bordeaux,* de David Peppercorn, MW (segunda edición), Londres, Faber and Faber, 1991. Los libros de Peppercorn y Parker sobre la región vinícola, que puede considerarse la más importante en el mundo, están tan bien hechos que tuvimos que incluirlos a ambos. El inglés David Peppercorn está justamente considerado como uno de los grandes expertos del mundo en Burdeos. El *Bordeaux* de Peppercorn entra en más detalles que el libro de Parker, pero no tiene calificaciones.

## Borgoña

*Making Sense of Burgundy,* de Matt Kramer, Nueva York, William Morrow & Company, 1990. La otra gran región vinícola de Francia recibe un tratamiento comprensivo y brillante de parte de Matt Kramer, de Oregón. La Borgoña es una región tan compleja que cualquier amante del vino de esa comarca fabulosa atesorará este introspectivo volumen. (Otro libro de Kramer recomendado es *Making Sense of California Wine.)*

*The Great Domaines of Burgundy,* de Remington Norman, MW, Nueva York, Henry Holt, 1992. Aunque el libro de Kramer es más argumentativo, el del británico Remington Norman está más orientado hacia los hechos. Los dos son excelentes obras sobre ésta complicada región vinícola.

### Champaña

*Champagne,* de Serena Sutcliffe, Nueva York, Simon & Schuster, 1988. Pocos libros serán tan gratos de leer y de mirar para los amantes del Champaña como este libro maravillosamente escrito por Serena Sutcliffe, del Reino Unido, una de las grandes damas del mundo del vino.

*Champagne,* de Tom Stevenson, Londres, Sotheby's Publications, 1986. ¡El inglés Tom Stevenson sabe más sobre Champaña que los propios nativos de la región. Una guía verdaderamente sabia y auténtica sobre esta bebida y esta región maravillosas (también se recomienda *Alsace* de Stevenson).

### Vinos añejos y escasos

*The New Great Vintage Wine Book,* de Michael Broadbent, MW, Nueva York, Alfred A. Knopf, 1991. Nadie ha catado más grandes vinos, en especial los añejos y los escasos, que Michael Broadbent. Su guía para vinos de vendimia que viene del siglo XIX, se concentra en Burdeos, Sauternes y Borgoñas. Éste es un libro para el conocedor avanzado.

### Italia

*The Wine Atlas of Italy,* de Burton Anderson, Nueva York, Simon & Schuster, 1990. Anderson, originario de Minnesota, pero ahora residente en la Toscana, es probablemente el escritor más altamente respetado del mundo en materia de vinos italianos. Su atlas hace por Italia, en más detalle, lo que Hugh Johnson hace por el mundo. Completo y prolijo, este libro es esencial para los amantes del vino italiano.

### California

*Wine Atlas of California,* de James Halliday, Nueva York Viking (Penguin), 1993. El erudito y afable James Halliday, escritor y vinificador australiano, ha escrito un atlas brillante de los vinos de California. (También se recomienda, de Halliday, *Wine Atlas of Australia and New Zealand.)*

*The Wine Atlas of California and the Pacific Northwest,* de Bob Thompson, Nueva York, Simon & Schuster, 1993. El californiano Bob Thompson hace tiempo tiene fama de ser uno de los verdaderos expertos en los vinos de su propia región. Este atlas cubre también las regiones vinícolas de Oregón y el estado de Washington.

### Vino y comida

*Red Wine with Fish,* de David Rosengarten y Joshua Wesson, Nueva York, Simon & Schuster, 1989. Uno de los pocos libros totalmente dedicados al difícil tema de las parejas de vino y comida, *Red Wine with Fish* es un libro polémico pero que da que pensar sobre comida (y vino).

# Revistas sobre vino

Las revistas de vinos pueden ofrecer más información sobre distintos temas que los libros. Lo mantienen a usted al día en los acontecimientos de la actualidad del mundo del vino, le dan las notas de degustación de los vinos que acaban de salir, el perfil de los vinos de moda y de los vinificadores, etc. Los avisos clasificados de las páginas finales de la mayoría de las revistas de vinos son una buena manera de saber sobre equipos para la venta, tures de vinos y otras ofertas útiles.

Recomendamos algunas revistas.

✔ *Decanter:* Una de las más antiguas y una de las mejores, esta revista cubre el mundo, pero se especializa en vinos franceses e italianos. Se publica mensualmente en Londres. Tel. 800-875-2997 (USA) o 0181-646-6672 (Reino Unido).

✔ *Wine:* La otra revista principal de Inglaterra, ofrece buen cubrimiento de las regiones vinícolas europeas, sin tomar partido. Se publica mensualmente en el Reino Unido. Tel. 01483-776345 (Reino Unido) o 914-735-8083 en Norteamérica.

✔ *Wine Spectator:* En el *Spectator* hay muchas noticias sobre acontecimientos de actualidad que incluyen un cubrimiento bastante extenso de las principales regiones vinícolas del mundo, con abundantes notas de degustación. Esta revista se origina en California pero actualmente se publica en Nueva York dos veces al mes. Tel. 800-752-7799.

✔ *Wine Enthusiast:* Un cuerpo de escritores sobre vino experimentados cubre el mundo del vino de modo auténtico. La revista es una rama de una compañía grande de accesorios (copas, unidades de almacenamiento para vino, etc.) e incluye una extensa guía para comprar vino. Se publica mensualmente en Pleasantville, Nueva York. Tel. 914-345-8463.

✔ *The Wine News:* Esta revista muy atractiva cubre las principales regiones vinícolas del mundo e incluye notas de degustación en su sección Buyline. Se publica cada dos meses en Coral Gables, Florida. Tel. 305-444-7250.

✔ *Wine & Spirits:* Como su nombre lo indica, esta revista cubre licores lo mismo que las principales regiones vinícolas. Siempre incluye extensas notas de degustación. Se publica siete veces al año en San Francisco, California, pero su oficina de negocios está en Princeton, New Jersey. Tel. 609-921-1060.

# Cartas periódicas (Newsletters)

Estas suscripciones son una parte importante de los canales de información sobre el vino. Usualmente expresan la opinión personal de un escritor que se ha establecido como una autoridad en materia de vino. Contienen sobre todo notas de degustación, a diferencia de las revistas que contienen artículos extensos lo mismo que notas de degustación.

Una cosa simpática de estas publicaciones (newsletters) es que no aceptan publicidad; así, pueden mantener (en teoría) más imparcialidad que las revistas. La mayoría de ellas se dirige al conocedor de vino intermedio o avanzado.

✔ *The Wine Advocate:* Robert M. Parker, Jr., es un abogado en ejercicio que se ha convertido en crítico de vino. Su aproximación al tema es metódica y prolija, complementada con calificaciones de los vinos en la escala de 100 puntos. Claro y fácil de leer, con muchos gráficos y datos sobre compras de vino, *The Wine Advocate* es algo que deben leer todos los amantes serios del vino (no es para el principiante); cubre las principales regiones vinícolas del mundo, pero es especialmente fuerte en vinos franceses. Se publica cada dos meses en Monkton, Maryland. Tel. 410-329-6477.

✔ *International Wine Cellar:* Steve Tanzer combina artículos reflexivos, entrevistas con las figuras principales del vino, y extensas notas de degustación — una guía inteligente para el conocedor avanzado. La publica cada dos meses Tanzer Business Communications, Incorporated, P.O. Box 20021, Nueva York, N.Y. 10021.

✔ *The Vine:* El inglés Clive Coates, MW, es una autoridad en los vinos de Borgoña y Burdeos. De modo que, como es de esperarse, *The Vine* (más un folleto que una carta periódica, como diseño) se enfoca principalmente en estas dos grandes regiones vinícolas; de hecho, muchas de las entregas ofrecen cubrimiento en profundidad dedicado sólo a varios de los productores principales de una región — tintos de Borgoña, por ejemplo. Esta carta periódica está dirigida al amante del vino avanzado. Se publica mensualmente en Londres. Tel. 081-995-8962.

✔ *The Wine Journal:* Esta publicación emplea un cuerpo de escritores, aunque mucho del trabajo es hecho por los editores Christine R. Graham y John Tilson. Ofrece una aproximación bien equilibrada a las principales regiones del vino en el mundo; es especialmente fuerte en la Borgoña, Alemania, California, Oregón y el estado de Washington. Se publica cada dos meses en Malibú, California. Tel. 310-457-8111.

## Vino en la Internet

Las productoras y los importadores de vino en todos los Estados Unidos están empleando la Internet para hacerles publicidad a sus compañías y a sus vinos entre los consumidores. Algunos tienen sus propias páginas y otros participan en secciones más grandes especializadas en vino. Aquí están unos cuantos de los lugares a los cuales se puede recurrir para aprender sobre vino mientras está en online. (Los principales servicios online tienen, cada uno, su propio rincón del vino, también.)

- ✔ **Wine Country Virtual Visit (http://www.freerun.com):** Visitas a dos docenas de plantas vinícolas del valle de Napa y el condado de Sonoma.

- ✔ **The Grapevine (http://www.valuenet.com):** Perfiles e información sobre unas 12 productoras de vino.

- ✔ **Wine on the Internet (http://www.wines.com):** Información sobre 24 productoras, un calendario de eventos, regalos de vino, etc.

- ✔ **Wine Web (http://www.wineweb.com/wine):** Información sobre cinco productoras asociadas y sus vinos.

- ✔ **Wine Net (http://www.wine.net/wine):** Tiene un directorio de productoras de vino — direcciones y teléfonos —, alguna información sobre variedades de uvas y un foro para mensajes.

- ✔ **VineNet (http://kbt.com/vinenet/welcome.html):** Se especializa en información sobre eventos del vino, tiendas de vinos y fábricas en el nordeste de los Estados Unidos.

Antes de embarcarse en la búsqueda del vino en la Internet, revise en Wine Site Links http://www.webcreations.com/wines/index.htm una lista de los lugares *(sites)* en donde se da más información ahora. En ese lugar *(site)* usted puede leer una tarjeta de informe *("report card")* sobre las opiniones de los usuarios de los distintos lugares del vino y dar sus opiniones sobre los lugares que visite.

# La 5ª ola                    por Rich Tennant

**"ÉSTE ES TERROSO PERO LIGERO, CON SUBTONOS DE MORA, VAINILLA Y SCOTCH-GUARD". (APRESTO SINTÉTICO)**

# Capítulo 18

# ¿A qué sabe un arco iris?

Cuando empezamos a emocionarnos con el vino, tratábamos de compartir nuestro entusiasmo con un pariente que parecía interesarse en el tema (bueno, tomaba una copa de vez en cuando). Cada vez que servíamos un vino, hablábamos de él, comparándolo en gran detalle con el que habíamos tomado la semana anterior. Pero el hombre no estaba interesado. Paró en seco nuestro proselitismo al declarar: "No quiero hablar del vino — quiero tomármelo y no más".

A cierto nivel fundamental en el cual el vino no es más que una bebida genérica, es muy posible tomarlo sin hablar de él. Pero si uno es la clase de persona a quien le gusta hablar de comida, o si ha contraído el virus del vino, sabe que es difícil (si no imposible) gozar del vino sin hablar de él. El vino es un placer social que se acentúa al compartirlo.

Irónicamente, la experiencia de un vino es altamente personal. Si usted y otras tres personas están probando el mismo vino a un mismo tiempo, cada uno tendrá su propia impresión de ese vino, basada en sus gustos y disgustos personales, su fisiología y su experiencia. Tal vez algún día, si los humanos aprenden a fundir sus mentes, alguien será capaz de experimentar la experiencia ajena de un vino — pero, entre tanto, su gusto es particular. El único modo de compartir sus impresiones con los otros es mediante la conversación — hablar del vino.

# Las palabras no pueden describir...

El lenguaje es nuestro vehículo principal para comunicar toda la experiencia de nuestra vida. Usamos el lenguaje para decirle al doctor dónde nos duele, para describir qué radiante estaba la novia, y para informarle al salvaje que casi nos raya el coche lo que pensamos de su habilidad de conductor. Cuando probamos algo, el lenguaje — las palabras — les comunica a los otros lo que saboreamos y cuál es nuestra impresión.

Las palabras que describen un vino nos permiten imaginarnos a qué sabe, antes de gastar nuestra plata, destapar una botella, y averiguarlo nosotros mismos. Las palabras también nos ayudan a decidir qué vino se sirve con qué comida.

Sin embargo, nuestro vocabulario del gusto está subdesarrollado. Cuando éramos niños nos enseñaron un vocabulario visual: qué es verde, amarillo, dorado o anaranjado y, si a eso vamos, qué es verde oliva, verde selva, verde pino y verde mar. Nadie nos enseñó nunca qué es *amargo* con precisión, o *astringente* o *acre*. Y, con todo, usamos esas palabras, para hablar del vino, como si todos estuviéramos de acuerdo en lo que significan.

Cualquier discusión sobre el gusto del vino es particularmente complicada, porque el vino es una bebida compleja que nos da múltiples sensaciones de gusto:

✔ Sensaciones olfatorias (todos esos *sabores* que percibimos al olerlos en la boca — como se explica en el capítulo 2)

✔ Sensaciones básicas del gusto (dulzura, acidez y amargura)

✔ Sensaciones táctiles (el mordisco de lo astringente, lo mismo que lo picante, lo áspero, lo suave u otras impresiones de la textura de un vino en nuestras bocas)

✔ Sensaciones globales, una síntesis de todas las características del vino en conjunto

Digamos que acabamos de probar un Sauvignon Blanc de California madurado en roble. Podemos percibir que el vino es *roblizo, herbal, con una frutosidad como de melón* (impresiones olfatorias), *muy ligeramente dulce, con una acidez firme* (impresiones de gusto básico), *suave y denso* (impresiones táctiles), *un vino delicioso y vibrante con personalidad de sobra* (impresiones globales). Lo que suena como la insufrible jactancia de un esnob es, en realidad, un pobre diablo amante del vino haciendo lo mejor que puede por dar un reporte de los datos que el vino le está enviando.

Probablemente usted se habrá reído de varias descripciones de vino que ha leído. Por su valor aparente, suenan ridículas: *untuoso, con sabores de mantequilla y vainilla que se adhieren a los lados de la boca. Carnoso, con una espesa y profunda textura de terciopelo, y con agilidad y suavidad. Cierta gordura en la boca y un largo acabado.* (¡Espere! Se les olvidó decir húmedo y "acuoso".)

Leer las descripciones de vinos (o notas de degustación como se llaman a menudo) de las publicaciones puede ser tan difícil como escribirlas. Debemos admitir que quedamos perplejos cuando tratamos de leer notas de degustación. Y no somos nosotros solos. Frank Prial, el columnista de vinos del *New York Times,* dijo una vez: "...las notas de degustación de un extraño, para mí, por lo menos, tienen tanto significado como un itinerario de buses de Pekín".

# Diferentes rasgos para distintas personas

Para ayudarnos en una comunicación más eficiente en materia de vinos, los científicos han tratado de estandarizar este lenguaje. Los términos descriptivos tradicionales sobre vino, dicen, no tienen definiciones específicas y sólo tienen significado para los iniciados familiarizados con el vino.

Siendo científicos, proponen que usemos solamente palabras que sean: a) objetivas y b) que tengan el mismo significado para toda la población. Palabras como *albaricoque, verde oliva, miel* o *alquitrán* son aceptables para describir el vino porque representan sustancias específicas que pueden identificarse en pruebas repetidas. Palabras como *rico, joven, equilibrado* o *suave* no son apropiadas, en la opinión de los científicos, porque son demasiado subjetivas e indefinidas.

La mayoría de las palabras aceptables terminan siendo descriptivas de aromas/sabores porque los compuestos aromáticos se prestan para comprobaciones reproducibles. Los gustos básicos — dulzura, acidez y amargura — son también objetivos y mensurables, pero su percepción en el vino es subjetiva a causa de los umbrales personales y de la interacción de los gustos (la dulzura disminuye la percepción de la acidez, por ejemplo; vea la explicación sobre el equilibrio en el capítulo 2). Las impresiones táctiles y globales de un vino son así mismo subjetivas.

# Lo que valen las palabras

Alguna vez nos dedicamos a un ejercicio de humildad y sin embargo fascinante. A varios escritores sobre vinos se nos dio a probar un vino, junto con ocho notas de degustación publicadas por otros escritores. (Sólo una de las notas correspondía al vino que estábamos probando — las otras describían vinos similares.) Nos pidieron identificar la nota que correspondía al vino que estábamos probando, lo mismo que la que nos pareciera más inapropiada para el mismo. ¡La descripción por la que todos votamos como la menos apropiada para el vino, resultó ser la que se había tomado de la etiqueta de atrás de la botella! Ninguno de nosotros logró que las palabras de la descripción correspondieran a su experiencia de degustación. Otra vez, con otro vino, cada uno descubrió que *su* gusto y las palabras de *los otros* no correspondían. Nuestra única conclusión posible era que, o no degustamos muy bien, o los escritores no escriben muy bien (incluidos los presentes), o la comunicación en materia de gusto es un ejercicio sin esperanzas.

## Vinoparla científicamente aceptable

Un bocabulario para el vino está, pues, muy sesgado hacia las sensaciones olfatorias (aromas y sabores). ¿Un ejemplo? Aquí está la descripción que da la productora del Fetzer Sundial Chardonnay 1993: *Aromas tropicales de cítricos y piña conducen a sabores de manzana verde y de roble tostado.* Esta descripción le dice a usted qué sabores debe esperar en el vino, en palabras sencillas que entiende cualquiera — pero no se refiere al vino en total. (Le dice cuáles son los sabores del vino, pero no cómo sabe el vino — una sutil y significativa diferencia.) Usar este sistema científico para describir el vino es como describir una casa sólo como *amarillo pálido con bordes verde bosque y tejado pardo,* porque *grande* es demasiado vago y no todo el mundo sabe qué quiere decir *imitación Tudor.*

Esta aproximación científica tiene el apoyo de la Universidad de California en Davis, una de las instituciones líderes en el mundo para el estudio científico del vino. Hemos notado que muchos productores de vino de California usan el lenguaje objetivo, sesgado hacia el olfato, quizá porque lo aprendieron en clase o porque funciona bien para sus vinos, que son muy ricos en aromas (esto es, que tienen muchos aromas qué describir).

Cuando se aplica este lenguaje objetivo al vino europeo de sabores menos evidentes no hay casi nada qué decir. Un Meursault de cuerpo pleno con excelente concentración, textura cremosa y enorme profundidad se convierte apenas en *avellana y roble ahumado con sugerencias de miel.*

### Vinoparla tradicional

Muchos de los escritores británicos autorizados, cuyos temas son más a menudo los vinos europeos que los del Nuevo Mundo, escasamente usan términos descriptivos de aroma/sabor (olfatorios), en sus notas de degustación. Es más probable que mencionen *la armonía, el equilibrio, la frescura, la madurez, la tosquedad, el vigor, el poder, la tersura, la sosería, la vitalidad,* etc., de un vino (para que los científicos se frunzan con cada palabra). Estos escritores pueden quizá darnos sólo una idea vaga del color de la casa, pero nos describen sus ladrillos y su mortero, su tamaño y su estilo.

Un lenguaje como el suyo puede derivarse del estilo de los vinos que describen estos escritores: vinos que tienen más qué decir en el plano del gusto básico (dulzura, acidez, amargura), y de las impresiones táctiles y globales, que en el plano del olfato. A diferencia del lenguaje científico, el tradicional del vino implica juicios de valor. La tosquedad es mala, el poder es bueno, la sosería es mala, la armonía es buena, etc.

Los métodos de ambas escuelas, la científica y la tradicional, tienen sus virtudes. El lenguaje objetivo sirve bien en el caso de los vinos frutosos y llenos de sabores, y sirve para comunicarse con personas que saben menos de vino que usted. El lenguaje tradicional puede realmente comunicar el gusto completo del vino (por oposición a sus sabores solamente). Pero, como las palabras que se usan son las propias de los catadores (y ni siquiera todos los catadores las usan igualmente), son una jerga incomprensible para cualquiera que tenga una experiencia limitada en materia de vino.

La mayor parte de las notas de degustación que uno lee tienen elementos de ambas escuelas, lo cual quiera decir que tienen suficiente palabras para dejarlo perplejo.

## Lenguaje sin palabras

Cuando un crítico de vinos escribe una nota de degustación, usualmente la acompaña de una calificación del vino en una escala de 20 o de 100. Usted verá estos números pegados en los estantes de su tienda de vinos favorita y en los anuncios de vinos.

Como las palabras son un medio tan difícil para describir el vino, la popularidad de los números se ha propagado como un incendio. Muchos amantes del vino ni siquiera tratan de leer las descripciones — corren, nada más, a comprar los vinos de más altas calificaciones. (Bueno, son los mejores, ¿no es cierto?)

Vimos a un cliente que salía furioso de una tienda de vinos porque el vendedor tuvo la audacia de sugerir que un Cabernet calificado con 94 puntos podía ser un buen sustituto para el preciso Cabernet de 95 puntos que había pedido el cliente. ¡Gracias al cielo, los cocientes intelectuales y otros índices no se interpretan tan literalmente!

Los números son una taquigrafía útil para comunicar la opinión de un crítico sobre la calidad de un vino, pero no dicen nada sobre qué gusto tiene éste. Se puede odiar un vino de calificación alta — y no sólo eso, se puede acabar pensando que uno es un tonto incurable que no reconoce la calidad cuando la tiene delante. Conserve su dinero y su orgullo decidiendo qué clases de vino le gustan y luego trate de figurarse, con base en las palabras, si un vino determinado es o no es de su estilo — sin pensar en la calificación numérica.

Como todos los demás, los críticos tienen preferencias que influyen inevitablemente en las calificaciones, no importa qué tan objetivos traten de ser. Su gusto puede no estar de acuerdo con ellos.

# Cuando es su turno de hablar

Describir su experiencia o impresión de un vino implica dos pasos: primero, usted tiene que formarse la impresión; segundo, tiene que comunicarla. Cuando usted está tomando vino con amigos puramente por placer y apreciación — con la cena, por ejemplo — las expresiones sencillas y los comentarios tontos no tienen nada de malo. Si un vino le da una impresión plena y voluptuosa fuera de lo común, ¿por qué *no* decir que se parece a Marilyn Monroe? Si un vino le parece apretado y difícil no se contenga, diga que es *El avaro* de Molière. Todos se darán cuenta exacta de lo que usted quiere decir.

Sin embargo, en otras circunstancias, por ejemplo, cuando usted asiste a una degustación, usted querría formarse una impresión más reflexiva de cada vino para poder participar en la discusión y aprovechar al máximo el evento (a menos que a usted le encante el papel del payaso de la clase). Para formarse una impresión meditada, tiene que degustar conscientemente.

## Hablar con usted mismo

El lenguaje que usted usa para describir un vino empieza con sus propios pensamientos mientras lo prueba. En esta forma, el proceso de probar un vino y el proceso de describirlo se entrelazan.

Aunque la degustación del vino implica examinarlo visualmente y olerlo, tanto como saborearlo, los dos primeros pasos son un juego comparados con el tercero. Cuando usted tiene el vino en la boca, las múltiples sensaciones del gusto — sabores, textura, dulzura o sequedad, acidez, tanino, equilibrio, largura, cuerpo — se producen prácticamente todas a un tiempo. Para encontrarle sentido a toda la información que usted recibe del vino, tiene que imponer algún orden en las impresiones.

Una forma de organizar las impresiones que le da un vino es clasificar su entrada de acuerdo con la naturaleza del "gusto":

✔ Los factores *aromáticos* del vino (los datos olfatorios, todos los sabores que usted huele en la boca)

✔ La *estructura* del vino (su alcohol/dulzura/ácido/tanino, y sus gustos básicos — los ladrillos y el mortero del vino, por decirlo así)

✔ La *textura* del vino (los datos táctiles, cómo se siente el vino en la boca; la textura es una función de los componentes estructurales del vino; un vino blanco seco, de acidez alta y alcohol bajo, puede sentirse delgado o afilado, mientras que un vino tinto alto en alcohol y bajo en tanino puede sentirse suave y sedoso)

Otra forma de organizar las impresiones que le da un vino puede basarse en la secuencia en que le llegan, como lo describimos en el capítulo 2. Las palabras que usan los catadores para describir esta secuencia son:

✔ **Ataque:**\* La primera impresión de dulzura, sequedad o viscosidad al entrar el vino en la boca

✔ **Evolución:** El desarrollo del vino en la boca, una etapa en que se registra la acidez — y a continuación, el tanino.

✔ **El acabado, final o regusto:** Los sabores o impresiones que se registran después de haber escupido o tragado el vino; tanto la duración del regusto como la naturaleza de los sabores que se consideran notables (un acabado largo, por ejemplo, es recomendable, y uno amargo no lo es)

Del mismo modo, algunos catadores organizan sus impresiones de un vino de acuerdo con:

✔ **Antepaladar:** Las impresiones de la parte delantera de la boca, usualmente, dulzura, sequedad o viscosidad

---

\* La palabra *ataque* se usa con sentido similar en el canto y la ejecución de la música (*N. del T.*).

✔ **Paladar medio:** Impresiones subsiguientes, usualmente relaciona-das con la acidez del vino

✔ **Paladar posterior:** Impresiones finales de un vino mientras está en la boca, usualmente relacionadas con su tanino lo mismo que con su largura a través de la lengua; lea en el capítulo 2 sobre la largura o longitud

✔ **Acabado**

# *Cómo escribir notas de degustación*

Algunas personas tienen una capacidad especial para recordar gustos. Pero otras necesitan hacer notas no sólo para recordar *qué* saborearon, sino *qué* pensaron sobre ello. Si usted tiene la más leve dificultad en recordar nombres de vinos, anote los nombres de los que prueba, de manera que pueda gozarlos — éstos u otros similares — otra vez.

Es buena idea, también, escribir comentarios sobre los vinos que usted prueba. Incluso si es usted uno de los pocos afortunados que recuerdan todo lo que degustan, le recomendamos escribir notas de degustación de vez en cuando porque el ejercicio de tomar notas le ayuda a disciplinar sus métodos de degustar.

De cualquier modo, debe usted anotar la apariencia y el aroma de cada vino. Luego, anote las impresiones de su boca, de acuerdo con los pensa-mientos que iba formando mientras degustaba el vino. Usted puede y debe ponerle al vino una cifra que indique su impresión de la calidad de éste. Las calificaciones tienen mucho sentido cuando uno mismo es el catador.

Nosotros ponemos automáticamente una *C* (para el color, la apariencia en general). Una *N* (para nariz) y una *G* (para gusto), una debajo de la otra, bajo el nombre de cada vino, dejando espacio para registrar nues-tras impresiones. Cuando degustamos, tomamos cada vino como viene: si un vino es muy aromático, escribimos muchas cosas en seguida de la *N,* pero si el aroma es apagado, sólo escribimos *sutil* o incluso, *no mucho*. Cuando probamos un vino lo enfocamos en secuencia, anotando su ata-que y su evolución, pero lo mantenemos lo suficiente para anotar tam-bién su equilibrio y su textura. Luego (después de escupirlo), lo proba-mos otra vez para determinar qué más puede estar diciendo. A veces, en ese momento llegamos a una descripción que resume el vino, como: *un inmenso vino cargado de fruta que ya está listo para tomarlo,* o *un vino delgado y gustoso que sabrá mejor con comida que solo*. Nuestras notas de degustación son una combinación de observaciones fragmentarias — ácido alto, muy áspero — y descripciones que resumen el vino.

Al principio, sus notas serán breves. Unas pocas palabras, como *suave, frutal* o *tánico* y *duro,* bastarán para recordarle más tarde cómo era el vino. Como evaluación de la calidad global, no tiene nada de malo, ¡ahh!

En ocasiones, si un vino es realmente un gran vino, uno puede caer en el terreno más peligroso de la descripción de ese tema: la poesía. Nosotros nunca *tratamos* de salir con descripciones pintorescas y metafóricas de los vinos, pero a veces un vino simplemente nos pone las palabras en la boca. Un vino memorable de nuestros primeros días de catadores fue un Brunello di Montalcino de 1970 que describimos como un *arco iris en la boca, con sabores tan perfectamente mezclados que cada uno es apenas perceptible individualmente.* Hace poco, un amigo nuestro describía una copa de Oporto joven diciendo que era *como acariciar un gato en el sentido de la piel.*

Si un vino le inspira estas descripciones fantasiosas sígalas sin vacilar; sólo un científico de sangre fría se resistiría. La experiencia de ese vino llegará a ser memorable mediante las palabras personales que usted use para nombrarlo.

Pero cuídese de cualquiera que se sienta movido a la poesía por todos los vinos. La gran mayoría de éstos es prosaica, y sus descripciones también deben serlo.

Y cuando usted caiga en la metáfora sobre un vino, no espere que los demás entiendan necesariamente lo que usted quiere decir o incluso lo aprueben. Los tipos literales le caerán encima preguntándole a qué sabe un arco iris o en qué se parece un vino a un gato.

En ultimo término, la experiencia de un vino es tan personal, que lo mejor que cualquiera puede hacer es *tratar* de describírsela a los otros. Sus descripciones tendrán sentido para quienes comparten su aproximación y su lenguaje, especialmente si están probando el vino con usted. Pero algún otro que ojee sus notas las encontrará incomprensibles. Del mismo modo, usted encontrará incomprensibles muchas descripciones de vino — porque lo son.

# Capítulo 19

# Cómo casar el vino con la comida (y otros asuntos interesantes)

▶ Reacciones predecibles entre vinos y comidas

▶ Principios orientadores para casamenteros

▶ Conjuntos clásicos que todavía sirven

▶ Cuánto vino servirle a sus invitados

Cada cierto tiempo, nos encontramos con un vino que nos deja quietos en el camino. Es tan sensacional, que perdemos el interés en todo lo que no sea ese vino. Lo tomamos con deliberada apreciación, tratando de memorizar su gusto. No soñaríamos en diluir su perfección con un bocado de comida.

Pero 999 veces en 1 000, tomamos nuestro vino con comida. El vino se hizo para ir con la comida. Y la buena comida se hizo para ir con el vino.

# Casamentero, casamentero, cásame a mí...

Bueno, dejamos eso establecido. El vino va con la comida, y la comida con el vino. ¿Alguna pregunta?

Desde luego, estamos bromeando. Hay miles de vinos en el mundo y cada uno es distinto. Y hay miles de elementos básicos en el mundo y cada uno distinto — para no mencionar las infinitas *combinaciones* de alimentos en platos preparados (lo que realmente comemos). En realidad, el asunto comida-con-vino es más o menos tan sencillo como el de el-muchacho-encuentra-a-la-muchacha.

## Una historia breve de comida-con-vino

Hubo una vez, en los días de los matrimonios arreglados, en que los apareamientos de vino y comida eran automáticos. Usted tomaba el vino de su pueblo con su cocina local. Los dos iban juntos probablemente porque habían evolucionado juntos — los cultivadores preferían las uvas cuyos vinos iban bien con los alimentos disponibles, y viceversa.

El progreso nos dio opciones. La gente que vivía en lugares en donde no se hacía vino, como las ciudades grandes, podía escoger varios tipos de vino con sus comidas. Apareció una regla fácil: tomar vinos blancos con carnes blancas y pescado; tomar vinos tintos con carnes rojas; tomar vinos dulces con el postre. (¿Nadie comía verduras, nunca?) Todo el mundo seguía la regla y le iba muy bien, hasta que alguien sugirió que todos carecíamos de imaginación, lo cual por supuesto era cierto.

Ahora la Edad de la Imaginación en el apareo de comida-con-vino ha llegado a nosotros. Las viejas reglas salieron por la ventana, y nuestras escogencias para juntar el vino con la comida se han abierto ampliamente. No llegaríamos tan lejos como decir que *todo vale;* pero, en teoría, cualquier cosa *podría* valer (el gusto es subjetivo), de modo que no se puede descartar nada. Toda esta libertad de juntar vino y comida, según se supone, debe hacernos la vida más fácil, pero de algún modo el asunto parece más complicado que nunca.

Por lo menos hay una esperanza. Por una parte, unas cuantas normas han evolucionado para canalizar nuestra imaginación en la dirección correcta. También, todos aceptamos ahora que juntar comida y vino es tan complejo — las opciones son tan confusamente numerosas — que no hay razón para preocuparse por escoger el vino perfecto todas las veces. Se pierde algunas, se gana algunas, y uno se divierte en el proceso. Sólo un tipo demasiado exigente se pondría molesto.

## La dinámica de la comida y el vino

Todo plato es dinámico — está hecho con varios ingredientes y sabores que interactúan para crear un todo delicioso (más o menos). Todo vino es dinámico, exactamente en el mismo sentido. Cuando la comida y el vino se mezclan en la boca, cambia la dinámica de cada uno; el resultado es completamente distinto en cada combinación de plato-vino. (¿Nos atrevemos a decir también que cada cual usa *su paladar individual* para juzgar del éxito de cada combinación? ¡No es raro que no haya reglas! Para más información sobre la individualidad del gusto, por favor vea el capítulo 2.)

Cuando el vino se encuentra con la comida pueden pasar varias cosas:

✔ La comida puede exagerar alguna característica del vino. Por ejemplo, si usted come nueces (que son tánicas) con un vino tinto tánico, como el Burdeos, el vino sabe tan seco y astringente, que la mayoría de la gente lo consideraría impotable.

✔ La comida puede disminuir alguna característica del vino. Las proteínas disminuyen el tanino, por ejemplo, y un vino tinto tánico en exceso — desagradable en sí mismo — puede parecer delicioso cuando se toma con un filete de carne casi cruda.

✔ La intensidad del sabor de la comida puede anular el sabor del vino o viceversa. Si alguna vez ha tomado un vino tinto grande y gustoso con un delicado filete de lenguado, habrá tenido esta experiencia inmediata.

✔ El vino puede darle nuevos sabores al plato. Por ejemplo, un Zinfandel tinto, que desborda de sabores frutales, puede darle estos sabores al plato, como si le agregara otro ingrediente.

✔ La combinación de vino y comida puede crear un tercer sabor indeseable que no estaba originalmente ni en el vino, ni en la comida; nosotros percibimos un sabor metálico cuando comemos carne blanca sencilla de pavo con Burdeos tinto.

✔ La comida y el vino pueden interactuar perfectamente, creando una experiencia sensacional del gusto mayor que la de la comida o el vino solos. (Deseamos que pase esto todas las veces que comemos, pero es tan raro como un plato prodigioso.)

Ciertos elementos de la comida reaccionan de un modo previsible con ciertos elementos del vino, dándonos una buena oportunidad de hacer parejas exitosas. El principio según el cual los componentes principales del vino (alcohol, dulzura, ácido, tanino) tienen relación con los gustos principales de la comida (dulzura, acidez, amargura y salinidad) es bastante parecido al principio del equilibrio del vino; algunos elementos se exageran mutuamente, y algunos se compensan mutuamente (vea "Equilibrio" en el capítulo 2).

Aquí están algunas formas en que el vino y la comida interaccionan, basadas en los componentes del vino. Recuerde, cada vino y cada plato tienen más de un componente, y la simple relación que describimos puede complicarse por otros elementos del vino o de la comida. El que un vino se considere tánico, dulce, ácido o alto en alcohol, depende de su componente dominante. (Vea "Cómo describir el gusto" en el cap. 2.)

### Los vinos tánicos

✔ Pueden disminuir la percepción de la dulzura en una comida

✔ Pueden saber menos tánicos si se sirven con alimentos ricos en proteínas y grasa, como la carne y el queso

✔ Pueden saber más tánicos acompañados de comidas saladas

### Los vinos dulces

✔ Pueden saber menos dulces, pero más frutales, cuando se toman con comidas saladas

✔ Pueden volver más apetitosas las comidas saladas

✔ Pueden ir bien con comidas dulces

### Los vinos ácidos

✔ Pueden saber menos ácidos cuando se sirven con comidas saladas

✔ Pueden saber menos ácidos cuando se sirven con comidas ligeramente dulces

✔ Pueden hacer que las comidas sepan un poco menos saladas

✔ Pueden contrarrestar la pesadez oleosa o grasosa de la comida

✔ Pueden ir bien con comidas ácidas

### Los vinos altos en alcohol

✔ Pueden anular los platos de sabor ligero o los delicados

✔ Pueden ir bien con comidas ligeramente dulces

# ¿Se atraen los parecidos o los opuestos?

En estos días, los conocedores de vinos y de cocina reconocen que dos principios ayudan a casar vino y comida: el principio del complemento y el del contraste.

El principio del complemento aconseja escoger un vino que se parece de algún modo al plato que se piensa servir. En general, se le apunta al parecido por el sabor.

Piense en los sabores de un plato del mismo modo que piensa en los sabores de un vino — como tipos o familias de sabores. Si un plato lleva hongos, éste es un sabor terroso; si tiene cítricos u otros elementos de fruta, es un sabor frutal (y así sucesivamente). Luego considere cuáles vinos pueden ofrecer su propio sabor terroso, frutal, de hierbas, de especias o lo que sea.

El principio del complemento se puede aplicar también a las texturas del vino y la comida o a los componentes estructurales del vino tales como la acidez. Por ejemplo, un Chardonnay de California con una rica textura cremosa puede acompañar la textura rica y suave de una langosta. Si el vino sabe ligeramente a mantequilla y usted empapa la langosta en mantequilla, tanto mejor para sus papilas gustativas (sólo que no se lo diga a su cardiólogo).

Una de nuestras combinaciones favoritas es el Barbera italiano, un vino tinto alto de ácido, con casi cualquier plato hecho con tomates. Los tomates ácidos no hacen que el vino sepa astringente, probablemente porque el ácido del tomate no compite con el del vino. Del mismo modo, un plato sustancioso de carne, como un estofado, estaría muy bien con un vino robusto, alto de alcohol y de cuerpo pleno, especialmente si éste tiene sabores terrosos como los de los tubérculos del estofado.

Probablemente usted aplica el principio del complemento a menudo sin darse cuenta: escoge un vino de cuerpo ligero para un plato ligero, un vino de cuerpo medio para un plato algo más sustancioso, y un vino de cuerpo pleno para un plato fuerte.

# ¿Dejarse en libertad?

La libertad de escoger tiene sus caídas. Ahora, cuando no hay reglas que restrinjan nuestra creatividad, los perfeccionistas andan sueltos, afinando cada pareja de vino y comida cada vez más precisamente. Una vez asistimos a un almuerzo en el cual todos los vinos — tres por plato — se habían escogido justo para complementar la comida. Pero los vinos escogidos no salieron bien con un plato particular (eran muy buenos, si se nos pregunta). El experto que planeó el almuerzo se puso de pie para excusarse. Parece que el cocinero había alterado la receta: en vez de rociar la pimienta de cayena alrededor del borde del plato para darle color (¡ejem!) ¡la roció *sobre la comida!* La pimienta cambió toda la interacción comida/vino.

Para los que se sienten cómodos con las reglas aquí hay una lección: ¡Pongan mucha atención, no sólo a los ingredientes de un plato, sino a dónde se ponen!

El principio del contraste procura hallar en un vino sabores o elementos estructurales que no están en un plato pero que pueden realzarlo. Un plato de pescado o pollo en una espesa salsa de crema y mantequilla, por ejemplo, puede juntarse con un Vouvray seco, un vino blanco cuya acidez alta y estimulante puede contrarrestar el peso del plato.

Un plato de sabores terrosos como los hongos portobello y las judías verdes (o patatas y trufas negras) puede contrastar bien con el puro sabor a fruta del Riesling de Alsacia. Nosotros aplicamos el principio del contraste cada vez que servimos comida simple, como chuletas de cordero sin adobos o queso duro y pan, con un vino gloriosamente complejo y añejo.

Para aplicar uno u otro principio, por supuesto, es necesario tener una idea clara del sabor de la comida y del gusto de los distintos vinos. Esta segunda parte puede ser el bloque que se derrumba para quienes no dedican cada onza de su energía disponible a aprender sobre vino. La solución es preguntarles a los minoristas. Puede que no tengan el mayor talento del mundo en materia de parejas de comida y vino (y también, puede que sí), pero, por lo menos, deben saber a qué saben sus vinos.

## La sabiduría de las edades

No importa cuánto valore usted la imaginación y la creatividad, no tiene sentido volver a inventar la rueda. En términos de vino-y-comida, paga conocer las parejas clásicas porque resultan y son seguras. No se volvieron clásicas por ser mediocres.

Aquí hay algunas combinaciones clásicas y de confiar. Cada región del vino tiene sus propias parejas mágicas, sin duda; ahora que nos preguntan, nos damos cuenta de que, cuando viajamos a las regiones del vino estamos usualmente tan ocupados tomando notas sobre los vinos y apenas gozando de la comida que dejamos de registrar la mayor parte de la sabiduría de la cocina local. De todos modos, ¿para qué le sirve a usted saber que el Chianti es fabuloso con el jabalí salvaje toscano?

- ✔ Ostras con Chablis
- ✔ Cordero con Burdeos tinto (nos gusta también el Chianti con el cordero, cuando no hay jabalí salvaje)
- ✔ Oporto con nueces y queso Stilton
- ✔ Amarone con queso Gorgonzola
- ✔ Foie gras con Sauternes o con Gewürztraminer de vendimia tardía
- ✔ Jerez amontillado seco con sopa

✔ Salmón con Pinot Noir

✔ Almendras tostadas u olivas verdes con Jerez fino o manzanilla

✔ Pescado a la parrilla con Vinho Verde

✔ Carne salteada con Barolo

✔ Pollo a la parrilla con Beaujolais

✔ Queso de cabra con Sancerre o Pouilly-Fumé

✔ Beef bourguignonne con Borgoña tinto

✔ Chocolate con Cabernet Sauvignon de California

Busque varias otras sugerencias de parejas de vino y comida esparcidas a lo largo de los capítulos 10 a 14.

¿Por qué parar aquí? Cree su propia lista de favoritos de confiar. Aquí hay unos pocos para comenzar:

✔ Palomitas de maíz en mantequilla con Sauternes

✔ Perros calientes (mostaza y sauerkraut) con Zinfandel blanco

✔ Pizza con Barbera italiano

✔ Desayuno con Moscato d'Asti (va con cualquier cosa que vaya con jugo de naranja)

# Recibir en casa con vino

Es natural preocuparse un poco por las reglas y las convenciones cuando uno tiene visita. ¿Qué pasa si uno de los invitados sabe más de vino que uno? ¿Qué pasa si sirve el vino equivocado o si uno se queda sin vino?

Cuando usted tiene invitados a una cena, probablemente sirve más vino que en una cena corriente; en lugar de un solo vino para toda la comida, usted puede querer servir un vino diferente con cada plato. Muchas personas sirven dos vinos en la mesa, uno blanco con el primer plato y uno tinto con el plato fuerte (y si aman el vino servirán un plato de queso como pretexto para servir un segundo vino tinto poderoso).

Como usted quiere que todo vino sepa mejor que el anterior — además de mezclar perfectamente con la comida — debe ponerle atención a la secuencia en que deben servirse los vinos, un conjunto de reglas que nadie ha abolido todavía (por lo menos nadie nos lo ha dicho) sugiere la siguiente secuencia:

✔ Vino blanco antes de vino tinto

✔ Vino ligero antes de vino pesado

✔ Vino seco antes de vino dulce

✔ Vino simple antes de vino complejo, rico en sabores

Cada uno de estos principios opera independientemente. No tiene por qué enloquecerse tratando de seguirlos todos a un tiempo, ¡o no podrá tomar sino vinos blancos ligeros y simples y tintos pesados, complejos y dulces! Un tinto muy ligero, servido antes que un blanco gustoso de cuerpo pleno, puede resultar muy bien.

Si la comida que está sirviendo exige sólo vino blanco, sin embargo, no hay razón realmente para que ambos vinos no puedan ser blancos; un primer blanco más simple y más ligero, y un segundo blanco más pleno y más gustoso. Así mismo, ambos vinos pueden ser tintos, o usted puede servir un rosado seco seguido por un tinto.

## Lo primero, primero

Incluso si usted no planea servir hors d'oeuvres [entremeses] deberá ofrecerles un aperitivo a sus invitados cuando llegan (a menos que no sean puntuales). La escogencia usual es vino blanco y en general uno que no merece atención.

Antes de ofender a cualquiera de nuestros amigos que piensan que acabamos de insultar su gusto sobre vinos, nos apresuramos a aclarar esta anotación. Cuando uno es el invitado entra (qué tal, qué tal, cuánto tiempo hacía...) a conocer gente y, de pronto, tiene una copa de vino en la mano. Fijarse demasiado en el vino sería desatento; la gente es de lo que se trata. De manera que uno lo prueba, y la mitad de las veces, ni se fija en lo que prueba, ni le importa.

Nosotros preferimos servir Champaña (nótese la C mayúscula) en vez de vino blanco, como aperitivo porque destapar Champaña es una ceremonia que reúne a cada persona del grupo. El Champaña le hace honor a los invitados. Y una copa de Champaña llama la atención lo bastante para que no sea de malos modales tomarse un momento para probarla con cuidado; incluso la gente que piensa que hablar de vino es absurdo, comprende que el Champaña es demasiado especial para dejarlo pasar inadvertido. A diferencia de muchos vinos blancos, el Champaña está muy bien solo, sin comida.

# Cuánto es suficiente

La cantidad necesaria de cada vino depende de toda clase de asuntos:

✔ El número de vinos que se sirva (si son varios, se necesita menos de cada uno)

✔ El ritmo a que se sirva (si usted planea una comida larga y holgada, necesitará más de cada vino)

✔ El tamaño de sus copas (si está usando copas muy grandes, puede írsele la mano al servir y terminar con que le falta vino; mejor tener vino extra a mano)

En el supuesto de una cena de gran clase, con un vino de aperitivo, dos vinos con la comida, y otro vino con el queso — y con invitados que beben moderadamente, todos — le recomendamos planear una botella de cada vino por cada cuatro invitados. Eso da cuatro onzas* de cada vino por persona, con buen margen, para volverles a servir, en la botella de 25 onzas. Si piensa servir sólo dos vinos, planee una botella para cada dos invitados.

✔ Cuando sirva dos vinos, piense en una botella de cada uno para cada dos invitados

✔ Cuando sirva cuatro vinos, piense en una botella de cada uno para cada cuatro invitados

Una regla más simple es pensar en *una botella completa por invitado, en total*. Esa cantidad parece exagerada, pero si su cena dura varias horas y usted sirve mucha comida, en realidad es moderada. Si le preocupa que sus invitados se excedan, asegúrese de que sus vasos de agua estén siempre llenos, de modo que tengan una alternativa a la de buscar la copa de vino automáticamente.

Si su cena es tan especial como para servir varios platos y varios vinos, le recomendamos ponerle a cada invitado una copa separada para cada vino. Las copas pueden ser parecidas o distintas. Todas esas copas en la mesa, realmente se ven de fiesta. Y con una copa distinta para cada vino, ningún invitado se siente obligado a terminar cada copa antes de pasar al vino siguiente. (Usted también puede darse cuenta, de una ojeada, de quién se está tomando el vino y quién no tiene mayor interés en él, y servirles de acuerdo con lo que sea.)

---

* Onzas fluidas del sistema de los Estados Unidos *(N. del T.)*.

## Cuáles vinos servir

La escogencia de los vinos que deben servirse nos devuelve al asunto de juntar el vino con la comida. Cuando tiene invitados, sin embargo, usted puede querer ser menos aventurado en sus combinaciones que si no los tiene — a menos que sepa que a sus invitados les encanta experimentar.

No creemos que usted tenga que impresionar a sus invitados sirviéndoles grandes vinos o vinos costosos. A menos que haya invitado a un grupo de amantes serios del vino, lo más importante de éste es que esté listo para tomarlo y que vaya bien con la comida. (La mayor parte de los grandes vinos no está lista para el consumo, a menos que sea de vendimias de hace mucho tiempo.)

Si usted ha invitado a un grupo de amantes serios del vino, a sus invitados les importará menos la combinación vino-comida que el vino en sí — lo cual le permite hacer las siguientes sugerencias: cada invitado o cada pareja trae dos botellas de un vino muy bueno para un plato particular. (Usted escoge qué plato va a dar, y coordina quién trae cada uno de los otros.) La selección de vinos probablemente será variada y fascinante, y todos pueden aprender un poco sobre cada vino, de la persona que lo trajo.

Con invitados o no, tarde o temprano usted está expuesto a experimentar el desastre de comida-y-vino cuando los dos juntos saben horriblemente. Hemos tenido muchas oportunidades de ensayar nuestra solución al desastre de comida-y-vino, y resulta: mientras el vino y la comida sean buenos, cómase la una, primero, y el otro, después, o viceversa.

# Capítulo 20

# La dulce seducción de un vino añejo

Comparemos a un adolescente con una persona madura. La persona joven puede rebosar de energía, puede ser sensualmente atractiva, y puede tener un potencial enorme. Pero algo le falta. La palabra *inmadura* nos viene a la mente — le falta complejidad en su personalidad. Todo en ella es evidente, obvio; lo que le falta es sutileza. Pero, con cuidado y nutrición, *algunos o algunas* jóvenes llegan a ser magníficos adultos.

Lo mismo es verdad en el vino. *Algunos* vinos jóvenes, los que tienen potencial de grandeza, no necesitan sino tiempo y un poco de cuidado amoroso para madurar bien y alcanzar una vejez maravillosa.

## Los muchos y los escogidos

El del vino es un campo tan complejo, que desafía el pensamiento rígido y las clasificaciones simples. Pero aquí va una clasificación simple, de todos modos. Digamos que todos los vinos del mundo pueden dividirse en dos grupos: vinos comerciales y vinos finos. La línea entre las dos categorías es muy delicada, pero pasa cerca de la marca de los 15 dólares por botella.

Los vinos comerciales van de calidades que están entre la decente o la muy buena. Están ya más o menos listos para tomarlos cuando la productora los da a la venta, en cualquier momento entre unos pocos meses y tres años después de la vendimia. No mejoran con la edad — de hecho, se deterioran. La categoría incluye los vinos que toma la mayor parte de la gente: Chardonnays y Cabernets frutales, Beaujolais y Côtes de Rhône, Zinfandels y suaves Merlots, Valpolicellas y ligeros Chiantis, etc. (Los capítulos 10 a 14 cubren en detalle los vinos mencionados en éste.)

Los vinos finos van de buenos a extraordinarios en su calidad, y, en general, requieren añejamiento adicional antes de estar listos para tomarlos. Su gusto cambia considerablemente según el tiempo que se añejen antes de tomarlos (siempre sobre la base de buenas condiciones de almacenamiento como se describen en el capítulo 15). El gusto del vino mejorará gradualmente hasta alcanzar una meseta de madurez (su pico), en la cual permanece por un tiempo indefinido. Luego declina gradualmente *(se va cuesta abajo)*. En cierto momento se considera acabado, *muerto,* como dicen.

Cualquier percepción de un individuo sobre si el vino mejora o decae depende, por supuesto, del gusto subjetivo de esa persona. A algunas personas les gustan más los vinos jóvenes que a otras.

Naturalmente, se encuentran menos vinos finos que vinos comerciales; el vino fino es menos de un diez por ciento de todos los vinos. Por definición, sólo los vinos finos tienen potencial para mejorar con la edad.

# El encanto de un vino añejo

Los vinos finos no sólo tienen potencial de añejarse sino que *lo necesitan* generalmente. Trate de tomar un Burdeos tinto de gran fama, digamos, un Château Mouton Rothschild de 1986. Puede preguntarse por qué lo ponderan tanto. Usted saborea un trago de tanino y ácido y, aunque el vino tiene una frutosidad concentrada, sus elementos no parecen sincronizados. Ensáyelo dentro de diez o quince años; los agresivos taninos y la acidez se habrán suavizado, un buqué maravilloso de cedro y arándanos saldrá de la copa, y se habrá desarrollado una dulzura natural del sabor.

A medida que un vino fino madura en la botella, ocurre una serie de cambios químicos. Estos cambios no se entienden bien, pero sus efectos se hacen evidentes en el estilo de un vino tinto maduro.

✔ El vino se vuelve de color más pálido

✔ Su aroma evoluciona, del aroma frutal (y a menudo lo roblizo) que tenía cuando joven, hasta un complejo buqué de cuero y tierra

✔ Su tanino disminuye

✔ Su textura se vuelve sedosa

Los vinos finos son más fáciles de digerir cuando están maduros porque carecen de tanino amargo y acidez astringente. Además de placer visceral, ofrecen una especial satisfacción emocional. Gustar un vino añejo puede ser como viajar hacia atrás en el tiempo, compartir una conexión con gente que se ha ido antes en la gran cadena de la humanidad.

Si usted no ha experimentado sino vinos jóvenes — vinos comerciales y vinos finos de, digamos, menos de diez años de edad — está listo para un regalo cuando pruebe su primer vino añejo. Desde luego, el gusto es personal: usted puede preferir la gran frutosidad y el tanino firme del vino tinto joven. Se dice, en términos generales, que los franceses gozan de sus vinos jóvenes, mientras los británicos tienen gran preferencia por los vinos añejos. Un chiste común en los círculos del vino, cuando todo el mundo está de acuerdo en que un vino está demasiado viejo, es cuando a los británicos les encantaría.

## Compre joven o compre con cautela

Usted puede preguntarse: "¿Para qué me molesto coleccionando vinos, si siempre puedo conseguir lo que necesite?"

Sin embargo, incluso si el dinero no importa, no es tan fácil comprar vinos maduros — en buenas condiciones. El único modo seguro de saber que su vino maduro ha estado bien almacenado es *comprarlo cuando está joven (y es relativamente poco costoso) y añejarlo usted mismo.* Para asegurarnos una provisión de bellezas añejas y maduras para gozar en *nuestra* madurez, eso es exactamente lo que hacemos. En pocas palabras, ¡ésa es la razón de ser de coleccionar vinos!

¿Cómo se sabe que un vino se ha almacenado mal? Primero, mire el desfase (el espacio entre el corcho y el nivel del vino). Un desfase de una pulgada o más puede ser señal de peligro que indica que ha habido evaporación, o por exceso de calor, o por falta de humedad — ambos pueden echar a perder el vino. En un vino muy añejo, digamos de 35 años o más, una pulgada de desfase es muy aceptable, sin embargo. Cierta cantidad de evaporación ocurre naturalmente incluso con buen almacenamiento. Otra señal de mal almacenamiento es que el pico de la botella esté húmedo o pegajoso, lo que sugiere que el vino se ha escurrido a lo largo del corcho.

Después examine el color. Un vino blanco que se ha oscurecido u opacado excesivamente, o un vino tinto que se ha vuelto completamente carmelita (pardo) pueden estar oxidados y demasiado viejos. (Pase el haz de una linterna de médico a través del fondo de la botella para examinar el color de los vinos tintos.) Pero los colores de los vinos tintos y del Sauternes pueden ser engañosos a veces; los vinos pueden mostrar un buen poco de carmelita y seguir estando muy vivos. Si usted no está seguro sobre el color, pídale consejo a alguien que sepa de vinos añejos, antes que tirar su dinero.

## ¿Cómo saber cuándo beberlo?

Una pregunta que se nos hace frecuentemente en las clases sobre vinos es "¿Cómo sé cuándo tomar el vino añejo?" Desgraciadamente, no hay respuesta precisa a esa pregunta porque todos los vinos maduran distintamente. Incluso dos botellas que parecen exactamente iguales (la misma vendimia, etc.) y se almacenan en las mismas condiciones pueden madurar de modo distinto.

Cuando usted tiene en mente un vino particular, puede pedir consejo de varias maneras:

✔ Consultar los comentarios de críticos de vino como Robert Parker, Michael Broadbent o Clive Coates, quienes casi siempre hacen una lista de sus sugerencias sobre cuándo deben tomarse los vinos que reseñan en sus publicaciones periódicas directas y en sus libros.

✔ Si no tiene prisa, envíe una carta a una revista de vinos (vea el capítulo 17). Estas revistas consultan a sus expertos y le contestan al lector en la sección "Cartas al director".

✔ Llame o escríbale al productor; a él y a sus expertos generalmente les complace darle su opinión sobre el mejor momento en que se puede tomar su vino — y, como es de esperarse, tienen más experiencia de éste que cualquier otra persona.

✔ Si usted tiene varias botellas del mismo vino, ensaye una cada cierto tiempo para saber cómo va desarrollándose. Su propio paladar es realmente la mejor guía — puede gozar del vino más joven o del más añejo más que cualquiera de los expertos de quienes hablamos aquí.

# Los vinos que se añejan mejor

A continuación damos algunos ejemplos específicos de vinos que han probado su longevidad a lo largo de los años. (Vea en el capítulo 15 una lista general de vinos tintos, blancos, aperitivos y de postre que se añejan bien.)

## Los vinos tintos resisten la distancia

En general, los vinos tintos concentrados, que son demasiado tánicos y poderosos para tomarlos en su juventud, son los tintos que se añejan mejor. Muchos de estos vinos son los de Francia e Italia, aunque tenemos algunos contendores de larga distancia en España, California y Australia que se mencionan en los párrafos siguientes.

### Burdeos

Entre los vinos tintos secos, los Burdeos, en especial los de los cultivos clasificados (vea el capítulo 10), ciertamente tienen las mejores marcas. Entre éstos, los primeros cultivos — Lafite-Rothschild, Margaux, Latour, Mouton-Rothschild y Haut-Brion — han producido, todos, muchas botellas que están en buenas condiciones desde vendimias que se remontan al siglo XIX. No podemos olvidar la degustación que hicimos, en 1984, de vinos de Burdeos de 1874: el Château Lafite se destacó como un faro, simplemente excelente, aún en su apogeo. Del mismo modo, ¡el Château Latour de 1870 todavía se bebe deliciosamente, sin dar señales de edad excesiva!

Tres segundos cultivos que también tienen marcas notables de longevidad son Montrose, Cos d'Estournel y Gruaud-Larose. Probamos el Château Montrose de 1870, en una degustación vertical de 44 vendimias, en 1994. Muchas vendimias eran excelentes, ¡pero por la de 1870, como la mejor, votaron 11 de los 14 catadores! Las de 1921, 1959 y 1961 de Montrose eran también memorables.

Las vendimias de Burdeos de los últimos 100 años que han probado tener mayor longevidad son las de 1899, 1900, 1928, 1945, 1959 y 1961. Entre las recientes de Burdeos, la de 1986 promete la mayor capacidad de añejarse, especialmente para los vinos de Médoc, de la rivera izquierda.

### Borgoñas tintos

Aunque los Borgoñas tintos, en general, no se añejan tanto como los Burdeos, se encuentran algunas excepciones notables — ciertamente los

Borgoñas Grand Cru de Domaine Leroy, tales como el Musigny y el Chambertin, y los Grand Crus principales del Domaine de la Romanée-Conti (el Romanée-Conti, el La Tache y el Richebourg) han demostrado longevidad.

La vendimia reciente de Borgoña tinto que promete longevidad (para *todos* los Borgoñas más finos) es la de 1990.

### Ródano

Los Côte-Rôties y los Hermitages del Ródano Norte, ambos basados en la uva Syrah, pueden añejarse a veces 20 años o más. Busque los Côte Rôties de Guigal (especialmente los de viñedo único La Mouline, La Landonne o La Turque); estos vinos, en especial los de 1978, todavía necesitan tiempo. El Hermitage y el La Chapelle de Paul Jaboulet Aine son vinos de justa fama mundial. Su vino de 1961 es un clásico, todavía en su apogeo, mientras que sus La Chapelles de 1978 y 1983 todavía necesitan tiempo. Los Hermitages de Jean Louis Chave han probado también su longevidad. Los Châteauneuf-du-Papes, del Ródano sur, renombrados por su longevidad, son el Château Rayas y el Château de Beaucastel. La vendimia de 1978 de cualquiera de los dos es un verdadero placer hoy día. Las vendimias de 1989 y 1990 de los vinos del Ródano se muestran promisorias.

### Italia

Italia tiene cuatro grandes vinos que han probado su longevidad: el Barolo y el Barbaresco del Piamonte; el Brunello di Montalcino de la Toscana y el Taurasi de Campania.

Giacomo Conterno, Guiseppe Mascarello, Vietti, Bartolo Mascarello, Giuseppe Rinaldi y Bruno Giacosa son algunos de los productores que hacen los Barolos mejores y más longevos. El Monfortino de Conterno es especialmente bueno. Cualquier Barolo, bien almacenado, de estos productores está muy bien todavía, hoy; los de 1978 pueden necesitar más añejamiento. Entre los Barbaresco que añejan mejor están los de Gaja (en especial el Santo Stefano Riserva), y los Marchesi di Gresy. 1982, 1985, 1988, 1989 y 1990 son todas vendimias de muy buenas a excelentes para el Barolo y el Barbaresco.

El productor con la mejor marca para el Brunello di Montalcino es Biondi-Santi, cuya familia inventó ese vino en el siglo XIX. Pruebe el Brunello de Biondi-Santi de 1975. Este vino es asombroso todavía hoy, y no hará sino mejorar con la edad. Los Brunellos de Biondi-Santi han durado más de 100 años. Las vendimias recientes de 1985, 1988 y, en especial, la de 1990 han sido excelentes para el Brunello di Montalcino.

El Taurasi, hecho de la uva Aglianico, en el sur de Italia, es probablemente el menos conocido de los grandes vinos tintos italianos. En manos de un productor magistral, como Mastroberardino, este vino puede ser maravillosamente longevo. Sus Taurasi de 1958 y 1968 todavía se beben bien hoy día. Las mejores vendimias recientes de Taurasi han sido las de 1985, 1987, 1988 y 1990.

### España

El vino tinto más apreciado de España es el Vega Sicilia Unico. El Unico de 1968, el de 1970, y el Unico Reserva Especial (una mezcla de 59, 60 y 61) son tres de los grandes vinos de este productor. Hemos podido degustar vendimias de Unico que se remontan al decenio de 1950 y ciertamente podemos testificar sobre la longevidad de este vino.

### El Cabernet de California

Los Cabernet Sauvignons de California no tienen una marca de longevidad porque las productoras de vinos del estado, en su mayoría, se fundaron después de 1970. Pero Beaulieu Vineyards (BV) son una excepción. Su Cabernet Sauvignon Georges Latour Private Reserve se remonta a 1936. Estamos asombrados del buen añejamiento de la mayoría de sus vendimias, incluso la de 1936. ¡El BV Private Reserve de 1951 es simplemente el mejor vino de los Estados Unidos que jamás hemos catado! Inglenook y Simi también hicieron algunos Cabernets muy buenos en los años 30 y 40. El Inglenook de 1941 es legendario.

Entre las productoras posteriores a la Segunda Guerra Mundial, Ridge, Mayacamas, Robert Mondavi y Heitz han producido algunos Cabernets maravillosos de los años 60 a los 70. Son especialmente memorables los Cabernets de Ridge Monte Bello y de Mayacamas de 1970 y 1974, los Cabernets Reserve de Robert Mondavi de 1971 y 1974, y el Martha's Vineyard Cabernet Sauvignon de Heitz de 1974.

### Australia

El gran vino tinto de Australia es el Grange Hermitage (conocido simplemente como Grange). Fue "inventado" por un legendario vinificador australiano, el difunto Max Schubert, en 1951. Este magnífico vino de clase mundial puede añejar 30 años o más en algunas vendimias.

## Vinos blancos para la carrera larga

Los vinos blancos que han probado su capacidad para añejar son, en su mayoría, franceses y alemanes. El Borgoña blanco encabeza nuestra lista de vinos longevos.

### *Borgoñas blancos*

Entre éstos, busque especialmente el Bâtard-Montrachet, o su Bienvenues-Bâtard-Montrachet. El Corton-Charlemagne y el Meursault Les Perriéres son los grandes Borgoñas blancos de Coche-Dury. Los tres mejores Mersaults de Comtes Lafon son el Les Perriéres, el Les Genevrieres y el Les Charmes. Y hacen también una pequeña cantidad de un magnífico Le Montrachet.

Otros tres productores de Borgoña blanco cuyos vinos merecen la pena de buscarse — y se consiguen más fácilmente — son Domaine Leflaive, Michel Niellon y Verget. Y otros dos Borgoñas blancos sobresalientes, de grandes firmas de negociantes (y, en consecuencia, hechos en grandes cantidades) son el Corton-Charlemagne de Louis Latour y el Chevalier Montrachet "Les Demoiselles" de Louis Jadot. Los dos últimos vinos son particularmente longevos. Las vendimias recientes buenas para el Borgoña blanco son las de 1992, 1990, 1989, 1986 y 1985.

Antes de dejar el Borgoña blanco, debemos mencionar el Chablis, un Chardonnay más ligero y más firme. En realidad, los dos productores de Chablis que recomendamos no hacen nada de cuerpo ligero, ¡ambos usan todavía barriles de roble para fermentar y añejar sus vinos!

Nadie hace Chablis que dure más que los de Raveneau. Cualesquiera de sus vinos Grand Cru o Premier Cru son estupendos y pueden añejarse 20 años o más. Asistimos a una cena, hace poco, en la que había varios grandes vinos, pero fue el Chablis Les Clos (un Grand Cru) 1983, de Raveneau, el vino del cual hablaron todos. Sus grandes vendimias han sido las de 1964, 1969, 1978, 1983, 1986 y 1989. (No hemos probado toda-vía la de 1992 — el Chablis de Raveneau necesita un mínimo de 4 o 5 años para apenas empezar su desarrollo.) El otro productor que hace un Chablis monumental es René et Vincent Dauvissat. Estos vinos no se demoran tanto en desarrollarse como los de Raveneau, pero duran de 15 a 20 años y más para estar listos para tomarse. El Les Clos se considera como el mejor Chablis de Dauvissat.

### *Burdeos blanco*

Los Burdeos blancos secos, por lo menos los sobresalientes, pueden ser sorprendentemente longevos. Los tres realmente duraderos son *el Château Haut-Brion Blanc, el Château Laville-Brion y el Domaine de Chevalier.* En buenas vendimias, estos vinos pueden añejar de 25 a 30 años o más. Las buenas vendimias recientes del Burdeos blanco seco son las de 1994, 1993, 1990, 1989 (sobresaliente), 1985 (muy buena) y 1983.

### *Riesling*

La uva Riesling añeja extremadamente bien. Los mejores ejemplos de

Rieslings añejos se pueden encontrar en Alemania y Alsacia. En Alemania, busque los Rieslings (Kabinett, Spätlese, o Auslese) en grandes vendimias como las de 1992, 1990, 1989, 1983, 1976, 1971 o 1959. Los Rieslings de Alsacia y los Gewürztraminers (otra variedad noble longeva) de 1990, 1989, 1985, 1983, 1976, 1971 o 1967 son los que se deben guardar.

Una breve nota sobre un Riesling especial de Alsacia, el *Clos Sainte Hune*. Es un vino de un solo viñedo hecho por Trimbach en pequeñas cantidades. Este vino seco es sobresaliente y complejo. El Riesling en su mejor forma. El Clos St. Hune puede añejar fácilmente 20 años o más. Es difícil de encontrar, pero merece buscarse porque es uno de los grandes vinos blancos del mundo.

# Champañas que brillan con la edad

No sabemos quién lanzó el mito de lo contrario, pero ¡el Champaña *sí* añeja bien! Si es el producto de un muy buen año, el Champaña puede añejar especialmente bien. Nosotros hemos gozado de dos Champañas de la vendimia de 1928, el Krug y el Dom Pérignon de Moët & Chandon, ninguno de los cuales daba señales de decadencia. El Champaña más añejo que hemos probado, un Pol Roger de 1914, estaba también en muy buena forma.

Pero el Champaña, tal vez más que cualquier otro vino, requiere un almacenamiento excelente. Las botellas magnum (1.5 l) añejan mejor, en general, que las de tamaño corriente (750 ml). Si se guardan en un lugar fresco, oscuro y húmedo, muchos Champañas pueden añejar decenios, especialmente los de las grandes vendimias. Pierden alguna efervescencia con los años pero ganan una complejidad de sabor un tanto similar a la del muy buen Borgoña blanco.

Si quiere probar algunas muy buenas botellas de Champaña de vendimia añejo, de confiar, busque, o bien el Krug, o el Salon, de las vendimias de 1964, 1969, 1973 o 1976. Si estuvieron bien almacenadas estarán magníficas. El Dom Pérignon también es de confiar — los DP de 1961 y 1969 son legendarios.

Las siguientes son las casas que producen champañas conocidos por su longevidad:

✔ **Krug:** Todos sus Champañas son notablemente longevos

✔ **Pol Roger:** Especialmente Cuvée Sir Winston Churchill

✔ **Moët & Chandon:** Cuvée Dom Pérignon, eterno si se almacena bien

✔ **Louis Roederer:** Cristal, Cristal Rosé y el Brut de vendimia, todos añejan bien

✔ **Jacquesson:** Signature y Vintage Blanc de blancs

✔ **Bollinger:** Todos sus Champañas, especialmente el Grande Année

✔ **Gosset:** Grand Millésime y Grande Reserve

✔ **Salon:** Este notable Blanc de Blancs necesita añejar hasta 15 años antes de ensayarse

✔ **Veuve Clicquot:** La Grande Dame y el Brut de vendimia

✔ **Taittinger:** Su Blanc de Blancs, el Comtes de Champagne

✔ **Billecart-Salmon:** Su Blanc de Blancs

✔ **Pommery:** Especialmente el Cuvée Louise Pommery

✔ **Alfred Gratien:** Su Brut de vendimia (se ve sobre todo en Inglaterra y Francia)

Las grandes vendimias de Champaña son las de 1990, 1989, 1988, 1985 y 1982.

## Los vinos de postre: la verdadera edad dorada

El Sauternes, no sólo añeja muy bien, sino que mejora notablemente con la edad. Infortunadamente, se consume mucho Sauternes joven. Un Sauternes maduro (cuando se ha tornado de un color de oro viejo) puede tener toda suerte de maravillosos sabores de miel, damasco y caramelo. Incluso cuando el color se ha vuelto de un pardo dorado, el Sauternes puede seguir siendo delicioso.

El gran Château d'Yquem, desde luego, es el Sauternes único en su clase. Puede añejar lo mismo o mejor que cualquier vino tinto. Muchos d'Yquem, de vendimias del siglo XIX, siguen estando bien para tomarlos. Pero se puede encontrar muchos otros buenos Sauternes que añejan bien y que son mucho menos costosos que el d'Yquem, empezando por el Château de Fargues (también de propiedad de los que hacen el d'Yquem, la familia Lur-Saluces). Entre otros, están el Château Climens, el Château Coutet, el Château Suduiraut y el Château Lafaurie-Peyraguey. Las recientes grandes vendimias de Sauternes son las de 1990, 1989, 1988, 1986, 1983, 1976, 1975, 1967, 1962 y 1959. Guarde aparte cualquiera de estas vendimias en honor del año del nacimiento de alguien, y le durará una vida.

Los Oportos de vendimia nos recuerdan a los viejos soldados: nunca mueren, sólo desaparecen. Incluso cuando el color de un Oporto de cosecha se ha tornado de un moreno claro, y tiene 70 o más años, puede gozarse por su sabor especiado rico y generoso y su largo acabado. Los Oportos de una buena cosecha requieren por lo menos 20 años de añejamiento antes de empezar a suavizarse y a perder sus taninos. Como el Sauternes, es demasiado el Oporto de vendimia que se consume demasiado joven. Los Oportos de vendimia que han mostrado admirable longevidad han sido los de Taylor, Graham, Fonseca, Quinta do Noval, el "Nacional", Dow y Cockburn. Los mejores años del Oporto de vendimia, desde la Segunda Guerra Mundial, han sido 1945, 1948, 1955, 1963, 1966, 1970, 1977, 1983, 1985, 1991 y 1992 (para Taylor y Fonseca).

Los Rieslings de cosecha tardía de Alemania, los BAs y TBAs (vea el capítulo 11), son asombrosamente longevos, ciertamente comparables con el Sauternes. Los Rieslings, Gewürztraminers y los Tokay-Pinot Gris, alsacianos de cosecha tardía — llamados *vendage tardives* (VT) y *sélection de grains nobles* (SGN) — pueden ser todos magníficos y longevos en los años de grandes vendimias. (Vea nuestros comentarios sobre Riesling, antes en este mismo capítulo.)

# ¿Cuánto añejarán los vinos modernos?

La mayoría de los vinos que se producen hoy están hechos para consumirse más temprano que los de hace 50 o 100 años. Los estilos de vida son diferentes hoy. No mucha gente tiene la paciencia para la demorada gratificación de los vinos que reposan 20 años o más.

Si usted planea guardar vinos para sus años de madurez, aquí le damos unas cuantas guías:

✔ Los Burdeos tintos actuales pueden no tener la longevidad de los años de 1928 o 1945, pero usualmente usted puede contar con que tendrán de 20 a 30 años de vida, en buenos años de vendimia tales como 1982, 1986, 1988, 1989 o 1990.

✔ Los Borgoñas tintos, en su mayoría, con la posible excepción del de la cosecha de 1990, deben consumirse dentro de los 10 a los 15 años (los menos costosos incluso más pronto).

✔ Los Barolos y Barbarescos y el Brunello di Montalcino pueden añejarse de 20 a 25 años en las buenas cosechas. (Vea el apéndice B.)

✔ Los mejores Borgoñas y Burdeos blancos pueden añejar — y mejorar — con un tiempo entre 10 y 15 años en buenos años de cosecha, si están bien almacenados.

---

## Vinos añejos para la venta

Si usted quiere experimentar vinos verdaderamente añejos, puede comprar todavía Madeiras del siglo pasado. Se consiguen con frecuencia en las subastas de vinos (a precios sorprendentemente razonables si se considera su edad). También, la Rare Wine Company en Sonoma y la Chicago Wine Company (vea el capítulo 16) tiene siempre para la venta algún Madeira de cosecha, ¡a veces tan añejo como el del decenio de 1790!

Se puede conseguir Burdeos tinto del siglo XIX y comienzos del XX en subastas de vinos, pero son siempre muy costosos. En cuanto a longevidad, las vendimias de 1928, 1945 y 1961 de Burdeos, son las apuestas más seguras en este siglo.

---

# Guantes de cabritilla para manejar los añejos... y casi seniles

Para las condiciones apropiadas de almacenamiento de sus vinos añejos, vea el capítulo 15.

Como la gente, el vino puede volverse algo frágil a medida que avanza hacia sus últimas etapas. Por una parte, no le gusta viajar. Si usted tiene que trasladar el vino (probablemente sacudiéndolo al hacerlo), déle un buen reposo de varios días antes de destapar la botella. (Los Borgoñas tintos y otros Pinot Noir se perturban especialmente con los viajes.)

El vino añejo, con su buqué y sus sabores delicados, puede quedar abrumado fácilmente por los alimentos y las salsas de sabor fuerte. Los cortes simples de carne, los quesos duros y el buen pan fresco crujiente son muy buenos compañeros para el vino maduro.

Si va usted a beber un vino añejo, no lo enfríe demasiado (lo mismo si es blanco que tinto). Los vinos añejos dan lo mejor de sí a temperaturas moderadas. Las temperaturas por debajo de 60º F (15.5º C) inhiben el desenvolvimiento en la copa.

Decante los vinos tintos o el Oporto de vendimia. (Para un repaso de cómo decantar, vea el capítulo 6.) Ponga la botella de pie dos o tres días antes de destaparla para que el sedimento se deposite en el fondo. Es importante no darle al vino *demasiada* aireación: un vino en sus últimas etapas puede deteriorarse rápidamente si se le expone al aire, a menudo en media hora — a veces en 10 o 15 minutos. (Conocimos a un señor que miraba su reloj constantemente mientras cataba vinos muy añejos, para anotar cuánto tiempo duraba cada vino en la copa antes de alterarse.)

Cuando decante vino añejo, pruébelo inmediatamente y esté preparado para tomárselo rápidamente si da signos de alterarse.

# Consejos para mejorar sus probabilidades de conseguir una "buena botella de vino añejo"

Adquirir y tomar vinos añejos lo abliga a usted a ser un poco jugador. Pero *se puede* reducir las probabilidades en contra de dar con una botella pasada de su mejor momento, siguiendo unos pocos consejos fáciles:

✔ Compre a comerciantes de buena reputación. Los mejores minoristas de vinos usualmente saben algo de la historia de sus vinos añejos. (Vea en el capítulo 16 información sobre las tiendas especializadas en vinos añejos.) Lo más probable es que adquieran sus vinos de personas en las que confían. Además, con frecuencia responden por el vino; si no sale bueno, frecuentemente se lo reponen por otro o le devuelven el dinero. Verifique estas garantías antes de comprar el vino.

✔ Trate con amigos conocedores de vino que sepan la historia del almacenamiento de sus vinos.

✔ Aténgase a los vinos más conocidos con historia probada de longevidad.

✔ Examine el vino si puede. Si compra por teléfono o por fax, pídale a su comerciante en vinos mirar físicamente la botella y describirle el nivel de llenura del vino.

✔ Esté alerta si el precio de la botella le parece demasiado bajo. A menudo, lo que parece una ganga es un vino dañado o ya cuesta abajo, del cual se deshacen vendiéndoselo a los clientes desprevenidos.

✔ Pida información a amigos conocedores, o a comerciantes de vinos, sobre los vinos que piensa comprar. Con frecuencia hay alguien que está familiarizado con ellos en particular.

Diga una oración, saque su descorchador, y láncese. ¡Viva peligrosamente!

# Parte IV
# La parte de los dieces

## En esta parte...

**É**ste es el lugar al cual recurrir para encontrar respuestas rápidas y soluciones fáciles. La próxima vez que un amigo le diga que los vinos caros son siempre los mejores, la próxima vez que esté buscando algo nuevo qué ensayar, la próxima vez que quiera seriamente anotarse un punto, revise los consejos de esta parte.

# Capítulo 21

# Respuestas a diez preguntas comunes sobre vino

• • • • • • • • • • • • • • • • • • • • • • • • • • • • • • • • • • • • • • • • • •

**E**n nuestros años de enseñar sobre el vino y de ayudar a los clientes en las tiendas de vinos, hemos notado que saltan una y otra vez las mismas preguntas. Aquí están nuestras respuestas.

### ¿Qué es un buen vino?

Ésta es probablemente la pregunta que hacen con más frecuencia los clientes en las tiendas de vinos. Cuando hacen esta pregunta, generalmente quieren decir: "Por favor, recomiéndeme un buen vino", a lo cual el minorista responderá con un montón de preguntas:

- ✔ "¿Prefiere vinos tintos, o blancos?"
- ✔ "¿Cuánto quiere pagar por una botella?"
- ✔ "¿Piensa servir el vino con algún plato particular?"

En toda tienda de vinos hay centenares de buenos vinos. Hace veinte o treinta años eran muchos menos — pero el saber en materia de cómo hacer vino y cómo cultivar uvas ha progresado espectacularmente hasta el punto de que ahora hay muy pocos vinos malos (especialmente en las tiendas minoristas de mercados competivivos como el de los Estados Unidos). Sin embargo, no necesariamente le van a gustar a usted.

No hay ningún modo de soslayar el hecho de que el gusto es personal. Si usted quiere tomar el buen vino que le conviene, tiene que decidir cuáles pueden ser las características de ese vino.

### ¿Cuándo debo tomar este vino?

Los minoristas de vino les oyen esa pregunta a sus clientes con frecuencia, también. La respuesta puede desilusionar a algunos clientes que creen estar comprando, no una botella de una bebida, sino un producto especial y precioso. La respuesta, para la mayoría de los vinos, es "ahora en cualquier momento".

En su gran mayoría, los vinos están listos para tomar cuando se compran. Algunos pueden mejorar marginalmente si se guardan un año, más o menos (y muchos mantendrán su buen estado), pero no mejorarán lo suficiente para que usted lo note, a menos que usted sea un catador muy cuidadoso y de mucha experiencia.

### ¿El vino engorda?

Una copa de vino seco contiene un 85 por ciento de agua, un 12 por ciento de alcohol etílico, y pequeñas cantidades de ácido tartárico y varios otros componentes. El vino no contiene grasa.

Una copa de cuatro onzas de vino blanco seco tiene cerca de 104 calorías y, si es tinto, tiene cerca de 110 calorías. Los vinos más dulces contienen más o menos diez por ciento más de calorías, según lo dulces que sean; los vinos fortificados, que son más altos en alcohol que los de mesa, contienen también más calorías a causa del alcohol más alto.

El vino contiene varios minerales y vitaminas, incluso vitaminas B, yodo, hierro, magnesio, zinc, cobre, calcio y fósforo.

### ¿Qué cosecha debo comprar?

Casi todos los vinos que usted encuentra en una tienda son de una sola vendimia (cosecha) que se conoce como la vendimia *actual* o *corriente*.[*]

La mayoría de los productores no despachan una nueva cosecha de sus vinos, mientras sus propias existencias de la anterior no estén agotadas. Tampoco los mayoristas de su mercado despachan la cosecha nueva a las tiendas de vinos mientras no hayan vendido toda la anterior. Y los minoristas usualmente no hacen pedidos de la nueva vendimia mientras no hayan agotado sus existencias de la actual.

Para los vinos blancos, la vendimia actual representa uvas que se cosecharon apenas nueve meses atrás (en el caso de los vinos que, según se supone, deben tomarse muy jóvenes) o hasta tres años atrás; para los vinos tintos, la cosecha actual es una fecha entre un año y cuatro años atrás.

---

[*] Esto es cierto, dicho de los minoristas de vinos de los Estados Unidos y otros mercados activos *(N. del T.)*.

Los vinos blancos de cultivos clasificados de Burdeos (vea el capítulo 10) son la notable excepción a la regla anterior: la mayoría de las tiendas de vinos ofrece simultáneamente varias vendimias de éstos. Unos pocos vinos finos más — como los Borgoñas, Barolos o los vinos del Ródano — pueden conseguirse también en varias vendimias, pero no a menudo porque las cantidades en que se producen son pequeñas y se agotan.

Puede parecer que un Rioja tinto o un Chianti Classico se consiguen en múltiples vendimias; pero si se lee la etiqueta con cuidado, se verá que el de una vendimia del Rioja puede ser un *crianza* (añejado dos años antes de darlo a la venta), otro puede ser un *reserva* (añejado tres años), y otro, un *gran reserva* (añejado cinco años) — de manera que son realmente vinos diferentes, no múltiples vendimias de un mismo vino. También, un Chianti puede conseguirse en una versión *riserva* o en un estilo *non-riserva*.

Para la mayoría de los vinos, la cosecha es la que se *puede* comprar, la actual. Para casos excepcionales, vea el cuadro de vinos en el apéndice B.

## ¿De qué variedad de uva está hecho este vino?

Hoy día, muchos dicen de qué uva están hechos, en la etiqueta del frente — a menudo es el propio nombre del vino — o en la etiqueta de atrás. Los vinos europeos tradicionales mezclados de distintas variedades generalmente no dan esa información: a) porque los productores consideran más importante el nombre del lugar que el de las uvas, en cualquier caso, y b) porque las uvas que usan son de variedades locales cuyos nombres pocos reconocerían.

Si usted quiere saber realmente qué variedades de uvas se emplean en un Soave, un Valpolicella, un Châteauneuf-du-Pape, un Rioja, un Côtes du Rhône o cualquier otro vino europeo, mezclado, tendrá que buscarlos/ (vea nuestros cuadros en los capítulos 10 y 11).

## ¿Hay vinos sin sulfitos?

El dióxido de azufre se produce naturalmente en el vino como resultado de la fermentación. Existe también naturalmente en otros alimentos fermentados tales como el pan, las galletas y la cerveza (varios derivados del azufre se usan normalmente como preservantes en alimentos empacados).

Los vinificadores usan dióxido de azufre, en varias etapas del proceso de producción, porque éste estabiliza el vino (le impide volverse vinagre o alterarse por la oxidación), y protege su sabor. El azufre ha sido un recurso importante en la producción del vino desde la época de los romanos.

Muy pocos vinificadores se abstienen de usar dióxido de azufre; la mayoría lo usa por el temor de que el vino cambie una vez embotellado o de que su vida en los estantes se acorte. Según el lugar en que usted viva, su tienda de vinos puede ofrecer dos o otres marcas cuyo contenido de sulfitos es tan bajo que no tienen que llevar en las etiquetas la frase, *contiene sulfitos* (requerida por el gobierno de los Estados Unidos en la etiqueta de todo vino que contenga más de diez partes por millón de sulfitos).

Si usted desea limitar su consumo de sulfitos, los vinos tintos secos deben ser su primera opción, seguida de los vinos blancos secos. Los vinos dulces son los que contienen más dióxido de azufre. Vuelva al capítulo 1, "Contiene sulfitos", para más información.

## ¿Hay vinos orgánicos?

Sí, los hay — según lo que usted entienda por orgánicos.

Si lo que usted quiere decir es que sean hechos de uvas cultivadas orgánicamente, ahora hay docenas de marcas. Muchos otros productores están en proceso de volver orgánicos sus viñedos (es un proceso gradual que no puede ocurrir de la noche a la mañana), pasando de los fertilizantes, los herbicidas y los pesticidas químicos a los abonos y la prevención de las pestes naturales, y tratando de restaurar la actividad microbiana del suelo. En climas secos como el de California, en donde el moho y la podredumbre no son problema para los cultivadores, el entusiasmo por la viticultura orgánica (a veces llamada *viticultura sostenible)* es particularmente vivo. Sin embargo, muchos viñedos que practican la agricultura orgánica no están *certificados* oficialmente como orgánicos.

Vinificación orgánica quiere decir, tradicionalmente, producción de vino de uvas cultivadas orgánicamente, sin el uso de aditivos químicos en el proceso productor. El uso de los términos vino orgánico se ha limitado, por tanto, al de los productores que no usan dióxido de azufre — un grupo muy limitado. (Vea "Contiene sulfitos" en el capítulo 1 y "¿Hay vinos sin sulfitos?" en este capítulo.) El National Organic Standards Board, un grupo de asesoría federal de los Estados Unidos, ha decidido, recientemente, permitir una cantidad bastante generosa (100 partes por millón) de dióxido de azufre en los vinos orgánicos. A ese nivel muchos productores podrían calificarse como orgánicos. Pero las recomendaciones del grupo asesor no son definitivas.

¿Cuál es la conclusión? Según lo que usted entienda por vino orgánico, probablemente pueda encontrarlo, pero no sin rebuscarse un poco. Ensaye a preguntarle a su proveedor de vinos.

## ¿Qué es roble nuevo?

No se necesita leer demasiadas columnas sobre vinos para darse cuenta de que muchos productores usan *roble nuevo* para sus vinos y están muy orgullosos de ello. Los términos se refieren a los barriles de roble de 60 galones (generalmente de roble francés pero a veces de roble americano) que usan los vinificadores para fermentar, o bien, para añejar sus mejores vinos blancos y para añejar sus mejores vinos tintos.

La cantidad de aroma y sabor de roble que un barril pueda darle a un vino — y la cantidad de tanino — cambia en función del número de veces que se ha usado el barril. En algunas partes de Europa, los productores han usado tradicionalmente cubas o toneles de roble (mucho mayores que los barriles) o barriles grandes de roble durante veinte años y hasta más, antes de reemplazarlos. En unos pocos años, el interior del barril se ha cubierto de una costra de sedimentos cristalinos ácidos del vino, de modo que la madera misma puede no entrar en contacto con cada nuevo vino que se echa dentro. Esta clase de roble se llama roble viejo.

La mayoría de los productores que usan barriles de roble nuevos los reemplaza después de apenas tres a cinco vendimias. Para evitar el golpe de un gasto tan grande de una sola vez, los productores reemplazan el 20 por ciento de sus barriles cada año. Su *roble nuevo* es, por tanto, 20 por ciento de un año, 20 por ciento de dos, etc. (Usar barriles no enteramente nuevos es una buena idea en el caso de la mayoría de los vinos blancos que quedarían abrumados por la cantidad de sabor y aroma de roble que les darían los barriles nuevos.) Cuando un productor reemplaza cada año el 20 por ciento de sus barriles, puede decir que practica una *rotación de cinco años,* para su roble. Si reemplaza un tercio de sus barriles todos los años, practica una *rotación de tres años.*

## ¿Qué es un experto en vino?

Un experto en vino es alguien que tiene un alto nivel de conocimiento sobre el vino en general (incluyendo el cultivo de la uva y la producción de vino) y sobre los distintos vinos del mundo. Un experto en vino tiene que tener también un alto grado de capacidad para degustar (catar) el vino.

En la mayoría de los casos, los expertos en vino llegan a serlo mediante estudios no formales, experiencia de trabajo, o experiencia adquirida como *amateurs* (amantes) del vino. Los únicos programas sobre vino acreditados por el estado son la *enología* (producción de vino) y la *viticultura* (cultivo de la uva) que ofrecen las universidades. Estos programas son valiosos para quienes planean convertirse en productores de vino o en cultivadores de uvas, pero representan un exceso de esfuerzo científico para la gente cuya meta es la amplitud de conocimiento en materia de vino.

Como los expertos en vino llegan a serlo mediante el estudio informal y la experiencia, puede ser difícil saber si alguien es realmente un experto. De hecho, si alguien *afirma* que es un experto en vino y sabe de vino más que usted, la única manera de establecer que *no* lo es, es convertirse usted mismo en un experto.

Pocas personas, que sí saben mucho de vino, se consideran realmente expertas en vino, porque saben lo suficiente para darse cuenta de lo vasto de este campo y de lo mucho que no saben. Pero algunas de estas personas son expertas para sus iguales, para sus lectores, sus alumnos o sus clientes.

A los vinificadores talentosos no se los considera automáticamente expertos. Se les reconoce su destreza, su talento artesanal o artístico, pero no necesariamente la amplitud de sus conocimientos sobre los vinos del mundo.

## ¿Cuál es ese nombre raro para el estudio del vino?

Es *enología* (a veces se deletrea *oenología*). Se pronuncian lo mismo las dos palabras, e-no-lo-gía.

La enología es el estudio del vino (en la producción), y el diccionario le dirá que un enólogo es un hombre dedicado al estudio del vino (si usted lee dos o tres páginas de este libro usted puede ser eso, pero los chistes no cuentan). En la vida real, sin embargo, reservamos el término enólogo para alguien que ha estudiado la *producción de vino.*

Los que aman el vino pueden llamarse a sí mismos *enófilos,* pero raramente lo hacen porque son demasiado realistas para usar ese lenguaje rebuscado.

Otro término que se aplica bastante a las personas que conocen o aman el vino es *connoisseur.* Es nuestro término favorito porque sugiere un entendimiento y una apreciación del vino, no un conocimiento enciclopédico de hechos y cifras. Tenemos la esperanza de que en eso será en lo que usted se convierta cuando lea este libro. Puede regresar y repasar los hechos y las cifras más tarde.

# Capítulo 22

# Diez mitos del vino desvirtuados

· · · · · · · · · · · · · · · · · · · · · · · · · · · · · · · · · · · · · · · · · · · ·

A medida que pase las páginas de este capítulo, probablemente reconocerá varios de los viejos mitos sobre el vino que aquí se mencionan. Son ideas comunes, y comunes errores de información sobre el vino. Vamos a enmendar la plana.

### El vino es para expertos

Cierto, el vino es para expertos. El vino incluye tanta información detallada — vendimias, productores, técnicas de producción, historia, tradición, nuevas tendencias — que hay suficiente materia para que los expertos se zambullan en ella hasta la coronilla. El vino es definitivamente para ellos.

Pero el vino no es *sólo* para los expertos. El vino es para cualquiera a quien le guste el sabor del vino.

El vino es una bebida, una de las bebidas más antiguas de la historia. Millones de personas en todo el mundo toman vino sin saber nada sobre el vino que están tomando, excepto que es el vino de su región, el vino que recomendó el cuñado, o que sabe bien.

El vino es una bebida común y corriente. Es jugo de uvas (mosto) fermentado, producto de un proceso natural sencillo.

La próxima vez que se preocupe porque tal vez usted no sabe lo suficiente para ser un amante del vino, piense en esto: si la gente que está en el negocio del vino no contara sino con los expertos para que se tomaran sus vinos, habría quebrado hace mucho tiempo.

### El vino tiene que ser costoso para ser bueno

En el caso del vino, como en el de cualquier otro producto, cuanto más se pague por una botella mejor será su calidad, en términos generales. Pero la mejor calidad no siempre quiere decir el mejor vino.

✔ Su gusto es personal, y a usted puede no gustarle un vino que a todos los demás les parece magnífico.

✔ No todos los vinos son adecuados para todas las situaciones.

En muchas circunstancias se puede gozar hasta de un vino de 4 dólares. En las reuniones grandes de familia, en la playa, en un paseo al campo, etc., un vino de la más alta calidad estaría fuera de lugar — demasiado serio, demasiado importante.

Los vinos costosos pocas veces son la mejor escogencia en los restaurantes — si se tienen en cuenta los típicos precios del restaurante. Nosotros, más bien, o buscamos la mejor compra en la lista de vinos (acordándonos de lo que vamos a comer) o ensayamos algún vino de precio moderado que no hayamos probado. (Siempre habrá vinos que usted no ha probado.)

La calidad no es la única consideración al escoger un vino. Con frecuencia el mejor de todos los vinos — para su gusto, o en determinada ocasión — puede ser poco costoso.

### Los vinos importados son mejores

Primero que todo, ¿importado de dónde? Si usted vive en Europa, el de California es vino importado; si usted vive en los Estados Unidos, el vino europeo es importado. ¿Cómo pueden ser ambos el uno mejor que el otro?

Tenemos un amigo en los Estados Unidos que sólo toma vino francés. Insiste en que el vino de California es inferior. Nos encanta servirle un buen vino de California *a ciegas* (es decir, con la etiqueta tapada), y ver cómo reacciona cuando descubre que es de California — después de haberlo elogiado.

En esta época, todo país productor de vino está haciendo algunos vinos excelentes. Lo de "los vinos importados son mejores" es un mito del esnobismo, hay que reconocerlo.

Le hacemos una sugerencia audaz que se enfrenta sin miedo con el mito del vino importado: descubra sus vinos locales. Si usted vive en Pennsilvania del sur, Nueva Inglaterra, Ohio, Texas, Idaho, Vancouver o

Toronto, por ejemplo (para no mencionar a Sidney, Melbourne o Santiago), hay gente haciendo vino prácticamente en su patio de atrás. Ensaye esos vinos. ¿Cómo cree que los borgoñones descubrieron que el Borgoña merece tomarse?

### Vino blanco con el pescado, tinto con la carne

Como guía general, ésta no es mala. Pero dijimos *guía,* no regla. ¡Cualquiera que siga esta generalización como un esclavo, merece el aburrimiento de comer y beber exactamente lo mismo todos los días de su vida!

¿Quiere una copa de vino blanco con su hamburguesa? Pídala sin vacilar. Usted es el que se encarga del comer y beber, no su amigo, ni el camarero que le está tomando el pedido.

Incluso si usted es un perfeccionista que busca siempre la combinación ideal de comida y vino, se encontrará dudando de la guía. El mejor vino para un salmón a la parrilla probablamente es un tinto — como el Pinot Noir o el Bardolino — y de ningún modo uno blanco. La ternera y el cerdo van igualmente bien con vinos blancos o tintos, según como se haya preparado el plato. ¿Y qué puede ir mejor con perros calientes a la parrilla que una copa fría de rosé?

Nadie lo va a arrestar si toma vino blanco con todo, o vino tinto con todo, o hasta Champaña con todo, no hay reglas.

### Las cifras no mienten

Es natural buscar el consejo de los críticos. Nosotros lo hacemos siempre, cuando tratamos de decidir qué película vemos, cuando queremos escoger un restaurante nuevo o cuando queremos saber lo que otra persona piensa sobre un libro.

En la mayoría de los casos, juzgamos la opinión de los críticos a la luz de nuestra propia experiencia y nuestros gustos. Digamos que un restaurante de carnes acaba de merecer tres estrellas y un reseña fabulosa del crítico respectivo. ¿Nos precipitamos a hacer reservaciones por teléfono? ¡No, si no nos gusta la carne roja! Cuando el crítico de cine aprueba encantado, ¿presumimos automáticamente que la película nos gustará — o le ponemos atención al comentario y decidimos que puede ser demasiado violenta, tonta o seria para nosotros? Usted sabe la respuesta a esa pregunta.

Sin embargo, muchos bebedores de vino, cuando oyen que un vino fue calificado con 90 puntos o más, hacen lo que sea para conseguirlo. La curiosidad de probar un vino de buena calificación es comprensible.

Pero la creencia rígida de que ese vino a) es necesariamente un gran vino, y b) es un vino que le va a gustar, es simplemente errada.

Las calificaciones de los críticos no son más que su opinión profesional — y la opinión, como el gusto, es siempre personal.

### Los vinos pasados por roble son mejores

Si la responsabilidad política existiera en el caso del vino, las personas que hacen afirmaciones como ésa, acabarían celebrando conferencias para dar excusas por su descuido. ¡Después de todo, los vinos que no pasan por el roble, también tienen sus derechos!

La relación entre el vino y el roble viene de los días en que las cubas de roble (o de otras maderas) eran las únicas que había para el vino. Pero, hoy día, el roble es más que una simple cuba para el vino; es un símbolo de categoría.

No hay duda de que los barriles de roble pueden ayudarles a algunos vinos a alcanzar la grandeza. Los barriles de roble interactúan con el desarrollo del vino de varias maneras, influyen en la textura del vino, en su aroma/sabor y en su nivel de tanino (vuelva a "Palabras mágicas de la producción de vino" en el capítulo 3, para más información sobre el roble). El resultado puede ser un vino sensacionalmente bueno — si lo que entró al roble, para empezar, ya era bueno, y si el vinificador es hábil. Ponga un vino ligero y débil entre el roble — y todo lo que sacará es un vino ligero y débil con sabor a roble. Algunos de nuestros mayores desencantos con el vino, últimamente, han sido vinos demasiado expuestos al roble que sabían más a madera que a uvas.

Los barriles de roble son caros, de manera que, en general, se usan sólo para los mejores vinos (y, aun en ese caso, sólo para ciertos tipos de vino) o para los vinos que tienen delirios de grandeza. Para simular el efecto de los barriles de roble, en sus vinos menos costosos, los productores pueden usar astillas de roble o sabores artificiales de roble — algo muy distinto de los complejos cambios que se producen en el añejamiento en barriles.

Si a usted le agradan o no los vinos pasados por el roble  es cuestión de gusto personal. A nosotros nos gustan los efectos del roble en algunos vinos, pero también gozamos con vinos que no han tenido ningún contacto con él. Sólo sabores de vino brillantes, frescos, vibrantes.

### Las vendimias importan siempre/las vendimias no importan

La diferencia entre una vendimia y la siguiente, del mismo vino, es la diferencia entre el tiempo que hizo en los viñedos de un año al siguiente (sin considerar circunstancias eximentes como el cambio de dueño de la vinificadora). El grado de variación de la vendimia es, pues, equivalente al grado de variación del tiempo.

En algunas partes del mundo, el tiempo varía mucho de un año a otro, y *para los vinos de esas regiones,* las vendimias ciertamente *importan.* En Burdeos, Borgoña, Alemania, y la mayor parte de Italia, por ejemplo, problemas como las heladas, el granizo, las lluvias a destiempo, o el calor insuficiente, pueden afectar negativamente a una vendimia, mientras que en la siguiente no habrá tales problemas. En dondequiera que hay variaciones de tiempo muy acentuadas, el vino puede pasar de mediocre a excelente.

En lugares en donde el tiempo es más predecible un año tras otro (como gran parte de California, Australia y Sudáfrica), las vendimias pueden variar todavía, pero la fluctuación es más estrecha. A los amantes serios del vino, que se preocupan por los detalles íntimos de los vinos que toman, les parecerán significativas las diferencias; pero a la mayoría de la gente, no.

Otra excepción al mito de "las vendimias importan siempre" es el vino poco costoso. Los vinos más vendidos, que se producen en grandes volúmenes, son generalmente mezclas de muchos viñedos de un área bastante grande. Los cambios de calidad de un año a otro no importan.

## Las autoridades del ramo de los vinos son expertas

El vino es un tema increíblemente vasto. Incluye la bioquímica, la botánica, la geología, la química, la climatología, la historia, la política, el derecho y los negocios. ¿Cómo puede ser alguien experto en todo eso?

Los diferentes aspectos del vino atraen a personas diferentes. Según lo que le guste en particular, la gente tiende a especializarse en alguna de las disciplinas del vino a expensas de las otras. (Ahora usted sabe por qué se necesitan dos de nosotros para escribir este libro.)

No espere que ninguna persona sea capaz de contestar todas sus preguntas de la manera más exacta y al día. Lo mismo que los médicos y los abogados, los profesionales del vino se especializan; tienen que hacerlo.

## Los vinos añejos son buenos

La idea de las botellas de vino escasas y antiguas que se subastan por decenas de miles de dólares cada una, como las obras de arte, es lo bastante fascinadora para capturar la imaginación de cualquiera. Pero las botellas antiguas valiosas son más raras que las monedas antiguas valiosas, porque, a diferencia de las monedas, el vino es perecedero.

La gran mayoría de los vinos del mundo no tiene lo que hace falta para añejar durante decenios. La mayoría de los vinos se hace para gozarlos del primero al quinto de sus años de vida (vea "Los muchos y los pocos" en el capítulo 20).

Incluso esos vinos que tienen potencial para madurar lentamente durante muchos años, sólo alcanzan su potencial si los han almacenado apropiadamente (vea el capítulo 15 sobre el almacenamiento de los vinos).

De lo que se trata con el vino, es de gozarlo — generalmente, cuanto más pronto mejor.

### Se supone que los grandes vinos saben mal cuando están jóvenes

Si este mito fuera cierto, sería muy conveniente para cualquiera que hiciera mal vino. "Es un gran vino", diría el productor. "Se supone que sabe mal cuando está joven".

En el pasado, algunos de los grandes vinos del mundo, como los Burdeos tintos, eran tan duros y tánicos, que realmente no se podían tomar antes de unos decenios. Hace tan poco tiempo como en la vendimia de Burdeos de 1975, algunos coleccionistas creían que el hecho de que los vinos jóvenes no se pudieran tomar era prueba positiva de su longevidad.

Hoy, los vinificadores creen que un gran vino debe estar equilibrado, cuando joven, para que sea luego un vino añejo equilibrado. Aunque los vinos se desprenden de algunos taninos a medida que añejan, los vinos extraordinariamente tánicos, cuando jóvenes, no tienen suficiente fruta para que les dure hasta cuando los taninos se les hayan desvanecido.

Desde luego, el hecho de que un vino esté equilibrado no quiere decir que esté listo para tomarlo. Un gran vino, cuando joven, puede tener muchísimo tanino, junto con su enorme frutalidad. Puede estar equilibrado, incluso estando en embrión. Se puede apreciar el equilibrio del vino cuando está joven; pero, para su verdadera grandeza, le faltan años.

# Parte V
# Apéndices

**La 5ª ola**        **por Rich Tennant**

"ME VOY A TOMAR EL ZINFANDEL DRIBBLE CREEK DEL 85 Y UNA COPA DE VINO BLANCO PARA EL PESCADO — NO DEMASIADO SECO".

## En esta parte...

**A**quí le damos algunas herramientas útiles en el ramo, como un cuadro de vendimias y un listado de todos los vinos que figuran en la famosa clasificación de Burdeos de 1855. Íbamos a incluir un listado de todos los productores de vinos del mundo que hacen Chardonnay, pero no nos quedó espacio.

# Apéndice A

# Clasificación de los grandes cultivos de la Gironda

●●●●●●●●●●●●●●●●●●●●●●●●●●●●●●●●●●●●●●●●●●●●●

(La región de Burdeos, en Francia, queda en el departamento de la Gironda.)

## Cuadro A-1      Vinos del Haut-Médoc: primeros cultivos

| Finca | Comuna | Producción anual promedio (cajas)* |
|---|---|---|
| Château Lafite-Rothschild | Pauillac | 26 000 – 33 000 |
| Château Latour | Pauillac | 20 000 |
| Château Margaux | Margaux | 30 000 – 35 000 |
| Château Haut-Brion** | Pessac (Graves) | 12 000 – 18 000 |

\*   *Una caja son 12 botellas de 750 ml, 6 botellas de 1.5 l*

\*\*   *Este vino, aunque es de Graves, fue reconocido universalmente y clasificado como uno de los cuatro primeros cultivos*

## Cuadro A-2      Vinos del Haut-Médoc: segundos cultivos

| Finca | Comuna | Producción anual promedio (cajas)* |
|---|---|---|
| Château Mouton-Rothschild* | Pauillac | 25 000 – 30 000 |
| Château Rausan-Ségla | Margaux | 15 000 |
| Château Rauzan-Gassies | Margaux | 11 000 |
| Château Léoville-Las Cases | St-Julien | 25 000 |
| Château Léoville-Poyferré | St-Julien | 25 000 |

| Finca | Comuna | Producción anual promedio (cajas) |
|---|---|---|
| Château Léoville-Barton | St-Julien | 20 000 |
| Château Durfort-Vivens | Margaux | 8 000 |
| Château Lascombes | Margaux | 35 000 – 40 000 |
| Château Gruaud-Larose | St-Julien | 32 000 |
| Château Brane-Cantenac | Cantenac-Margaux | 30 000 – 35 000 |
| Château Pichon-Longueville Baron | Pauillac | 14 000 |
| Château Pichon-Lalande | Pauillac | 20 000 – 25 000 |
| Château Ducru-Beaucaillou | St-Julien | 16 500 |
| Château Cos d'Estournel | St-Estèphe | 28 000 – 32 000 |
| Château Montrose | St-Estèphe | 27 000 |

*\* En 1973 se decretó que este vino era de primer cultivo*

## Cuadro A-3    Vinos del Haut-Médoc: terceros cultivos

| Finca | Comuna | Producción anual promedio (cajas) |
|---|---|---|
| Château Giscours | Labarde-Margaux | 30 000 |
| Château Kirwan | Cantenac-Margaux | 8 000 – 12 000 |
| Château d'Issan | Cantenac-Margaux | 10 000 – 12 000 |
| Château Lagrange | St-Julien | 20 000 |
| Château Langoa-Barton | St-Julien | 7 500 |
| Château Malescot St. Exupéry | Margaux | 17 000 |
| Château Cantenac-Brown | Cantenac-Margaux | 15 000 |
| Château Palmer | Cantenac-Margaux | 13 000 |
| Château La Lagune | Ludon (Haut-Médoc) | 25 000 |
| Château Desmirail | Margaux | 4 500 |
| Château Calon-Ségur | St-Estèphe | 20 000 |
| Château Ferrière | Margaux | 3 000 |
| Château Marquis d'Alesme-Becker | Margaux | 5 000 |
| Château Boyd-Cantenac | Cantenac-Margaux | 8 000 |

## Cuadro A-4     Vinos del Haut-Médoc: cuartos cultivos

| *Finca* | *Comuna* | *Producción anual promedio (cajas)* |
|---|---|---|
| Château St.-Pierre | St-Julien | 8 000 |
| Château Branaire-Ducru | St-Julien | 20 000 |
| Château Talbot | St-Julien | 38 000 |
| Château Duhart-Milon-Rothschild | Pauillac | 15 000 – 20 000 |
| Château Pouget | Cantenac-Margaux | 4 500 |
| Château La Tour-Carnet | St. Laurent (Haut-Médoc) | 15 000 |
| Château Lafon-Rochet | St-Estèphe | 12 000 – 14 000 |
| Château Beychevelle | St-Julien | 30 000 |
| Château Prieuré-Lichine | Cantenac-Margaux | 23 000 – 30 000 |
| Château Marquis-de-Terme | Margaux | 12 000 |

## Cuadro A-5     Vinos del Haut-Médoc: quintos cultivos

| *Finca* | *Comuna* | *Producción anual promedio (cajas)* |
|---|---|---|
| Château Pontet-Canet | Pauillac | 25 000 – 40 000 |
| Château Batailley | Pauillac | 23 000 |
| Château Grand-Puy-Lacoste | Pauillac | 13 000 – 14 000 |
| Château Grand-Puy-Ducasse | Pauillac | 18 000 |
| Château Haut-Batailley | Pauillac | 7 500 – 8 500 |
| Château Lynch-Bages | Pauillac | 40 000 – 45 000 |
| Château Lynch-Moussas | Pauillac | 13 000 |
| Château Dauzac | Labarde-Margaux | 20 000 |
| Château Mouton D'Armhailac | Pauillac | 16 000 |
| Château du Tertre | Arsac-Margaux | 18 000 – 20 000 |
| Château Haut-Bages-Libéral | Pauillac | 12 000 |
| Château Pédesclaux | Pauillac | 7 500 |
| Château Belgrave | St. Laurent (Haut-Médoc) | 25 000 |

| Finca | Comuna | Producción anual promedio (cajas) |
|---|---|---|
| Château Camensac | St. Laurent (Haut-Médoc) | 26 000 |
| Château Cos Labory | St-Estèphe | 7 000 |
| Château Clerc-Milon | Pauillac | 10 000 |
| Château Croizet-Bages | Pauillac | 9 500 |
| Château Cantemerle | Macau (Haut-Médoc) | 20 000 |

## Cuadro A-6    Sauternes y Barsac: primer gran cultivo

| Finca | Producción anual promedio (cajas) |
|---|---|
| Château d'Yquem | 5 000 – 6 000 |

## Cuadro A-7    Sauternes y Barsac: primeros cultivos

| Finca | Producción anual promedio (cajas) |
|---|---|
| Château Guiraud | 8 500 |
| Château La Tour Blanche | 4 000 |
| Château Lafaurie-Peyraguey | 5 000 |
| Château de Rayne-Vigneau | 7 500 |
| Château Sigalas-Rabaud | 2 500 |
| Château Rabaud-Promis | 5 000 |
| Clos Haut-Peyraguey | 5 000 |
| Château Coutet | 7 000 |
| Château Climens | 6 000 |
| Château Suduiraut | 8 500 |
| Château Rieussec | 7 000 |

## Cuadro A-8     Sauternes y Barsac: segundos cultivos

| Finca | Producción anual promedio (cajas) |
| --- | --- |
| Château d'Arche | 4 000 |
| Château Filhot | 10 000 |
| Château Lamothe-Despujols* | 1 700 |
| Château Lamothe-Guignard* | 2 900 |
| Château de Myrat** | ** |
| Château Doisy-Védrines | 2 500 |
| Château Doisy-Daëne | 4 200 |
| Château Suau | 1 500 |
| Château Broustet | 2 000 |
| Château Caillou | 4 500 |
| Château Nairac | 2 000 |
| Château de Malle | 1 300 |
| Château Romer du Hayot | 4 200 |

*  El Château Lamothe original se ha dividido en dos fincas.

** Esta finca ha estado inactiva, pero ya está en proceso de replantación.

# Apéndice B

# Cuadro de vendimias: 1975 - 1993

. . . . . . . . . . . . . . . . . . . . . . . . . . . . . . . . . . . . . . . . .

**C**ualquier cuadro de vendimias debe tomarse como una guía aproximada — una calificación general promedio del año de vendimia en una región determinada. Recuerde que muchos vinos siempre pueden ser excepciones a la calificación de la vendimia. Por ejemplo, algunos productores pueden lograr hacer un vino decente — incluso muy bueno — en una de las llamadas *malas* vendimias.

| REGIÓN VINÍCOLA | 1975 | 1976 | 1977 | 1978 | 1979 | 1980 | 1981 | 1982 | 1983 |
|---|---|---|---|---|---|---|---|---|---|
| **Burdeos:** | | | | | | | | | |
| **Médoc, Graves** | 85b | 75c | 70d | 80c | 80c | 75c | 80c | 95b | 85b |
| **Pomerol, St-Emil** | 90c | 80c | 65d | 80c | 80c | 70d | 80c | 95b | 85b |
| **Borgoña:** | | | | | | | | | |
| **Côte de Nuits-tinto** | 50d | 85c | 60d | 90c | 80c | 85c | 65d | 75c | 85b |
| **Côte Beaune-tinto** | 50d | 85d | 55d | 85c | 80c | 80c | 70d | 75d | 80b |
| **Borgoña, blanco** | 65d | 85d | 75d | 90c | 85c | 75d | 85c | 80d | 80d |
| **Valle del Ródano:** | | | | | | | | | |
| **Ródano Norte** | 70d | 80c | 70c | 100b | 85c | 80c | 75d | 85c | 90b |
| **Ródano Sur** | 60d | 70d | 65d | 95b | 85c | 75d | 85c | 70d | 85c |
| **Alsacia** | 80d | 90c | 70d | 75d | 80c | 75d | 85c | 75d | 95c |
| **Champaña** | 85c | 85c | NV | 70d | 85c | NV | 85b | 90c | 80c |
| **Sauternes** | 90b | 85c | 55d | 70c | 75c | 80c | 80c | 70c | 90a |
| **Alemania** | 85c | 90c | 60d | 60d | 80c | 65d | 80c | 75d | 90c |
| **Rioja (España)** | 85c | 80c | 70d | 85c | 75c | 75c | 85c | 90c | 80c |
| **Oporto de vendimia** | 75c | NV | 90a | NV | NV | 80b | NV | 80b | 85b |
| **Italia:** | | | | | | | | | |
| **Piamonte** | 65d | 65d | 65d | 90a | 80c | 75c | 70c | 90b | 75c |
| **Toscana** | 85c | 60d | 85c | 75d | 80c | 70d | 80d | 85c | 80c |
| **California Costa Norte:** | | | | | | | | | |
| **Cabernet Sauvignon** | 85c | 85b | 85c | 85b | 80c | 80c | 75c | 75c | 70d |
| **Chardonnay** | 85d | 80d | 80d | 85d | 80d | 85d | 85d | 75d | 80d |

| REGIÓN VINÍCOLA | 1984 | 1985 | 1986 | 1987 | 1988 | 1989 | 1990 | 1991 | 1992 | 1993 |
|---|---|---|---|---|---|---|---|---|---|---|
| **Burdeos:** | | | | | | | | | | |
| **Médoc, Graves** | 70c | 90b | 90a | 75c | 85a | 90a | 95a | 75b | 75b | 80a |
| **Pomerol, St-Emil** | 65d | 85b | 85a | 75c | 85a | 90a | 95a | 65c | 75b | 80a |
| **Borgoña:** | | | | | | | | | | |
| **Côte de Nuits-tinto** | 75c | 85c | 75d | 85c | 90b | 85b | 95a | 85a | 75b | 85a |
| **Côte Beaune-tinto** | 70d | 85c | 70d | 80d | 90b | 85b | 90b | 70b | 80b | 85a |
| **Borgoña, blanco** | 75d | 85c | 90c | 80c | 80c | 90b | 85c | 70c | 90b | 70c |
| **Valle del Ródano:** | | | | | | | | | | |
| **Ródano Norte** | 75c | 90c | 80b | 75c | 90c | 90b | 90a | 90b | 75c | 65c |
| **Ródano Sur** | 70d | 80c | 75c | 60d | 85c | 95a | 95b | 70c | 75c | 80b |
| **Alsacia** | 70d | 90b | 80c | 75c | 85c | 95b | 95b | 75c | 85b | 80b |
| **Champaña** | NV | 85b | 80b | NV | 85b | 90b | 95a | NV | NV | NV |
| **Sauternes** | 70c | 80c | 90a | 70c | 95a | 90b | 95a | 70c | 70c | 65c |
| **Alemania** | 65d | 85c | 75c | 65c | 85c | 90b | 95b | 80c | 85c | 85c |
| **Rioja (España)** | 70c | 80c | 80c | 80c | 85b | 90b | 85b | 75c | 85b | 85b |
| **Oporto de vendimia** | NV | 90a | NV | NV | NV | NV | NV | 90a | 95a | NV |
| **Italia:** | | | | | | | | | | |
| **Piamonte** | 65d | 95b | 85c | 80c | 90a | 95a | 95a | 75c | 70c | 85b |
| **Toscana** | 60d | 95c | 85c | 75c | 90a | 70c | 90b | 75c | 70c | 75c |
| **California Costa Norte:** | | | | | | | | | | |
| **Cabernet Sauvignon** | 85c | 90b | 80c | 85c | 75c | 80b | 95b | 90a | 90b | 90a |
| **Chardonnay** | 80d | 85c | 90c | 75d | 85c | 75d | 90c | 85c | 90c | 90b |

Clave:
100 = sobresaliente    75 = promedio   a = demasiado joven para tomarlo
95 = excelente    70 = mediocre   b = puede tomarse ya, pero mejorará con el tiempo
90 = muy bueno    65 = malo   c = listo para tomarlo
85 = bueno    50-60 = muy malo   d = puede estar demasiado viejo
80 = bastante bueno    NV = año sin vendimia declarada

| REGIÓN VINÍCOLA | Grandes vendimias de pasado reciente |
|---|---|
| **Burdeos:** | |
| **Médoc, Graves** | 1959, 1961, 1970 |
| **Pomerol, St-Emil** | 1961, 1964, 1970 |

| | |
|---|---|
| **Borgoña** | |
| **Côte de Nuits-tinto** | 1959, 1964, 1969, 1972 |
| **Côte Beaune-tinto** | 1959, 1969 |
| **Borgoña, blanco** | 1962, 1966, 1969, 1973 |

| | |
|---|---|
| **Valle del Ródano** | |
| **Ródano Norte** | 1959, 1961, 1966, 1969, 1970 y 1972 (Hermitage) |
| **Ródano Sur** | 1961, 1967, 1971 |
| **Alsacia** | 1959, 1961, 1967, 1971 |
| **Champaña** | 1964, 1969, 1971 |
| **Sauternes** | 1959, 1962, 1967 |
| **Alemania** | 1959, 1971 |
| **Rioja (España)** | 1964, 1970 |
| **Oporto de vendimia** | 1963, 1966, 1970 |

| | |
|---|---|
| **Italia** | |
| **Piamonte** | 1964, 1971 |
| **Toscana** | 1967, 1970 (Brunello di Montalcino), 1971 |

| | |
|---|---|
| **California Costa Norte** | |
| **Cabernet Sauvignon** | 1951, 1958, 1968, 1970, 1974 |
| **Chardonnay** | — |

# Índice

● **N** ●

# • S •

**• Y •**

**• Z •**